Diagnostyka samochodów osobowych

Krzysztof Trzeciak

Diagnostyka samochodów osobowych

Wydanie ósme uaktualnione

Wydawnictwa Komunikacji i Łączności
Warszawa

Zdjęcia nr: 1.4; 2.1; 3.6; 4.4; 4.5; 4.11; 4.30a÷f; 7.1; 8.2; 8.29; 10.2; 12.1
wykonał *Krzysztof Trzeciak*

Projekt okładki: *Dariusz Litwiniec*
Projekt wnętrza książki: Tadeusz Pietrzyk
Redaktor merytoryczny: *inż. Barbara Akszak-Okińczyc, mgr inż. Jolanta Horeczy*
Redakcja techniczna i korekta: *Maria Łakomy*

629.113.001.4

W książce omówiono diagnostykę wszystkich zespołów, podzespołów i układów samochodów osobowych. Opisano sposoby diagnostyki w warunkach stacji obsługi i w warunkach przeciętnego użytkownika samochodu. Czynności diagnostyczne oznaczono piktogramami określającymi trudność opisywanych prac.
Odbiorcy: pracownicy zaplecza technicznego motoryzacji, uczniowie szkół samochodowych, użytkownicy samochodów osobowych o pewnym przygotowaniu technicznym.

ISBN 978-83-206-1773-3

© Copyright by Wydawnictwa Komunikacji i Łączności sp. z o.o.

Warszawa 1991, 2013

Wydawnictwa Komunikacji i Łączności sp. z o.o.
ul. Kazimierzowska 52, 02-546 Warszawa
tel. 22-849-27-51; fax 22-849-23-22
Dział handlowy tel./fax 22-849-23-45
tel. 22-849-27-51 w. 555
Prowadzimy sprzedaż wysyłkową książek
Księgarnia firmowa w siedzibie wydawnictwa
tel. 22-849-20-32, czynna pon.–pt. godz. 10.00–18.00
e-mail: wkl@wkl.com.pl
Pełna oferta WKŁ w INTERNECIE http://www.wkl.com.pl

Wydanie 8 uaktualnione (dodruk). Warszawa 2013

Druk i oprawa: Drukarnia TREND
e-mail: drukarniatrend@wp.pl

SPIS TREŚCI

WSTĘP

Samochód osobowy, dzięki masowej produkcji i powszechnej dostępności, stał się tym produktem cywilizacji technicznej, z którym człowiek styka się najczęściej bądź bezpośrednio jako czynny użytkownik, bądź jako bierny odbiorca skutków oddziaływania motoryzacji na otoczenie. Jest rzeczą oczywistą, że za rozwojem motoryzacji powinna nadążać wiedza o budowie samochodu, a przede wszystkim o zasadach poprawnej eksploatacji oraz o sposobach rozpoznawania jego stanu technicznego. Zdobycie tej wiedzy jest nieodzownym warunkiem utrzymania na wymaganym poziomie takich parametrów eksploatacyjnych samochodu, jak prędkość, przyspieszenie, zużycie paliwa, niezawodność pracy, a także zachowania bezpieczeństwa jazdy i ograniczenia uciążliwości stwarzanej dla otoczenia.

Celem niniejszej książki jest dostarczenie Czytelnikom podstawowej wiedzy z zakresu ogólnej diagnostyki samochodu osobowego, opracowanej w sposób w miarę wyczerpujący i z uwzględnieniem możliwości jej praktycznego wykorzystania. Książka ma służyć pomocą zarówno osobom zawodowo zajmującym się diagnostyką pojazdów, jak i użytkownikom samochodów, o pewnych ambicjach technicznych, w sprawnym oraz skutecznym przeprowadzaniu badań diagnostycznych, których zadaniem jest zapewnienie bezawaryjnej i bezpiecznej eksploatacji pojazdu.

Układ książki jest tak pomyślany, że w każdym jej rozdziale, poświęconym poszczególnym zespołom samochodu, podano w sposób wyodrębniony: krótki opis budowy i funkcjonowania badanego zespołu, metodykę badań przedstawioną w układzie technologicznym, opis budowy i obsługi zastosowanych przyrządów diagnostycznych oraz kryteria oceny wyników pomiarów. W zakończeniu książki zostały przytoczone ogólne wskazówki dotyczące organizacji i wyposażenia stanowiska diagnostycznego zarówno w stacjach obsługi, jak i w warunkach garażowych.

W celu ułatwienia zapoznawania się z interesującą Czytelnika partią tekstu, każda opisana metoda pomiaru lub badania została zaopatrzona w znak graficzny informujący, jakie umiejętności i warunki techniczne są potrzebne do wykonania czynności diagnostycznych.

7

Poszczególne znaki (piktogramy) mają następujące znaczenie:

 **A** do wykonania pomiarów lub badania będą potrzebne narzędzia pochodzące z fabrycznego wyposażenia samochodu oraz ogólnie dostępne narzędzia i przyrządy, podane w zestawie I (str. 360); wystarczą umiejętności przeprowadzania podstawowej obsługi samochodów;

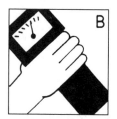 **B** do wykonania pomiarów lub badania będą potrzebne narzędzia i przyrządy z zestawu I oraz dodatkowy, zakupiony lub samodzielnie wykonany, sprzęt pomiarowy podany w zestawie II (str. 360-363); niezbędna jest znajomość budowy i funkcjonowania poszczególnych zespołów samochodu oraz umiejętność posługiwania się przyrządami pomiarowymi;

 **C** do wykonania badań będą potrzebne specjalistyczne przyrządy diagnostyczne; wymagana jest umiejętność ich obsługiwania oraz gruntowna znajomość podstaw diagnostyki samochodowej.

1. OGLĘDZINY SAMOCHODU I KONTROLA WŁASNOŚCI RUCHOWYCH

1.1. OGLĘDZINY ZEWNĘTRZNE

Oględziny zewnętrzne są pierwszym i najprostszym do wykonania etapem ogólnej diagnostyki samochodu. Odbywają się bez użycia jakichkolwiek przyrządów i narzędzi, a informacji o stanie technicznym pojazdu dostarczają wnioski wyciągane z obserwacji objawów pracy poszczególnych jego zespołów. Wyniki oględzin oraz jazdy próbnej pozwalają wstępnie określić nie tylko charakter niesprawności, ale również potrzebę i zakres ewentualnej naprawy. Warunkiem trafności wyników jest dokładna znajomość teoretyczna oraz praktyczna budowy i działania mechanizmów samochodu. Badanie ma charakter subiektywny, ponieważ jest oparte na wrażeniach zmysłowych dokonującego oględzin oraz jego przygotowaniu fachowym. Stąd też, jeżeli podczas próby samochodu powstaną wątpliwości w sformułowaniu oceny, należy – w celu uzyskania jednoznacznego wyniku przeprowadzić dalsze badania na stanowisku diagnostycznym z użyciem specjalnych przyrządów pomiarowo-kontrolnych.

Wskazówki zawarte w tym rozdziale mogą być również pomocne użytkownikom samochodów w samodzielnym prowadzeniu stałej obserwacji działania zespołów samochodu. Wykrycie w porę powstałej usterki daje możliwość uniknięcia większej i kosztowniejszej naprawy.

Samochód należy oglądać przy dobrym oświetleniu dziennym lub sztucznym, poddając przeglądowi kolejno następujące zespoły.

Nadwozie

Oględziny nadwozia polegają głównie na wyszukaniu miejsc rozpoczynającego się lub trwającego procesu korozji, a po jego zlokalizowaniu – na określeniu stopnia skorodowania blach.

W wielu samochodach są miejsca charakteryzujące się skłonnością do przyspieszonego korodowania (rys. 1.1). Zwykle są to: dolne części drzwi, progi, dolne części słupków drzwiowych, miejsca przykryte listwami ozdobnymi, podłoga pod dywanikami, obrzeża błotników oraz te miejsca wewnątrz błotników, które stykają się z uszczelkami przegród. Objawy, według których uznaje się stopień skorodowania za niedopuszczalny, podano w rozdziale 9.1.

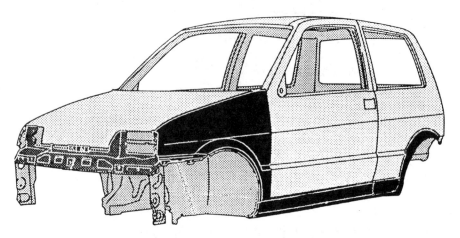

Rys. 1.1. Miejsca nadwozia narażone na korozję w samochodzie Cinquecento

Na podstawie tych objawów należy podjąć decyzję co do celowości dalszego użytkowania pojazdu. Zewnętrzne oględziny powinny dać również odpowiedź na pytanie, czy stan techniczny nadwozia i jego wyposażenie nie stwarzają zagrożenia dla bezpieczeństwa ruchu.

Silnik

Pierwszą czynnością jest sprawdzenie ilości oleju w misce olejowej silnika. Odczytu dokonuje się po drugim wyjęciu, wcześniej wytartej do sucha, miarki poziomu oleju. Poziom ten powinien znajdować się między kreskami MIN i MAX (rys. 1.2). Stopniowe zmniejszanie się ilości oleju jest zjawiskiem normalnym, jeżeli nie przekracza ok. 0,5 dm^3 na 1000 km przebiegu. Wartość ta odnosi się do średnich parametrów eksploatacyjnych (temperatury otoczenia, prędkości jazdy, częstości uruchomień) oraz dotartego już silnika, którego przebieg nie jest większy niż 60 000 km.

W miarę dalszego wzrostu przebiegu samochodu zużycie oleju stopniowo wzrasta, nawet do l dm^3 na 1000 km. Zbyt szybkie ubywanie oleju z miski olejowej świadczy o nieszczelności w silniku, a jeżeli towarzyszy mu dodatkowo niebieska barwa spalin – o nadmiernym spalaniu oleju (wskutek przyspieszonego zużycia tulei cylindrowych, pierścieni tłokowych lub prowadnic zaworów). Najłatwiej jest wykryć nieszczelności sprawdzając, czy kadłub, głowica, pokrywa rozrządu i miska olejowa nie mają śladów wycieku oleju (rys. 1.3). W celu właściwej oceny intensywności wycieków należy wytrzeć zaolejone powierzchnie i ponownie je sprawdzić po jeździe próbnej.

Niepożądanym zjawiskiem, może nawet niebezpieczniejszym, jest zwiększanie objętości oleju, ponieważ świadczy o przedostawaniu się do miski olejowej paliwa bądź cieczy chłodzącej. Prowadzi to do rozcieńczenia oleju, a w rezultacie do przyspieszonego zużycia niedostatecznie smarowanych elementów silnika. Obecność benzyny w oleju jest wynikiem uszkodzenia pompy paliwa (nieszczelna przepona), nieprawidłowego działania gaźnika, lub – co zda-

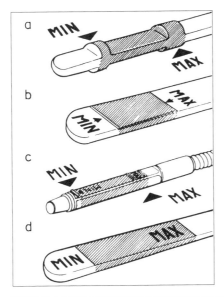

Rys. 1.2. Przykłady końcówek miarek poziomu oleju w silniku
Różnica między stanem minimalnym a maksymalnym na mierniku odpowiada objętości ok. 0,75...1 dm³ oleju w misce

rza się najczęściej – zbyt częstego i długotrwałego włączania urządzenia rozruchowego. Ciecz chłodząca może przedostać się do układu smarowania poprzez uszkodzoną uszczelkę głowicy bądź, rzadziej spotykane, pęknięte ścianki głowicy lub kadłuba.

Uszkodzeniom uszczelki głowicy zarówno w silnikach chłodzonych cieczą, jak i powietrzem towarzyszą takie dodatkowe objawy, jak: utrudniony rozruch,

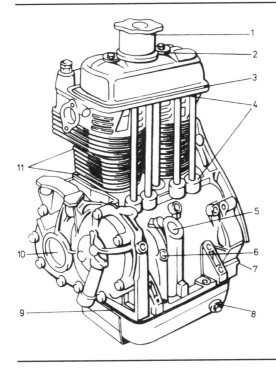

Rys. 1.3. Miejsca ewentualnych wycieków oleju z silnika samochodu Fiat 126
1 – spod korka wlewu oleju, 2 – spod nakrętek mocujących pokrywę zaworów. 3 – spod pokrywy zaworów, 4 – spod oslon popychaczy zaworów, 5 – spod aparatu zapłonowego, 6 – spod miarki oleju, 7 – spod tylnego uszczelniacza wału korbowego, 8 – spod korka spustu oleju, 9 – spod uszczelki miski olejowej, 10 – spod odśrodkowego filtru oleju lub spod przedniego uszczelniacza walu korbowego, 11 – spod cylindrów

11

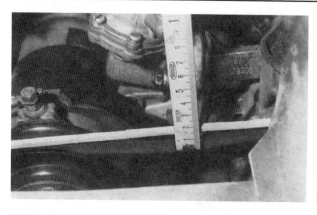

Rys. 1.4. Sprawdzanie
naciągu paska klinowego

charakterystyczny gwizd podczas pracy, nierównomierny bieg jałowy lub spadek mocy. W silnikach chłodzonych cieczą o istnieniu nieszczelności między głowicą a kadłubem świadczą również pęcherzyki gazu wydostające się na powierzchnię cieczy podczas pracy silnika. Ustalenie przyczyny zbyt wysokiego poziomu oleju jest dość proste. Jeżeli po wyjęciu miarki z otworu będzie rozchodził się silny zapach benzyny, a ponadto na miarce nie będzie można jednoznacznie określić wyraźnej granicy poziomu oleju, oznacza to, że do miski olejowej przedostała się znaczna ilość paliwa. Jeśli natomiast olej na miarce będzie miał postać emulsji o barwie mleczno-kakaowej, świadczy to o przedostaniu się cieczy chłodzącej do miski olejowej.

Następną czynnością jest sprawdzenie poziomu cieczy chłodzącej w chłodnicy i w zbiorniku wyrównawczym. Zbyt niski poziom, wymagający częstego uzupełnienia, wskazuje na uszkodzenie w silniku, o czym już była mowa, lub na nieszczelność w układzie chłodzenia. Aby ją zlokalizować, należy dokładnie obejrzeć chłodnicę, nagrzewnicę oraz złącza przewodów przenoszących ciecz chłodzącą.

Do niedostatecznego chłodzenia silnika może się przyczynić zbyt mały naciąg paska klinowego napędzającego wentylator lub pompę wody.

Aby sprawdzić naciąg paska, należy palcem ręki nacisnąć na pasek w środku jego rozpiętości (rys. 1.4). Wartość ugięcia paska powinna mieścić się w granicach 10...15 mm. W ten sam sposób sprawdza się pasek napędzający prądnicę lub alternator.

Dalszej kontroli szczelności należy poddać układ zasilania, sprawdzając pewność połączeń oraz szukając ewentualnych śladów wycieku paliwa na gaźniku i pompie paliwa (rys. 1.5). Benzyna na korpusie gaźnika świadczy zwykle o zbyt wysokim poziomie paliwa w komorze pływakowej lub o uszkodzeniu uszczelki pod pokrywą komory.

W niektórych pompach paliwa w dolnej części korpusu znajduje się otwór ściekowy. Pojawienie się w nim wycieku paliwa wskazuje na nieszczelność przepony lub połączenia z układem napędowym. Jeżeli w korpusie pompy nie ma otworka ściekowego, może dojść, w przypadku uszkodzenia przepony, do rozcieńczenia oleju benzyną przedostającą się do miski olejowej. Jeżeli przewo-

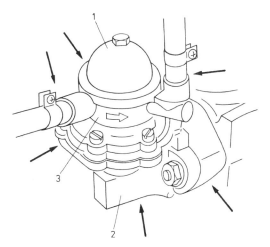

Rys. 1.5. Miejsca możliwych wycieków benzyny z pompy paliwa
1 – osadnik, 2 – głowica, 3 – kadłub

dy paliwa lub odstojnik pompy są wykonane z przezroczystego materiału, można sprawdzić, czy układ zasilania nie jest zapowietrzony. Zaobserwowane podczas pracy silnika pęcherzyki powietrza w przypływającym paliwie będą wskazywały na nieszczelność części ssącej pompy lub elementów układu zasilania znajdujących się między pompą a zbiornikiem.

Obserwacja zjawisk i odgłosów towarzyszących pracy silnika pozwala określić stopień zużycia poszczególnych jego mechanizmów i osprzętu. Już łatwość uruchamiania silnika świadczy o jego dobrym stanie, a także o sprawności rozrusznika, układu zapłonowego i akumulatora. Podczas włączania rozrusznika zębnik powinien zazębiać się i wyzębiać bez zgrzytów. Jeżeli rozrusznik nie obraca wału korbowego silnika lub obraca go zbyt wolno nie powodując uruchomienia, należy wykonać dodatkową próbę w celu wstępnego określenia przyczyny niedomagania. Przed rozpoczęciem próby należy włączyć światła drogowe i zwrócić uwagę na jasność ich świecenia. Jeśli światła drogowe świecą się słabo, a włączenie rozrusznika spowoduje ich znaczne przygaszenie, należy wnioskować o złym stanie akumulatora. Jeżeli reflektory dają dobre światło, a dopiero włączenie rozrusznika spowoduje ich przygaszenie, usterki należy szukać w rozruszniku. Choć nie tylko, bowiem taki objaw dają albo niedokładne połączenia elektryczne między akumulatorem i rozrusznikiem, albo między tymi zespołami a masą, ale wówczas byłoby słyszalne zazębianie się zębnika w rozruszniku z kołem zamachowym bez próby obrócenia nim.

Czynnością kończącą oględziny zewnętrzne silnika jest osłuchanie go podczas pracy. Osłuchiwanie może być wykonywane bez żadnych przyrządów, choć lepsze rezultaty uzyska się stosując stetoskop lub na przykład krótki odcinek rury elastycznej. Do interpretacji słyszanych odgłosów jest jednak potrzebna znajomość budowy danego silnika oraz wprawa w rozróżnianiu wśród ogólnego hałasu tych dźwięków, które są charakterystyczne dla różnych uszkodzeń.

W tablicy 1–1 zestawiono przykłady odgłosów, jakie towarzyszą typowym uszkodzeniom silnika samochodu Fiat 126, a na rysunku 1.6 pokazano obsza-

13

Ocena stanu technicznego silnika na podstawie osłuchania
(na przykładzie samochodu Fiat 126)

Rodzaj hałasu	Przyczyna hałasu
1	2
1. Regularny stuk metaliczny („klepanie").	Nadmierne luzy zaworów. Pęknięta sprężyna zaworu.
2. Głośne wydostawanie się („strzelanie") pulsującego strumienia spalin przez śrubę z otworem.	Uszkodzona uszczelka głowicy.
3. Regularny metaliczny stuk.	Duży luz sworzni tłokowych. Zużyty cylinder i tłok (stuk dobrze słyszalny przy gwałtownym zwiększeniu prędkości obrotowej).
4. Metaliczny stuk o ostrym brzmieniu.	Nadmierny luz łożyskowania korbowodu (natężenie dźwięku narastające przy zwiększeniu prędkości obrotowej). Nadmierny luz łożyskowania wałka rozrządu.
5. Regularny stuk o niskim, głuchym tonie, nasila się przy gwałtownym zwiększeniu prędkości obrotowej.	Duże luzy w łożyskach głównych wału korbowego.
6. Dźwięk ciągły, przypominający grzechot.	Nadmiernie zużyty łańcuch rozrządu ociera się o wewnętrzne powierzchnie pokrywy.

ry podlegające osłuchiwaniu. Badanie przeprowadza się po nagrzaniu silnika do normalnej temperatury pracy i po sprawdzeniu poprawności mocowania poszczególnych elementów osprzętu silnika w celu wyeliminowania dodatkowych źródeł hałasu.

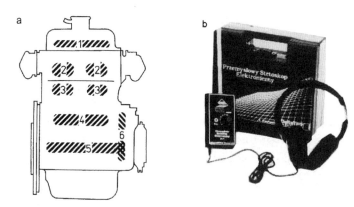

Rys. 1.6. Obszary osłuchiwania silnika samochodu Fiat 126 (a) oraz stetoskop elektroniczny PS-7 firmy Delta Tech Electronics z Jasła z możliwością nagrywania na magnetofon badanych efektów dźwiękowych (b)
Badanie silnika należy wykonywać przy prędkości obrotowej ok. 900 obr/min

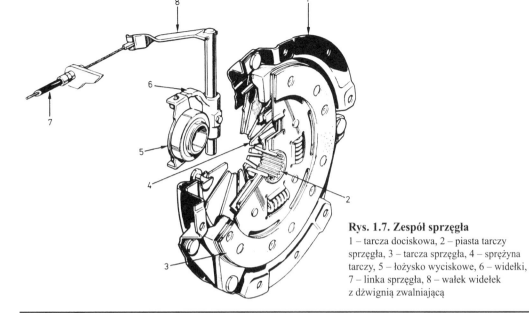

Rys. 1.7. Zespół sprzęgła
1 – tarcza dociskowa, 2 – piasta tarczy
sprzęgła, 3 – tarcza sprzęgła, 4 – sprężyna
tarczy, 5 – łożysko wyciskowe, 6 – widełki,
7 – linka sprzęgła, 8 – wałek widełek
z dźwignią zwalniającą

Układ przeniesienia napędu

Pierwszą próbą jest sprawdzenie skoku jałowego pedału sprzęgła, tj. drogi jaką wykonuje pedał zanim łożysko wyciskowe zostanie dosunięte do dźwigienek lub centralnej sprężyny tarczowej. Badanie przeprowadza się przy pracującym silniku na postoju, wciskając pedał sprzęgła do wyczucia lekkiego oporu. Ruch jałowy pedału powinien wynosić 10...40 mm. Wciskaniu i zwalnianiu pedału sprzęgła nie powinny towarzyszyć żadne dźwięki. Jeżeli pracy włączonego lub wyłączonego sprzęgła będzie towarzyszył hałas, to najczęściej jest spowodowany zużyciem lub uszkodzeniem współpracujących elementów (rys. 1.7, por. tabl. 1–3). Włączanie biegów przy wciśniętym pedale sprzęgła powinno odbywać się płynnie i bez zgrzytów. Wystąpienie hałasu świadczy o niecałkowitym wyłączeniu sprzęgła.

Oględziny skrzynki biegów oraz przekładni głównej polegają na sprawdzeniu, czy nie są widoczne pęknięcia obudowy lub wycieki oleju. Dokładniejszą kontrolę działania układu napędowego będzie można przeprowadzić dopiero podczas jazdy próbnej.

Zawieszenie i układ kierowniczy

Badanie należy rozpocząć od sprawdzenia stanu wszystkich kół jezdnych w samochodzie. Oględzinom poddaje się tarcze kół, gniazda nakrętek lub śrub mocujących koło oraz opony. Niedopuszczalne są skrzywienia i pęknięcia tarczy. Tarczę należy wymienić na nową, jeśli zniekształcenia lub pęknięcia stwierdzi się nawet w gniazdach nakrętek (lub śrub).

W oponach sprawdza się stopień i rodzaj zużycia bieżnika. Głębokość rzeźby bieżnika nie może być mniejsza niż 1,5 mm. O osiągnięciu tej granicy

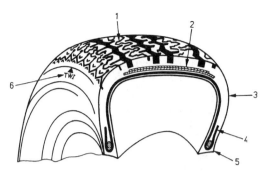

Rys. 1.8. Miejsca ewentualnych uszkodzeń opony
Opis w tekście

informuje pojawienie się dna bieżnika w miejscach umieszczenia tzw. wskaźników maksymalnego zużycia, rozmieszczonych na obwodzie opony i oznaczonych na jej boku znakiem TWI (6, rys. 1.8). Sprawdzając opony należy ponadto zwrócić uwagę na stan elementów, z których są zbudowane. Nie wolno kontynuować jazdy na oponach, w których jest popękana tkanina kordowa (4), co można rozpoznać po miejscowym wybrzuszeniu gumy lub wypchnięciu nitek kordu, w której są pęknięcia na boku opony (3), ubytki gumy w czole bieżnika (1), zdeformowany lub przełamany drut w kordzie stalowym (2) lub mechanicznie uszkodzone obrzeże stopki (5). Rodzaj zużycia bieżnika dostarcza pierwszych informacji o stanie zawieszenia oraz ustawieniu kół. W tablicy 1–2 zestawiono typowe przykłady nieprawidłowych zużyć bieżnika opon oraz ich możliwe przyczyny.

Podczas zakładania nowych opon należy pamiętać o obowiązujących przepisach, które wymagają, aby koła jednej osi miały jednakowe konstrukcyjnie opony i by opony diagonalne nie były montowane na osi tylnej, jeśli na przednią są przewidziane opony radialne. Ze względu na bezpieczeństwo jazdy zaleca się również, aby opony założone na tej samej osi miały jednakową rzeźbę bieżnika, o równym stopniu zużycia oraz pochodziły z tej samej wytwórni.

Sprawdzenie elementów zawieszenia i układu kierowniczego wymaga zajrzenia pod spód samochodu. Należy ocenić stan wahaczy, elementów sprężystych, drążków kierowniczych i reakcyjnych, stabilizatora i amortyzatorów, zarówno dla przedniego, jak i tylnego zawieszenia (rys. 1.9). Wahacze i sprężyny nie mogą być pęknięte i odkształcone, a w miejscach mocowania nie powinno być luzów. Niedopuszczalne są braki śrub, nakrętek, zawleczek i zderzaków gumowych. Drążki kierownicze nie mogą być zgięte, a osłony gumowe ich przegubów popękane.

Jednoznaczną ocenę sprawności układu kierowniczego uzyska się sprawdzając jałowy ruch koła kierownicy. Kontrola polega na obracaniu kierownicy w obie strony do wyczuwalnego oporu w ten sposób, aby nie powodować skręcenia kół przednich, które powinny być ustawione, jak do jazdy na wprost. Jeśli ten jałowy obrót koła kierownicy przekracza szerokość dłoni, to w układzie kierowniczym są zbyt duże luzy, nie pozwalające na bezpieczną jazdę samochodem (rys. 1.10).

Przykłady nieprawidłowego zużywania się opon oraz ich przyczyny

Sposób zużywania się opon		Przyczyna
1		2
I	Prawidłowe zużycie opony. Brak schodków między sąsiednimi pasami rzeźby bieżnika.	
II	Zwiększone zużycie zewnętrznych pasów rzeźby bieżnika (widok na prawe koło z tyłu).	Zbyt duża dodatnia zbieżność kół. Wada trapezu kierowniczego. Skośnie ustawiona oś tylna.
III	Zwiększone zużycie wewnętrznych pasów rzeźby bieżnika; zewnętrzna krawędź każdego pasa jest wyższa niż wewnętrzna (widok na prawe koło z tyłu).	Zbyt duża ujemna zbieżność (rozbieżność kół). Wada trapezu kierowniczego. Skośnie ustawiona oś tylna.
IV	Znaczne zużycie wewnętrznych pasów rzeźby bieżnika; między wewnętrznymi pasami tworzą się schodki, podczas gdy zewnętrzne pasy zużywają się równomiernie (widok na prawe koło z tyłu).	Ujemne pochylenie koła.
V	Znaczne zużycie zewnętrznych pasów rzeźby bieżnika; różnica w zużyciu zewnętrznej i wewnętrznej krawędzi pasa (widok na prawe koło z tyłu).	Zbyt duże dodatnie pochylenie koła.

1		2
VI	Szybkie zużywanie się środkowych pasów rzeźby bieżnika.	Zbyt wysokie ciśnienie powietrza w ogumieniu.
VII	Szybkie zużywanie się bocznych pasów rzeźby bieżnika; środkowy pas wystaje.	Zbyt niskie ciśnienie powietrza w ogumieniu.
VIII	Miejscowe zużycie bieżnika, równomiernie rozmieszczone na obwodzie; zaczynają pojawiać się na pasach bocznych, a następnie obejmują środkowy pas rzeźby.	Niewyważenie koła przekracza dopuszczalne granice. Znaczne bicie koła. Wadliwie działający amortyzator.
IX	Miejscowe, nierównomierne „miseczkowanie" rzeźby bieżnika.	Trzepotanie kół z powodu: luzów w układzie kierowniczym, luzów w łożyskach koła, wyrobionych otworów do mocowania w tarczy koła, nie dokręconej nakrętki tarczy koła.

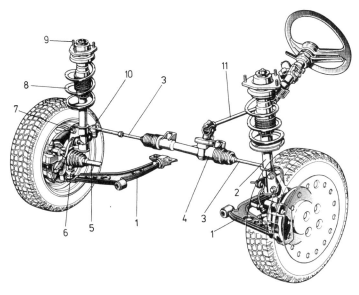

Rys. 1.9. Elementy przedniego zawieszenia i układu kierowniczego

1 – wahacz przedni, 2 – kolumna Mac Pherson, 3 – drążek kierowniczy, 4 – przekladnia kierownicza,
5 – półoś, 6 – przegub kulowy łączący wahacz ze zwrotnicą, 7 – śruby mocujące kolumnę zawieszenia
do zwrotnicy, 8 – sprężyna zawieszenia przedniego, 9 – śruby mocowania górnego kolumny zawieszenia,
10 – przegub kulowy układu kierowniczego, 11 – kolumna kierownicy

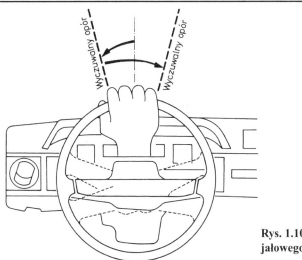

Rys. 1.10. Sprawdzanie ruchu
jałowego koła kierownicy

W celu sprawdzenia działania amortyzatorów należy rozkołysać nadwozie
kolejno nad każdym kołem jezdnym. Sprawny amortyzator powinien stłumić
rozkołysanie nadwozia po dwóch, najwyżej trzech wahnięciach.

Układ hamulcowy

Pierwszą czynnością oględzin zewnętrznych układu hamulcowego jest sprawdzenie jego szczelności. Najprostszym sposobem wykrycia nieszczelności jest

19

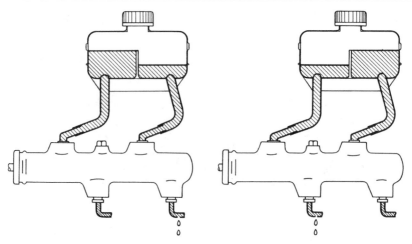

Rys. 1.11. Obniżanie się poziomu płynu hamulcowego w jednej z komór zbiorniczka, świadczące o nieszczelności w obwodzie układu hamulcowego

częste sprawdzanie poziomu płynu hamulcowego w zbiorniku. Poziom płynu powinien znajdować się między dwiema kreskami oznaczonymi MIN oraz MAX i nie może w czasie eksploatacji samochodu zbyt szybko opadać. W przypadku hamulców tarczowych dopuszcza się stopniowe obniżanie się poziomu płynu w zbiorniczku, ponieważ jest to zjawisko normalne, związane ze stopniowym zużywaniem się okładzin klocków hamulcowych.

W układach hamulcowych sterowanych dwuobwodowo są albo dwa oddzielne zbiorniczki płynu hamulcowego, albo jeden zbiorniczek przedzielony na dwie komory. Sprawdzając poziom płynu hamulcowego w takich zbiorniczkach, należy dodatkowo zwrócić uwagę, czy poziomy płynu są jednakowe w obu obwodach hamulcowych (rys. 1.11). Producenci niektórych pojazdów montują w zbiorniczkach urządzenia stale kontrolujące poziom płynu hamulcowego, które sygnalizują na tablicy wskaźników nadmierny jego ubytek (rys. 1.12).

W przypadku stwierdzenia szybkiego ubywania płynu hamulcowego ze zbiorniczka należy ustalić miejsce wycieku. Rozpoznaje się je po ciemnych, wilgotnych plamach widocznych na powierzchni przewodów hamulcowych, ich gwintowanych połączeń oraz na korpusie pompy hamulcowej. Nieszczelność cylinderka hamulcowego objawia się wyciekiem płynu spod bębna hamulcowego na oponę po wewnętrznej stronie koła.

Po dokonaniu oględzin należy kilkakrotnie nacisnąć nogą na pedał hamulca i przytrzymać. Jeżeli wyczuje się pod nogą powolne opadanie pedału, będzie to świadczyło o istnieniu nieszczelności w układzie lub niesprawności pompy hamulcowej. Inny objaw, jak sprężynowanie pedału hamulca i unoszenie się go do góry, będzie wskazywał na zapowietrzenie układu hamulcowego.

Kontrola hamulca awaryjnego polega na zaciągnięciu ręcznej dźwigni hamulca do oporu. Przy takim położeniu dźwigni próba ruszenia samochodem na przykład na drugim biegu powinna być nieudana. Dźwignia powinna się ustawić w położeniu stanowiącym 1/3...2/3 całkowitego możliwego skoku dźwigni.

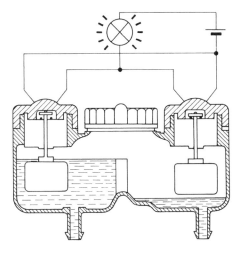

Rys. 1.12. Schemat urządzenia stale kontrolującego poziom płynu hamulcowego

Gdy poziom płynu w jednej z komór zbiorniczka opadnie poniżej minimalnego, na tablicy rozdzielczej świeci się lampka kontrolna

Wyposażenie elektryczne

Elementami wyposażenia elektrycznego, których działanie można sprawdzić na postoju samochodu są wszystkie światła zewnętrzne, tj. światła pozycyjne, mijania, drogowe, hamowania „stop", oświetlenia tablicy rejestracyjnej, cofania, przeciwmgłowe oraz kierunkowskazy. Zaświecenie i gaśnięcie kierunkowskazów przednich powinno następować w jednej fazie z tylnymi, z równomierną częstotliwością wynoszącą 90 ± 30 cykli na minutę.

Oględziny powinny objąć również akumulator, którego stan techniczny ma decydujący wpływ na działanie podczas postoju wszystkich odbiorników prądu, a także, co jest najważniejsze, na łatwość uruchamiania silnika. Wykorzystując z reguły wygodny dostęp do akumulatora sprawdza się, czy nie ma wycieków elektrolitu wskazujących na pęknięcie obudowy, czy na pokrywie nie nagromadziły się zanieczyszczenia, które mogą przyczynić się do powolnego samowyładowania akumulatora, czy korki ogniw mają drożne otwory wentylacyjne oraz czy końcówki biegunowe są czyste i trwale umocowane do mostków (rys. 1.13). Poziom elektrolitu sprawdza się osobno w każdej celi aku-

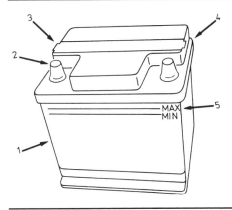

Rys. 1.13. Miejsca oględzin akumulatora podczas sprawdzania jego stanu technicznego

1 – obudowa, 2 – końcówki biegunowe, 3 – korki ogniw pod pokrywą, 4 – wieczko, 5 – poziom elektrolitu

mulatora. W akumulatorach z obudową przezroczystą powinien znajdować się między dwiema kreskami oznaczającymi poziomy minimalny i maksymalny. W akumulatorach z obudową ebonitową poziom elektrolitu powinien sięgać do wysokości 10...15 mm powyżej górnej krawędzi płyty ogniwowej. Elektrolit uzupełnia się wyłącznie wodą destylowaną lub tzw. akumulatorową.

1.2. JAZDA PRÓBNA

W celu uzyskania pełnej informacji o stanie technicznym samochodu konieczne jest, poza oględzinami zewnętrznymi, wykonanie jazdy próbnej na odcinku kilku kilometrów. Próba powinna odbywać się na drogach o różnej nawierzchni (asfalt, bruk), składających się z odcinków prostych, zakrętów i wzniesień. Przed rozpoczęciem jazdy zaleca się oczyszczenie tych miejsc na zespołach, które podczas oględzin wykazywały jakiekolwiek ślady przecieku. Umożliwi to po zakończeniu jazdy sprawdzenie, czy przecieki w dalszym ciągu występują i jakie jest ich nasilenie.

Po uruchomieniu silnika i włączeniu pierwszego biegu należy powoli zwalniać pedał sprzęgła i obserwować sposób ruszania pojazdu z miejsca. Sprzęgło powinno włączać się płynnie i bez szarpnięć po wykonaniu przez pedał 1/3 skoku. Podczas rozpędzania prędkość samochodu powinna wzrastać równomiernie ze wzrostem prędkości obrotowej silnika. Jeżeli tak nie jest, należy sprawdzić, czy w sprzęgle nie występuje poślizg. Badanie polega na wykonaniu próby ruszenia samochodem z zaciągniętym hamulcem awaryjnym i włączonym drugim lub trzecim biegiem. Działanie sprawnego sprzęgła będzie się objawiało dławieniem silnika, aż do jego zatrzymania, bez spowodowania ruszenia samochodu z miejsca. Jeśli samochód podczas próby ruszy, oznacza to, że sprzęgło pracuje bez poślizgu, ale nieskutecznie działa hamulec awaryjny. Jeśli natomiast pedał sprzęgła wykonał 2/3 skoku, a samochód pozostaje nadal nieruchomy i silnik pracuje, jest to dowód występowania poślizgu sprzęgła.

Podczas jazdy skrzynka biegów powinna pracować cicho, zarówno w czasie przyspieszania, jak i opóźniania samochodu. Głośna praca skrzynki na „luzie" lub po włączeniu biegu świadczy o zużyciu kół zębatych, synchronizatorów lub łożysk, bądź też o niedostatecznym smarowaniu zespołu, na przykład wskutek zbyt niskiego poziomu oleju. Poszczególne biegi powinny się włączać płynnie, bez zgrzytów, których pojawienie mogłoby oznaczać niesprawność synchronizatorów.

Podobnie hałas dochodzący z przekładni głównej może być wynikiem nieprawidłowej regulacji lub nadmiernego zużycia współpracujących elementów. Jeśli głośna praca wystąpi tylko podczas pokonywania zakrętów, będzie to świadczyło o niesprawności mechanizmu różnicowego. W samochodach, w których przekładnia główna jest połączona z silnikiem wałem napędowym należy zwrócić uwagę na hałaśliwość jego pracy. Głuche dudnienie pod podłogą, występujące tylko w pewnym zakresie prędkości, wskazuje na niewyrównoważenie wału. Metaliczne stuki pojawiające się podczas gwałtownej zmiany prędkości jazdy są świadectwem nadmiernego zużycia przegubów wału napędowego lub ich łożysk. W samochodach ze zblokowanym układem napędowym takie odgłosy będą świadczyły o znacznych luzach w przegubach napędowych.

Obserwację pracy silnika najlepiej podjąć po doprowadzeniu silnika do normalnej temperatury pracy. Wskaźnik temperatury cieczy chłodzącej powinien zatrzymać się na zielonym polu skali, odpowiadającemu zwykle zakresowi temperatur 85...95°C. Jeśli przesunie się na czerwone pole, należy liczyć się z niedomaganiem układu chłodzenia, które może spowodować awarię silnika w przypadku kontynuowania jazdy. Lampka kontrolna ciśnienia oleju w silniku nie może się zaświecić przy żadnej prędkości obrotowej silnika po jego uruchomieniu. Jej zaświecenie się może być wywołane różnymi przyczynami, wymienionymi w tablicy 1–3. O prawidłowej pracy silnika najlepiej przekonać się sprawdzając łatwość przyspieszania samochodu na każdym biegu, łatwość pokonywania wzniesień oraz prędkość maksymalną na przykład na drugim lub trzecim biegu.

Stan techniczny zawieszenia najkorzystniej sprawdzić jadąc po drogach o złej nawierzchni. Podczas przejeżdżania przez nierówności należy zwrócić uwagę na kołysanie nadwozia i przyczepność kół z jezdnią. Jeśli nie występuje szybkie tłumienie drgań nadwozia (po 2...3 wahnięciach) a koła tracą przyczepność, świadczy to o niesprawności amortyzatorów. Drgania kierownicy, zaobserwowane szczególnie wyraźnie po przekroczeniu prędkości 60 km/h, są objawem niewyrównoważenia kół przednich. W przypadku niewyrównoważenia kół tylnych drgania będą odczuwane w tylnej części nadwozia. Stuki lub piski dochodzące z podwozia, a występujące z tą samą częstotliwością co obroty kół będą wskazywały na nadmierne zużycie łożysk kół lub na istnienie tarcia o bęben hamulcowy (tarczę hamulcową). Objawy te będą występowały podczas swobodnego toczenia się pojazdu, niezależnie od rodzaju nawierzchni. Stuki i dudnienie towarzyszące przejeżdżaniu przez nierówności mogą być wywołane usterką któregoś z elementów zawieszenia, np. nadmiernym zużyciem końcówek drążków kierowniczych, poduszki mocowania amortyzatora, połączenia zwrotnica – wahacz lub wahacz – nadwozie.

Podczas jazdy na wprost należy zwrócić uwagę na położenie koła kierownicy. Jego poprzeczka powinna ustawić się poziomo (rys. 1.14). Inne położe-

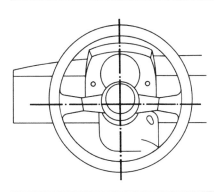

Rys. 1.14. Prawidłowe położenie koła kierownicy podczas jazdy na wprost

Najczęściej spotykane w samochodzie niedomagania i ich możliwe przyczyny

Lp.	Objawy	Przyczyny
1	2	3
A	SILNIK	
1	Silnika nie można urucho- mić, ponieważ rozrusznik nie obraca wału korbowego lub obraca go zbyt wolno.	Nadmiernie wyładowany akumulator. Obluzowane lub zanieczyszczone zaciski przewodów od akumulatora. Uszkodzony rozrusznik (patrz pkt H.3). Zatarcie się tłoków w cylindrach. Uszkodzenie układu korbowego lub mechanizmu rozrządu.
2	Silnika nie można urucho- mić, pomimo że rozrusznik obraca wał korbowy.	Brak paliwa w zbiorniku. Zalanie silnika paliwem wskutek długotrwałego posługiwania się urządzeniem rozruchowym. Uszkodzona pompa paliwa. Zanieczyszczenie lub woda (w zimie korki lodowe) w przewodach paliwa lub w gaźniku (układzie wtryskowym). Zapowietrzenie układu paliwowego. Zatkana dysza paliwa urządzenia rozruchowego lub głównego układu paliwowego (jeżeli gaźnik jest wyposażony w przepustnicę rozruchową). Niesprawny wtryskiwacz lub zbyt niskie ciśnienie paliwa (dotyczy silnika zasilanego wtryskowo). Nieprawidłowe ustawienie momentu zapłonu. Niedomagania rozdzielacza zapłonu: – pęknięta kopułka rozdzielacza, – uszkodzony styk węglowy kopułki, – nadpalony lub pęknięty palec rozdzielacza, – zwarcie lub uszkodzona izolacja w kondensatorze, – zanieczyszczone styki przerywacza, – nieprawidłowy odstęp między stykami przerywacza. Uszkodzona cewka zapłonowa lub moduł zapłonowy. Zły stan przewodów niskiego lub wysokiego napięcia; wilgoć na przewodach. Niewłaściwa kolejność połączenia przewodów zapłonowych między rozdzielaczem a świecami. Uszkodzone lub nadmiernie zużyte świece zapłonowe. Uszkodzona świeca żarowa (silnik ZS). Nieprawidłowo ustawiony kąt wtrysku (silnik ZS). Zatkany przewód wydechowy. Uszkodzony przekaźnik pompy paliwa. Uszkodzony przepływomierz powietrza. Uszkodzony układ sterowania pracą silnika. Uszkodzony układ dolotowy (silnik zasysa „fałszywe" powietrze, zablokowany filtr powietrza, uszkodzony zawór regulacji ilości powietrza biegu jałowego). Uszkodzony mechanizm rozrządu zaworowego (spalony zawór wydechowy, rozregulowane rozrząd, zerwany lub uszkodzony pasek rozrządu). Uszkodzone elementy silnika (przepalone tłoki, pierścienie tłokowe, uszczelka głowicy cylindrów, łożysko korbowodu i/lub łożysko główne). Zadziałał wyłącznik bezwładnościowy zasilania pompy paliwa.

1	2	3
3	Silnik nie pracuje regularnie na biegu jałowym lub gaśnie.	Zanieczyszczenie lub woda w układzie paliwowym. Uszkodzona przepona lub nieszczelne zaworki pompy paliwa. Niedomagania gaźnika: – zanieczyszczenie dysz lub kanałów, – „przelewanie" gaźnika wskutek zbyt wysokiego poziomu paliwa w komorze pływakowej, – zasysanie „fałszywego" powietrza przez luzy w ułożyskowaniu osi przepustnic, – niesprawność zaworu hamowania silnikiem. Rozregulowanie lub zużycie układu wtryskowego. Niewłaściwa regulacja układu biegu jałowego. Niewłaściwe ustawienie zapłonu. Zużyte lub zanieczyszczone świece zapłonowe (zbyt duża przerwa iskrowa). Uszkodzona cewka zapłonowa. Niedomagania rozdzielacza zapłonu: – zanieczyszczone styki przerywacza, zbyt mały odstęp między stykami, – zużyte krzywki lub nadmierny luz boczny wałka rozdzielacza, – uszkodzony opornik przeciwzakłóceniowy. Zły stan lub zawilgocenie przewodów wysokiego napięcia. Niewłaściwe ustawienie kąta wtrysku (w silniku ZS). Nadmierne luzy zaworów. Nadmierne zużycie głównych elementów silnika (zaworów, krzywek wału rozrządu lub łańcucha napędu wału rozrządu, tłoków z pierścieniami).
4	Silnik pracuje nierównomiernie przy wysokiej prędkości obrotowej.	Zanieczyszczenie lub woda w układzie paliwowym. Zanieczyszczenie dysz gaźnika (wtryskiwaczy). Zatkany przewód odpowietrzający zbiornik paliwa. Uszkodzone lub zanieczyszczone świece zapłonowe. Zużycie elementów rozdzielacza zapłonu. Niewłaściwe ustawienie kąta wtrysku. Niewłaściwe luzy zaworów. Nadmierne zużycie głównych elementów silnika.
5	Silnik nie rozwija pełnej mocy.	Zbyt niska liczba oktanowa paliwa. Niedomagania pompy paliwa. Niedomagania gaźnika: – niecałkowite otwarcie przepustnic, – niewłaściwy poziom paliwa w komorze pływakowej, zanieczyszczenie dysz głównych, – uszkodzenie pompki przyspieszającej, – zbyt uboga mieszanka. Zbyt niskie ciśnienie paliwa w układzie wtryskowym (silnik zasilany wtryskowo). Zanieczyszczenie filtru powietrza. Niewłaściwe działanie regulatora odśrodkowego lub podciśnieniowego. Nieprawidłowe ustawienie kąta wtrysku (silnik ZS). Zanieczyszczenie świec zapłonowych. Nieprawidłowe luzy zaworów. Nadmierne zużycie głównych elementów silnika: – nadpalenie lub odkształcenie zaworów, – przepalenie tłoków, – pęknięcie lub zapieczenie pierścieni tłokowych, – zużycie cylindrów i pierścieni tłokowych. Przegrzanie silnika (patrz pkt A.6).

1	2	3
6	Silnik się przegrzewa.	Niedostateczna ilość cieczy chłodzącej w układzie chłodzenia. Niewystarczający naciąg paska klinowego napędzającego pompę wody (wentylator). Uszkodzona pompa wody lub wentylator. Uszkodzony termostat. Uszkodzony wyłącznik termiczny wentylatora. Zanieczyszczenie rurek chłodnicy. Nieprawidłowe ustawienie zapłonu. Nieprawidłowe ustawienie kąta wtrysku. Zbyt uboga mieszanka paliwowo-powietrzna. Niedostateczne smarowanie silnika. Zanieczyszczenie nagarem komór spalania.
7	Silnik „strzela" w gaźnik.	Zbyt uboga mieszanka paliwowo-powietrzna. Zbyt mała przepustowość dyszy głównej (jeśli „strzały" pojawiają się podczas jazdy z niedużymi prędkościami). Niedomagania pompki przyspieszającej (jeśli „strzały" pojawiają się podczas przyspieszania). Nieprawidłowe ustawienie zapłonu. Nieszczelność lub zawieszanie się zaworu ssącego.
8	Silnik „strzela" w tłumik.	Zbyt bogata mieszanka paliwowo-powietrzna. Brak zapłonu w jednym z cylindrów. Nieszczelność lub zawieszanie się zaworu wydechowego. Dziura w tłumiku.
9	Silnik dymi.	Zbyt bogata mieszanka paliwowo-powietrzna. Zbyt duża zawartość oleju w paliwie (dot. silnika dwusuwowego). Zbyt wysoki poziom oleju w misce olejowej. Zużycie lub uszkodzenie pierścieni tłokowych, tłoków względnie prowadnic zaworów.
10	Silnik pracuje po wyłączeniu zapłonu.	Przegrzanie silnika (patrz pkt. A.6). Zbyt duża prędkość obrotowa biegu jałowego. Niesprawność elektromagnetycznego zaworu odcinającego w gaźniku. Benzyna o zbyt małej liczbie oktanowej. Zbyt mała wartość cieplna świec zapłonowych.
11	Silnik nagle zatrzymuje się podczas jazdy.	Wyczerpanie paliwa w zbiorniku. Zanieczyszczenie przewodu paliwa lub filtra paliwa. Przepalenie się uzwojeń cewki. Mechaniczne uszkodzenie w układzie zapłonowym (między cewką a świecami). Uszkodzony kondensator. Zatarcie się tłoka.
12	Silnik zużywa zbyt dużo paliwa.	Urządzenie rozruchowe gaźnika pozostaje częściowo włączone. Zbyt wysoki poziom paliwa w komorze pływakowej gaźnika (zła regulacja, nieszczelność zaworu iglicowego, wgniecenie lub nieszczelność pływaka). Wyciek paliwa przez nieszczelność przewodów lub zbiornika paliwa. Silne zanieczyszczenie wkładu filtru powietrza. Zbyt późny zapłon. Uszkodzenie lub niewłaściwe działanie samoczynnych regulatorów wyprzedzenia zapłonu. Nadmierne opory w mechanizmach jezdnych samochodu.

1	2	3
13	Ubytki oleju w silniku.	Zastosowanie nieprawidłowego oleju silnikowego. Uszkodzony układ odpowietrzania skrzyni korbowej (Przewody lub zawór odpowietrzający są zapchane. Powoduje to wytworzenie nadmiernego ciśnienia w skrzyni korbowej, które z kolei powoduje większą obecność oleju w komorze spalania). Nieszczelności spowodowane uszkodzonym uszczelniaczem wału korbowego. Uszczelka głowicy cylindrów lub jej powierzchnia stykowa jest uszkodzona. Nieszczelności smarowanych elementów silnika i innych części składowych. Uszkodzone gładzie cylindrów lub zbyt duże luzy elementów silnika. Uszkodzone, zużyte lub zakleszczone pierścienie tłokowe (luz osiowy i luz zamka pierścienia tłokowego). Uszkodzone uszczelniacze olejowe trzonków zaworów i olej może przedostawać się do komory spalania przez szczelinę między trzonkiem zaworu a prowadnicą.
14	Ubytki cieczy chłodzącej.	Nieszczelna chłodnica, przewody układu chłodzenia, pompa cieczy chłodzącej. Nieszczelna chłodnica oleju silnikowego (jeżeli występuje). Uszkodzona uszczelka głowicy cylindrów lub powierzchnia uszczelnienia (ciecz chłodząca może przedostawać się do komory spalania lub do skrzyni korbowej). Pęknięcia lub wyszczerbienia elementów silnika chłodzonych cieczą, takich jak gładzie cylindrów i głowica cylindrów.
15	Hałaśliwa praca turbosprę-żarki (patrz rozdział 3.8).	Przytkany przewód między turbosprężarką a kolektorem dolotowym. Przytkany przewód między obudową filtru powietrza a turbosprężarką. Nieszczelność między kolektorem dolotowym a głowicą cylindrów.
B		SPRZĘGŁO
1	Sprzęgło ślizga się – samo-chodowi brak przyspieszenia, pokonuje z trudem wzniesienia, wyczuwalny zapach spalenizny.	Zbyt mały skok jałowy pedału sprzęgła. Zużycie lub zaolejenie okładzin ciernych tarczy sprzęgła. Osłabienie lub uszkodzenie sprężyn dociskowych tarczy sprzęgła. Uszkodzenie lub zacinanie się mechanizmu wyłączającego.
2	Sprzęgło nie włącza się płynnie – szarpanie podczas ruszania samochodu z miejsca.	Uszkodzone łożysko wyciskowe sprzęgła. Uszkodzone lub osłabione sprężyny dociskowe. Zużyte lub zanieczyszczone olejem okładziny cierne tarczy sprzęgła. Zacinanie się mechanizmu wyłączającego. Obluzowanie się okładzin ciernych wskutek niedokładnego nitowania.

1	2	3
3	Sprzęgło nie rozłącza się całkowicie („ciągnie") – utrudnione przełączanie biegów, zgrzyt przy włączaniu biegu wstecznego.	Zbyt duży skok jałowy pedału sprzęgła. Wadliwa praca mechanizmu wyłączającego (nieprawidłowe ustawienie dźwigni lub linki, zapowietrzenie lub wycieki w układzie hydraulicznym wyprzęgnika sprzęgła). Zakleszczenie się tarczy sprzęgła na wielowypuście (nadmierne zużycie piasty tarczy lub wielowypustu wałka sprzęgłowego). Zwichrowanie tarczy sprzęgła. Obluzowanie się nitów lub pęknięcie okładzin ciernych tarczy.
4	Hałaśliwa praca wyłączonego sprzęgła.	Zużyte lub uszkodzone łożysko wyciskowe. Nadmierny luz piasty tarczy sprzęgła na wielowypuście wałka sprzęgła. Pęknięta sprężyna tłumika drgań skrętnych. Zużycie przedniego łożyska wałka sprzęgła w skrzynce biegów.
5	Hałaśliwa praca włączonego sprzęgła.	Zbyt mały skok jałowy pedału sprzęgła. Uszkodzona sprężyna dociskowa tarczy dociskowej. Nadmierny luz piasty tarczy sprzęgła na wielowypuście wałka sprzęgłowego. Pęknięcie sprężyn tłumika drgań skrętnych. Skrzywiony wałek sprzęgła.
C		SKRZYNKA BIEGÓW
1	Utrudnione włączanie biegów.	Niepełne wyłączanie się sprzęgła (patrz pkt B.3). Nadmierne zużycie lub uszkodzenie mechanizmu zmiany biegów. Zgięcie lub uszkodzenie wodzików względnie zablokowanie się ich zatrzasków. Uszkodzenie lub nadmierne zużycie synchronizatorów. Zbyt duża lepkość oleju w skrzynce biegów. Zbyt niski poziom oleju w skrzynce biegów.
2	Samoczynne „wyskakiwanie" biegów.	Niepełne włączanie biegów. Zużycie kulek zatrzasków i gniazd wodzików; uszkodzenie lub osłabienie sprężyny zatrzasku. Zgięcie lub obluzowanie się widełek wodzika. Zużycie synchronizatora. Nadmierne zużycie kół zębatych włączonego biegu.
3	Hałaśliwa praca.	Nieodpowiednia lepkość lub zbyt niski poziom oleju w skrzynce biegów. Nadmierne zużycie lub uszkodzenie łożysk (wałka pośredniego lub sprzęgłowego – jeśli występuje tylko na biegu jałowym). Nadmierne zużycie lub uszkodzenie kół zębatych. Nadmierne zużycie wielowypustów.
D		WAŁ NAPĘDOWY
1	Stuk wału napędowego w chwili ruszania z miejsca lub przełączania biegów.	Obluzowanie się śrub i nakrętek mocujących przegub elastyczny. Nadmierny luz w połączeniu wielowypustowym przedniego wału napędowego. Zużyte łożyska igiełkowe przegubów krzyżakowych.

1	2	3
2	Hałaśliwa praca wału napędowego.	Nadmierne zużycie połączeń wielowypustowych. Uszkodzenie lub nadmierne zużycie łożyska pośredniego. Nadmierne zużycie przegubów.
3	Drgania wału podczas pracy.	Niewyrównoważenie wału napędowego.pracy. Nieprawidłowy montaż wału (niewłaściwe położenie znaków ustawczych). Skrzywienie wału. Nadmierny luz w łożysku podpory elastycznej. Uszkodzenie wkładki elastycznej podpory. Nadmierny luz w łożyskach igiełkowych przegubów krzyżakowych.
E		MOST NAPĘDOWY
1	Brak napędu na koła.	Wyłamanie zębów jednego z kół przekładni głównej. Urwanie się półosi. Ścięcie klina na stożku półosi.
2	Stuk w chwili ruszenia samochodu.	Nadmierny luz międzyzębny w zazębieniu przekładni głównej. Nadmierny luz w połączeniu wielowypustowym wałka napędzającego przekładni z kołnierzem. Zużycie otworu na oś satelitów w obudowie mechanizmu różnicowego. Obluzowanie się klina półosi.
3	Hałas podczas rozpędzania samochodu.	Zużycie lub niewłaściwa regulacja łożysk obudowy mechanizmu różnicowego. Uszkodzenie łożysk półosi. Zbyt mała ilość oleju.
4	Hałas podczas swobodnego toczenia się samochodu.	Niewłaściwy luz obwodowy w zazębieniu przekładni głównej. Nadmierny luz w łożyskach wałka napędzającego wskutek obluzowania się nakrętki mocującej kołnierz lub zużycie łożysk.
5	Stały hałas podczas pracy.	Odkształcenie obudowy tylnego mostu. Odkształcenie i nadmierne bicie półosi. Zużycie połączenia wielowypustowego półosi z koronkami. Niewłaściwa regulacja lub zużycie kół zębatych, względnie łożysk przekładni głównej. Zbyt mała ilość oleju.
F		UKŁAD KIEROWNICZY I ZAWIESZENIE
1	Samochód nie utrzymuje kierunku ruchu – ściąga na bok.	Niejednakowe ciśnienie powietrza w ogumieniu. Niewłaściwe ustawienie kół przednich. Nadmierny luz w łożyskach kół przednich. Odkształcenie zwrotnicy lub wahaczy przedniego zawieszenia. Blokowanie hamulca jednego z kół. Znaczna różnica w stanie zużycia opon. Nierównoległość przedniej i tylnej osi.
2	Drgania („trzepotanie") kół przednich podczas jazdy.	Nadmierne luzy w przegubach kulistych. Nadmierne luzy w łożyskach kół przednich. Nadmierne luzy w ułożyskowaniu sworzni zwrotnic. Obluzowanie się śrub mocujących kolumnę kierownicy, obudowę przekładni kierowniczej lub wspornik dźwigni pośredniej.

1	2	3
		Obluzowanie się nakrętek mocujących sworznie kuliste przegubów drążków kierowniczych. Nadmierny luz w przekładni kierowniczej. Nieodpowiednie kąty ustawienia kół przednich. Niewyrównoważenie kół jezdnych. Uszkodzenie amortyzatora.
3	Nadmierny ruch jałowy koła kierownicy.	Obluzowanie się nakrętek śrub mocujących obudowę przekładni kierowniczej. Luzy w przegubach kulistych drążków kierowniczych. Nadmierny luz w przekładni kierowniczej. Nadmierne luzy w łożyskach kół przednich.
4	Utrudniony obrót koła kierownicy.	Brak oleju w przekładni kierowniczej. Zwiększone tarcie: w przegubach kulistych, sworznia zwrotnicy, ramienia pośredniego (wskutek skorodowania lub zanieczyszczenia powierzchni trących). Za mały luz w przekładni kierowniczej. Zbyt niskie ciśnienie w oponach kół przednich. Niewłaściwe ustawienie kół przednich.
5	Stuki w układzie kierowniczym i przednim zawieszeniu.	Nadmierny luz w łożyskach przednich kół. Obluzowanie się nakrętek mocujących sworznie kuliste przegubów drążków kierowniczych, zwrotnic. Luz osiowy lub promieniowy między sworzniem dźwigni pośredniej i tulejami. Obluzowanie się nakrętek śrub mocujących obudowę przekładni kierowniczej lub wspornik dźwigni pośredniej. Niewyważenie kół. Obluzowanie się śrub mocujących drążek stabilizatora. Zużycie tulei gumowo-stalowych osi wahaczy. Obluzowanie się zamocowania amortyzatora lub zużycie tulei gumowych. Luz sworznia zwrotnicy (lub przegubu kulistego zwrotnicy). Obluzowanie się nakrętek (śrub) mocujących tarczę koła do piasty. Obluzowanie się nakrętki mocującej piastę na czopie zwrotnicy.
6	Kołysanie się samochodu podczas jazdy.	Zmniejszona siła tłumienia amortyzatora. Zmniejszona sztywność elementu sprężystego zawienia. Pęknięty drążek stabilizatora lub obluzowane jego mocowania. Bicie boczne lub promieniowe koła.
7	Nadmierne nagrzewanie się piasty koła.	Zbyt mały luz lub uszkodzone łożyska koła. Mała ilość w łożyskach. Tarcie klocków hamulcowych o tarczę hamulcową (lub szczęk o bęben).
8	Przyspieszone zużycie opon.	Ostre ruszanie z poślizgiem kół. Częste i gwałtowne hamowanie z poślizgiem kół. Zbyt szybka jazda po drogach o złej nawierzchni. Nieprawidłowe ciśnienie w ogumieniu. Przeciążenie samochodu. Nieprzekładanie kół zgodnie z zaleceniami producenta samochodu.
9	Nierównomierne zużywanie się opon.	Patrz tablica 1–2.

1	2	3
G	UKŁAD HAMULCOWY	
1	Zbyt mała skuteczność hamowania.	Nadmierne zużycie elementów ciernych. Zawilgocenie lub zaolejenie elementów ciernych. Nadmierne zużycie tarcz (bębnów) hamulcowych. Zbyt niski poziom lub brak płynu hamulcowego w pompie głównej. Zbyt duża zawartość wody w płynie hamulcowym. Zapowietrzenie układu hamulcowego. Zbyt duży skok jałowy pedału hamulca.
2	Naciśnięcie pedału hamulca wymaga użycia mniejszej siły (pedał „miękki")	Zapowietrzenie układu uruchamiającego hamulce. Zapowietrzenie pompy hamulcowej wskutek nieszczelności tłoka lub zanieczyszczenia otworu w pokrywie zbiorniczka (powoduje powstawanie podciśnienia w pompie). Użycie płynu hamulcowego o niskim punkcie wrzenia lub zbyt duża zawartość wody. Uszkodzony przewód elastyczny.
3	Naciśnięcie pedału wymaga użycia zbyt dużej siły (pedał „twardy")	Napęcznienie wewnętrznego pierścienia uszczelniającego w pompie hamulcowej. Niewłaściwe działanie urządzenia wspomagającego hamulców. Nieszczelność w układzie doprowadzającym urządzenia wspomagającego.
4	Podczas hamowania pedał zapada się.	Za niski poziom lub brak płynu hamulcowego. Zapowietrzenie układu hamulcowego. Uszkodzenie uszczelki gumowej pompy. Nadmierne rozszerzanie się objętościowe przewodów elastycznych z powodu złej ich jakości. Zbyt duży luz między okładzinami ciernymi szczęk a bębnem hamulcowym. Rozszerzenie bębnów hamulcowych wskutek przegrzania lub złej jakości materiału. Wyciek płynu hamulcowego.
5	Zarzucanie lub ściąganie samochodu w bok podczas hamowania.	Wyciek płynu hamulcowego z jednego z rozpieraczy. Zacinanie się tłoczka rozpieracza. Zanieczyszczenie przewodu elastycznego. Zatkanie rurki metalowej, z powodu wgniecenia lub zanieczyszczenia. Zaolejenie lub zużycie elementów ciernych jednego z kół. Nierówny luz między szczękami a bębnem hamulcowym, np. niezadziałanie samoczynnego regulatora luzu.
6	Blokowanie kół podczas hamowania.	Nieprawidłowa regulacja szczęk hamulcowych. Nieprawidłowa regulacja układu uruchamiającego hamulce. Nieprawidłowe działanie pompy głównej. Uszkodzenie urządzenia wspomagającego. Uszkodzenie korektora siły hamowania. Zbyt mały skok jałowy pedału hamulca.
7	Nadmierne grzanie się bębna hamulcowego.	Jazda z włączonym hamulcem awaryjnym. Zbyt częste i długotrwałe hamowanie. Nieprawidłowa regulacja szczęk hamulcowych. Zapieczenie się tłoczków rozpieracza.

31

1	2	3
8	Drgania („pulsowanie") pedału podczas hamowania.	Nadmierne zużyte łożyska kół. Nadmierna owalizacja bębnów hamulcowych. Bicie boczne tarcz hamulcowych, ewentualnie odchyłka ich płaskości.
9	Piszczenie hamulców podczas hamowania.	Nieodpowiednia jakość elementów ciernych. Nadmierne zużycie tarczy hamulcowej. Nieprawidłowe przyleganie elementu ciernego do tarczy (bębna) hamulcowej. Nadmierne zużycie elementów ciernych. Zanieczyszczenie elementu ciernego. Skorodowanie powierzchni roboczych, w tarczy lub bębnie hamulcowym.
H		URZĄDZENIA ELEKTRYCZNE
1	Akumulator szybko się wyładowuje podczas eksploatacji samochodu.	Zasiarczenie lub uszkodzenie płyt akumulatora. Włączenie dodatkowych odbiorników, ponad dopuszczalną granicę obciążenia. Stały upływ prądu, np. wskutek zanieczyszczenia pokrywy akumulatora. Wyciek elektrolitu. Niedomagania prądnicy (alternatora) i jej regulatora.
2	Akumulator nie daje się naładować.	Zwarcie wewnątrz akumulatora. Zasiarczenie lub uszkodzenie płyt akumulatora. Za niski poziom lub niewłaściwa gęstość elektrolitu.
3	Rozrusznik nie obraca wału korbowego.	Patrz pkt A.1. Uszkodzenie wirnika rozrusznika. Zwarcie wewnętrzne lub przerwa w uzwojeniu stojana. Przerwa w uzwojeniu włącznika elektromagnetycznego. Nadmierne zużycie lub zacinanie się szczotek. Zużycie lub wypalenie się styków wyłącznika w rozruszniku.
4	Koło zębate rozrusznika nie zazębia się z kołem zamachowym silnika.	Poślizg sprzęgła jednokierunkowego lub jego zacięcie na wielowypuście wałka wirnika. Pęknięcie dźwigni włączającej. Pęknięcie sprężyny w zespole sprzęgającym.
5	Rozrusznik nie wyzębia się.	Wypalenie się lub nadtopienie styków wyłącznika. Skrzywienie wałka wirnika. Zacięcie sprzęgła jednokierunkowego na wielowypuście wałka wirnika. Nadmierne zużycie zębów wieńca zębatego lub zębnika. Nieprawidłowe zamontowanie rozrusznika.
6	Hałaśliwa praca prądnicy.	Zużycie lub niedostateczne smarowanie łożyska wirnika. Zgięcie wałka wirnika lub jego nadmierny luz poosiowy. Obluzowanie się koła pasowego na wałku. Obluzowanie się elementów zawieszenia prądnicy.
I		PRZYRZĄDY KONTROLNE
1	Brak wskazań prędkościomierza.	Pęknięcie linki napędowej. Rozłączenie końcówki pancerza z prędkościomierzem lub przekładnią napędową. Uszkodzenie końcówki linki. Uszkodzenie przekładni napędowej, tzw. reduktora.
2	Wahania wskazówki prędkościomierza.	Zacieranie się lub zbyt duży luz łożyska wirnika magnetycznego. Zacieranie się linki napędowej w pancerzu. Uszkodzenie końcówki linki. Uszkodzenie przekładni napędowej, tzw. reduktora.

1	2	3
3	Wskazówka paliwowskazu stoi stale w położeniu wyjściowym.	Uszkodzony wskaźnik. Przerwa w obwodzie elektrycznym (uszkodzony bezpiecznik, przewód lub utlenione końcówki). Uszkodzony czujnik w zbiorniku paliwa.
4	Wskazówka paliwowskazu stoi stale w wychyleniu maksymalnym.	Zwarcie w obwodzie czujnika w zbiorniku. Zwarcie z masą przewodu łączącego wskaźnik z czujnikiem. Uszkodzony wskaźnik.
5	Wskaźnik temperatury cieczy chłodzącej pokazuje zbyt wysoką temperaturę.	Przegrzanie silnika (patrz pkt A.6). Uszkodzone zawory w korku zbiornika wyrównawczego płynu chłodzącego lub w chłodnicy. Zbyt późne włączanie silnika wentylatora. Zwarcie z masą przewodu łączącego wskaźnik z czujnikiem, uszkodzenie czujnika lub wskaźnika (jeżeli wskazówka stoi stale w maksymalnym wychyleniu).
6	Wskaźnik temperatury cieczy chłodzącej pokazuje zbyt niską temperaturę.	Uszkodzenie termostatu. Zbyt wczesne włączanie silnika wentylatora (uszkodzenie włącznika termicznego).
7	Wskaźnik temperatury cieczy chłodzącej nie działa.	Uszkodzony bezpiecznik. Uszkodzony wskaźnik lub czujnik wskaźnika. Przerwa w przewodach lub utlenione ich komórki.
8	Lampka kontrolna ciśnienia oleju nie gaśnie; wskaźnik ciśnienia oleju pokazuje podczas jazdy zbyt niskie ciśnienie (poniżej 0,2 M Pa).	Niewystarczająca ilość oleju w silniku. Zużyty olej silnikowy lub niewłaściwy jego gatunek. Uszkodzenie lub zacięcie się zaworu regulacji ciśnienienia oleju. Uszkodzone lub zużyte koła zębate pompy oleju. Nadmierny luz w łożyskach głównych i korbowych wału korbowego. Uszkodzenie czujnika lampki kontrolnej lub wskaźnika ciśnienia.
9	Lampka kontrolna ciśnienia oleju gaśnie dopiero przy wyższej prędkości obrotowej silnika.	Zanieczyszczony filtr oleju. Zanieczyszczony, zużyty olej. Zbyt niskie ciśnienie oleju przy małych prędkościach obrotowych silnika wskutek zużycia jego elementów.
10	Lampka kontrolna ciśnienia oleju nie zapala się po włączeniu stacyjki.	Przepalona żarówka. Przepalony bezpiecznik. Uszkodzony czujnik. Przerwa w przewodach lub utlenienie ich końcówek.
11	Lampka kontrolna ładowania nie świeci się po włączeniu stacyjki.	Przepalona żarówka lub bezpiecznik. Uszkodzona stacyjka. Przerwa w przewodach lub utlenienie ich końcówek. Uszkodzenie przekaźnika lampki kontrolnej. Zwarcie do masy w uzwojeniu stojana.
12	Lampka kontrolna ładowania nie gaśnie pomimo zwiększenia prędkości obrotowej silnika.	Uszkodzony przekaźnik lampki kontrolnej. Zwarcie w obwodzie. Zawieszone lub zużyte szczotki prądnicy. Uszkodzona prądnica. Zbyt luźny naciąg paska klinowego (objawiający się również migotaniem lampki kontrolnej). Zerwany pasek klinowy. Rozregulowany regulator napięcia.

nie wskazuje na nieprawidłowo ustawioną zbieżność kół przednich, nierównoległości osi przedniej i tylnej lub niewłaściwe zamontowanie koła kierownicy na wale. Jadąc z niewielką prędkością po równej i gładkiej nawierzchni należy puścić na kilka sekund kierownicę z rąk, w celu sprawdzenia ustawienia kół przednich. W takim momencie samochód nie powinien mieć skłonności do samoczynnego skręcania w bok. Podczas wchodzenia w zakręt koło kierownicy musi obracać się swobodnie, bez oporów i stuków. Po wyjściu samochodu z zakrętu koła przednie powinny już z mniejszą pomocą kierowcy powrócić do położenia jazdy na wprost. Jeżeli najechaniu kołem przednim na nierówności drogi będą towarzyszyły wyczuwalne drgania kierownicy, można sądzić o istnieniu nadmiernych luzów w elementach układu kierowniczego. Podczas próby hamowania samochód nie powinien wykazywać tendencji do zarzucania i poślizgu. Piski i zgrzyty, jakie się w czasie próby ewentualnie pojawią, będą wskazywały na zużycie okładzin ciernych.

1.3. SPRAWDZANIE WSKAZAŃ PRĘDKOŚCIOMIERZA I LICZNIKA KILOMETRÓW

Badanie własności ruchowych samochodu powinno być poprzedzone ustaleniem błędów wskazań prędkościomierza i licznika kilometrów w celu ich uwzględnienia w wynikach dalszych pomiarów. Sprawdzenie tych przyrządów polega na zmierzeniu rzeczywistej prędkości pojazdu i przebytej drogi, a następnie porównaniu wyniku ze wskazaniami przyrządów.

Do wykonania pomiarów należy wybrać odcinek prostej, gładkiej drogi, o suchej nawierzchni. Długość odcinka pomiarowego powinna wynosić:
– nie mniej niż 1 km w przypadku określania błędów wskazań prędkościomierza;
– nie mniej niż 10 km w przypadku określania błędów wskazań licznika kilometrów.

Sprawdzanie wskazań prędkościomierza

Potrzebne przyrządy i narzędzia

– sekundomierz.

Wykonanie pomiaru

– Sprawdzić i ewentualnie uzupełnić ciśnienie powietrza w ogumieniu. Wymiary ogumienia kół powinny być zgodne z zalecanymi przez producenta samochodu.
– Wybrać odcinek pomiarowy o długości 1 km wykorzystując słupki kilometrowe.
– Rozpędzić samochód do określonej prędkości przed wjechaniem na odcinek pomiarowy.
– W chwili wjechania na odcinek pomiarowy uruchomić stoper (sekundomierz) i zatrzymać go po przejechaniu 1 km.

– Zmierzyć czas przejazdu odcinka pomiarowego w przeciwnym kierunku.
– Powtórzyć pomiar dla innych prędkości przejazdu. Zaleca się wybór prędkości 40, 60, 80 km/h.
– Obliczyć rzeczywistą prędkość samochodu oraz błąd wskazań prędkościomierza.

Uwaga. Pomiar można wykonać podczas postoju samochodu po podniesieniu jednego z kół napędowych. Pedałem przyspieszenia należy ustawić położenie wskazówki prędkościomierza na wybranej wartości, a następnie zmierzyć za pomocą sekundomierza czas, jaki upłynie między dwoma kolejnymi przeskokami bębna drogomierza wskazującego pojedyncze kilometry. Wynik pomiaru jest mniej dokładny niż w metodzie opisanej poprzednio.

Ocena wyników

Rzeczywistą prędkość samochodu oblicza się ze wzoru:

$$V_{rz} = \frac{3600}{t_{śr}} \text{ [km/h]}$$

gdzie:

$t_{śr} = 0{,}5\ (t_1 + t_2)$ – średni czas przejazdu odcinka pomiarowego, w s (sekundach),

t_1 – czas przejazdu odcinka pomiarowego ze stałą prędkością V_p odczytaną z prędkościomierza, w s,

t_2 – czas przejazdu odcinka pomiarowego w przeciwnym kierunku, w s.

W celu określenia błędu prędkościomierza (Δ) należy skorzystać ze wzoru:

$$\Delta = V_p - V_{rz}$$

Obliczoną poprawkę wskazań prędkościomierza należy uwzględniać podczas dalszych badań drogowych samochodu. Jeżeli jednak okaże się, że błąd przekracza dopuszczalną wartość, należy uznać prędkościomierz za niesprawny.

Dopuszczalne wartości błędu wskazań prędkościomierza:

+ 4 km/h przy prędkościach 40 i 60 km/h;
+ 5 km/h przy prędkości 80 km/h;
+ 6 km/h przy prędkościach 100 i 120 km/h.

Sprawdzanie wskazań licznika kilometrów

Wykonanie pomiaru

– Sprawdzić i ewentualnie uzupełnić ciśnienie powietrza w ogumieniu. Rozmiary ogumienia powinny być zgodne z zalecanymi przez producenta samochodu.

- Wybrać odcinek pomiarowy o długości co najmniej 10 km, korzystając ze słupków kilometrowych.
- Przejechać odcinek pomiarowy, obserwując i zapisując wskazania licznika kilometrów. Samochód powinien poruszać się ze stałą prędkością 80 km/h.
- Ustalić błąd wskazań licznika kilometrów.

Ocena wyników

Błąd wskazań licznika kilometrów oblicza się ze wzoru:

$$\Delta = \frac{S_l - S_r}{S_r} 100 \; [\%]$$

gdzie:
S_l – długość drogi wg wskazań licznika kilometrów,
S_r – rzeczywista długość drogi, tzn. długość odcinka pomiarowego.

Rys. 1.15. Urządzenie firmy MAHA do sprawdzania prędkościomierzy

Sprawdzanie prędkościomierza i licznika kilometrów za pomocą miernika

Dokładne sprawdzenie prędkościomierza i licznika kilometrów, szczególnie w celach legalizacyjnych, wymaga zastosowania specjalnego przyrządu, nazywanego miernikiem prędkościomierzy. Oferowane przez firmę MAHA urządzenie TPS składa się z rolek i szafy z miernikiem i ręcznym pilotem (rys. 1.15). Rolki są napędzane przez koła samochodu. Poszczególnym przyciskom w pilocie odpowiadają prędkości 30, 50, 80, 120, 130 i 150 km/h. Po osiągnięciu jednej z wybranych prędkości, którą odczytuje się na prędkościomierzu samochodu, wyświetlacz pilota wskaże rzeczywistą prędkość samochodu. Po wciśnięciu przycisku odpowiadającemu danemu zakresowi prędkości nastąpi wydruk zmierzonej i wskazanej prędkości z obliczonym błędem wskazań w procentach. Po zatrzymaniu rolek urządzenie wyłącza się automatycznie.

1.4. PRÓBA WYBIEGU

Próba ta polega na zmierzeniu drogi przebytej do całkowitego zatrzymania się przez swobodnie toczący się pojazd, uprzednio rozpędzony do określonej prędkości początkowej. Celem próby wybiegu jest określenie rzeczywistych oporów ruchu samochodu mających wpływ na jego własności ruchowe, a także na ilość zużywanego paliwa.

Badanie przeprowadza się na płaskim, poziomym odcinku drogi o asfaltowej nawierzchni, przy bezwietrznej pogodzie.

Wykonanie pomiaru

- Sprawdzić ciśnienie powietrza w oponach i ewentualnie uzupełnić.
- Obciążyć samochód zgodnie z instrukcją fabryczną. W przypadku braku danych wystarczy obciążenie kierowcą i pasażerem.
- Zamknąć szyby boczne, aby nie zwiększać oporów powietrza.
- Rozpędzić samochód do prędkości wskazanej w instrukcji fabrycznej (zwykle 50 km/h).
- W chwili mijania punktu pomiarowego wyłączyć sprzęgło i zapłon. Dźwignię zmiany biegów przesunąć w położenie neutralne i zwolnić pedał sprzęgła.
- Po zatrzymaniu się wolno toczącego samochodu zmierzyć drogę przebytą od punktu początkowego i powtórzyć próbę w kierunku przeciwnym. Jeżeli drogomierz samochodu jest wyposażony w bęben dziesiątych części kilometra, można do odczytu przebytej drogi wykorzystać licznik kilometrów. Należy przy tym pamiętać o uwzględnieniu błędu wskazań przyrządu, ustalonego podczas badania opisanego w rozdziale 1.3.

Ocena wyników

Do oceny drogi wybiegu przyjmuje się wartość otrzymaną jako średnią matematyczną z obu pomiarów. Obliczony wynik należy porównać z danymi producenta samochodu (zwykle droga wybiegu przekracza 300 m przy prędkości 50 km/h). Zbyt krótka droga wybiegu, mniejsza od wskazanej o więcej niż 10%,

37

świadczy o istnieniu niesprawności w układzie napędowym, hamulcowym lub jezdnym, które powodują wystąpienie nadmiernych oporów tarcia. Najczęściej ich przyczyną jest: tarcie szczęk hamulcowych o bębny (lub klocków o tarczę), zbyt duże napięcie w łożyskach kół lub nieprawidłowe ustawienie geometrii kół.

1.5. POMIAR PRZYSPIESZANIA

Określenie własności ruchowych samochodu polega na pomiarze prędkości maksymalnej oraz czasu jego rozpędzania. Jednak wykonanie pierwszego pomiaru, z uwagi na istniejące ograniczenia prędkości jazdy na drogach publicznych, wiązałoby się z wykroczeniem przeciw przepisom ustawy „Prawo o ruchu drogowym". Pozostaje więc pomiar przyspieszania samochodu, który w sposób wystarczający pozwoli określić stan techniczny silnika. Spadek mocy silnika jest najbardziej odczuwany właśnie podczas przyspieszania i pokonywania wzniesień i jest pierwszym symptomem świadczącym o nadmiernym zużyciu podstawowych elementów silnika.

W trakcie badania określa się czas potrzebny do rozpędzenia samochodu ze stanu stojącego do prędkości 80 lub wyjątkowo 100 km/h (jeśli brak danych dla mniejszych prędkości). Pomiar należy przeprowadzać na prostym odcinku płaskiej drogi, o suchej nawierzchni, przy bezwietrznej pogodzie. Jeżeli wyniki pomiaru mają być porównywane z danymi fabrycznymi, należy samochód obciążyć zgodnie z zaleceniami producenta.

Wykonanie pomiaru

- Sprawdzić i ewentualnie uzupełnić ciśnienie powietrza w oponach oraz doprowadzić silnik do normalnej temperatury pracy.
- Sprawdzić opory toczenia samochodu wykonując próbę wybiegu. Nadmierne opory toczenia powinny być usunięte.
- Przed rozpoczęciem pomiaru zamknąć wszystkie okna i wywietrzniki.
- W chwili ruszenia samochodu włączyć stoper. Ruszanie z miejsca powinno być płynne. Biegi należy zmieniać w najbardziej korzystnych warunkach pracy silnika, gdy jego prędkość obrotowa wchodzi w zakres maksymalnej mocy.
- Wyłączyć stoper po osiągnięciu założonej prędkości samochodu.
- Pomiary wykonać w obu kierunkach ruchu.

Ocena wyników

Otrzymany wynik należy porównać z danymi fabrycznymi lub z osiągami innego, pełnosprawnego, o niewielkim przebiegu samochodu tej samej marki.

Jeżeli czas rozpędzania jest większy o 20...25% od podanych wartości, świadczy to o niewystarczającej mocy silnika, co może być związane z jego znacznym zużyciem lub istnieniem usterki w układzie zasilania bądź zapłonowym.

2. DIAGNOSTYKA SILNIKA

2.1. POMIAR CIŚNIENIA SPRĘŻANIA

Stan techniczny silnika, bez jego demontażu, ocenia się na podstawie osiągów samochodu, zużycia paliwa i oleju oraz ciśnienia sprężania w cylindrach. Pomiar ciśnienia sprężania służy do sprawdzenia stopnia zużycia elementów silnika, które mają wpływ na szczelność cylindra, tzn. gładzi cylindra, tłoka, pierścieni oraz przylgni zaworów i ich gniazd.

Potrzebne przyrządy i narzędzia

– próbnik ciśnienia sprężania, np. PCS-1 (rys. 2.la), PCS-2 lub sterowany próbnik ciśnienia sprężania, np. SPCS-15 dla silników o zapłonie iskrowym (rys. 2.1b), SPCS-50 dla silników o zapłonie samoczynnym;
– klucz do odkręcania świec lub wtryskiwaczy;
– strzykawka;
– ok. 10 cm³ oleju silnikowego.

Wykonanie pomiaru

– Sprawdzić i w razie potrzeby wyregulować luzy zaworów (wg wskazówek zawartych w rozdz. 2.8), ponieważ mają one wpływ na wynik pomiaru.

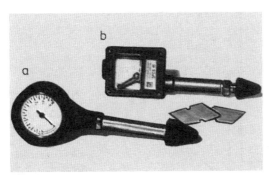

Rys. 2.1. Próbniki ciśnienia sprężania
a – PCS-l, b – SPCS-15

– Po nagrzaniu silnika do normalnej temperatury pracy (jeżeli pomiar luzów zaworów odbywał się na „zimno„) wykręcić wszystkie świece zapłonowe lub wtryskiwacze.

Uwaga. Niedopuszczalne jest wykonywanie pomiarów na zimnym silniku, ponieważ zbyt duże luzy między tłokiem a cylindrem spowodują wykazanie zaniżonego ciśnienia sprężania.

– Całkowicie otworzyć przepustnicę w celu uzyskania lepszego napełnienia cylindrów. Należy przy tym skorzystać z pomocy drugiej osoby, która wciśnie do oporu pedał przyspieszenia oraz będzie obsługiwała włącznik zapłonu.

Próbnik SPCS ma w uchwycie wbudowany klawiszowy kontakt elektryczny, który umożliwia uruchamianie silnika przez osobę obsługującą przyrząd. Końce przewodów wychodzące z uchwytu próbnika należy podłączyć w sposób pokazany na rysunku 2.2, łącząc jeden koniec z właściwym biegunem akumulatora, a drugi z rozrusznikiem w miejscu podłączenia przewodu prowadzącego do włącznika zapłonu. W chwili naciśnięcia przycisku klawiszowego na uchwycie następuje zwarcie kontaktu i przepływ prądu do rozrusznika. Otwarcie przepustnicy można uzyskać przez zablokowanie pedału przyspieszenia, np. rozpieraczem (por. rys. 5.3).

– Przygotować przyrząd do pomiaru: nacisnąć iglicę zaworka odpowietrzającego znajdującego się w końcówce przyrządu, sprawdzić początkowe ustawienie wskazówki i w razie potrzeby obracając tarczę z podziałką wyzerować. Do próbnika SPCS założyć czysty diagram.
– Końcówkę próbnika wcisnąć w otwór świecy zapłonowej lub wkręcić w otwór wtryskiwacza, zwracając szczególną uwagę na zachowanie szczelności tego połączenia.
– Włączyć rozrusznik i napędzać nim silnik tak długo, aż wskazówka manometru nie przestanie się przesuwać. W tym czasie wał korbowy powinien obracać się z prędkością co najmniej ok. 100 obr/min. Warunkiem

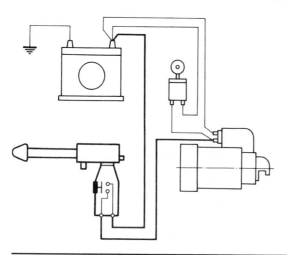

Rys. 2.2. Sposób podłączenia elektrycznego próbnika SPCS podczas pomiaru ciśnienia sprężania

uzyskania takiej prędkości obrotowej silnika jest całkowicie naładowany akumulator samochodu. Przy mniejszej prędkości obrotowej zbyt duży jest wpływ nieszczelności między tłokiem a cylindrem na wartość ciśnienia, które może okazać się zaniżone.

- Po wyłączeniu rozrusznika odczytać wskazania na próbniku. W przyrządach typu PCS służą do tego wskazówki manometru, natomiast w próbnikach typu SPCS – rejestratory kreślące na diagramie krzywe ciśnienia osobno dla każdego cylindra. Pomiar należy wykonać kolejno we wszystkich cylindrach silnika pamiętając, aby po każdym odczycie odpowietrzyć próbnik przez wciśnięcie iglicy zaworka. W próbniku typu SPCS należy dodatkowo przesunąć kasetę diagramu na następną pozycję.
- Jeżeli wynik pomiaru odbiega od wymaganego, to należy go powtórzyć w celu upewnienia się o prawidłowości uzyskania rezultatu.

Ocena wyników

Otrzymane wyniki pomiaru należy porównać z danymi fabrycznymi, a jeśli ich brak, to z wartością przybliżoną wyliczoną według poniższego wzoru: stopień sprężania × współczynnik k = ciśnienie sprężania [MPa]. Stopień sprężania jest podawany zawsze w charakterystyce technicznej silnika, natomiast współczynnik k zależy od rodzaju silnika i przyjmuje następujące wartości:
k = 0,12...0,13 dla silnika czterosuwowego o zapłonie iskrowym,
k = 0,17...0,20 dla silnika czterosuwowego o zapłonie samoczynnym,
k = 0,095...0,10 dla silnika dwusuwowego o zapłonie iskrowym.

W silnikach nowych oraz w dobrym stanie technicznym ciśnienie sprężania we wszystkich cylindrach powinno być zgodne albo z danymi producenta, albo z wartościami wyliczonymi.

Różnice ciśnień sprężania między poszczególnymi cylindrami nie powinny być większe niż 10% najwyższego odczytu. Spadek ciśnienia sprężania o 15...20% w stosunku do wartości nominalnej, tzn. podanej przez producenta lub obliczonej ze wzoru, świadczy o dużych zużyciach tłoka, cylindra, pierścieni tłokowych i zaworów, mających wpływ na obniżenie parametrów pracy silnika i jego trwałości, które kwalifikują silnik do naprawy.

W celu dokładniejszego określenia zakresu naprawy silnika o zapłonie iskrowym przeprowadza się tzw. „próbę olejową". Do cylindrów, w których wcześniej zostało stwierdzone zbyt niskie ciśnienie sprężania, wstrzykuje się przez otwór świecy zapłonowej na denko tłoka niewielką ilość oleju silnikowego (do 10 cm^3). Przysłaniając otwór wykonuje się kilka obrotów wałem korbowym w celu rozprowadzenia wlanego oleju po gładzi cylindra. Następnie mierzy się powtórnie ciśnienie sprężania.

Porównując wyniki obu pomiarów uzyskuje się informację o:
- nieszczelności zaworów i ich gniazd, jeżeli wartości są takie same dla badanego cylindra.
- nieszczelności pierścieni tłokowych, tłoków i cylindrów, jeżeli wartości w drugim pomiarze wzrosły (zbliżyły się do wartości nominalnej),
- nieszczelności zaworów i pierścieni tłokowych, jeżeli nastąpił nieznaczny wzrost ciśnienia sprężania.

Niewielki wzrost ciśnienia sprężania może świadczyć nie tylko o nieszczelności zaworów, ale również o uszkodzeniu uszczelki pod głowicę. Jeżeli przebicie uszczelki nastąpiło do układu chłodzenia, to dodatkowym objawem niesprawności będzie występowanie przedmuchów gazów spalinowych do układu chłodzenia podczas pracy silnika. Natomiast jeżeli przebicie uszczelki nastąpiło między cylindrami, to jedyną wskazówką o usterce będzie stwierdzenie zaniżonego, i w przybliżeniu jednakowego, ciśnienia sprężania w sąsiednich cylindrach. Może się również zdarzyć, że wynik badania będzie wyższy od wartości nominalnej. Będzie to spowodowane przez odłożenie się na dnie tłoka i w głowicy cylindra nadmiernej warstwy nagaru. Pomiar ciśnienia sprężania pozwala jedynie na ogólną ocenę szczelności cylindrów silnika i na jego podstawie trudno jest określić zakres niezbędnej naprawy. Chcąc jednoznacznie ustalić miejsca nieszczelności oraz określić wielkości występujących zużyć należy dodatkowo wykonać pomiar szczelności cylindrów.

 ## 2.2. POMIAR SZCZELNOŚCI CYLINDRÓW

Próba szczelności cylindrów polega na pomiarze spadku ciśnienia powietrza doprowadzonego do cylindra ze sprężarki i osłuchiwaniu ewentualnych przedmuchów w określonych miejscach silnika.

Potrzebne przyrządy i narzędzia

– próbnik szczelności cylindrów wchodzący w skład diagnoskopu lub wykonany jako oddzielny przyrząd,
– stetoskop lub odcinek rury gumowej.

Wykonanie pomiaru

– Doprowadzić silnik do normalnej temperatury pracy. Jeśli silnika nie można uruchomić, wystarczy kilkakrotne obrócenie wału korbowego.
  Wynik pomiaru należy wówczas traktować orientacyjnie.
– Wykręcić wszystkie świece zapłonowe lub wtryskiwacze.
– Ustawić tłok badanego cylindra w końcu suwu sprężania (punkt ZZ), wykorzystując do tego celu istniejące znaki fabryczne.
– Podłączyć próbnik z jednej strony do instalacji sprężonego powietrza, z drugiej do otworu świecy zapłonowej lub wtryskiwacza.
– Otworzyć zawór doprowadzając sprężone powietrze do przestrzeni nad tłokiem badanego cylindra.
– Na manometrze pomiarowym odczytać wartość spadku ciśnienia wyrażoną w procentach. Należy pamiętać, że niektóre próbniki, np. PSC-3,5, mają odwróconą skalę manometru i odczytuje się na niej szczelność cylindra wyrażoną w procentach.
– Porównać odczytaną wartość z wartościami przyjętymi jako kryterium do oceny stanu technicznego silnika (tabl. 2–1).
– W razie potrzeby ustalić przyczynę nieszczelności osłuchując silnik według podanych niżej wskazówek.

Rys. 2.3. Przyrząd EFAW 210A firmy Bosch pokazuje w procentach na manometrze spadek ciśnienia powietrza doprowadzonego do cylindra

Tablica 2−1

Ocena stanu technicznego silnika na podstawie spadku ciśnienia

Spadek ciśnienia [%] (szczelność cylindra [%])[1]				Stan techniczny silnika
Silnik ZI			Silnik ZS	
2-suwowy	4-suwowy o pojemności			
	poniżej 1000 cm³	powyżej 1000 cm³		
0...2 (100...98)	0...3 (100...97)	2...5 (98...95)	0...5 (100...95)	dobry
3...7 (97...93)	4...15 (96...85)	6...20 (94...80)	5...25 (95...75)	kwalifikuje się do eksploatacji
powyżej 7 (poniżej 93)	powyżej 15 (poniżej 85)	powyżej 20 (poniżej 80)	powyżej 25 (poniżej 75)	wymaga ustalenia przyczyny nieszczelności i zakresu niezbędnej naprawy[2]

[1] wartości podane w nawiasach odnoszą się do pomiaru wykonanego próbnikiem PSC-3,5,
[2] w przypadku silników dwusuwowych stwierdzony stopień zużycia układu tłokowo-cylindrowego kwalifikuje silnik bezpośrednio do naprawy.

– Po zakończeniu osłuchiwania zamknąć zawór, a następnie przełożyć końcówkę przewodu z próbnika do następnego badanego cylindra. Tłok w tym cylindrze ustawić w położenie ZZ obracając wał korbowy silnika zgodnie z kierunkiem jego obrotów.

Ocena wyników

Uzyskanie wyniku pomiaru świadczącego o złym stanie technicznym elementów w badanym cylindrze wymaga dodatkowego osłuchania silnika, aby określić przyczynę powstania nieszczelności.

Na rysunku 2.4 zaznaczono drogi wypływu sprężonego powietrza przez wszystkie możliwe nieszczelności cylindra oraz te miejsca, w których należy oczekiwać pojawienia się przedmuchów. Do osłuchania tych miejsc najlepiej posłużyć się stetoskopem lub, w przypadku jego braku, odcinkiem węża

43

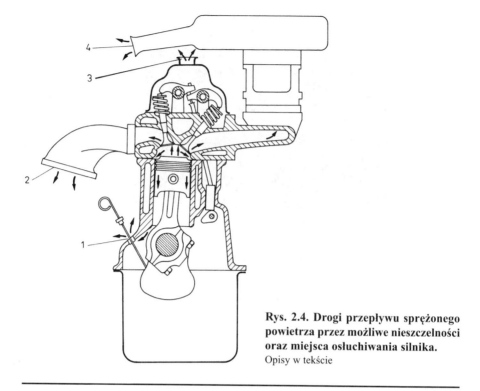

Rys. 2.4. Drogi przepływu sprężonego powietrza przez możliwe nieszczelności oraz miejsca osłuchiwania silnika.
Opisy w tekście

gumowego, które pomogą w określeniu intensywności szumów wskazującej na stopień zużycia poszczególnych elementów silnika. Należy tu przypomnieć, że warunkiem uzyskania prawidłowych wyników badania są prawidłowo wyregulowane luzy zaworów.

Zależnie od stwierdzonego miejsca przedmuchów można określić rodzaj usterki silnika:

- przedmuchy słyszane w otworze miernika poziomu oleju (1, rys. 2.4) i otworze wlewu oleju (3) będą świadczyły o zużyciu lub uszkodzeniu pierścieni tłokowych, tłoka i gładzi cylindra; przedmuchy te pojawiają się również w nowych silnikach, ale są mniej intensywne;
- przedmuchy słyszane w rurze wydechowej (2) będą świadczyły o zużyciu przylgni zamkniętego zaworu wydechowego; przedmuchy pojawiają się również w otworze świecy zapłonowej lub wtryskiwacza tego cylindra, który ma aktualnie otwarty zawór wydechowy (por. tabl. 2–2);
- przedmuchy słyszane na wlocie do gaźnika (4) będą wskazywały na zużycie przylgni zaworu ssącego; przedmuchy pojawią się również w otworze cylindra, w którym zawór ssący jest aktualnie otwarty;
- przedmuchy słyszane tylko w otworze sąsiedniego cylindra będą wskazywały na uszkodzenie uszczelki pod głowicę lub głowicy;
- przedmuchy do układu chłodzenia, objawiające się pęcherzykami powietrza wydobywającymi się z cieczy chłodzącej, również świadczą o uszkodzeniu uszczelki lub głowicy.

Innym prostym sposobem wykrycia uszkodzeń uszczelki pod głowicę oraz samej głowicy w silniku nie chłodzonym powietrzem jest zastosowanie specjalnego płynu reakcyjnego.

Sprawdzenie wykonuje się łącząc urządzenie pokazane na rysunku 2.5 napełnione płynem reakcyjnym z układem chłodzenia samochodu (przez wlew do chłodnicy lub zbiorniczka wyrównawczego). Do podłączenia wykorzystuje się odpowiednie dla danego modelu adaptery lub zestaw stożków gumowych. Następnie uruchamia się silnik i obserwuje zachowanie płynu w komorach urządzenia (do testera doprowadzane są w ten sposób gazy występujące w układzie chłodzenia nad płynem chłodzącym). Gazy spalinowe pojawiają się w układzie chłodzenia tylko przy wystąpieniu uszkodzenia uszczelki pod głowicą lub głowicy. Tester sygnalizuje to przez zmianę zabarwienia płynu reakcyjnego (reakcja chemiczna). W silnikach benzynowych następuje zmia-

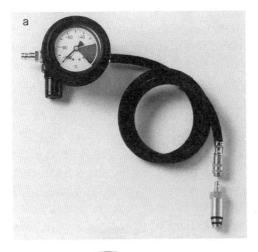

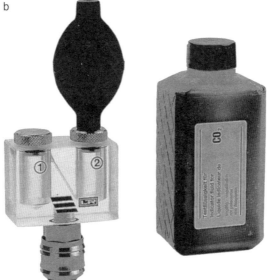

Rys. 2.5. Proste urządzenia do badania szczelności komór spalania (foto Leitenberger)
a – próbnik szczelności podłączany do warsztatowej instalacji sprężonego powietrza, podaje spadek ciśnienia w procentach,
b – tester do wykrywania uszkodzeń głowicy i uszczelki pod głowicą za pomocą płynu reakcyjnego

na zabarwienia płynu z niebieskiego na żółte, a w silnikach wysokoprężnych z niebieskiego na zielone.

Płyn reakcyjny (jeżeli nie zostanie zanieczyszczony płynem chłodzącym lub w inny sposób), po pewnym czasie, wraca do pierwotnego niebieskiego zabarwienia i może być wykorzystany ponownie.

2.3. SPRAWDZANIE UKŁADU CHŁODZENIA

Sprawdzanie szczelności układu

W produkowanych obecnie samochodach układ chłodzenia silnika pracuje pod ciśnieniem. Korek wlewowy zbiornika wyrównawczego jest zaopatrzony w sprężynę, która jest tak dobrana, by zapewniała szczelność korka i otwierała go wtedy, kiedy ciśnienie przekroczy określoną wartość, na przykład 0,12...0,15 MPa. Nadciśnienie panujące w układzie pozwala na osiągnięcie wyższej temperatury wrzenia płynu.

Jeżeli trzeba często dolewać płynu chłodzącego, a nie można zlokalizować nieszczelności (czasami jest trudno określić wzrokowo miejsce wycieku płynu), należy sprawdzić szczelność całego układu chłodzenia, przeprowadzając próbę ciśnieniową za pomocą pompy do badania chłodnic, którą można również sprawdzić zawór nadciśnieniowy w korku.

Potrzebne przyrządy i narzędzia

– przyrząd do sprawdzania chłodnic, np. „5 STAR TESTER" firmy SEDA, „317" firmy Sykes Pickavant lub SVT500 firmy Snap-on.

Wykonanie pomiaru

– Przymocować pompę do korka i wytworzyć ciśnienie, które spowoduje otwarcie zaworu w korku (rys. 2.6a). Jeżeli nie odbywa się to przy wymaganym ciśnieniu (np. 0,1 MPa), to korek trzeba wymienić. Otworzyć zawór nadciśnieniowy palcami. Sprawdzić, czy po zwolnieniu zawór zamyka się całkowicie.

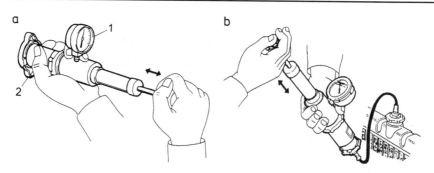

Rys. 2.6. Sprawdzanie szczelności zaworu nadciśnieniowego w korku wlewu (a) oraz w całym układzie chłodzenia (b)
1 – pompa do badania układu chłodzenia, 2 – korek wlewu

– Tą samą pompą, mocowaną do chłodnicy, można sprawdzić szczelność układu (rys. 2.6b). Należy wytworzyć ciśnienie 0,1...0,15 MPa i sprawdzić manometrem, czy utrzymuje się przez co najmniej 2 minuty. Jeżeli nie, oznacza to istnienia nieszczelności w układzie. Miejsce przecieku można łatwo określić dzięki wytworzonemu w układzie nadciśnieniu. Jeżeli ciśnienie opada bez widocznego wypływania cieczy lub wręcz podnosi się, należy wnioskować o wewnętrznym przecieku do silnika, na przykład wskutek uszkodzenia uszczelki pod głowicą lub pęknięcia kadłuba.

Uwaga. Nie wytwarzać wyższego ciśnienia, ponieważ może uszkodzić chłodnicę. Innym sposobem zlokalizowania nieszczelności jest wtłoczenie w układ chłodzenia płynu fluorescencyjnego. Płyn ten pozostaje w układzie przez pewien czas pracy silnika, aż ujawni się w miejscu nieszczelnym. Następnym krokiem jest oświetlanie lampą ultrafioletową wszystkich przewodów i połączeń. Miejsce wycieku objawi się w świetle lampy jako jaskrawo kolorowa plama.

Sprawdzanie przydatności płynu chłodzącego

Podatność płynu chłodzącego na zamarzanie zależy od stężenia zawartego w nim glikolu (etylenowego lub propylenowego). Z kolei stężenie glikolu w płynie wpływa bezpośrednio na jego gęstość. Zależność ta jest wykorzystywana w najpopularniejszych przyrządach do badania płynów (np. glikomat), które działają na zasadzie areometru (rys. 2.7). Po zassaniu płynu ze zbiornika wyrównawczego lub chłodnicy pływak przyrządu pokazuje na skali temperaturę krzepnięcia płynu. Przy gęstości płynu 1,0554 temperatura krzepnięcia wynosi –24°C, natomiast przy gęstości 1,0684 wynosi –36°C (dotyczy mieszaniny glikolu etylenowego).

Uwaga: Aby zapewnić większą dokładność pomiaru przyrząd powinien być przeznaczony do badania danego rodzaju glikolu, ponieważ glikol etylenowy i propylenowy różnią się własnościami fizykochemicznymi.

Bardziej dokładnym przyrządem pomiarowym jest tester optyczny nazywany refraktometrem, w którym wykorzystano związek między stężeniem glikolu a współczynnikiem załamania światła (rys. 2.8). Tester ten może jednocześnie służyć do sprawdzania odporności na zamarzanie płynu w spryskiwaczu oraz gęstości elektrolitu w akumulatorze.

Potrzebne przyrządy

– refraktometr (np. SCB 2000 Duo Check lub FT2030).

Wykonanie pomiaru

– Kroplę badanego płynu nałożyć na pryzmat (stolik) przyrządu za pomocą dołączonej pipetki.

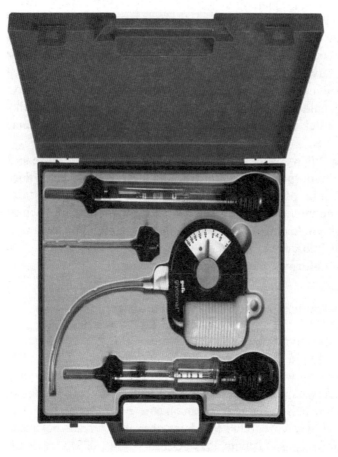

Rys. 2.7. Przyrząd do badania płynów działający na zasadzie areometru (tzw. glikomat)

– Zamknąć pokrywkę i obserwować przez okular w kierunku światła, w którym miejscu na skali jest widoczna granica między dwoma polami.

Ocena wyników

Obraz widziany w okularze urządzenia jest podzielony na dwa pola: białe i niebieskie (2.8b). Wartość odporności płynu na zamarzanie odczytujemy obserwując, w którym miejscu na tle odpowiedniej skali przyrządu układa się linia graniczna między polami białym i niebieskim (istnieją dwie podziałki dla glikoli etylenowych i propylenowych).

Analogicznie postępuje się badając płyn do spryskiwacza szyb i elektrolit. Wynik pomiaru opiera się na zależności między kątem załamania światła przechodzącego przez badany płyn, a jego odpornością na zamarzanie lub gęstością. Przyrząd eliminuje wpływ aktualnej temperatury badanego płynu chłodzącego na wynik pomiaru. Tester jest skalowany w temperaturze 20°C.

a

b

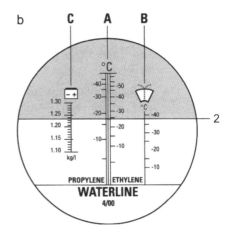

c

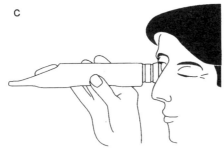

Rys. 2.8. Refraktometr oraz obraz widziany w okularze. Linia graniczna (2) między polami wyznacza na skali odporność na zamarzanie płynu w układzie chłodzenia (A) lub płynu do spryskiwacza (B). Skala (C) służy do odczytu gęstości elektrolitu
1 – miejsce na kroplę badanego płynu

2.4. BADANIE STANU TECHNICZNEGO SILNIKA W SPOSÓB POŚREDNI

Metoda ta polega na wykonaniu pomiaru innych wielkości niż ciśnienie sprężania w cylindrach lub spadek ciśnienia powietrza doprowadzanego do cylindrów i, na podstawie otrzymanych wyników, wnioskowaniu w sposób pośredni o stanie technicznym silnika. Zaletą tej metody jest skrócenie czasu pomiaru, dzięki wyeliminowaniu czasochłonnej czynności wykręcania i wkręcania świec zapłonowych lub wtryskiwaczy.

Jednym z wariantów metody pośredniej jest **mierzenie spadku napięcia na akumulatorze bądź poboru prądu przez** *rozrusznik* podczas uruchamiania silnika. Wzrastające w suwie sprężania ciśnienie w cylindrach przeciwstawia się ruchowi tłoków, powodując tym samym mechaniczne obciążenie rozrusznika i w rezultacie wzrost pobieranego przez niego prądu oraz spadek napięcia akumulatora. Wielkości te są więc uzależnione od oporów w suwie sprężania i mogą służyć jako kryterium oceny szczelności komory spalania cylindrów. Do wykonania badania potrzebny jest jednak odpowiedni diagnoskop lub tester komputerowy, które mogą rejestrować pulsowanie przebiegu napięcia akumulatora lub prądu rozrusznika w funkcji czasu podczas uruchamiania silnika.

49

Do pomiaru natężenia prądu najlepiej jest użyć zacisku amperometryczne-go, nazywanego również sondą hallotronową lub cęgami amperomierza (patrz rys. 4.42), ponieważ nie wymagają odłączenia akumulatora lub rozrusznika od instalacji. Przed pomiarem należy sondę wyzerować bez zakładania na przewód. Strzałka na sondzie musi być zgodna z kierunkiem przepływu prądu w badanym przewodzie. Zakładając sondę na kilka przewodów należy pamię-tać, że prąd może płynąć w różnych kierunkach. Natężenia prądów płynących w tym samym kierunku sumują się, w przeciwnych natomiast odejmują. Son-da hallotronowa ma postać cęgów, wewnątrz których jest umieszczony rdzeń mag-netyczny i hallotron. W pomiarze jest wykorzystywane zjawisko wytwarzania pola magnetycznego wokół przewodnika z prądem. Hallotron mierzy to pole mag-netyczne i przekazuje wynik do wskaźnika jako wartość natężenia prądu.

Im amplituda prądu pobieranego przez rozrusznik jest większa, tym wyż-sze ciśnienie sprężania (rys. 2.9). Jako niedostateczną amplitudę przyjmuje się wartość niższą od średnich wartości szczytowych o więcej niż 10%. W przy-padku stwierdzenia zbyt niskiej amplitudy prądu należy dla danego cylindra wykonać pomiar ciśnienia sprężania z próbą olejową w celu ustalenia przy-czyny powstania nieszczelności.

Innym, prostym sposobem badania pośredniego jest tzw. **próba porów-nywania cylindrów** nazywana również badaniem sprawności cylindrów lub „cylinder balance", która polega na pomiarze spadku prędkości obrotowej sil-nika w czasie wyłączania z pracy pojedynczych lub kilku cylindrów. Suw

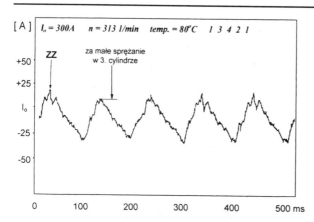

Rys. 2.9. Przykładowy obraz graficzny prądu rozruchu silnika 4-cylindrowego

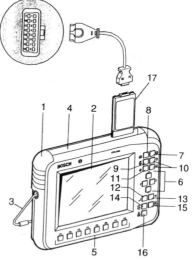

Rys. 2.10. Przenośny tester KTS 500 firmy Bosch do odczytu i analizy danych z elektronicznych sterowników układów wtryskowych, układów ABS, pomp wtryskowych i innych. Dzięki zastosowaniu wymiennych kart przyrząd umożliwia odczytywanie pamięci usterek, wskazywanie wartości rzeczywistych, uaktywnianie elementów wykonawczych oraz wywoływanie określonych funkcji sterowników

1 – obudowa z gumową osłoną, 2 – wyświetlacz LCD, 3 – podpórka, 4 – listwa z gniazdami przyłączeniowymi, 5 – przyciski programowane, 6 – przyciski kursorowe, 7 – włącznik, 8 – przejście do menu głównego, 9 – przycisk drukowania, 10, 11 – przewijanie stron na ekranie, 12 – przycisk potwierdzenia, 13, 14, 15 – przyciski przechodzenia, 16 – przycisk przerwania, 17 – karta KTS umożliwiająca komunikację między przyrządem a sterownikami w samochodzie

sprężania, który odbywa się w cylindrze z odłączoną świecą zapłonową, stanowi obciążenie dla pozostałych pracujących cylindrów. Im lepszy jest stan techniczny wyłączonego cylindra, tzn. im większe jest w nim ciśnienie sprężania, tym większy nastąpi spadek prędkości obrotowej silnika. Do wykonania badania potrzebny jest prosty obrotomierz. W nowoczesnych przyrządach diagnostycznych jest wbudowany odpowiedni program automatycznego wyłączania z pracy kolejnych cylindrów i mierzenia prędkości obrotowej oraz jej spadków. Pomierzone dla każdego cylindra wartości są zapamiętywane i wyświetlane po zakończeniu próby.

Zalecenia dotyczące prawidłowości wykonania pomiaru:
- silnik musi być w stanie nagrzanym;
- dodatkowe odbiorniki prądu (np. klimatyzacja) muszą zostać wyłączone;
- zdjąć przewód z wyłącznika termicznego elektrowentylatora chłodnicy i połączyć z masą; wentylator będzie pracował w sposób ciągły;
- w samochodach z wentylatorem chłodnicy napędzanym poprzez sprzęgło wiskozowe zapewnić nadmuch zimnego powietrza tak, aby wentylator nie włączył się samoczynnie podczas trwania pomiaru;
- w samochodach z wtryskiem lub gaźnikiem sterowanym elektronicznie odłączyć układ regulacji biegu jałowego;
- badanie zaleca się przeprowadzać z prędkością wyższą od biegu jałowego (ok. 1500 obr/min);
- badania nie zaleca się wykonywać w samochodach z katalizatorem, ponieważ może się przyczynić do skrócenia jego żywotności; wyjątkowo można użyć diagnoskopu z programem sterującym czasem wyłączania cylindrów i przerw. Jeżeli podczas próby silnik pracuje równomiernie, bez szarpnięć, a spadki prędkości obrotowej są odpowiednio duże i w miarę jednakowe dla wszystkich cylindrów, to stan techniczny silnika można uznać za właściwy.

W przypadku stwierdzenia dla jednego z cylindrów z wyłączonym zapłonem mniejszego spadku prędkości obrotowej można wykonać próbę olejową, która pozwoli określić przyczynę niedomagania. Próbę olejową wykonuje się w ten sam sposób, jak podczas sprawdzania ciśnienia sprężania. Jeżeli po wpuszczeniu do cylindra niewielkiej ilości oleju i powtórzeniu pomiaru stwierdzi się ten sam, niski spadek prędkości obrotowej, to przyczyną niesprawności cylindra są nieszczelne zawory lub uszkodzona uszczelka pod głowicą. Zwiększenie się spadku prędkości obrotowej wskazuje na nadmierne zużycie gładzi cylindra, pierścieni tłokowych lub tłoka.

2.5. BADANIE STANU TECHNICZNEGO SILNIKA ENDOSKOPEM

Endoskop, nazywany również technoskopem, jest przyrządem optycznym do oględzin przestrzeni zamkniętych. Ma końcówkę o średnicy 6,5...8,5 mm, co pozwala na wprowadzenie jej do wnętrza cylindra przez otwór po wykręconej świecy zapłonowej, świecy żarowej lub wtryskiwaczu (rys. 2.11). Pozwala oglądać powierzchnie zaworów, gładzi cylindra, komory spalania oraz denka

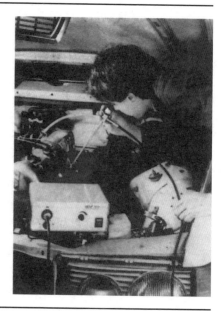

Rys. 2.11. Oględziny komory spalania
w silniku za pomocą endoskopu

tłoka dzięki bardzo jasnemu oświetleniu halogenowemu. Kierunek padania światła jest regulowany, a otrzymywany obraz nie jest odwrócony.

Są produkowane trzy rodzaje technoskopów: sztywne z zimnym światłem, sztywne z gorącym światłem, giętkie.

W endoskopie z zimnym światłem (rys. 2.12) światło jest doprowadzane do obiektu z projektora halogenowego o mocy 50...150 W światłowodem. Światło odbite od obiektu powraca drugim przewodem do okularu.

Endoskop z gorącym światłem ma żarówkę umieszczoną na końcu obiektywu. Jego zaletą jest niższa cena, natomiast wadą jest to, że nie nadaje się do stosowania w miejscach wrażliwych na ciepło (np. w zbiorniku paliwa), ponieważ koniec endoskopu się rozgrzewa.

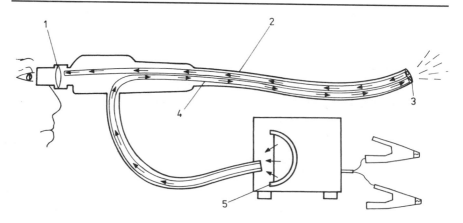

Rys. 2.12. Zasada działania endoskopu giętkiego z zimnym światłem
1 – okular, 2 – osłona, 3 – obiektyw, 4 – światłowód, 5 – projektor

Endoskop giętki ma możliwość odchylania końca z obiektywem o kąt 90° we wszystkich kierunkach. Ma szersze zastosowanie niż endoskop sztywny, jednak jest droższy.

Endoskopy nadają się nie tylko do oględzin wnętrza silnika, ale również do wykrywania miejsc korozji w profilach zamkniętych nadwozia i zbiorniku paliwa, sprawdzania stopnia zużycia kół zębatych skrzyni biegów, oglądania trudno dostępnych miejsc (np. numerów fabrycznych).

2.6. POMIAR CIŚNIENIA OLEJU

Wartość ciśnienia oleju i jego zmiany pod wpływem zmian prędkości obrotowej silnika stanowią miernik stanu technicznego przede wszystkim układu smarowania, ale także stanu ułożyskowania wału korbowego i wałka rozrządu.

Ciśnienie oleju zależy od temperatury silnika i prędkości obrotowej wału korbowego (rys. 2.13). Minimalne ciśnienie oleju, jakie występuje na biegu jałowym, jest uwarunkowane oporami przepływu w układzie smarowania. Natomiast ciśnienie maksymalne jest konstrukcyjnie ograniczone odpowiednim wyregulowaniem zaworu redukcyjnego.

Potrzebne przyrządy i narzędzia

- manometr z końcówką pomiarową, wskazany zakres pomiarowy do 8...1,0 MPa, np. specjalny próbnik ciśnienia oleju (rys. 2.14);
- klucz do odkręcania czujnika ciśnienia oleju.

Wykonanie pomiaru

- Sprawdzić poziom oleju w misce olejowej i w razie potrzeby uzupełnić go.
- Rozgrzać silnik do normalnej temperatury pracy, tj. 85...90°C, a następnie wyłączyć go.
- Wykręcić z silnika czujnik ciśnienia oleju, który steruje lampką sygnalizującą w zestawie wskaźników spadek ciśnienia oleju. W miejsce czujni-

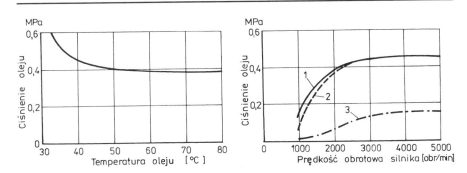

Rys. 2.13. Zależność ciśnienia oleju od parametrów pracy silnika

1 – układ smarowania sprawny, 2 – zwiększony luz w pompie oleju, 3 – zwiększony luz w ułożyskowaniu wału korbowego

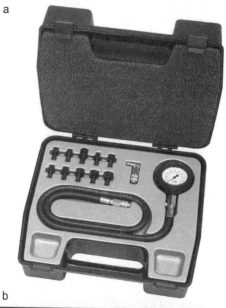

a

b

Rys. 2.14. Specjalny zestaw
do pomiaru ciśnienia oleju firmy
Sykes-Pickavant (a) oraz sposób
odczytu wyniku badania ciśnienia (b)

ka wkręcić końcówkę manometru. Jeżeli dysponuje się specjalnym manometrem przystosowanym do wkręcania czujnika ciśnienia oleju, to podczas próby można równocześnie sprawdzić działanie czujnika (rys. 2.15).
– Uruchomić silnik i sprawdzić ciśnienie oleju na biegu jałowym oraz przy prędkości obrotowej 2000...3000 obr/min.

Ocena wyników

Odczytane wartości ciśnienia oleju porównać z wymaganymi przez producenta. Jeżeli brak jest danych producenta, to przyjmuje się, że ciśnienie oleju powinno wynosić:
– 0,1 MPa (min. 0,03 MPa) na biegu jałowym;
– 0,2...0,4 MPa (silniki benzynowe) lub 0,3...0,6 MPa (silniki wysokoprężne) przy wyższych prędkościach obrotowych.
  Zbyt niskie ciśnienie oleju może być spowodowane:
– małą lepkością oleju lub jego rozcieńczeniem paliwem;
– uszkodzeniem pompy oleju lub zatkaniem filtra siatkowego;
– niesprawnym działaniem zaworu redukcyjnego;

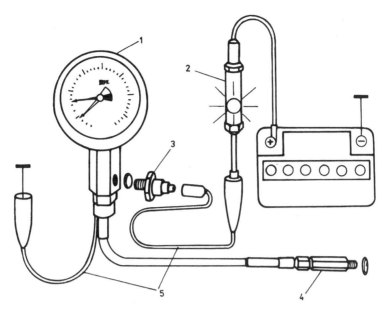

Rys. 2.15. Sposób podłączenia układu do sprawdzania ciśnienia oleju w silniku oraz czujnika ciśnienia oleju

1 – manometr, 2 – lampka kontrolna, 3 – czujnik ciśnienia oleju, 4 – końcówka gwintowana, 5 – przewody elektryczne

– nadmiernymi luzami w łożyskach wału korbowego.

Zbyt wysokie ciśnienie oleju może być spowodowane:

– zanieczyszczeniem kanałów olejowych;

– nieprawidłową regulacją zaworu redukcyjnego.

2.7. POMIAR PRĘDKOŚCI OBROTOWEJ SILNIKA

Pomiar prędkości obrotowej silnika towarzyszy wielu czynnościom kontrolnym i regulacyjnym wchodzącym w zakres diagnostyki silnika. Prędkość obrotową można mierzyć na kilka sposobów, zależnie od wyposażenia silnika i przyrządu diagnostycznego, jakim się dysponuje.

Metoda A

Za pomocą czujnika położenia ZZ (zwrotu zewnętrznego) umieszczonego przy kole zamachowym lub pasowym wału korbowego (patrz rys. 3.34). Diagnoskop przyłącza się do czujnika za pośrednictwem odpowiedniego złącza przeznaczonego dla danej marki samochodu lub do końcówek przewodu czujnika.

W starszych wersjach samochodów (np. OPEL, VOLVO, VW) specjalną sondę pomiarową diagnoskopu należy wprowadzić w tulejkę umieszczoną nad kołem impulsowym. Sygnał z czujnika może być również wykorzystywany do pomiaru wyprzedzenia zapłonu lub wtrysku. Prawidłowość pomiaru zależy od zachowania wymaganej odległości czujnika od koła impulsowego.

Metoda B

Za pomocą sygnału z obwodu pierwotnego układu zapłonowego, po podłączeniu diagnoskopu albo do zacisków 1 i 15 cewki zapłonowej, albo do styków modułu zapłonowego. Jeżeli zaciski cewki są niedostępne, to można użyć nasadki przebijającej izolację przewodu (patrz 5, rys. 4.42). Sygnał z obwodu pierwotnego może być również wykorzystany do pomiaru kąta zwarcia i tworzenia oscylogramu.

Metoda C

Za pomocą sygnału z obwodu wtórnego po podłączeniu diagnoskopu albo sondą indukcyjną (nazywaną również sondą 1. cylindra) do przewodu zapłonowego 1. cylindra, albo sondą pojemnościową (nazywaną również sondą wysokiego napięcia) do przewodu wysokiego napięcia cewki zapłonowej. Zaletą tego typu pomiaru jest łatwe przyłączenie sondy, wadą zależność jakości impulsu od stanu przewodu i zakłóceń od innych źródeł wysokiego napięcia. Do badania silników z układem zapłonowym, w którym iskra pojawia się w suwie sprężania i wydechu należy stosować sondę pojemnościową lub sondę indukcyjną z przełączaniem czułości (rys. 2.16).

Stosowanie układów zapłonowych z dwoma rozdzielaczami zapłonu oraz układów bezrozdzielaczowych (każdy cylinder ma przydzieloną jedną cewkę zapłonową) powoduje konieczność dokonywania pomiarów jednocześnie na kilku przewodach zapłonowych. Dlatego w uzupełnieniu do sondy pojemnościowej, którą można mierzyć tylko na jednym przewodzie, wprowadzono przetworniki pomiarowe, spełniające te dodatkowe wymagania (patrz rys. 4.37, 4.38 i 4.39). Przetwornik pozwala mierzyć sygnały, bez konieczności rozłączania elektrycznego połączenia. Konstrukcja przetworników pomiarowych obwodu wtórnego jest stale rozwijana. Przetwornik pomiarowy może mieć postać (rys. 2.17):
a – płytki blaszanej zakładanej na cewkę,
b – wsuwanej sondy (tylko dla cewek z kieszonką),
c – płytki drukowanej (nowe rozwiązanie).

Metoda D

Za pomocą miernika optycznego (tachometru optycznego), który zlicza liczbę odbić strumienia wysyłanego światła od paska naklejonego lub narysowanego kredą na kole pasowym (rys. 2.18) względnie zamachowym wału korbowego. Podczas pomiaru trzeba zachować wymagany odstęp między miernikiem a znakiem. Zakłócenia pomiaru mogą zostać spowodowane refleksami wysyłanymi przez kontrastowe tło.

Metoda E

Metodą kontaktową za pomocą specjalnego tachometru dostawionego końcówką pomiarową do osi obrotu wirującego elementu. Tachometr z mikroprocesorem ma możliwość zapamiętywania wartości minimalnej oraz maksymalnej. Trudny zazwyczaj dostęp do koła pasowego ogranicza możliwości wykorzystania tej metody.

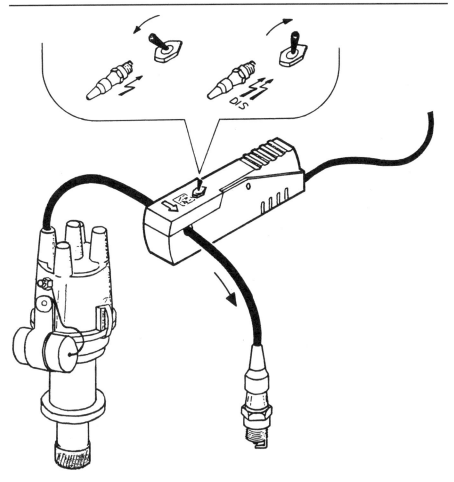

Rys. 2.16. Sposób użycia sondy indukcyjnej zakładanej na przewód zapłonowy l. cylindra, z przełącznikiem dla układu rozdzielaczowego i bezrozdzielaczowego
Sonda powinna być podłączona jak najbliżej kopułki rozdzielacza lub cewki, z dala od innych przewodów zapłonowych

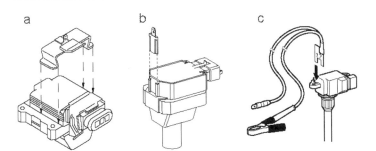

Rys. 2.17. Przetwornik pomiarowy obwodu wtórnego służy do mierzenia sygnałów bez konieczności rozłączania elektrycznego połączenia. Przykłady różnych konstrukcji przetwornika pomiarowego
a – płytka blaszana zakładana na cewkę zapłonową, b – wsuwana sonda (tylko dla cewek z kieszonką), c – płytka drukowana (nowe rozwiązanie)

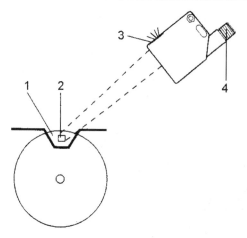

Rys. 2.18. Sposób pomiaru prędkości obrotowej za pomocą czujnika optycznego skierowanego na znak na kole pasowym wału korbowego. Dioda LED czujnika musi błyskać, kiedy obroty zostały prawidłowo zmierzone

1 – koło pasowe, 2 – znak refleksyjny, 3 – dioda LED, 4 – gniazdo przyłączeniowe do testera lub analizatora spalin (dymomierza)

Metoda F

Za pomocą czujnika piezoelektrycznego (rys. 2.19), zaciskanego na przewodzie wtryskowym i połączonego z miernikiem. Czujnik umożliwia również pomiar początku wtrysku (tłoczenia). Miejsce mocowania czujnika powinno być czyste, suche i nie zdeformowane. Silne wibracje przewodu wtryskowego mogą stworzyć zakłócenia pomiaru. Wielkość czujnika musi odpowiadać średnicy zewnętrznej przewodu wtryskowego (najczęściej występują średnice 5 i 6 mm). Zjawisko piezoelektryczne – zjawisko powstawania ładunków elektrycznych w krysztale pod wpływem działania sił odkształcających, np. ciśnienia.

Metoda G

Pomiar odbywa się za pomocą specjalnego przyrządu diagnostycznego (np. SRA-2 firmy SUN lub wbudowanego w dymomierz 3.010 firmy BOSCH), który podłącza się do instalacji elektrycznej pojazdu w dowolnym miejscu, na przykład do zacisków akumulatora lub do gniazda zapalniczki. Prędkość obrotowa silnika jest wyznaczana na podstawie niewielkich, cyklicznych zmian napięcia, jakie występują w każdej instalacji wyposażonej w alternator. Wynika to stąd, że napięcie na zaciskach wyjściowych alternatora po wyprosto-

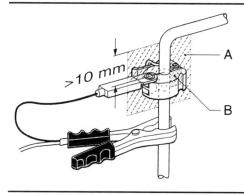

Rys. 2.19. Czujnik piezoelektryczny umocowany na przewodzie wtryskowym. Czujnik zaciska się na oczyszczonym, prostym odcinku przewodu; płaszczyzna *A* przewodu musi pokrywać się z płaszczyzną podziału *B* czujnika

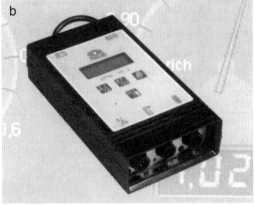

Rys. 2.20. Mierniki prędkości obrotowej

a – miernik DISPEED 490 firmy AVL do silników o zapłonie iskrowym i samoczynnym, przeznaczony do współpracy z każdym analizatorem spalin; sygnał wejściowy z kombinowanego czujnika wibracji silnika i powietrza, sygnały wyjściowe: impulsy cyfrowe 5 V, impulsy indukcyjne (symulacja sygnału zapłonu) i symulacja sygnału z czujnika piezoelektrycznego,
b – miernik RPM VC 2 firmy MAHA do silników o zapłonie iskrowym i samoczynnym z wbudowanym wyświetlaczem, określający prędkość obrotową za pomocą czujnika wibracji silnika lub za pośrednictwem pomiaru napięcia tętnienia w instalacji elektrycznej

waniu ma przebieg pulsujący. To pulsowanie (tętnienie) napięcia wyjściowego jest zależne od prędkości obrotowej wirnika alternatora, a tym samym od prędkości obrotowej silnika.

Metoda H

Do pomiaru prędkości obrotowej może być wykorzystywane widmo akustyczne silnika. Silnik podczas pracy jest źródłem drgań, z których można wydzielić drgania o częstotliwości zależnej od prędkości obrotowej silnika. Drgania silnika są odbierane głowicą pomiarową z mikrofonem.

Pomiar prędkości obrotowej silników ZI można wykonać metodami A, B, C, D, E lub G i H, natomiast silników ZS metodami A, D, E, F lub G i H.

2.8. SPRAWDZANIE I REGULACJA LUZÓW ZAWORÓW

Luz zaworów jest to suma luzów między elementami mechanizmu napędzającego zawór rozrządu istniejących w czasie jego zamknięcia. Istnienie luzu kompensuje wydłużenie elementów rozrządu spowodowane rozszerzalnością cieplną, co stanowi konieczny warunek zupełnie szczelnego i prawidłowego przylegania grzybka zaworu do gniazda podczas suwu sprężania i pracy.

Nieprawidłowe luzy zaworów powodują zakłócenie w pracy silnika, czego objawami są zmniejszenie mocy i nieregularny bieg silnika, a także zwiększona hałaśliwość rozrządu (por. tabl. 1–3).

Z regulacją luzów zaworów nie należy jednak zwlekać do wystąpienia wymienionych objawów. Czynność tę powinno się wykonywać okresowo, zgodnie z zaleceniami instrukcji obsługi (zwykle co 10...20 tys. km). Zmiany wartości luzów zaworów są wynikiem naturalnego zużywania się mechanizmu sterującego zaworami. Wraz z wybijaniem się gniazda i grzybka zaworu następuje nieznaczne zmniejszenie luzu, natomiast jego powiększenie jest powodowane systematycznym zużywaniem się powierzchni krzywek, popychaczy i dźwigienek zaworów.

Sposób przeprowadzenia kontroli i regulacji luzów zaworów oraz rodzaje potrzebnych narzędzi zależą od konstrukcji układu rozrządu silnika. Na rysunku 2.21 pokazano najczęściej spotykane rodzaje napędu zaworu, miejsce pomiaru luzu oraz elementy służące do jego regulacji.

Pomiar luzów zaworów jest wykonywany „na zimno", tj. po całkowitym ostygnięciu silnika, lub na „gorąco", po nagrzaniu się uruchomionego silnika do normalnej temperatury pracy – zależnie od zaleceń wytwórcy. Podczas

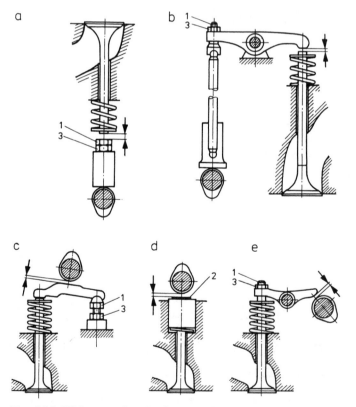

Rys. 2.21. Miejsca pomiaru luzów zaworów w silniku dolnozaworowym (a), górnozaworowym z wałkiem rozrządu umieszczonym w kadłubie silnika typ ohv (b) lub w głowicy typ ohc (c, d, e) oraz elementy służące do regulacji luzu
1 – śruba regulacyjna, 2 – płytka wymienna, 3 – nakrętka kontrująca

nagrzewania się silnika z rozrządem górnozaworowym luzy zaworów, wbrew pozorom, nie zmniejszają się, jak to jest w przypadku rozrządu dolnozaworowego, ale powiększają, co wynika z różnej rozszerzalności cieplnej materiałów głowicy i kadłuba w silniku typu ohv (rys. 2.21b) lub materiałów głowicy i mechanizmu napędzającego zawór w silniku typu ohc (rys. 2. 21c).

Potrzebne przyrządy i narzędzia

– szczelinomierz o odpowiedniej grubości blaszek,
– dwa klucze płaskie lub klucz i wkrętak ewentualnie specjalny przyrząd do regulacji luzów zaworów, na przykład pokazany na rysunku 2.24;
– klucz do demontażu pokrywy zaworów.

Wykonanie pomiaru

– Nagrzać silnik do normalnej temperatury pracy, jeśli regulacja ma się odbywać „na gorąco".
– Zdemontować pokrywę zaworów.
– Wykręcić świece zapłonowe ze wszystkich cylindrów, w celu łatwiejszego obracania wałem korbowym.

Obrócić wał korbowy, np. przetaczając samochód z włączonym najwyższym biegiem, aby tłok pierwszego cylindra (patrząc od strony napędu wałka rozrządu) ustawił się w zwrocie zewnętrznym (ZZ) podczas suwu sprężania. Obydwa zawory pierwszego cylindra są wówczas zamknięte. Moment ustawienia się tłoka w ZZ można łatwo ustalić obserwując położenie palca w rozdzielaczu zapłonu, po zdjęciu z niego kopułki, lub znaki służące do ustawiania zapłonu.

– Określić umiejscowienie zaworów ssących i wydechowych, kierując się położeniem przewodów dolotowego i wylotowego, umocowanych do głowicy (rys. 2.22).
– Wsunąć odpowiedniej grubości blaszkę szczelinomierza w miejsce służące do kontroli luzu (zaznaczone na rys. 2.21). Prawidłowy luz na za-

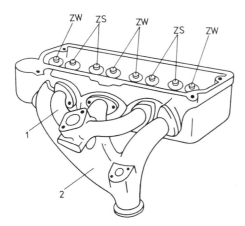

Rys. 2.22. Sposób określenia położenia zaworów ssących (ZS) i wydechowych (ZW) na podstawie miejsca mocowania do głowicy przewodu dolotowego (1) i wylotowego (2)

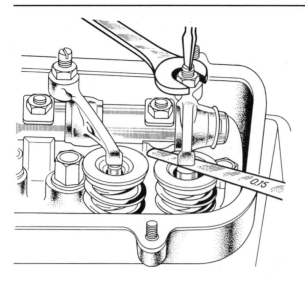

Rys. 2.23. W celu ustawienia luzu zaworu poluzować przeciwnakrętkę kluczem płaskim, a następnie wkrętakiem obracać śrubę regulacyjną tak, aby szczelinomierz dawał się przesuwać z nieznacznym oporem

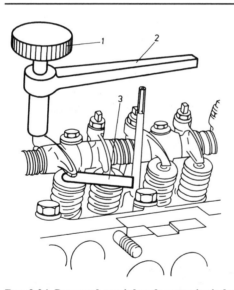

Rys. 2.24. Przyrząd specjalny do ustawiania luzów zaworów
1 – klucz z wewnętrznym czworokątem do ustawiania luzu, 2 – klucz z sześciokątem do przeciwnakrętki, 3 – szczelinomierz

worze stwierdza się wtedy, kiedy blaszka szczelinomierza daje się wsunąć z nieznacznym oporem.

– Jeżeli rzeczywisty luz zaworu różni się od zalecanych wartości, należy poluzować kluczem nakrętkę kontrującą (3, rys. 2.21) i wkręcać lub wykręcać śrubę regulacyjną (1) względnie wymienić płytkę regulacyjną (2), zależnie od konstrukcji mechanizmu napędu zaworów. Wykonanie czynności

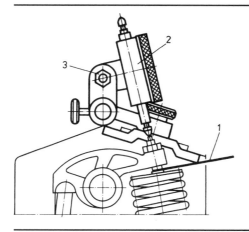

Rys. 2.25. Ustawianie luzów zaworów za pomocą szczelinomierza (1) i czujnika pomiarowego (2) z uchwytem (3)

regulacyjnych można znacznie ułatwić, wykorzystując przyrząd specjalnie do tego przeznaczony (rys. 2.24).

– Utrzymując nieruchomo śrubę regulacyjną, dokręcić nakrętkę kontrującą i ponownie sprawdzić prawidłowość ustawienia luzu. W razie potrzeby skorygować. Regulację przeprowadza się dla obydwu zaworów pierwszego cylindra.

– Obrócić wał korbowy o 180°, jeżeli silnik jest 4-cylindrowy, lub o 120°, jeżeli silnik ma 6 cylindrów w układzie rzędowym.

– Sprawdzić luzy zaworów w kolejnym cylindrze, w którym następuje suw

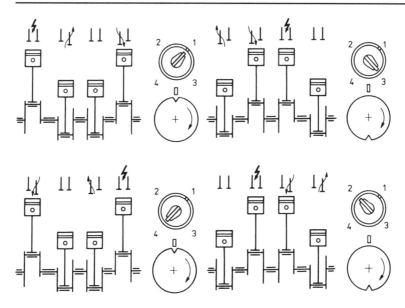

Rys. 2.26. Do regulacji luzu wybiera się zawory tego cylindra, w którym rozpoczął się suw pracy, co można rozpoznać po położeniu palca rozdzielacza i znaków do ustawiania zapłonu na kole pasowym (przykład dla silnika o kolejności zapłonu 1–3–4–2)

sprężania. W silniku 4-cylindrowym o kolejności zapłonu 1–3–4–2 sprawdzeniu podlegają zawory trzeciego cylindra.

– Pomiar luzów zaworów przeprowadzać w pozostałych cylindrach, obracając wał korbowy o 180° (120° w silniku 6-cylindrowym). Przykład wyboru cylindrów do regulacji przedstawiono na rysunku 2.26.

Uwaga. Znając cykl otwierania i zamykania się zaworów w poszczególnych cylindrach można znacznie skrócić czas trwania całej operacji. Wynika to z faktu, że zamknięte pozostają nie tylko oba zawory cylindra, w którym kończy się suw sprężania, ale również zawór ssący, w którym zaczyna się suw wydechu, oraz zawór wydechowy, gdzie kończy się suw ssania. Sprawdzenie i regulację luzów zaworów dla wszystkich zaworów można więc przeprowadzić w dwóch położeniach wału korbowego. W celu łatwego ustalenia zaworów podlegających kontroli, można wykorzystać tablicę 2–2 przygotowaną dla rzędowych silników 4-cylindrowych.

Tablica 2–2

Zawory podlegające sprawdzeniu podczas pomiaru luzów zaworów w dwóch położeniach wału korbowego

Kąt obrotu wału korbowego	Nr cylindra w którym kończy się suw sprężania	Zawór ssący cylindra:				Zawór wydechowy cylindra:			
		1	2	3	4	1	2	3	4
Kolejność zapłonu 1—2—4—3									
0°	1	●	○	●	○	●	●	○	○
360°	4	○	●	○	●	○	○	●	●
Kolejność zapłonu 1—3—4—2									
0°	1	●	●	○	○	●	○	●	○
360°	4	○	○	●	●	○	●	○	●

● – zawór zamknięty, podlegający sprawdzeniu

○ – zawór otwarty

3. DIAGNOSTYKA UKŁADU ZASILANIA

3.1. POMIAR ZUŻYCIA PALIWA

Najprostszym sposobem oceny działania układu zasilania jest określenie ilości paliwa zużywanego podczas jazdy przez samochód. Ocena ta ma jednak charakter pośredni i zależy od wielu dodatkowych czynników jak sprawność silnika i układu napędowego. Stąd też, jeżeli układ zasilania działa prawidłowo, pomiar zużycia paliwa może również służyć do określenia ogólnego stanu technicznego samochodu, skuteczności zabiegów regulacyjnych oraz jakości wykonanej naprawy. Opisane poniżej metody pomiaru drogowego zużycia paliwa dają wyniki jedynie orientacyjne, ponieważ są w sposób znaczący uzależnione od rodzaju drogi, aktualnie panujących warunków atmosferycznych, obciążenia pojazdu i umiejętności kierowcy w prowadzeniu pojazdu. Dokładny, porównywalny pomiar zużycia paliwa możliwy jest do wykonania na specjalnej hamowni podwoziowej.

 Pomiar eksploatacyjnego zużycia paliwa

Jest to pomiar średniego zużycia paliwa w warunkach normalnej eksploatacji samochodu. Najprostszym sposobem pomiaru jest zastosowanie metody „pełnego zbiornika", która polega na przejechaniu dłuższego odcinka drogi (co najmniej 100 km) po maksymalnym napełnieniu zbiornika paliwa. Ilość paliwa uzupełnionego do stanu poprzedniego pozwoli określić, po uwzględnieniu pokonanego odcinka drogi, średnie eksploatacyjne zużycie paliwa. Jego wielkość w litrach na 100 km otrzymuje się ze wzoru:

$$\frac{\text{ilość zużytego paliwa w l}}{\text{przebyty odcinek drogi w km}} \times 100$$

Podczas pomiaru należy prędkość jazdy utrzymywać w ekonomicznym zakresie, dostosowując ją do rzeczywistych potrzeb, unikać gwałtownego przyspieszania i zbyt długiego korzystania z urządzenia rozruchowego gaźnika.

Uzyskane podczas badania wartości powinny mieścić się między dolną i górną granicą zużycia paliwa, podawaną w instrukcjach obsługi, katalogach i pismach fachowych.

Pomiar kontrolnego zużycia paliwa

Badanie polega na pomiarze zużycia paliwa w różnych warunkach jazdy: w ruchu miejskim oraz przy stałych prędkościach jazdy 70 km/h, 90 km/h i 120 km/h. Ta ostatnia prędkość dotyczy samochodów, których prędkość maksymalna przekracza 130 km/h. Zużycie paliwa dla jazdy miejskiej powinno się określać na specjalnym stanowisku badawczym, symulując odpowiedni cykl jazdy. Natomiast pomiar zużycia paliwa dla stałych prędkości jazdy wykonuje się podczas próby drogowej.

Potrzebne przyrządy i narzędzia

– zbiornik pomiarowy, np. MZPC-3, MZPC-6, UZP-3 (rys. 3.1) lub przepływomierz, np. FLOWTRONIC firmy Quickly AG Szwajcaria (rys. 3.2).

Wykonanie pomiaru przy użyciu zbiornika pomiarowego

– Wyznaczyć na płaskiej drodze odcinek pomiarowy i dokładnie określić jego długość, która powinna przekraczać 1 km.
– Zamontować zbiornik pomiarowy w kabinie kierowcy, włączyć w układ zasilania silnika (między zbiornik a pompę paliwa) i napełnić paliwem.
– Przed rozpoczęciem pomiaru samochód powinien przejechać nie mniej niż 5 km, aby osiągnąć właściwą temperaturę pracy wszystkich mechanizmów. Należy unikać przeprowadzania próby przy silnym wietrze, w bardzo niskich temperaturach otoczenia oraz na mokrej nawierzchni jezdni.
– Samochód rozpędzić tak, aby osiągnął wybraną prędkość jeszcze przed początkiem odcinka pomiarowego.
– W chwili mijania początku odcinka pomiarowego przełączyć zawór miernika na „pomiar" (silnik jest wtedy zasilany z miernika). Obserwować ilość paliwa zużywanego na przejazd odcinka pomiarowego. Badanie wykonać w dwóch kierunkach jazdy.

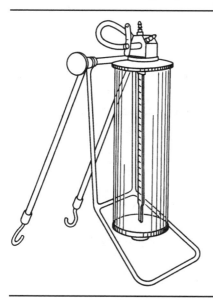

Rys. 3.1. Urządzenie UZP-3 do pomiaru zużycia paliwa w warunkach drogowych

Rys. 3.2. Przyrząd typu Flowtronic do kontroli zużycia paliwa oraz pomiaru przyspieszenia i prędkości uzyskiwanych podczas próby drogowej

– Obliczyć zużycie paliwa w litrach (dm³) na 100 km korzystając z wzoru:

$$\frac{\text{zmierzona objętość spalonego paliwa w cm}^3}{\text{przebyty odcinek pomiarowy w obie strony w m}} \times 100$$

Jeżeli temperatura paliwa w zbiorniku pomiarowym znacznie różni się od temperatury odniesienia 20°C, to należy we wzorze uwzględnić rozszerzalność objętościową paliwa.

– Jeżeli brak jest możliwości dokładnego wytyczenia długości odcinka pomiarowego, można posłużyć się sekundomierzem. Próbę rozpoczyna się włączając sekundomierz i jednocześnie przełączając zasilanie na zbiornik pomiarowy, a kończy zatrzymując sekundomierz i odłączając zbiornik. Zużycie paliwa określa się wykorzystując wzór:

$$\frac{\text{zmierzona objętość spalonego paliwa w cm}^3}{\text{czas przebycia odcinka w s} \times \text{prędkość jazdy w km/h}} \times 360$$

Uwaga. W samochodach, w których układ zasilania jest wyposażony w przewód przelewowy między gaźnikiem a zbiornikiem paliwa należy na czas pomiaru odciąć odpływ paliwa tym przewodem do zbiornika.

Wykonanie pomiaru przy użyciu przepływomierza

Zastosowanie przepływomierza pozwala na uzyskanie dokładniejszego wyniku pomiaru w sposób szybszy i prostszy w obsłudze. Przykładem takiego urządzenia jest elektroniczny przepływomierz Flowtronic pokazany na rysunku 3.2. Sposób podłączenia miernika do gaźnikowego układu zasilania przedstawiono na rysunku 3.3a, a do układu wtryskowego – na rysunku 3.3b. Dane o przebytym odcinku pomiarowym są przekazywane do miernika ze specjalnej przystawki (Flowtronic 208), umocowanej do piasty koła lub z tzw. piątego koła. Jeżeli nie dysponuje się tymi urządzeniami, można wykorzystać wskazania samochodowego licznika kilometrów. W modelu 215 (rys. 3.2) nadajnik impulsów miernika uruchamia się rozpoczynając proces pomiaru, a po raz drugi po przejechaniu

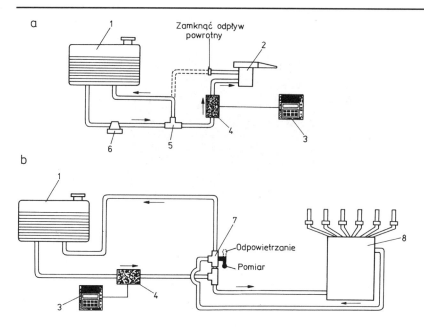

Rys. 3.3. Sposób podłączenia przyrządu Flowtronic
a – do gaźnikowego układu zasilania, b – do układu wtryskowego
1 – zbiornik paliwa, 2 – gaźnik, 3 – miernik, 4 – czujnik przepływu, 5 – złączka z dyszą, 6 – pompa paliwa, 7 – zawór odpowietrzania (wyposażenie dodatkowe przyrządu), 8 – pompa rozdzielaczowa

odcinka 1 kilometra, odczytanego ze wskazań drogomierza. Dalsze obliczenia przebiegają automatycznie i na wyświetlaczu odczytuje się gotowy wynik paliwa. Obok ilości zużytego paliwa podawanego w litrach na 100 km przebiegu, jest również wyświetlana średnia prędkość, z jaką samochód przejechał ostatni kilometr drogi.

Ocena wyników

Otrzymane wyniki można porównywać z danymi zebranymi na podstawie doświadczeń stacji diagnostycznych lub, z pewnym przybliżeniem, z danymi podawanymi przez wytwórnię.

Jeżeli zostanie stwierdzone nadmierne zużycie paliwa, to przyczyn tego zjawiska należy przede wszystkim poszukiwać w nieprawidłowo działającej instalacji paliwowej i zapłonowej (typowe niedomagania podano w tablicy 1–3), a dopiero później w uszkodzeniu bądź zużyciu eksploatacyjnym silnika, źle wyregulowanych hamulcach lub nadmiernych oporach tarcia w układzie napędowym.

3.2. BADANIE POMPY PALIWA

Badanie pompy paliwa, wykonywane w celu wykrycia niedomagań dających objawy wymienione w tablicy 1–3, polega na sprawdzeniu szczelności pompy (wykonanie tego badania opisano w rozdz. 1) oraz pomiarze ciśnienia tłoczenia, podciśnienia ssania i wydatku pompy.

Pomiar ciśnienia tłoczenia

Potrzebne przyrządy i narzędzia

– manometr, o zakresie pomiarowym 0...100 kPa, z działką elementarną 2 kPa, np. próbnik ciśnienia i podciśnienia TS 1030 (Radiotechnika).

Wykonanie pomiaru

– Nagrzać silnik do normalnej temperatury pracy i po unieruchomieniu od-łączyć przewód paliwowy biegnący od pompy do gaźnika.
– Króciec tłoczący pompy połączyć przewodem z trójnikiem manometru usta-wiając jego zawór tak, aby następował przepływ paliwa z pompy gaźnika (rys. 3.5a). Jeżeli przyrząd stosowany do pomiaru nie jest wyposażony w trójnik, to ciśnienie tłoczenia można określić podłączając monometr bez-pośrednio do króćca tłoczącego pompy. Silnik pracując będzie wykorzystywał paliwo znajdujące się w komorze pływakowej gaźnika, co jednak ograni-cza czas pomiaru.
– Uruchomić silnik pozostawiając go na biegu jałowym lub zwiększając pręd-kość obrotową odpowiednio do zaleceń wytwórcy.
– Odczytać wskazania manometru, które określają wartość ciśnienia roboczego wytwarzanego przez pompę.
– W razie potrzeby wykonać pomiar czasu spadku ciśnienia. W tym celu usta-wić zawór trójnika tak, aby odciął dopływ paliwa do gaźnika (rys. 3.5b); manometr wskaże maksymalne ciśnienie tłoczenia, które jest wyższe o ok. 30% od ciśnienia roboczego. Unieruchomić silnik i zmierzyć prędkość spad-ku ciśnienia.

Ocena wyników

W prawidłowo działającej pompie ciśnienie tłoczenia powinno wynosić, zależnie od jej typu, 10...25 kPa w silnikach gaźnikowych i 80...100 kPa w silnikach wy-sokoprężnych.

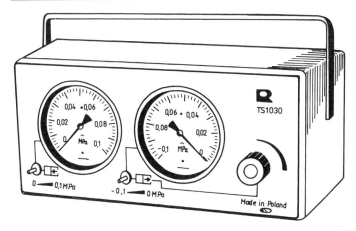

Rys. 3.4. Próbnik ciśnienia i podciśnienia TS 1030 firmy Radiotechnika (Wrocław)

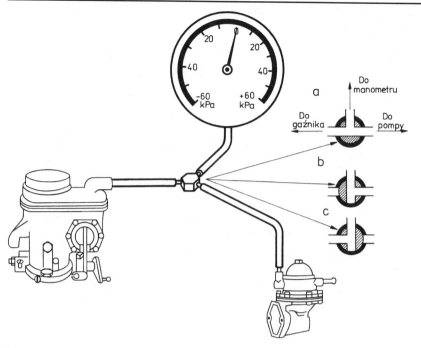

Rys. 3.5. Sposób podłączenia manometru oraz ustawienia zaworu trójnika podczas pomiaru ciśnienia tłoczenia pompy paliwa (a) i badania jej szczelności (b) oraz szczelności zaworu iglicowego (c)

Zbyt małe wartości ciśnienia świadczą o osłabieniu lub uszkodzeniu sprężyny, o nieszczelności pompy (czemu powinien towarzyszyć wyciek paliwa z pompy) względnie o nieszczelności zaworu tłoczącego. Miarą szczelności zaworu lub połączeń po stronie tłoczącej jest czas spadku ciśnienia. Zawór tłoczący można uznać za szczelny, jeżeli w ciągu 30 sekund spadek ciśnienia nie przekroczy 10 kPa.

Pomiar podciśnienia ssania

Potrzebne przyrządy i narzędzia

– podciśnieniomierz o zakresie pomiarowym 0...100 kPa, z działką elementarną 2...5 kPa.

Wykonanie pomiaru

– Trójnik miernika włączyć między pompę a zbiornik paliwa.
– Pozostałe czynności, jak podczas pomiaru ciśnienia tłoczenia.

Ocena wyników

Wytwarzane przez pompę paliwa podciśnienie, zmierzone przy prędkości obrotowej biegu jałowego (jeżeli instrukcja fabryczna nie podaje innej prędkości), nie powinno być mniejsze niż 30...40 kPa. Prędkość spadku podciśnienia nie powinna przekraczać 15 kPa w ciągu 30 sekund. Wyższe wartości świadczą o nieszczelności zaworka ssącego lub złączy po stronie ssącej pompy paliwa.

Pomiar wydatku pompy paliwa

Potrzebne przyrządy i narzędzia

– naczynie z podziałką;
– sekundomierz.

Wykonanie pomiaru

– Odłączyć przewód paliwowy od gaźnika i jego koniec zanurzyć w naczyniu pomiarowym (rys. 3.6).
– Uruchomić silnik, ustawiając prędkość obrotową zalecaną przez instrukcję obsługi, i jednocześnie włączyć sekundomierz. Czas pomiaru jest ograniczony ilością paliwa w komorze pływakowej gaźnika. Jeśli silnik pracował krócej niż 30 s, pomiar należy powtórzyć, uzupełniając paliwo w gaźniku.
– Odczytać na podziałce naczynia ilość wypompowanego paliwa.

Ocena wyniku

Znając objętość paliwa zebranego w naczyniu można określić wydatek pompy posługując się wzorem:

$$\frac{60 \times \text{objętość paliwa w naczyniu w dm}^3}{\text{czas pomiaru w s}} = \text{wydatek pompy [dm}^3/\text{min]}$$

Jeżeli do porównania brak jest danych fabrycznych, przyjmuje się, że prawidłowa wartość wydatku pompy powinna mieścić się w zakresie 0,5... 0,8 dm³/min.

Sprawdzanie pompy paliwa o napędzie elektrycznym

Silniki benzynowe zasilane wtryskowo są wyposażone w pompy paliwa o napędzie elektrycznym. Najczęściej spotykanymi konstrukcjami są pompy rolkowo-

Rys. 3.6. Pomiar wydatku pompy paliwa

-komorowe, łopatkowe lub tłokowe, zwykle umieszczane przy zbiorniku paliwa. Silnik elektryczny pompy jest omywany paliwem, co nie stwarza jednak niebezpieczeństwa zapalenia się benzyny.

Poszukiwanie usterki w pompie zasilającej należy rozpocząć od sprawdzenia połączeń elektrycznych, bezpiecznika i przekaźnika pompy. W następnej kolejności należy sprawdzić podawanie paliwa przez pompę oraz szczelność przewodów paliwowych i ich połączeń.

Potrzebne przyrządy i narzędzia

– manometr o zakresie pomiarowym 0...400 kPa;
– naczynie pomiarowe;
– sekundomierz;
– klucz do odkręcania przewodu paliwowego z wtryskiwacza rozruchowego;
– odcinek przewodu elektrycznego.

Wykonanie pomiaru

– Odłączyć przewód paliwowy od elektromagnetycznego wtryskiwacza rozruchowego i koniec przewodu wprowadzić do naczynia pomiarowego.
– Zwierając podłączenia w przekaźniku pompy, uruchomić pompę paliwa dokładnie na 1 minutę. Określić wartość wydatku, który powinien wynosić 1,5...2 dm^3/min (zależnie od wykonania).
– Sprawdzić regulator ciśnienia paliwa, podłączając manometr do króćca regulatora od strony wtryskiwacza rozruchowego. Zmierzyć ciśnienie paliwa przy pracującym silniku i porównać odczytaną wartość z danymi fabrycznymi. W elektronicznych urządzeniach wtryskowych typu D-Jetronic ciśnienie to powinno wynosić 200...220 kPa, a w urządzeniach typu L-Jetronic 250...300 kPa zależnie od konstrukcji silnika.

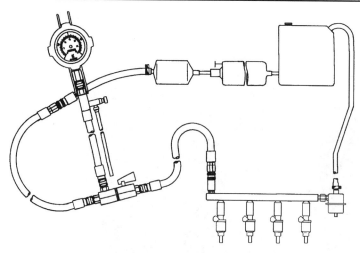

Rys. 3.7. Sposób podłączenia manometru podczas mierzenia ciśnienia paliwa podawanego przez pompę elektryczną do wtryskiwaczy

– Pozostawiając podłączony manometr, sprawdzić szczelność przewodów i połączeń. Uruchomić na krótko pompę przez zwarcie styków przekaźnika. Po ich rozwarciu, co spowoduje zatrzymanie pompy, ciśnienie powinno zmniejszyć się do 120 kPa, a następnie bardzo powoli opadać. Jeśli manometr wskaże natychmiastowy spadek ciśnienia poniżej 120 kPa lub do 0, będzie to świadczyło o istnieniu nieszczelności między pompą a regulatorem ciśnienia.

Uwaga. Elektryczne pompy zasilające są nierozbieralne i nie wymagają regulacji. W niektórych wykonaniach tego zespołu istnieje możliwość wymiany zaworu odcinającego po stronie tłocznej.

3.3. BADANIE GAŹNIKA

3.3.1. Sprawdzanie szczelności zaworu iglicowego

Badanie gaźnika należy rozpocząć od sprawdzenia szczelności zaworu iglicowego, ponieważ jest ona warunkiem utrzymania prawidłowego poziomu paliwa w komorze pływakowej, co ma istotny wpływ na charakterystykę gaźnika.

Orientacyjne sprawdzanie szczelności

Potrzebne przyrządy i narzędzia

– krótki odcinek rurki gumowej lub z tworzywa sztucznego;
– naczynie;
– klucz lub wkrętak do zdemontowania pokrywy komory pływakowej.

Wykonanie pomiaru – metoda I

– Zdemontować pokrywę komory pływakowej.
– Na króciec wlotowy gaźnika nasunąć szczelnie rurkę.
– Docisnąć lekko palcem iglicę zaworu do gniazda i ustami zassać powietrze przez rurkę (wcześniej usuwając z króćca resztki benzyny). Jeśli nie wyczuje się przepływu powietrza przez zaworek, to można uznać, że jego szczelność jest dostateczna.

Wykonanie pomiaru – metoda II

– Zdemontować pokrywę komory pływakowej.
– Na króciec wlotowy gaźnika nasunąć rurkę, drugi jej koniec zanurzyć w naczyniu z cieczą.
– Docisnąć palcem iglicę, w celu zamknięcia zaworu, i wyjąć z naczynia rurkę napełnioną cieczą (rys. 3.8). Jeśli zawór jest szczelny, poziom cieczy w rurce utrzymuje się lub opada bardzo powoli.

Dokładne sprawdzanie szczelności przy użyciu rurki

Metoda ta polega na wytworzeniu przed zaworem iglicowym takiego ciśnienia, z jakim pompa tłoczy paliwo do gaźnika. Ciśnienie wytwarzane przez pompę zastępuje się słupem cieczy o odpowiedniej wysokości.

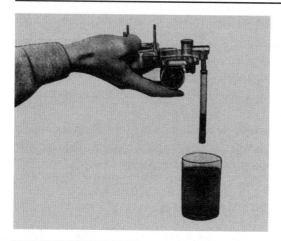

Rys. 3.8. Sprawdzanie szczelności zaworu iglicowego

Potrzebne przyrządy i narzędzia

- długa rurka z gumy benzynoodpornej (ok. 3 m);
- krótka rurka szklana z naciętą podziałką;
- lejek;
- narzędzia do ewentualnego wymontowania gaźnika z samochodu.

Wykonanie pomiaru

- Odłączyć przewód paliwowy z króćca wlotowego do komory pływakowej i na jego miejsce podłączyć szczelnie jeden koniec rurki gumowej. Drugi koniec z nasadzoną rurką szklaną unieść do góry i umocować w ten sposób, aby odległość między pierwszą kreską a zaworem iglicowym była równa wysokości słupa benzyny, odpowiadającej wymaganemu ciśnieniu tłoczenia (rys. 3.9). W celu ustalenia wysokości H należy ciśnienie tłoczenia, określone w instrukcji obsługi pomnożyć przez następujący współczynnik:
ciśnienie tłoczenia [kPa] × 0,135 = wysokość słupa benzyny [m];
ciśnienie tłoczenia [kG/cm²] × 13,3 = wysokość słupa benzyny [m].

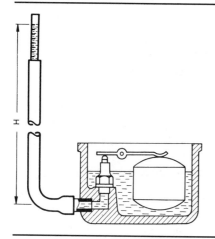

Rys. 3.9. Schemat układu do sprawdzania szczelności zaworu iglicowego

Jeżeli ciśnienie tłoczenia przyjmuje na przykład wartość 20 kPa, to wyliczona wysokość H wyniesie 2,7 m. Z tego wynika, że przeprowadzenie badania będzie możliwe jedynie w wysokim pomieszczeniu lub na wolnym powietrzu, co ze względu na stosowanie benzyny jest korzystniejsze.

Zamiast benzyny można zastosować inną ciecz, np. naftę lub wodę, które są bezpieczniejsze w użyciu. Ze względu na to, że wysokość słupa zależy od gęstości cieczy, którą napełnia się rurkę, ciśnienie tłoczenia (w kPa) należy pomnożyć przez odpowiednio dobrany współczynnik, który w przypadku użycia nafty wynosi 0,124, a w przypadku wody 0,102.

– Korzystając z lejka napełnić rurkę cieczą tak, aby poziom w rurce szklanej osiągnął wyznaczoną wysokość.

Uwaga. Podczas napełniania nie mogą w rurce pozostawać pęcherzyki powietrza, które spowodują zafałszowanie wyników pomiaru.

– Obserwować prędkość obniżania się słupa cieczy.

Ocena wyników

Zawór iglicowy można uznać za szczelny, jeżeli w ciągu 1 minuty poziom benzyny nie obniży się o więcej niż 10 mm przy wysokości słupa mniejszej niż 2 m lub też o 15 mm przy wysokości przekraczającej 2 m.

 Dokładne sprawdzanie szczelności przy użyciu manometru

Potrzebne przyrządy i narzędzia

– urządzenie służące do badania ciśnienia tłoczenia pompy paliwa lub urządzenie do kontroli i regulacji elementów gaźnikowego układu zasilania, np. UG-2.

Wykonanie pomiaru

– Odłączyć przewód paliwowy między pompą paliwa a gaźnikiem i odpowiednio podłączyć przewody z trójnika (por. rys. 3.5). Zawór trójnika powinien być ustawiony w położeniu pokazanym na rysunku 3.5a. Uruchomić na krótko silnik, a następnie zatrzymać go i tak przestawić zawór trójnika, aby uzyskać przerwanie połączenia między pompą paliwa a gaźnikiem, natomiast pozostawić połączenie komory pływakowej z manometrem.
– Obserwować na manometrze prędkość opadania ciśnienia.

Ocena wyników

Zawór iglicowy można uznać za szczelny, jeżeli ciśnienie nie będzie opadać w sposób zauważalny w czasie 2 minut.

3.3.2. Sprawdzanie i regulacja poziomu paliwa

Poziom paliwa w komorze pływakowej decyduje o składzie mieszanki paliwowo--powietrznej i należy do podstawowych parametrów regulacyjnych gaźnika. Określenie poziomu paliwa może się odbywać w sposób bezpośredni lub pośredni.

Wybór metody zależy od konstrukcji gaźnika, zaleceń wytwórcy lub rodzaju przyrządu. Pomiar bezpośredni polega na zmierzeniu odległości lustra paliwa od charakterystycznego punktu gaźnika, np. krawędzi komory pływakowej, natomiast pomiar pośredni polega na sprawdzeniu ustawienia pływaka względem gaźnika, np. pokrywy.

Niezbędnym warunkiem prawidłowego wykonania pomiaru jest właściwe działanie całego mechanizmu pływakowego. W związku z tym, po zdjęciu pokrywy komory pływakowej, należy sprawdzić:
– czy pływak jest szczelny i nie ma wgnieceń;
– czy zawór iglicowy jest szczelny;
– czy układ dźwigniowy pływaka nie jest skrzywiony i pływak nie ociera o ścianki komory pływakowej.

Sprawdzanie poziomu paliwa w sposób bezpośredni za pomocą suwmiarki

Metoda ta polega na pomiarze odległości od krawędzi komory pływakowej do powierzchni paliwa. Można ją stosować tylko w takich gaźnikach, które mają pływak i zawór iglicowy umieszczone w kadłubie.

Potrzebne przyrządy i narzędzia

– suwmiarka;
– narzędzia do zdemontowania pokrywy komory pływakowej.

Wykonanie pomiaru

– Uruchomić na krótko silnik, a po jego zatrzymaniu odłączyć przewód paliwowy zasilający gaźnik.
– Zdemontować pokrywę komory pływakowej, nie poruszając pływaka.
– Oprzeć suwmiarkę o krawędź komory pływakowej i wsunąć listwę jej głębokościomierza, aż do zetknięcia się z lustrem paliwa (rys. 3.10).
– Na podziałce suwmiarki odczytać zmierzoną odległość H.

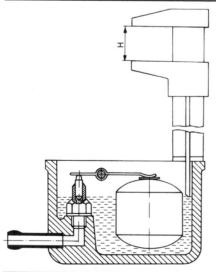

Rys. 3.10. Sprawdzanie poziomu paliwa za pomocą suwmiarki

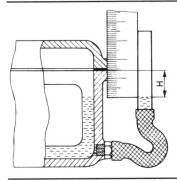

Rys. 3.11. Sprawdzanie poziomu paliwa za pomocą rurki

Sprawdzanie poziomu paliwa w sposób bezpośredni wykorzystując zasadę naczyń połączonych

Metoda ta polega na podłączeniu do gaźnika rurki lub płytki wykonanych z przezroczystego materiału, w których poziom paliwa ustala się zgodnie z zasadą naczyń połączonych i odpowiada wysokości cieczy w komorze pływakowej.

Potrzebne przyrządy i narzędzia

– krótki odcinek przezroczystego przewodu paliwowego lub odpowiedni przyrząd specjalny (rys. 10.2b, c);
– klucz do odkręcania dyszy w gaźniku.

Wykonanie pomiaru

– Podłączyć rurkę (rys. 3.11) lub przyrząd specjalny (rys. 3.12) do komory pływakowej poniżej lustra paliwa. Najczęściej zamiast głównej dyszy paliwa wkręca się śrubę.
– Uruchomić silnik i po krótkiej pracy zatrzymać lub pozostawić na biegu jałowym, zależnie od zaleceń instrukcji obsługi samochodu. Innym sposobem napełnienia komory pływakowej jest kilkakrotne obrócenie rozrusznikiem wału korbowego.

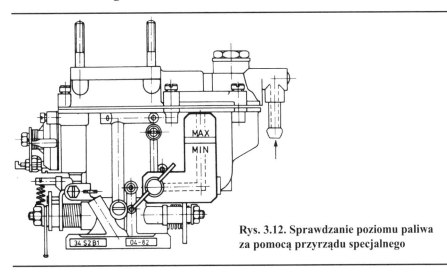

Rys. 3.12. Sprawdzanie poziomu paliwa za pomocą przyrządu specjalnego

Uwaga. Nie zaleca się uzupełniania stanu paliwa w gaźniku przez napędzanie pompy paliwa dźwignią ręczną, ponieważ wyższe niż normalne ciśnienie tłoczenia spowoduje podniesienie poziomu paliwa.

– Zmierzyć odległość *H* między krawędzią komory pływakowej (bez uszczelki) a dolnym meniskiem słupa paliwa w rurce lub płytce.

Sprawdzanie poziomu paliwa w sposób pośredni przez pomiar odległości między pływakiem a płaszczyzną pokrywy

Metoda ta ma charakter orientacyjny i można ją stosować jedynie w gaźnikach mających zawór iglicowy i pływak umieszczone w pokrywie.

Potrzebne przyrządy i narzędzia

– suwmiarka lub wiertło o odpowiedniej średnicy;
– narzędzia do zdemontowania pokrywy komory pływakowej.

Wykonanie pomiaru

– Zdjąć z gaźnika pokrywę komory pływakowej i ustawić ją w położeniu pionowym, aby języczek (7, rys. 3.13) lekko dotykał kulki iglicy (5), ale nie powodował jej wciśnięcia.
– W tym położeniu zmierzyć odległość *A* między pływakiem (9) a płaszczyzną pokrywy (z uszczelką lub bez, w zależności od zaleceń instrukcji obsługi), korzystając z suwmiarki lub wiertła o średnicy odpowiadającej wymiarowi *A*.
– Przechylić pokrywę i zmierzyć odległość *B* maksymalnego wychylenia pływaka.

Uwaga. W niektórych typach gaźników sprawdzanie poziomu paliwa odbywa się przez pomiar odległości *A* i *B* nie od górnej krawędzi pływaka, lecz od dolnej (rys. 3.14).

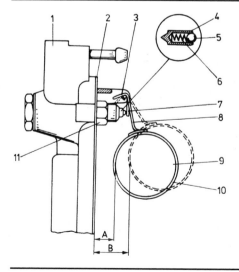

Rys. 3.13. Pomiar odległości między górną krawędzią pływaka a płaszczyzną pokrywy – w położeniu pionowym
1 – pokrywa komory pływakowej, 2 – uszczelka, 3 – ogranicznik wychylenia pływaka, 4 – iglica, 5 – kulka iglicy, 6 – sprężyna amortyzatora drgań, 7 – języczek do regulacji poziomu paliwa, 8 – zawias pływaka, 9 – pływak, 10 – miejsce łączenia połówek pływaka, np. lutownica, 11 – gniazdo zaworu iglicowego

B ## Sprawdzanie poziomu paliwa w sposób pośredni za pomocą sprawdzianu

W przypadku częstego sprawdzania poziomu paliwa metodą pomiaru odległości między pływakiem a pokrywą gaźnika korzystniejsze jest zastosowanie specjalnych sprawdzianów: trzpieniowego (rys. 3.16a) lub płytkowego (rys. 3.16b), umożliwiających skrócenie czasu trwania badania.

Stosowanie sprawdzianu trzpieniowego polega na wsuwaniu między pływak a pokrywę raz strony odpowiadającej wymiarowi minimalnemu położeniu pływaka, drugi raz strony odpowiadającej wymiarowi maksymalnemu. Jeśli obie strony sprawdzianu przejdą swobodnie pod pływakiem, to należy odpowiednio zmniejszyć odległość pływaka od pokrywy, jeśli natomiast okaże się, że nie przechodzą, należy odpowiednio ją zwiększyć.

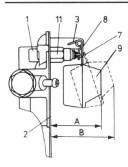

Rys. 3.14. Pomiar odległości między dolną krawędzią pływaka a płaszczyzną pokrywy – w położeniu pionowym
Oznaczenia, jak na rys. 3.13

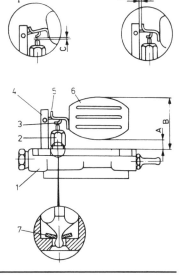

Rys. 3.15. Pomiar odległości między krawędzią pływaka a płaszczyzną pokrywy – w położeniu poziomym
1 – pokrywa komory pływakowej, 2 – zawór iglicowy, 3 – języczek do regulacji poziomu paliwa, 4 – wspornik osi pływaka, 5 – ogranicznik wychylenia pływaka, 6 – pływak, 7 – uszczelka gumowa, I – pomiar skoku iglicy zaworu w samochodach Zaporożec, II – pomiar skoku iglicy zaworu w samochodach Wołga GAZ-24

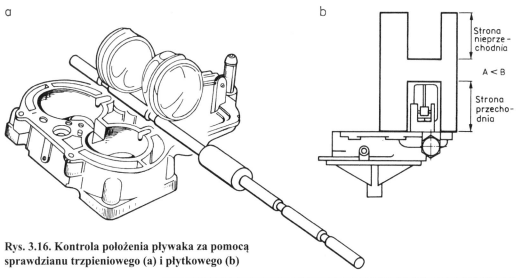

Rys. 3.16. Kontrola położenia pływaka za pomocą sprawdzianu trzpieniowego (a) i płytkowego (b)

Dane regulacyjne do ustawiania poziomu paliwa

Marka i typ samochodu (typ silnika)	Typ gaźnika	Poziom paliwa w komorze pływakowej [mm]	Położenie pływaka — pomiar pośredni			
			wymiar A [mm]	wymiar B [mm]	+ z uszczelką − bez uszczelki	wg rys.
Audi 80 1.6 (RN)	Keihin I		9±1		+	3.13[1]
Citroën AX 11 (TU1)	Solex PBISA 16			36,5	+	3.15
Citroën BX 14 (150A)	Solex 30−30 Z 2			33,0	+	3.15
Citroën ZX 1.4	Solex 32−34 Z 2			33,5	+	3.15
Daihatsu Charade 1.0	Aisan C28FU		7,5		+	3.13
FIAT 126P	FOS 28 IMB		7±0,25	15	+	3.13
FIAT 126 BIS	Weber 30 DGF		10±0,5		+	3.13
	Jikov 30 SDPR		12±0,5		+	3.13
	FOS 30v S2HR		8,5±0,25	13,0	+	3.13
FIAT Cinquecento 0.7	Weber 30 DGF		10±0,25		+	3.13
FIAT Cinquecento 0.9	Weber 32 TLF		27±0,25	34,2	+	3.14
FIAT Uno 45	Weber 32 TLF/4		27		+	3.14
FIAT Uno Sting	Weber 32 ICEV 50		10,5...11		+	3.13
	Solex C 32 DISA		2,3		+	3.15
FIAT Uno 60	Weber 30−32 DMTR		6,75...7,25		+	3.13
FSO 125P 1500	34 DCHD		5...6	13,5...14	−	3.13
	34 DCMP		7,5±0,25	16	−	3.13
	34 S2C		8±0,25	16,5	−	3.13
FSO Polonez	34 DCMP		7,5±0,25	16	−	3.13
	34 S2C		8±0,25	16,5	−	3.13
Honda Civic 1.3	Keihin			34,5...37,5	+	3.14
Lada 2105, 2107			6,5±0,25	14,5	+	3.13
Lada Samara 1.3/1.5			1±0,25	34	+	3.15
Mercedes 190 (M102)	2EE	27,5				
Nissan Sunny 1.3	Nikki 217260	15				wg znaku
Opel Corsa 1.0/1.2	Weber 32 TL		27,75±1		+	3.14
Opel Corsa 1.2 S	Pierburg 1B1			27±1	+	3.15
Opel Kadett 1.3 S	Pierburg 2E3	39				
Opel Kadett 1.6 S	Pierburg 2E3	28...30				
Peugeot 205 1.1	Solex 32PBISA 16			36,5	+	3.15
Peugeot 309 1.1	Solex 34PBISA			36,5	+	3.15
Peugeot 309 1.4	Solex 34PBISA			36,5	+	3.15
	Weber 34 TLP			28	+	3.15
Peugeot 405 1.6/1.9	Solex 34/34Z1			33,5	+	3.15
Renault 5 1.1 (CIE)	Zenith 32IF2		13,6		+	3.15
Renault 5 1.4 (C2J)	Weber 32DRT7		8,0		+	3.13
Renault Clio 1.2	32 1B1			28,5	+	3.15
Renault 19 1.4	Zenith 32 IF2		13,6		+	3.15
Skoda Favorit	2E3/Jikov 28−30	29±1		9,5±1	−	
Trabant 1.1	Weber 32TLA		27...27,5		+	3.14
VW Polo 1.05	Weber 32TLA		28±1		+	3.14
Wartburg 353	32 SEDR	21±1	11 (13)[2]	14,5 (16)[2]	+	3.13
Wartburg 1.3	34 F 1−2		27...27,5		+	3.14
ZAZ Tavria	DAAZ 21081	22,5	4,5±1		+	3.13

[1] Pokrywa nachylona o 60°.
[2] Pływak nowego typu (prosty).

Ocena wyników

W przypadku stwierdzenia, jedną z opisanych metod, niewłaściwego ustawienia poziomu paliwa należy wykonać regulację, przeginając odpowiednio zawias pływaka (8, rys. 3.13) lub zmieniając liczbę uszczelek pod zaworem iglicowym (dane do regulacji podano w tablicy 3–1).

3.3.3. Sprawdzanie i regulacja biegu jałowego

Regulacja biegu jałowego, określając ją jednym zdaniem, polega na ustaleniu optymalnego, zarówno pod względem toksyczności spalin, jak i zużycia paliwa, składu mieszanki, który przy możliwie najniższej prędkości obrotowej wału korbowego gwarantuje stabilną pracę nagrzanego silnika na biegu jałowym.

Zależnie od konstrukcji gaźnika, regulacja odbywa się poprzez jednoczesne zmienianie: ilości emulsji wypływającej z układu biegu jałowego i stopnia otwarcia przepustnicy (wkręty l i 2, rys. 3,17a), ilości emulsji i dodatkowego powietrza (wkręty 1 i 3, rys. 3.17b) lub ilości emulsji i dodatkowej mieszanki (wkręty l i 4, rys. 3.l7c).

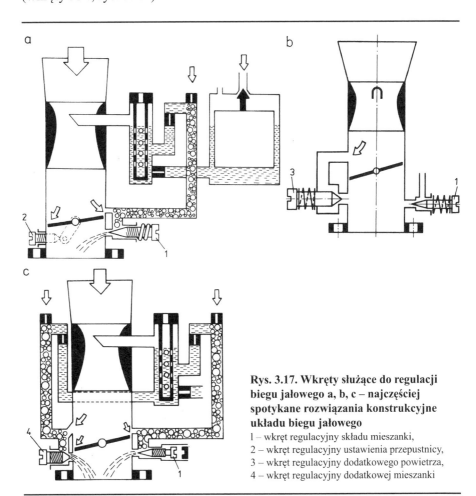

Rys. 3.17. Wkręty służące do regulacji biegu jałowego a, b, c – najczęściej spotykane rozwiązania konstrukcyjne układu biegu jałowego

l – wkręt regulacyjny składu mieszanki,
2 – wkręt regulacyjny ustawienia przepustnicy,
3 – wkręt regulacyjny dodatkowego powietrza,
4 – wkręt regulacyjny dodatkowej mieszanki

Sposób regulacji biegu jałowego zależy od tego, czy samochód jest lub nie jest dostosowany do spełnienia wymagań międzynarodowych norm ograniczających stężenie związków szkodliwych w spalinach. W samochodach wyprodukowanych przed wprowadzeniem przepisów o czystości spalin regulacja polega na ustawieniu prędkości obrotowej wskazanej w instrukcji obsługi oraz takiego składu mieszanki, aby emisja tlenku węgla nie przekroczyła stężenia 3,5% objętości (4,5% dla samochodów starszych roczników).

Samochody wytwarzane od połowy lat siedemdziesiątych i odpowiadające wymaganiom norm międzynarodowych mają wkręt składu mieszanki fabrycznie plombowany lub przeznaczony do plombowania, tzn. umieszczony w nadlewie korpusu gaźnika. Do ustawienia prędkości obrotowej biegu jałowego producent pozostawił nie plombowany wkręt regulacyjny ustawienia przepustnicy lub wkręt regulacyjny układu dodatkowego. Posługiwanie się tym wkrętem pozwala na zmienianie prędkości obrotowej bez obawy, że zostanie przekroczone dopuszczalne stężenie w spalinach tlenku węgla. Jeżeli jednak regulacja biegu jałowego wymaga również skorygowania stężenia CO, to należy posłużyć się analizatorem spalin lub bardziej dokładnym miernikiem tlenku węgla.

 Regulacja w gaźnikach z nie plombowanym wkrętem składu mieszanki bez sprawdzania stężenia CO

Poniższą metodę regulacji można stosować tylko doraźnie, w sytuacjach koniecznych do kontynuowania jazdy, np. po naprawie w drodze, ponieważ nie gwarantuje ona utrzymania stężenia CO poniżej 4,5% objętości.

Potrzebne przyrządy i narzędzia

– wkrętak.

Wykonanie pomiaru

– Sprawdzić i ewentualnie wyregulować: przerwę między stykami przerywacza, odstęp między elektrodami świec oraz kąt wyprzedzenia zapłonu.
– Doprowadzić silnik do normalnej temperatury pracy. Silniki chłodzone powietrzem powinny pracować na biegu luzem przez ok. 10 minut.
– Wkręcić do oporu wkręt regulacyjny składu mieszanki (1, rys. 3.17 i 3.18), a następnie odkręcić go o około dwa lub trzy obroty.
– Ustawić wkręt regulacyjny uchylenia przepustnicy (2) tak, aby końcem dotykał do zderzaka dźwigni przepustnicy, a następnie wkręcić go o jeden lub dwa obroty.
– Uruchomić wstępnie nagrzany silnik.
– Wkręt (2) ustawić w położeniu przy którym silnik będzie pracował z możliwie najmniejszą prędkością obrotową, lecz równomiernie.
– Pokręcać powoli wkrętem (1) w lewo i w prawo (rys. 3.18a), aż do uzyskania możliwie największej prędkości obrotowej silnika. Gdy przy dalszym wkręcaniu lub wykręcaniu wkręta (1) silnik będzie zwalniał, a następnie zacznie się dławić, należy powrócić do ustalonego miejsca równowagi i maksymalnej prędkości obrotowej.

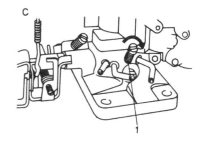

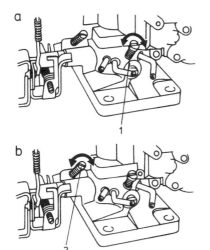

Rys. 3.18. Kolejność operowania wkrętami regulacyjnymi składu mieszanki (1) i ustawienia przepustnicy (2) podczas regulacji biegu jałowego

– Wkrętem (2) ustawić takie położenie przepustnicy gaźnika, aby silnik pracował w zakresie najniższej prędkości obrotowej bez zakłóceń (rys. 3.18b).
– Wykonać kolejną czynność zmiany składu mieszanki za pomocą wkręta (1) w celu uzyskania wzrostu prędkości obrotowej silnika (rys. 3.18c).
– Wkrętem (2) ponownie zmniejszyć prędkość obrotową na tyle, aby silnik pracował równomiernie, nie dławił się i nie gasł.
– Po ostatecznym ustaleniu prędkości obrotowej sprawdzić działanie gaźnika. W czasie szybkiego wciskania pedału przyspieszenia silnik powinien płynnie zwiększać prędkość obrotową, a podczas zwalniania pedału nie może mieć skłonności do gaśnięcia. W przypadku stwierdzenia takich objawów należy powtórzyć czynności regulacyjne, wzbogacając nieco mieszankę.

Regulacja w gaźnikach z nie plombowanym wkrętem składu mieszanki z użyciem obrotomierza

Wykorzystując obrotomierz, np. wchodzący w skład samochodowego zestawu wskaźników, można przeprowadzić regulację biegu jałowego już bez obawy o możliwość przekroczenia granicy dopuszczalnego stężenia CO.

Potrzebne przyrządy i narzędzia

– miernik prędkości obrotowej, np. pokazany na rysunku 10.3b,
– wkrętak.

Wykonanie pomiaru

– Przygotować silnik w sposób poprzednio opisany.
– Wkrętem (2, rys. 3.17a) tak ustawić przepustnicę, aby prędkość obrotowa silnika wynosiła ok. 750...800 obr/min.

Uwaga. W gaźnikach wyposażonych w dwuobwodowy układ biegu jałowego do zmiany prędkości obrotowej służy wkręt regulujący przekrój kanału dodatkowego (3, rys. 3.17b).

– Ustawić wkręt składu mieszanki (1) w takie położenie, aby silnik osiągnął największą prędkość obrotową.
– Zmniejszyć otwarcie przepustnicy, aż do uzyskania poprzednio ustawionej prędkości.
– Powtórzyć operowanie wkrętami (1) i (2).
– Zmniejszyć wstępnie ustawioną prędkość obrotową o ok. 40 obr/min, wkręcając wkręt składu mieszanki (1).

Regulacja w gaźnikach z plombowanym wkrętem składu mieszanki z pomiarem zawartości CO

W samochodach dostosowanych do spełniania wymagań przepisów dotyczących czystości spalin regulacja biegu jałowego polega właściwie na operowaniu tylko wkrętem ustawienia przepustnicy lub nie zaplombowanym wkrętem z układu dodatkowego (zależnie od konstrukcji gaźnika – por. rys. 3.17). Korzystając z obrotomierza należy tak obracać odpowiednim wkrętem, aby prędkość obrotowa silnika ustaliła się na wartości podanej w instrukcji obsługi (por. tabl. 3–2). Na ogół ten sposób postępowania jest wystarczający do właściwego skorygowania prędkości biegu jałowego, bez zagrożenia zmiany składu mieszanki. Dokładniejszą regulację biegu jałowego, połączoną z pomiarem zawartości CO i ewentualnie CO_2, oraz zmianą składu mieszanki wykonuje się jeśli w wyniku poprzednio wykonanej regulacji nie jest możliwe:

– uzyskanie prędkości obrotowej podanej w instrukcji obsługi,
– utrzymanie stężenia tlenku węgla na poziomie zalecanym przez producenta.

Potrzebne przyrządy i narzędzia

– miernik prędkości obrotowej,
– miernik zawartości tlenku węgla, np. Infralyt lub analizator spalin, np. AK-8300,
– wkrętak.

Wykonanie pomiaru

– Po nagrzaniu silnika podłączyć przyrządy pomiarowe.
– Usunąć zabezpieczenie plombowanego wkręta składu mieszanki. W niektórych gaźnikach wymaga to zniszczenia zaślepki, np. w samochodach Lada 2105, 2107.
– Uruchomić silnik i wkrętem regulującym otwarcie przepustnicy lub przekrój kanału dodatkowego ustawić prędkość obrotową tak, aby przekroczyła o ok. 50 obr/min wartość podaną w instrukcji obsługi dla biegu luzem.
– Obracać wkręt składu mieszanki aż do uzyskania maksymalnego wzrostu prędkości obrotowej, a następnie wkrętem ustawienia przepustnicy lub z układu dodatkowego zmniejszyć ją do poprzedniej, podwyższonej wartości.
– Wkręcać powoli wkręt składu mieszanki do chwili, gdy stężenie CO będzie się mieścić w granicach podanych przez producenta.

Dane regulacyjne biegu jałowego

Marka i typ samochodu	Typ gaźnika	Prędkość obrotowa biegu jałowego [obr/min]	Stężenie		
			CO [%]	CO₂ [%]	CH [ppm]
Audi 80 1.6	Keihin I	900±50	0,5...1,5		
Citroën AX 11	Solex	750±50	0,8...1,2	>9	
Citroën BX 14	Solex	700±50	0,8...1,2	>9	
Citroën ZX 1.4	Solex 32−34 Z 2	850±100	0,5...1,5		
Daihatsu Charade 1.0	Aisan	800±50	1,0...2,0	>12	⩽100
FIAT 126P	28 IMP 3/250	850±50	2,0...3,5		
	28 IMB 5/250	850±50	1,5...2,5		
	28 IMB 10...12/250	850±50	1,0...2,0		
	28 IMB 16/300	850±50	0,5...1,0		
FIAT 126 BIS	Weber	850±50	max 2,5		
	Jikov	850±50	max 1,5		
	FOS	800...850	1,5...2,0		
FIAT Cinquecento 0.7	Weber	850...900	0,5...1,5		
FIAT Cinquecento 0.9	Weber	850±50	1,0...1,5		
FIAT Tipo 1.4/1.6	Weber	825±25	0,5...1,5		
FIAT Uno 45	Weber	750±50	1,0...2,0		
FIAT Uno Sting	Weber, Solex	725±25	1,0...2,0		
FIAT Uno 60	Weber	850±50	0,5...1,5		
Ford Escort 1.3	Weber	750±50	0,5...1,5		
Ford Escort 1.3 (JLA)	Ford 84BF	800±50	1,0...2,0		
Ford Fiesta 1.1/1.0 (999)	Weber	750±50	0,5...1,5		
Ford Fiesta 1.4	Weber	800±50	1,0...1,5		
Ford Sierra 1.8	Pierburg 2V(2E3)	800	1,3		
Ford Sierra 1.6	Weber 2V(DFTH)	800±25	0,75...1,25		
FSO 125P 1500	34 DCMP	850±50	1,0...2,0		
	34 S2C	850±50	0,8...1,2		
FSO Polonez 1.5/1.6	34 DCMP	850±50	1,0...2,0		
	34 S2C	850±50	0,8...1,2		
Honda Civic 1.3 (−87)	Keihin	750±50	3,0		
Hyundai Pony 1.3		700±100	0,5...1,5	⩾12	⩽400
Lada Samara 1.3/1.5		750...800	0,5...1,2		
Mazda 323 1.3	Nikki	850±50	1,5...2,0		
Mercedes 190 2.0	2EE	750±50	0,5	>12,5	<150
Nissan Sunny 1.3	Nikki	800±50	1,0...2,0		
Opel Corsa 1.0/1.2/1.2 S		900...950	1,0...1,5	>12	<200
Opel Kadett 1.3/1.3 S		900...950	1,0...1,5	>12	<200
Opel Kadett 1.6 S	2E3	900...950	0,5...1,0	>12	<200
Opel Vectra 1.4	2E3	900...950	0,5...1,0		
Peugeot 205 1.1	Solex	700±50	1,0...2,0	>10	
Peugeot 205 1.3	Weber	900	1,5	>9	
Peugeot 205 1.4	Solex	750±50	1,0	>10	
Peugeot 309 1.3	Weber	650±50	1,0	>10	
Peugeot 405 1.6	Solex	750±100	0,8...1,5	>10	
Renault Clio 1.2	1B1	800±50	1,0...1,5	>12	<300
Renault 19 1.4	Zenith	700±50	1,0...1,5		
Skoda Favorit	Pierburg, Jikov	800...850	0,5...1,5		
Trabant 1.1	Weber	850±50	1,2...2,0		
VW Golf 1.3	2E3	800±50	2,5...3,5		

- Jeśli prędkość obrotowa różni się od zalecanej, należy ją skorygować odpowiednim wkrętem, a następnie, gdy stężenie CO zmieni się, skorygować położenie wkręta składu mieszanki. Czynności te powtarzać aż do uzyskania właściwej regulacji.
- Sprawdzić płynność przyspieszania silnika, a po zakończeniu regulacji zabezpieczyć wkręt składu mieszanki zaślepką.

Regulacja w układach dwugaźnikowych z użyciem obrotomierza i analizatora spalin

Przedstawiona poniżej metoda regulacji biegu jałowego dotyczy silnika wyposażonego w dwa gaźniki lub gaźnik dwuprzelotowy, w którym dwie grupy cylindrów są zasilane z dwóch oddzielnych przelotów.

Potrzebne przyrządy i narzędzia

- miernik prędkości obrotowej,
- analizator spalin lub miernik zawartości CO,
- wkrętak.

Wykonanie pomiaru

- Nagrzać silnik do normalnej temperatury pracy.
- Wstępnie ustawić prędkość obrotową biegu jałowego nieco powyżej wartości podanej przez producenta.
- Odłączyć przewody zapłonowe od świec umieszczonych w tych cylindrach, które są zasilane z jednego gaźnika (lub przelotu), co spowoduje spadek prędkości obrotowej.
- Obracać wkręt składu mieszanki w gaźniku (przelocie) zasilającym pracujące cylindry, doprowadzając do maksymalnego wzrostu prędkości obrotowej, której wartość należy zapamiętać.
- Z powrotem podłączyć przewody zapłonowe do świec. Silnik powinien pracować kilkadziesiąt sekund na wszystkich cylindrach.
- Odłączyć przewody od świec grupy cylindrów zasilanych z drugiego gaźnika (przelotu).
- Ustawić wkrętem składu mieszanki maksymalną prędkość obrotową. Należy ją porównać z wartością otrzymaną dla pierwszej grupy cylindrów i jeśli się różni, odpowiednio wyregulować wkrętem ustawienia przepustnicy (lub układu dodatkowego), za każdym razem starając się ją podwyższyć przez zmianę ustawienia wkręta składu mieszanki.
- Podłączyć przewody do świec zapłonowych i po kilkudziesięciu sekundach pracy silnika sprawdzić jego prędkość obrotową. Jeśli różni się od podanej w instrukcji, podzielić różnicę przez liczbę gaźników (przelotów) i zmieniać otwarcie przepustnicy (lub przekrój kanału dodatkowego) kolejno w każdym przelocie, aby uzyskać zmianę prędkości o obliczoną wartość.
- Zmierzyć stężenie CO w spalinach i ewentualnie je skorygować, zmieniając o tę samą liczbę obrotów położenie wkrętu składu mieszanki w każdym gaźniku (przelocie).

Rys. 3.19. Przyrząd
do synchronizacji gaźników
podczas regulacji biegu jałowego-
-Synchron-Tester firmy Hofmann

 Regulacja w układach wielogaźnikowych z użyciem przyrządu do synchronizacji

W silnikach wielogaźnikowych, oprócz właściwej regulacji biegu jałowego, jest również wymagane zsynchronizowanie działania poszczególnych gaźników (lub przelotów w gaźniku wieloprzelotowym). Dokładna synchronizacja polega na pomiarze podciśnienia w układzie dolotowym gaźników i takiej regulacji ustawienia przepustnicy lub wkręta układu dodatkowego, aby podciśnienie to było jednakowe dla każdego przelotu.

Potrzebne przyrządy i narzędzia

- miernik prędkości obrotowej,
- analizator spalin lub miernik zawartości CO,
- przyrząd do synchronizacji biegu jałowego (synchrotester), np. Synchro--Tester firmy Hofmann (rys. 3.19).

3.4. BADANIE UKŁADU WTRYSKOWEGO BENZYNY

Podstawowy podział układów wtryskowych benzyny uwzględnia sposób sterowania wtryskiwaczami:
- systemy z wtryskiwaczami sterowanymi ciśnieniem (np. K-Jetronic, KE-Jetronic);
- systemy z wtryskiwaczami sterowanymi impulsem elektrycznym (np. Multec, Motronic).

W tym rozdziale zostanie omówione badanie układów wtryskowych sterowanych elektronicznie, jako obecnie powszechnie stosowanych w zasilaniu silników benzynowych.

Na rysunku 3.20 przedstawiono schemat blokowy układu wtryskowego z komputerem sterującym zarówno wtryskiwaczem (-ami), jak i zapłonem. Konkretne rozwiązania mogą zawierać tylko niektóre z podanych elementów, jak też być poszerzone o dodatkowe funkcje.

3.4.1. Odczytywanie kodów samodiagnozy

Wyszukanie niesprawnego elementu układu, w przypadku wystąpienia zakłóceń pracy silnika, polega albo na odczytaniu kodów samodiagnozy z błysków diody lub za pomocą odpowiedniego specjalistycznego czytnika, albo na sprawdzeniu kolejno poszczególnych czujników za pomocą zwykłego multimetru lub diagnoskopu.

Odczytywanie kodów z błysków diody

Mikroprocesorowe urządzenie sterujące ma zdolność do szerokiej samodiagnostyki, która umożliwia użytkownikowi samochodu lub mechanikowi wykrycie przypadków wadliwego funkcjonowania systemu na podstawie sygnałów wysyłanych przez diodę LED umieszczoną na komputerze (np. NISSAN) lub w zestawie wskaźników (np. Polonez 1.5/1.6 GLI).

Sposób wywoływania kodów usterek i ich interpretację przedstawimy na przykładzie układu wtryskowego samochodu Honda Civic (1991–2000).

Sterownik silnika ECU przechowuje w pamięci kody usterek, które można wywołać świeceniem lampki kontrolnej w zestawie wskaźników, po zmostkowaniu styków w gnieździe diagnostycznym (rys. 3.20). Nie są rejestrowane kody usterek tych elementów, dla których oprogramowanie nie przewiduje takiej możliwości. Po włączeniu zapłonu, lampka ostrzegawcza samodiagnostyki zaczyna świecić, w celu sprawdzenia żarówki. Po kilku sekundach powinna przestać świecić. Jeśli lampka zaświeci się podczas pracy silnika oznacza to, że w systemie rozpoznana została usterka. W takim przypadku zmostkowanie styków w gnieździe diagnostycznym uruchomi procedurę samodiagnostyki.

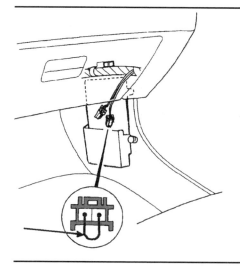

Rys. 3.20. Sposób zwierania styków w gnieździe, w celu odczytu kodów usterek w samochodzie Honda Civic model '91 i '95
Uwaga. W pobliżu gniazda diagnostycznego znajduje się 3-stykowe złącze „serwisowe", którego nie wolno zwierać w celu odczytu kodów usterek

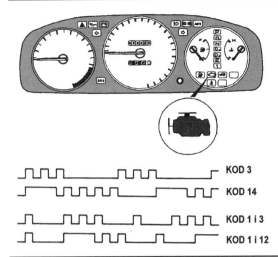

KOD 3

KOD 14

KOD 1 i 3

KOD 1 i 12

Rys. 3.21. Sposób wyświetlania kodów usterek przez lampkę kontrolną silnika

- Zmostkować dwa styki w gnieździe diagnostycznym (rys. 3.20).
- Włączyć zapłon.
- Kody usterek są wyświetlane w formie błysków lampki ostrzegawczej w zestawie wskaźników w poniższy sposób (rys. 3.21).
  - Dwie cyfry są reprezentowane przez dwie serie błysków. Pierwsza seria błysków oznacza dziesiątki, a druga seria jednostki.
  - Błyski w serii oznaczającej dziesiątki trwają 2 sekundy i są rozdzielone krótkimi pauzami; błyski w serii oznaczającej jednostki trwają 1 sekundę i są rozdzielone krótkimi pauzami.
  - Kolejne kody przedzielone są krótką pauzą.
  - Kod „12" to jeden 2-sekundowy błysk, następująca po nim krótka pauza i dwa 1-sekundowe błyski rozdzielone krótkimi pauzami.
- Policzyć liczbę błysków w każdej serii i zapisać numer kodu. Znaczenie kodu usterki odczytać z tabeli kodów.
- Jeśli liczba błysków nie ma odpowiednika w numerze kodu, to prawdopodobnie uszkodzone jest ECU. Przed wymianą sterownika, sprawdzić masy i napięcia zasilające ECU.
- Po wyemitowaniu pierwszego kodu nastąpi krótka przerwa w błyskach, po czym lampka ostrzegawcza wyemituje następny kod.
- Po wyemitowaniu wszystkich kodów, nastąpi krótka przerwa w błyskach, po czym lampka ostrzegawcza powtórzy już wyemitowane kody.
- Zakończyć odczyt kodów, wyłączając zapłon i usuwając mostek.

Jeżeli w pamięci jest kilka kodów, należy sprawdzić, czy nie istnieje ich wspólna przyczyna, taka jak zła masa lub zasilanie. Po naprawie uszkodzenia trzeba zawsze skasować kod i poddać silnik pracy w różnych warunkach, by sprawdzić, czy usterka została rzeczywiście usunięta.

W celu skasowania kodów z pamięci sterownika wyłączyć zapłon i usunąć ze skrzynki bezpieczników w przedziale silnika bezpiecznik zasilania ECU i radioodbiornika na więcej niż 10 sekund (rys. 3.22). Sposobem alternatywnym jest odłączenie ujemnego bieguna akumulatora na około 2 minuty.

89

Tabela kodów usterek (Honda Civic model '91)

Kod	Opis	Dotyczy wtrysku
0	Elektroniczne urządzenie sterujące (ECU) lub jego obwód	PGM/ DPI
1	Sonda lambda lub jej obwód (z wyjątkiem silnika D16A9)	PGM/ DPI
3	Czujnik bezwzględnego ciśnienia w kolektorze dolotowym (MAP) lub jego obwód	PGM/ DPI
4	Czujnik kąta obrotu wału korbowego (CAS) lub jego obwód	PGM/ DPI
5	Czujnik bezwzględnego ciśnienia w kolektorze dolotowym (MAP) lub jego obwód	PGM/ DPI
6	Czujnik temperatury cieczy chłodzącej (TW) lub jego obwód	PGM/ DPI
7	Czujnik położenia przepustnicy lub jego obwód	PGM/ DPI
8	Czujnik położenia ZZ wału korbowego (TDC) lub jego obwód	PGM/ DPI
9	Czujnik identyfikacji cylindra 1.	PGM
10	Czujnik temperatury powietrza (TA) lub jego obwód	PGM/ DPI
11	Potencjometr regulacji składu mieszanki (IMA) lub jego obwód (silnik D16A9)	PGM
12	Układ recyrkulacji gazów wydechowych (EGR) lub jego obwód	PGM
14	Zawór regulacyjny prędkości biegu jałowego (EACV) lub jego obwód	PGM/ DPI
15	Sygnał wyjściowy układu zapłonowego	PGM/ DPI
16	Wtryskiwacz paliwa lub jego obwód	DPI
17	Czujnik prędkości pojazdu lub jego obwód	PGM/ DPI
19	Zawór elektromagnetyczny blokady automatycznej skrzynki biegów (A/B)	PGM/ DPI
20	Elektroniczny czujnik obciążenia (ELD) lub jego obwód	PGM
21	Zawór elektromagnetyczny rozdzielacza (w ABS) lub jego obwód	PGM
22	Przełącznik ciśnieniowy oleju w układzie ustawienia faz rozrządu	PGM
41	Grzałka sondy lambda (O2) lub jej obwód (silniki D16Z6, D16Z7, B16A2)	PGM
41	Grzałka czujnika liniowego przepływu powietrza (LAF) lub jej obwód (silnik D15Z1)	PGM
43	Układ zasilania paliwem lub jego obwód (silniki D16Z6, D16Z7, B16Z2)	PGM
48	Czujnik liniowego przepływu powietrza (LAF) lub jego obwód (silnik D15Z1)	PGM

DPI – wtrysk dwupunktowy (silnik D15B2).
PGM – wtrysk wielopunktowy sekwencyjny.

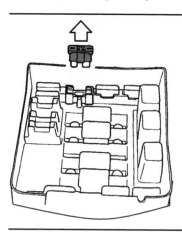

Rys. 3.22. W celu skasowania kodów z pamięci sterownika, usunąć bezpiecznik 7,5 A ze skrzynki bezpieczników w przedziale silnika na więcej niż 10 sekund (przy wyłączonym zapłonie)

Odczytywanie kodów czytnikiem

Producenci urządzeń oferują dwie grupy czytników kodów autodiagnozy: specjalizowane, nazywane również „zadedykowanymi", oraz wielomarkowe, czyli uniwersalne, przeznaczone dla warsztatów nieautoryzowanych. Czytniki uniwersalne dysponują odpowiednim zestawem złącz do różnych typów gniazd diagnostyki oraz wymiennymi modułami (lub dyskietkami) układów logicznych. Po podłączeniu czytnika do gniazda diagnostyki silnika przyrząd przekazuje mechanikowi za pomocą ciekłokrystalicznego wyświetlacza informacje o systemie i usterkach występujących w sposób ciągły lub sporadyczny.

3.4.2. Pomiary elektryczne

Jeżeli w systemie samodiagnozy układu wtryskowego brak jest diody informującej błyskami o usterce lub nie dysponuje się specjalnym czytnikiem kodów, to diagnostykę układu zasilania można przeprowadzić multimetrem (o impedancji wewnętrznej najlepiej 10 MΩ) i diagnoskopem.

Jak pokazuje praktyka, nie każda usterka jest możliwa do zdiagnozowania za pomocą czytnika kodów. Ponadto przed wymianą czujnika wskazanego w samodiagnozie należy się upewnić prostymi przyrządami, że przyczyną

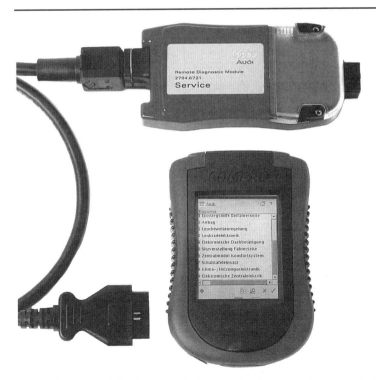

Rys. 3.23. Przyrząd do diagnostyki układów elektronicznych w samochodach Audi, z funkcją czytnika samodiagnozy i testera OBD. Budowa przyrządu jest oparta na palmtopie

91

Usterki układu Motronic i odpowiedzialne za nie elementy

Element	SILNIK NIE DAJE SIĘ URUCHOMIĆ LUB URUCHAMIA SIĘ Z TRUDEM	SILNIK GAŚNIE PO URUCHOMIENIU	NIESTABILNA PRĘDKOŚĆ OBROTOWA BIEGU JAŁOWEGO	SILNIK SŁABO REAGUJE NA PRZYSPIESZENIE	ZWIĘKSZONE ZUŻYCIE PALIWA	SILNIK GAŚNIE NA WSZYSTKICH BIEGACH	NIEPRAWIDŁOWE STĘŻENIE CO NA BIEGU JAŁOWYM	SPADEK MOCY SILNIKA
POŁĄCZENIA Z MASĄ CENTRALNEGO URZĄDZENIA STERUJĄCEGO	■							■
ZASILANIE CENTRALNEGO URZĄDZENIA STERUJĄCEGO	■							■
ZAPŁON	■							■
ROZRUSZNIK	■							
ZAWÓR POWIETRZA DODATKOWEGO		■	■					
PRZEPŁYWOMIERZ POWIETRZA	■	■	■	■	■			■
POŁĄCZENIE POMPY PALIWA	■			■				■
CZUJNIK TEMPERATURY SILNIKA	■	■	■		■			
CZUJNIK TEMPERATURY POWIETRZA			■		■			
WTRYSKIWACZE				■				■
CZUJNIK POŁOŻENIA PRZEPUSTNICY – PRZEPUSTNICA ZAMKNIĘTA			■					
CZUJNIK POŁOŻENIA PRZEPUSTNICY – PEŁNE OBCIĄŻENIE				■				■
POMPA PALIWA	■			■				■
WYŁĄCZNIK CZASOWO-TERMICZNY	■							
WTRYSKIWACZ ROZRUCHOWY	■							
KONTROLA STĘŻENIA CO					■		■	
CENTRALNE URZĄDZENIE STERUJĄCE	■							■

wskazania kodu jest jego usterka. Kod może się przecież pojawić w przypadku uszkodzenia złącza, przewodu lub nieprawidłowego działania innego elementu współpracującego z czujnikiem. Nie wszystkie też układy wtryskowe są wyposażone w samodiagnozę. Wytypowanie czujnika lub podzespołu do kontroli można wtedy przeprowadzić na podstawie tablicy usterek, podawanej w instrukcji napraw, której przykładem dla układu wtryskowego Motronic jest tablica 3–3.

Czujnik temperatury silnika lub powietrza jest termistorem, który zmniejsza swoją rezystancję wraz ze wzrostem temperatury (3.24). Sprawdzenie czujnika odbywa się za pomocą omomierza, po rozłączeniu złącza na czujniku i określeniu temperatury silnika (lub otoczenia). Odczytaną rezystancję należy porównać z danymi fabrycznymi. W przypadkach wątpliwych wymontować czujnik i zdjąć jego charakterystykę w szerszym zakresie temperatur, zanurzając czujnik w podgrzewanej wodzie.

Czujnik – przełącznik jest elementem dwubiegunowym, który po przekroczeniu zadanej wartości granicznej (położenie, temperatura, ciśnienie) zmienia stan z włączenia (rezystancja zerowa) na stan wyłączenia (rezystancja nieskończona). Przykładem takiego czujnika jest czujnik położenia przepustnicy (rys. 3.25), który sprawdza się omomierzem (rys. 3.26). Przy zamkniętej przepustnicy wartość rezystancji między stykami „2„ i „18” musi wynosić 0 Ω. Przy całkowitym otwarciu przepustnicy rezystancja zerowa musi istnieć między stykami „3” i „18”.

 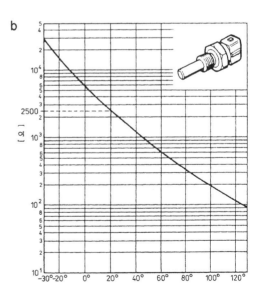

Rys. 3.24. Symulator czujników temperatury SCR-3V firmy Delta Tech Electronics z Jasła, który umożliwia analizowanie sygnałów napięciowych w obwodzie czujnika (a) oraz zmiana rezystancji termistora w zależności od temperatury (b)

93

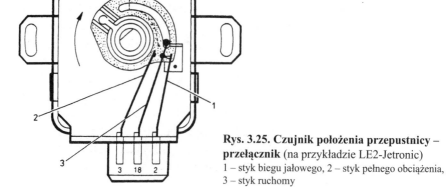

Rys. 3.25. Czujnik położenia przepustnicy –
przełącznik (na przykładzie LE2-Jetronic)
1 – styk biegu jałowego, 2 – styk pełnego obciążenia,
3 – styk ruchomy

Czujnik – potencjometr zmienia w sposób liniowy dostarczane napięcie w zależności od położenia styków. Przykładem takiego czujnika jest czujnik położenia przepustnicy (rys. 3.27), który sprawdza się omomierzem po rozłączeniu złącza. Rezystancja między stykami powinna się mieścić w zakresie podanym przez producenta. Jeżeli brak jest danych fabrycznych, to czujnik można sprawdzić oscyloskopem. Złącze przewodów powinno być przyłączone do czujnika.

Masę oscyloskopu połączyć z masą samochodu, a końcówkę pomiarową przyrządu podłączyć do tych biegunów złącza, na których występuje zmiana napięcia ze zmianą położenia przepustnicy. Włączyć kluczykiem zapłon i zmieniać położenie przepustnicy. Powinna temu towarzyszyć płynna zmiana napięcia na ekranie oscyloskopu.

Czujnik ciśnienia służy do pomiaru ciśnienia absolutnego w kolektorze ssącym lub ciśnienia atmosferycznego. Czujniki te w zależności od sygnału wyjściowego mogą być napięciowe lub częstotliwościowe.

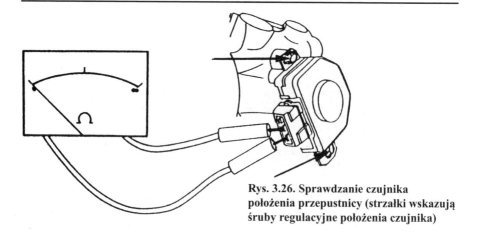

Rys. 3.26. Sprawdzanie czujnika
położenia przepustnicy (strzałki wskazują
śruby regulacyjne położenia czujnika)

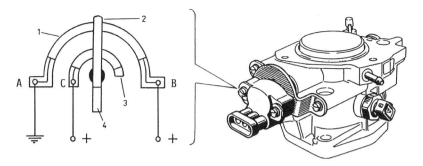

Rys. 3.27. Czujnik położenia przepustnicy – potencjometr (na przykładzie układu wtryskowego Renix)

Jeżeli między stykami A i B występuje napięcie 5 V, to przy zmianie położenia przepustnicy napięcie między stykami A i C powinno się zmieniać od 0 do 5 V

l, 3 – uzwojenie oporowe, 2 – styk ruchomy, 4 – dźwignia zabierakowa

W czujnikach z wyjściem napięciowym ciśnienie jest zamieniane na napięcie, którego wartość jest proporcjonalna do ciśnienia (rys. 3.28).

W czujnikach z wyjściem częstotliwościowym ciśnienie jest zamieniane na sygnał o fali prostokątnej, której częstotliwość jest proporcjonalna do ciśnienia.

Sprawdzenie czujnika z wyjściem napięciowym polega na podłączeniu się woltomierzem do wyjścia sygnału elektrycznego i pomiarze napięcia w trakcie zmieniania podciśnienia za pomocą specjalnej pompki połączonej przewodem z czujnikiem (jak na rys. 3.28). W przypadku braku pompki podciśnienie można zamieniać poprzez zmianę prędkości obrotowej silnika, ale wtedy otrzyma się tylko informację, czy czujnik w ogóle pracuje. Przy użyciu woltomierza lub diagnoskopu (np. GS 3194) i próbnika ciśnienia i podciśnienia (np. TS 1030) można sprawdzić kalibrację czujnika z danymi fabrycznymi.

Sprawdzenie czujnika z wyjściem częstotliwościowym polega na pomiarze częstotliwości np. za. pomocą oscyloskopu. Po podłączeniu przyrządu na

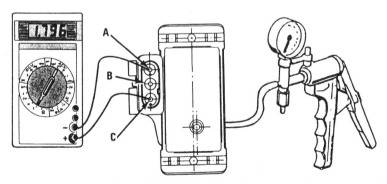

Rys. 3.28. Sprawdzanie czujnika ciśnienia z wyjściem napięciowym na przykładzie układu Renix

A – masa, B – napięcie wyjściowe zmienne, C – napięcie wejściowe 5 V

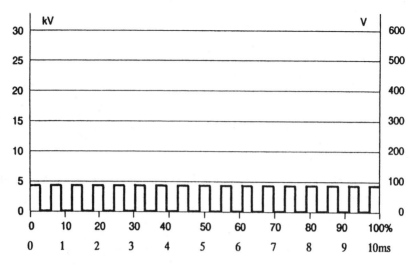

Rys. 3.29. Obraz sygnału z czujnika ciśnienia absolutnego (FORD, 0 obr/min)

ekranie ukaże się przebieg w postaci fali prostokątnej, której częstotliwość jest największa przy zatrzymanym silniku i włączonym zapłonie (rys. 3.29). W samochodach Ford częstotliwość przy zerowym podciśnieniu powinna wynosić 160 Hz, co odpowiada okresowi 0,62 ms. Po uruchomieniu silnika częstotliwość maleje do około 100 Hz, co odpowiada okresowi 1 ms. Sprawdzenie charakterystyki można wykonać przy użyciu pompki lub próbnika podciśnienia.

Sonda lambda, nazywana również czujnikiem tlenu, jest ogniwem elektrochemicznym, które wytwarza napięcie w zależności od stężenia tlenu w spalinach.

Napięcie na zaciskach wyjściowych sondy lambda w prawidłowo działającym układzie zasilania wynosi średnio 0,45 V, a chwilowo zmienia się w zakresie od 0,1 do 0,9 V (rys. 3.30). Wynika to z faktu, że gdy sonda wskaże mie-

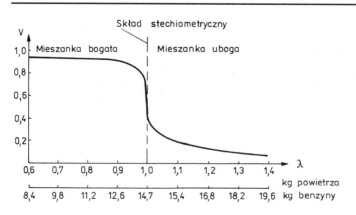

Rys. 3.30. Zależność napięcia sondy lambda od składu mieszanki paliwowo-powietrznej

szankę ubogą (< 0,5 V), to komputer odpowiednio wydłuży czas wtrysku i zwiększona dawka benzyny spowoduje w następnej chwili wskazanie przez sondę mieszanki bogatej (> 0,5 V). Takich zmian powinno być co najmniej 5 w ciągu 10 sekund. Gdy jest ich mniej, to prawdopodobnie zanieczyszczenie sondy spowodowało spowolnienie jej reakcji na zmianę składu spalin. Jeżeli napięcie wyjściowe z sondy jest stałe, to należy upewnić się, że przyczyną stałego spalania zbyt ubogiej lub bogatej mieszanki nie są niesprawności w układzie zasilania (np. zanieczyszczony filtr paliwa, „cieknący" wtryskiwacz itp.)

Do sprawdzenia sondy lambda można użyć prostego testera, np. RH110 (produkcji ZAE HOMEK), lub przyrządu diagnostycznego TSL-3 firmy Delta Tech Electronics. Silnik musi być w stanie nagrzanym.

Opisane poprzednio sondy są sondami typu skokowego, nazywanymi także kaskadowymi lub dwustanowymi z uwagi na przebieg charakterystyki. Przy zastosowaniu sondy typu skokowego, która przy przejściu od trybu mieszanki ubogiej do bogatej dostarcza sygnału skokowego, można precyzyjnie określić punkt stechiometryczny ($\lambda = 1$). W celu jeszcze dokładniejszego dopasowania do wartości lambda równej 1 lub innych wartości lambda obecnie stosuje się sondy szerokopasmowe, które dostarczają ciągłego sygnału pomiarowego w szerokim zakresie lambda dla pracy w trybie mieszanki bogatej oraz ubogiej (rys. 3.32). Sonda szerokopasmowa umożliwia także rejestrowanie wartości lambda dla po-

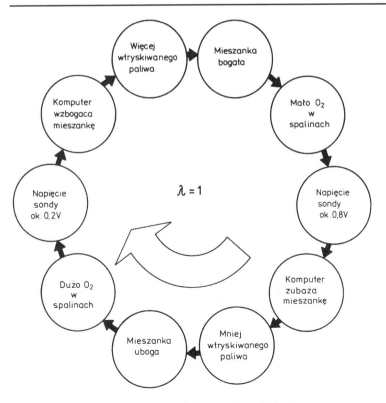

Rys. 3.31. Zasada pracy sondy lambda w pętli zamkniętej

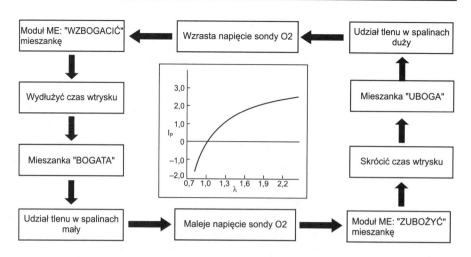

```
┌─────────────────────┐      ┌──────────────────────┐      ┌──────────────────────┐
│ Moduł ME: "WZBOGACIĆ"│◄────│ Wzrasta napięcie sondy O2│◄──│ Udział tlenu w spalinach│
│ mieszankę           │      │                      │      │ duży                 │
└─────────────────────┘      └──────────────────────┘      └──────────────────────┘
```

Rys. 3.32. Działanie układu regulacji lambda wyposażonego w szerokopasmową sondę
lambda i moduł sterujący silnika ME

szczególnych cylindrów. W silnikach o zapłonie samoczynnym oraz w silnikach
benzynowych pracujących na mieszance ubogiej sondy szerokopasmowe są wymagane do dokładnego dozowania dawki wtrysku oraz sterowania regeneracją
katalizatorów zasobnikowych NO_x lub systemów recyrkulacji spalin bazujących
na wartości lambda. Sonda szerokopasmowa jest wtedy montowana przed katalizatorem i pełni rolę sondy regulacyjnej, natomiast za katalizatorem jest montowana sonda typu skokowego, która kontroluje sprawność katalizatora.

Czujnik spalania stukowego wykrywa moment spalania detonacyjnego w silniku i za pośrednictwem komputera opóźnia kąt wyprzedzenia zapłonu o tyle,
aby sygnał z czujnika ustąpił. Czujnik jest elementem piezoelektrycznym, który pod wpływem mechanicznych drgań wytwarza napięcie elektryczne na powierzchni piezokryształu. Czujnik można sprawdzić przez symulację zjawiska spalania stukowego. Należy uruchomić silnik i zwiększyć prędkość obrotową do około 2500 obr/min. Uderzywszy lekko śrubokrętem w pobliżu czujnika obserwować zmiany kąta wyprzedzenia zapłonu lampą stroboskopową.
Opóźnienie może wynosić 7...9°, a maksymalnie 15° w trzech krokach.
Wykorzystując oscyloskop, można obserwować przebieg na ekranie napięcia
doprowadzonego końcówką pomiarową z czujnika podczas stukania śrubokrętem
lub młotkiem. Sygnał obserwowany na ekranie ma wówczas kształt zbliżony
do przedstawionego na rysunku 3.33.

Czujnik magnetoindukcyjny jest cewką, w której indukuje się napięcie w zależności od zmian strumienia magnetycznego, np. wywołane przez obracające się
koło zębate (rys. 3.34). Najszybszym sprawdzeniem czujnika w stanie statycznym jest zmierzenie rezystancji cewki i porównanie z danymi fabrycznymi. Jednak otrzymanie prawidłowego wyniku nie oznacza, że wytwarzane w cewce napięcie ma odpowiednią amplitudę. Zaleca się więc sprawdzenie czujnika podczas obracania koła zębatego, np. rozrusznikiem. Napięcie wytwarzane przez

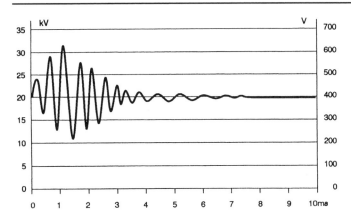

Rys. 3.33. Obraz sygnału z czujnika spalania stukowego po symulacji drgań mechanicznych

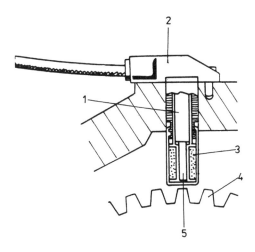

Rys. 3.34. Czujnik położenia
i prędkości wału korbowego
1 – magnes stały, 2 – obudowa,
3 – cewka indukcyjna, 4 – koło zębate,
5 – rdzeń z miękkiego żelaza

cewkę można zmierzyć woltomierzem lub oscyloskopem (patrz rys. 4.50). Przyczyną braku napięcia może być utrata właściwości magnetycznych rdzenia cewki lub też zwiększenie się odległości czujnika od koła zębatego.

Wtryskiwacz składa się z elementów pokazanych na rysunku 3.35. Pole elektromagnetyczne wytworzone w cewce elektromagnesu w wyniku impulsów prądowych wysyłanych z urządzenia sterującego podnosi rdzeń, otwierając wylot dla paliwa podawanego przez pompę. Czas otwarcia wtryskiwacza jest zależny od centralnego urządzenia sterującego.

W celu sprawdzenia cewki wtryskiwacza, należy odłączyć od niego wtyk i sprawdzić, czy rezystancja między stykami jest zgodna z danymi fabrycznymi.

Nowoczesne przyrządy diagnostyczne i multimetry są wyposażone w funkcję pomiaru współczynnika wypełnienia impulsów (ang. Duty Cycle, niem. Tastverhältnis). Jest to procentowe porównanie między stanem otwarcia i zamknięcia wyłącznika (rys. 3.36). Zbyt niska lub zbyt wysoka wartość współczynnika ozna-

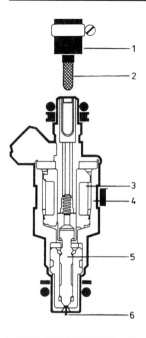

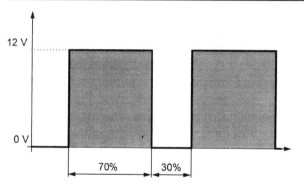

Rys. 3.35. Wtryskiwacz
1 – przewód paliwowy lub kolektor, 2 – sitko,
3 – uzwojenie elektromagnesu, 4 – korpus, 5 – iglica,
6 – czopik rozpylający

Rys. 3.36. Przykład sygnału prostokątnego podczas pomiaru współczynnika wypełnienia impulsów

cza złą jakość sygnału prostokątnego wytwarzanego przez układ elektryczny i stanowi wskaźnik jego niedomagania. Pomiar współczynnika wypełnienia impulsów jest wykorzystywany do kontroli nastawnika w układzie regulacji biegu jałowego gaźnika sterowanego elektronicznie lub układu wtryskowego, do kontroli układu regulacji z sondą lambda, a także do kontroli elektronicznego bezstykowego układu zapłonowego. Współczynnik wypełnienia impulsów jest mierzony w zakresie 0,1...99,9% i może być wprowadzany do pamięci przyrządu diagnostycznego.

3.4.3. Pomiary nieelektryczne

Niewłaściwa praca wtryskiwaczy, objawiająca się wyciekaniem paliwa, zniekształconą strugą czy niedostatecznym jej rozpyleniem, powoduje obniżenie mocy silnika i zwiększenie zużycia paliwa. Do zmian strugi wytryskiwanego paliwa

100

lub nawet zatkania wtryskiwacza przyczynia się nagar odkładający się stopniowo na końcówce wtryskiwacza.

Aby sprawdzić jakość strugi podawanego paliwa, należy wymontować wtryskiwacz (wtrysk jednopunktowy) lub wtryskiwacze razem z kolektorem (wtrysk wielopunktowy) i umieścić nad odpowiednim naczyniem lub naczyniami (rys. 3.37a). Przewody paliwowe pozostają podłączone. Uruchomić pompę paliwa przez wyjęcie przekaźnika pompy i zmostkowanie odpowiednich zacisków w gnieździe. Zasilać kolejno wtryskiwacze bezpośrednio z akumulatora, jeżeli wtryskiwacz ma rezystancję 15...17 Ω, lub poprzez rezystor szeregowy, jeżeli ma rezystancję 1,0...3,0 Ω. Struga paliwa powinna mieć kształt stożka i być równomierna.

Dodatkowo można zmierzyć wydatek, który powinien wynosić 200... 250 ml/min. W przypadku otrzymania niższej wartości należy jeszcze sprawdzić ciśnienie tłoczenia paliwa, aby wykluczyć usterkę wtryskiwacza (rys. 3.37b).

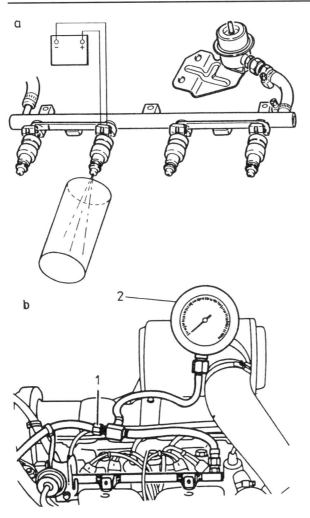

Rys. 3.37. Sprawdzanie kształtu strugi wytryskiwanego paliwa (a) oraz sprawdzanie ciśnienia tłoczenia paliwa (b) za pomocą trójnika (1) i manometru (2)

3.5. OCENA PRZEBIEGU SPALANIA

Ocena prawidłowości przebiegu spalania w silniku o zapłonie iskrowym pozwala na szybkie sprawdzenie działania układów wpływających na przebieg tego procesu.

Teoretycznie do całkowitego spalania w silniku 1 kg benzyny potrzeba ok. 15 kg powietrza. W praktyce spalanie mieszanki paliwowo-powietrznej wytworzonej przez gaźnik (lub układ wtryskowy) przebiega, zależnie od warunków pracy silnika, z pewnym nadmiarem powietrza – mówimy wtedy o mieszance ubogiej, lub jego niedomiarem i mieszankę określamy wtedy jako bogatą. Zmiany składu mieszanki paliwowo-powietrznej mogą odbywać się tylko w pewnych granicach określonych parametrami eksploatacyjnymi silnika (moc i zużycie paliwa) oraz dopuszczalną zawartością w spalinach substancji toksycznych (rys. 3.38).

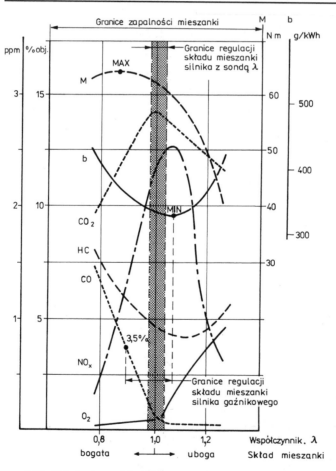

Rys. 3.38. Skład mieszanki paliwowo-powietrznej może zmieniać się tylko w granicach określonych parametrami eksploatacyjnymi silnika i dopuszczalną zawartością w spalinach składników toksycznych

102

W przypadku wystąpienia niesprawności lub nieprawidłowej regulacji gaźnika skład mieszanki będzie odbiegał od prawidłowego. Spowoduje to pogorszenie parametrów pracy silnika, objawiające się spadkiem osiągów samochodu, zwiększonym zużyciem paliwa, a także zmienioną barwą spalin. Dokładnej informacji o prawidłowości przebiegu spalania dostarcza analiza składu spalin, których jakość zmienia się nie tylko odpowiednio do zmian składu mieszanki paliwowo-powietrznej, ale również kąta wyprzedzenia zapłonu, prędkości obrotowej oraz obciążenia silnika.

Dlatego też warunkiem uzyskania miarodajnych wyników badania układu zasilania jest spełnienie poniższych warunków:
- silnik musi być nagrzany; temperatura cieczy chłodzącej i oleju powinna wynosić ok. 80°C;
- układ zapłonowy i luzy zaworów muszą być prawidłowo wyregulowane;
- rura wylotowa i tłumik muszą być szczelne;
- filtr powietrza nie może być zanieczyszczony;
- prędkość obrotowa biegu jałowego musi odpowiadać zaleceniom producenta.

Do badania jakości spalin i na tej podstawie określania prawidłowości przebiegu procesów spalania w silniku o zapłonie iskrowym służą analizatory spalin. Wykorzystywane są one również do pomiaru zawartości w spalinach substancji toksycznych, których dopuszczalne stężenie zostało określone w międzynarodowych przepisach. Analizatory działające według zasady porównania przewodności cieplnej spalin, np. krajowe AST-75, AK-8300, umożliwiają jedynie ogólną kontrolę składu mieszanki na podstawie wagowego stosunku zassanego powietrza do pobranego paliwa. Ich wskazania, dotyczące zarówno składu mieszanki, jak i zawartości CO w spalinach, należy traktować jako przybliżone. Przyrządy te nie spełniają wymagań nowoczesnej diagnostyki. Analizatory działające według zasady pochłaniania przez spaliny promieniowania podczerwonego pozwalają na szybkie i dokładne określenie stężenia w spalinach takich składników, jak: CO, CO_2, CH, NO_x.

Zasadę działania tego typu analizatorów pokazano na rysunku 3.39. Spaliny z układu wylotowego silnika, po oczyszczeniu z wody w separatorze oraz z zanieczyszczeń przez filtr, są doprowadzane do komory pomiarowej. Objętości gazów CO, CO_2 i CH są mierzone na zasadzie pochłaniania promieni podczerwonych. Nadajnik wysyła wiązkę światła podczerwonego (IR), która przechodzi przez spaliny w komorze pomiarowej. Każdy z badanych gazów pochłania inne długości fali promieniowania podczerwonego. Specjalne filtry, umieszczone po stronie odbiorczej bloku pomiarowego, odfiltrowują określone długości fal i każda z nich jest mierzona oddzielnym detektorem lub pojedynczym czujnikiem optycznym. Proporcjonalnie do koncentracji gazu dociera do detektora mniejsza lub większa dawka wysyłanego promieniowania podczerwonego o określonej długości fali. Intensywność odbieranego promieniowania jest miarą stężenia danego gazu. Stężenie tlenu w spalinach mierzy się z wykorzystaniem elektroniki. Do tego celu stosuje się galwaniczną komorę pomiarową, w której przebiegają procesy chemiczne. W wyniku reakcji chemicznych powstaje sygnał elektryczny proporcjonalny do zawartości tlenu w spalinach.

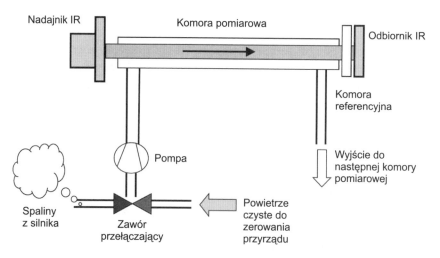

Nadajnik IR

Komora pomiarowa

Odbiornik IR

Komora referencyjna

Pompa

Wyjście do następnej komory pomiarowej

Spaliny z silnika

Zawór przełączający

Powietrze czyste do zerowania przyrządu

Rys. 3.39. Schemat działania analizatora spalin wykorzystującego zdolność pochłaniania przez gazy promieniowania podczerwonego o określonej długości fali

Za pomocą tego rodzaju analizatorów czteroskładnikowych można również z reguły obliczyć, na podstawie stężeń poszczególnych gazów, współczynnik nadmiaru powietrza λ lub współczynnik AFR (stosunek powietrze/paliwo w mieszance).

Rys. 3.40. Czterogazowy analizator spalin ETT 8.55 firmy Bosch. Analizator umożliwia mierzenie prędkości obrotowej i temperatury oleju w silnikach i jest wyposażony w drukarkę

Do pomiaru zawartości tlenków azotu NO_x w spalinach stosuje się analizatory chemiluminescencyjne. Wykorzystują one zjawisko emisji promieniowania elektromagnetycznego towarzyszące reakcji tlenku azotu NO z ozonem O_3. Do reaktora, przy bardzo małym ciśnieniu utrzymywanym przez pompę próżniową, są doprowadzane spaliny oraz ozon z wytwornicy. W wyniku reakcji, z tlenku azotu NO i ozonu O_3 powstaje dwutlenek azotu NO_2 oraz wytwarza się energia promieniowania proporcjonalna do jego stężenia. Energia ta zamieniana jest następnie na proporcjonalny sygnał elektryczny.

Jeżeli analizator jest przystosowany do wskazania współczynnika nadmiaru powietrza, to mikroprocesor po zmierzeniu stężeń czterech gazów obliczy i wyświetli współczynnik lambda (lub AFR). Nowoczesne analizatory są obowiązkowo wyposażone w drukarkę, która zapisuje wszystkie zmierzone parametry oraz dodatkowo dane identyfikacyjne pojazdu:

Zgodnie z rozporządzeniem Ministra Transportu i Gospodarki Morskiej, stężenie tlenku węgla w spalinach nie może przekraczać wartości podanych w tablicy 3–4.

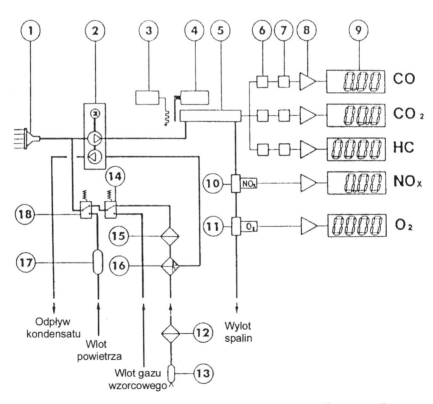

Rys. 3.41. Schemat blokowy nowoczesnego czterogazowego analizatora spalin
1 – czujnik przepływu, 2 – pompa przeponowa, 3 – nadajnik podczerwieni, 4 – silnik synchroniczny, 5 – komora pomiarowa, 6 – filtr optyczny, 7 – odbiorniki podczerwieni, 8 – wzmacniacze, wyświetlacze, 10 – czujnik NO_x, 11 – czujnik tlenu, 12 – filtr zewnętrzny, 13 – sonda poboru spalin, 14 – zawór elektromagnetyczny do kalibracji, 15 – filtr z wymiennym wkładem, 16 – separator kondensatu, 17 – filtr z węglem aktywnym, 18 – zawór elektromagnetyczny do zerowania

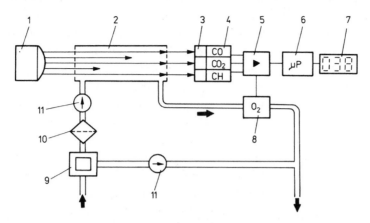

Rys. 3.42. Schemat działania czterogazowego analizatora spalin
1 – promiennik podczerwieni, 2 – komora pomiarowa, 3 – filtry interferencyjne, 4 – detektory
podczerwieni, 5 – wzmacniacz sygnału, 6 – mikroprocesor, 7 – wskaźnik, 8 – komora galwaniczna
(czujnik tlenu), 9 – separator wody, 10 – filtr, 11 – pompa

Silnik sprawny technicznie i prawidłowo wyregulowany powinien powodować wskazania analizatora odpowiadające wymaganiom producenta pojazdu. Jeżeli brak jest danych fabrycznych, można przyjąć ogólne kryteria podane w tablicy 3–5.

W tablicy 3–6 podano typowe przyczyny nieprawidłowego stężenia **tlenku węgla** (CO), zarówno dla silników zasilanych gaźnikowo, jak i układem wtryskowym.

Tablica 3–4

Dopuszczalne stężenie tlenku węgla w spalinach

Rodzaj pojazdu	Data pierwszej rejestracji	Prędkość obrotowa	Wielkość mierzona	Wartość dopuszczalna
Motocykl	przed 01.10.1986	Bieg jałowy	CO	5,5%
Motocykl	od 01.10.1986	Bieg jałowy	CO	4,5%
Pojazd samochodowy	przed 01.10.1986	Bieg jałowy	CO	4,5%
Pojazd samochodowy	od 01.10.1986 do 30.06.1995	Bieg jałowy	CO	3,5%
Pojazd samochodowy z katalizatorem bez sondy lambda	po 30.06.1995	Bieg jałowy	CO	0,5%
			HC	100 ppm
		$200 \div 3000$ min^{-1}	CO	0,3%
			HC	100 ppm
Pojazd samochodowy z katalizatorem i sondą lambda	po 30.06.1995	Bieg jałowy	CO	0,5%
			HC	100 ppm
		$2000 \div 3000$ min^{-1}	CO	0,3%
			HC	100 ppm
			λ	$0,97 \div 1,03$

Średnie stężenie składników spalin na biegu jałowym

Typ silnika	CO	CH	CO_2	O_2	λ
Silnik gaźnikowy, stara konstrukcja (do ok. 1981)	4,5%	300 ppm	10...14%	2,0%	0,87...0,92
Silnik gaźnikowy, nowa konstrukcja i wtryskowy bez katalizatorów	0,5...1,5%	200 ppm	13...15%	2,0%	0,95...1,15
Silnik z katalizatorem nieregulowanym*	0,5%	100 ppm	14...15,5%	2,0%	
Silnik z katalizatorem regulowanym*	0,05...0,1%	5...30 ppm	14,5...15,5%	0,1...2,0%	0,97...1,03

* Katalizator nieregulowany oznacza układ oczyszczania spalin bez sondy lambda, a katalizator regulowany — układ z sondą lambda.

Zbyt wysoka zawartość **węglowodorów (CH)** w spalinach, czyli resztek nie spalonego paliwa świadczy o złym spalaniu lub usterce technicznej silnika. Przy ocenie silnika na podstawie wskazań stężenia CO i CH można skorzystać z tablicy 3–7. Ustawienie składu mieszanki tylko na podstawie pomiaru CO, tak aby zawartość nie przekraczała wartości wymaganej fabrycznie, może doprowadzić do powstania zbyt ubogiej mieszanki, a w konsekwencji do wypalenia zaworów i uszkodzenia elementów silnika.

Dwutlenek węgla (CO_2) nie jest gazem toksycznym, jednak pomiar jego zawartości jest istotną pomocą diagnostyczną. Im wyższa procentowa zawartość CO_2 w spalinach, tym efektywniej pracuje silnik i katalizator. Zbyt niskie stężenie CO_2 świadczy o nieszczelności układu wydechowego lub uszkodzeniu katalizatora (patrz tablica 3–8).

Zawartość **wolnego tlenu (O_2)** w spalinach gwałtownie wzrasta przy przejściu mieszanki bogatej w ubogą (λ = 1,0...1,05). Dlatego też pomiar koncentracji O_2 można wykorzystać do wyregulowania gaźnika. Moment kiedy wskazanie analizatora ustawi się skokowo na około 0,5% zawartości O_2 (mierzonej w % objętości spalin) świadczy o ustawieniu punktu przejścia z mieszanki bogatej do ubogiej.

Pomiar O_2 jest również użyteczny przy wykrywaniu nieszczelności układu dolotowego powietrza, układu wydechowego oraz usterek powodujących niespalenie mieszanki. Jako właściwą uznaje się zawartość tlenu w granicach 0,1...2,0%.

Pomiar **tlenków azotu (NO_x)** nie jest wykorzystywany w diagnostyce silnika, natomiast jest bardzo użyteczny przy ocenie sprawności katalizatora. Silnik bez katalizatora lub z niesprawnym katalizatorem jest źródłem emisji trujących tlenków azotu, szczególnie przy spalaniu mieszanek ubogich. Sprawny katalizator redukuje tlenki azotu ze skutecznością 90...96%.

Współczynnik lambda (λ) stanowi wartość, która umożliwia ocenę, czy spalanie odbywa się przy prawidłowym stosunku powietrze–paliwo. Lambda równa 1 oznacza, że proporcja ta jest właściwa do najefektywniejszego spa-

Ocena układu zasilania na podstawie wskazań CO

Warunki pracy silnika	Stężenie CO wymagane	Przyczyny nieprawidłowego stężenia CO	
		zbyt duże stężenie CO	zbyt niskie stężenie CO
1	2	3	4
Bieg jałowy	0,5...3,5% (jeżeli producent nie podaje inaczej)	– Zła regulacja biegu jałowego – Za wysokie ciśnienie paliwa – Paliwo w misce olejowej – Błąd pomiaru – Zimny silnik **Gaźnik mechaniczny** – Za wysoki poziom paliwa w komorze pływakowej – Zanieczyszczenie filtra powietrza – Zanieczyszczenie dyszy powietrza biegu jałowego – Za duża przepustowość dyszy paliwa biegu jałowego – Nieszczelne, uszkodzone urządzenie rozruchowe **Gaźnik i wtrysk elektroniczny** – Zanieczyszczony filtr powietrza – Uszkodzona sonda lambda – Zacinanie się przepustnicy – Nieprawidłowe ustawienie wyjściowe przepustnicy – Uszkodzony zawór AGR – Uszkodzony wtryskiwacz rozruchowy lub wtryskiwacze – Uszkodzony czujnik temperatury – Uszkodzony przepływomierz powierza – Nieprawidłowo ustawiony potencjometr CO – Uszkodzony wtyk złącza lub urządzenie sterujące	– Zła regulacja biegu jałowego – Za niskie ciśnienie paliwa – „Fałszywe" powietrze – Błąd pomiaru **Gaźnik mechaniczny** – Za niski poziom paliwa w komorze pływakowej – Zanieczyszczenie dyszy paliwa biegu jałowego – Niewłaściwy dobór dysz **Gaźnik i wtrysk elektroniczny** – Zanieczyszczone wtryskiwacze – Nieprawidłowo ustawiony potencjometr CO – Uszkodzona sonda lambda – Uszkodzony zawór AGR – Uszkodzony wtyk złącza lub urządzenie sterujące
Przyspieszanie	wzrost CO o 1...3%	**Gaźnik** – Niesprawna pompka przyspieszająca	**Gaźnik** – Niesprawna pompka przyspieszająca **Wtrysk** – Uszkodzony potencjometr przepływomierza powietrza lub klapa spiętrzająca – Uszkodzony czujnik położenia przepustnicy

1	2	3	4
Zwiększona prędkość obrotowa	**0,1 ... 1,5%** (jeżeli producent nie podaje inaczej)	– Za wysokie ciśnienie paliwa – Zimny silnik **Wtrysk elektroniczny** – Uszkodzony czujnik temperatury – Układ pracuje w systemie awaryjnym **Gaźnik** – Zanieczyszczony filtr powietrza – Za wysoki poziom paliwa w komorze pływakowej – Niewłaściwy dobór dysz – Urządzenie rozruchowe nie wyłącza się całkowicie – Zbyt wczesne włączenie układu wzbogacającego **Wtrysk** – Uszkodzony czujnik temperatury – Układ pracuje w systemie awaryjnym	– Za niskie ciśnienie paliwa – „Fałszywe" powietrze – Niedrożne odpowietrzenie zbiornika paliwa **Wtrysk elektroniczny** – Zanieczyszczone wtryskiwacze **Gaźnik** – Za niski poziom paliwa w komorze pływakowej – Zanieczyszczone dysze – Niewłaściwy dobór dysz **Wtrysk** – Zanieczyszczone wtryskiwacze

lania. W samochodzie z katalizatorem potrójnego działania współczynnik lambda powinien wynosić $1\pm0,003$, ponieważ tylko w tym zakresie składu mieszanki katalizator pracuje z wymaganą. skutecznością powyżej 90% (rys. 3.43). Przy działaniu katalizatora w pętli zamkniętej (z sondą lambda) zakres regulacji współczynnika lambda wynosi 0,97...1,03.

Silniki gaźnikowe starszej generacji, do początku lat 80., są przystosowane do spalania mieszanek bogatszych – współczynnik lambda będzie wynosił 0,87... 0,92. Natomiast silniki gaźnikowe nowszej generacji i wtryskowe bez katalizatorów mogą spalać już mieszankę bardziej ubogą – współczynnik lambda mieści się w zakresie 0,95...1,15.

Poniżej zostanie opisana procedura badania spalin samochodu z katalizatorem regulowanym na zgodność z zachowaniem dopuszczalnych przepisami stężeń gazów.

Potrzebne przyrządy i narzędzia

– analizator spalin czterogazowy z możliwością pomiaru temperatury oleju i prędkości obrotowej.

Wykonanie pomiaru

– Sprawdzić wzrokowo od spodu samochodu, czy układ wydechowy i ka-

109

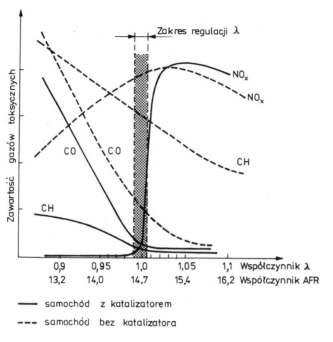

Rys. 3.43. Zmiany składu spalin w zależności od współczynnika nadmiaru powietrza

talizator nie są uszkodzone lub poluzowane oraz czy sonda lambda jest podłączona.

– Włączyć silnik i zatkać wylot rury wydechowej. Obserwować, czy spaliny zaczną się wydostawać przez ewentualne nieszczelności. Jeżeli układ wydechowy jest nieszczelny lub uszkodzony, to należy odstąpić od dokonania pomiaru.

– Doprowadzić silnik do stanu nagrzania. Sprawdzić sondą umieszczoną zamiast wskaźnika bagnetowego temperaturę oleju, która powinna przekraczać 60°C.

– Podłączyć analizator do rury wydechowej.

– Podłączyć miernik prędkości obrotowej do przewodu zapłonowego lub czujnika ZZ.

– Sprawdzić stężenie CO na biegu jałowym oraz przy podwyższonej prędkości obrotowej do 2000...3000 obr/min.

– Uruchomić w analizatorze program obliczenia współczynnika lambda przy podwyższonej prędkości obrotowej.

– Sprawdzić działanie układu regulacji z sondą lambda. W tym celu wprowadzić zakłócenie do układu zasilania, powodujące nagłe wzbogacenie lub zubożenie mieszanki. Na przykład można otworzyć korek wlewu oleju lub odłączyć przewód odpowietrzający skrzynię korbową. W krótkim czasie sonda lambda powinna zareagować na zmianę i odpowiednio skorygować czas

110

Ocena układu zasilania na podstawie wskazań CH

Stężenie CH	Stężenie CO	Warunki pracy silnika	Przyczyny nieprawidłowego stężenia
bardzo wysokie	niskie	chwilowe „wypadanie" zapłonu przy określonych obciążeniach i obrotach	usterka w układzie zapłonowym
wysokie	wysokie	nierównomierna praca podczas jazdy	za bogata mieszanka
		nierównomierny bieg jałowy	za bogato wyregulowana mieszanka
	normalne	nierównomierny bieg jałowy	za mały luz zaworów
		obniżanie prędkości obrotowej*⁾	spalanie oleju (zużyte uszczelniacze zaworów, pierścienie tłokowe)
	niskie	nierównomierny bieg jałowy	za ubogo wyregulowana mieszanka
	bardzo niskie	nierównomierna praca podczas jazdy, szarpnięcia	nieszczelny układ dolotowy powietrza, zbyt uboga mieszanka (niedostateczne zasilanie paliwem)
> 30 ppm	CO > 0,1% CO₂ < 15%	samochód z katalizatorem regulowanym	uszkodzony katalizator (jeżeli silnik sprawny technicznie), niesprawna sonda lambda, wadliwa praca wtryskiwaczy

*⁾ Zwiększyć na krótko prędkość obrotową do 4000 obr/min i gwałtownie puścić pedał „gazu". W silniku sprawnym technicznie stężenie CH może wzrosnąć do 1000 ppm.

Ocena układu zasilania na podstawie wskazań CO_2

Stężenie CO₂	Stężenie CO	Stężenie CH		Przyczyny nieprawidłowego stężenia
bardzo wysokie	niskie 0,1%*⁾	bardzo niskie	1,0	spalanie przebiega prawidłowo, układ wydechowy szczelny
niskie	wysokie	wysokie	0,8...1,0	za bogata mieszanka
	niskie	niskie	1,0	spalanie przebiega prawidłowo, układ wydechowy szczelny
		wysokie	1,0	przerwy w zapłonie
	bardzo niskie	wysokie	1,0...1,2	za uboga mieszanka
< 14%*⁾	> 0%	> 30 ppm		uszkodzony katalizator lub sonda lambda, niesprawny technicznie silnik lub silnik i katalizator nie nagrzane

*⁾ Samochód z katalizatorem regulowanym.

111

wtrysku poprzez centralne urządzenie sterujące. Niektóre nowoczesne analizatory spalin mają możliwość wprowadzenia zakłóceń w obwód katalizatora przewodem, który włącza się między sondę lambda a centralne urządzenie sterujące.

Ocena wyników

Wskazania analizatora powinny odpowiadać wartościom podanym w instrukcji obsługi samochodu. W przypadku braku danych przyjąć kryteria podane na stronie 108.

3.6. BADANIE APARATURY PALIWOWEJ SILNIKA O ZAPŁONIE SAMOCZYNNYM

3.6.1. Ocena stanu technicznego silnika na podstawie zadymienia spalin

Zmiana zabarwienia spalin wydostających się z silnika wysokoprężnego jest wizualnym dowodem nieprawidłowego przebiegu procesu spalania mieszanki. Oceniając barwę spalin oraz stopień ich zaczernienia można w pewnym przybliżeniu określić rodzaj niedomagania, stopień zużycia silnika oraz ekonomiczność jego pracy.

O zmianie koloru spalin decydują głównie dwa składniki: nie dopalone cząsteczki węglowodorów, nadające barwę niebieską oraz drobne cząsteczki sadzy, nadające charakterystyczny czarny kolor. Sadza, którą tworzy czysty chemicznie węgiel, nie ma własności toksycznych, odznacza się jednak właściwością adsorbowania dużych ilości węglowodorów aromatycznych. Są one toksyczne i dlatego również sadza zalicza się do szkodliwych składników spalin.

Z uwagi na potrzebę ochrony powietrza atmosferycznego przed toksycznymi węglowodorami zaabsorbowanymi przez sadzę wprowadzono przepisami dopuszczalną granicę stopnia zadymienia spalin. W związku z tym, obok wizualnej oceny spalin silnika wysokoprężnego, należy wykonać pomiar zadymienia w celu skontrolowania wielkości emisji sadzy.

 Wzrokowa kontrola barwy spalin

W sprawnym i prawidłowo wyregulowanym silniku składniki spalin są prawie przezroczyste i bezbarwne. Jeżeli podczas eksploatacji samochodu zaobserwuje się zmianę barwy spalin wydobywających się z rury wydechowej, można wnioskować o wystąpieniu jednego lub kilku z poniższych niedomagań.

Zabarwienie czarne lub brunatne wskazuje na:
– zbyt duże dawkowanie paliwa przez pompę wtryskową, spowodowane niewłaściwą regulacją jednej, kilku lub wszystkich sekcji tłoczących,
– zbyt mały kąt wyprzedzenia wtrysku, spowodowany niewłaściwą regulacją kąta lub zużyciem elementów napędu pompy wtryskowej,
– niewłaściwe rozpylenie paliwa przez wtryskiwacz, czego przyczyną może

112

być za niskie ciśnienie wtrysku, nieszczelność rozpylacza lub przewodów wysokiego ciśnienia,
- nieprawidłowe ustawienie rozrządu lub niewłaściwe luzy zaworów,
- znaczne zanieczyszczenie filtru powietrza,
- nadmierne zużycie gładzi cylindrów i pierścieni tłokowych lub zapieczenie pierścieni.

Uwaga. Czarny dym w rurze wydechowej może pojawiać się (na krótko) w chwili krótkotrwałego obciążenia silnika lub po gwałtownym naciśnięciu na pedał przyspieszenia. Jest to zjawisko naturalne.

Zabarwienie niebieskie lub stalowoniebieskie wskazuje na:
- spalanie nadmiernej ilości oleju, wynikające z zużycia gładzi cylindrów i pierścieni tłokowych lub zbyt wysokiego poziomu oleju w misce olejowej,
- przechłodzenie silnika.

Zabarwienie białe lub jasnoszare może być spowodowane:
- przenikaniem do komory spalania wody z układu chłodzenia, wskutek uszkodzenia uszczelki lub pęknięcia cylindra (głowicy),
- stosowaniem paliwa o zbyt małej liczbie cetanowej,
- przechłodzeniem silnika.

Uwaga. Biały dym może wystąpić podczas pracy silnika w niskich temperaturach otoczenia, kiedy następuje skroplenie pary wodnej zawartej w spalinach. Jest to zjawisko naturalne.

Pomiar stopnia zadymienia spalin

Intensywność dymienia silnika wysokoprężnego określa się przez pomiar stopnia zaciemnienia wkładki filtrującej spaliny, do czego służą dymomierze filtracyjne, lub stopnia pochłaniania (absorpcji) światła przez warstwę spalin, do czego wykorzystuje się dymomierze absorpcyjne.

Dymomierze filtracyjne mogą być stosowane tylko do pomiarów dymienia w ustalonych warunkach pracy silnika, ze względu na trudności w pobraniu reprezentatywnej próbki spalin i nie nadają się do wykorzystania w metodzie swobodnego przyspieszania. Wymagania tej metody spełnia dymomierz absorpcyjny, który mierzy przezroczystość spalin.

Układ nadawczy dymomierza emituje promieniowanie podczerwone, które po przejściu przez spaliny wydzielane z rury wydechowej pojazdu pada na fototranzystor zabudowany w układzie odbiorczym. Cząstki sadzy zawarte w spalinach absorbują część promieniowania podczerwonego, co jest rejestrowane przez fototranzystor. Następuje zmiana sygnału napięciowego, który jest podawany na miernik elektryczny, wyskalowany w umownych jednostkach stopnia zadymienia. W dymomierzach tzw. pełnoprzepływowych pomiar odbywa się bezpośrednio na końcu rury wylotowej pojazdu w swobodnie wypływającej strudze spalin. Ten rodzaj dymomierzy absorpcyjnych może mieć konstrukcję zamkniętą, nie dopuszczającą światła otoczenia do przestrzeni pomiarowej lub otwartą, np. DM-102 (rys. 3.44). Wyniki pomiarów stopnia zadymienia spalin

113

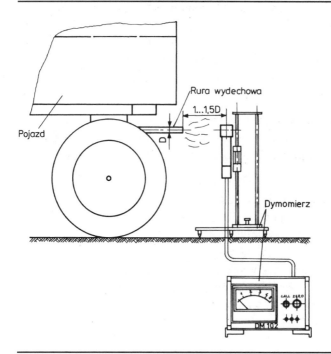

Rys. 3.44. Ustawienie
dymomierza DM-I02
podczas pomiaru

uzyskiwane różnymi metodami, a nawet różnymi dymomierzami działającymi na tej samej zasadzie, są ze sobą nieporównywalne wobec braku jednoznacznej zależności między zawartością sadzy w spalinach a przezroczystością spalin. Z tego powodu przeliczenie jednostek określających stopień zadymienia spalin, podawanych w poszczególnych urządzeniach, na procentową zawartość sadzy jest umowne.

Drugi rodzaj dymomierzy absorpcyjnych, o częściowym przepływie spalin, pobiera część spalin z rury wydechowej przez sondę o określonym przekroju. Pobrana próbka spalin jest oceniana w wydzielonej komorze pomiarowej, na końcach której znajdują się źródło światła i fotoelement. Właściwy pomiar zadymienia jest zawsze poprzedzony kontrolą zerowania dymomierza. W starszych typach dymomierzy zerowanie przeprowadza się pokrętłem potencjometru umieszczonym na płycie czołowej urządzenia. W czasie zerowania w komorze pomiarowej musi się znajdować czyste powietrze. Należy pamiętać o czyszczeniu szkieł układu optycznego, gdyż ma to wpływ zarówno na zerowanie, jak i wynik pomiaru. W nowszych dymomierzach, sterowanych mikroprocesorem, zerowanie odbywa się automatycznie przed każdym pomiarem (rys. 3.45).

Podczas zerowania, kiedy zawór kalibracji (7) jest w położeniu „I” pompa (6) zasysa czyste powietrze do komory pomiarowej (5). Następuje wtedy kompensacja stopnia zanieczyszczenia szkieł układu optycznego. Po przełączeniu zaworu kalibracji w położenie „II” zostają do komory zassane spaliny, gdzie podlegają ocenie. Komora pomiarowa ma ściśle określoną długość (430 mm) i jest podgrzewana w celu zapobiegnięcia wytrącania się w niej kondensatu pary wodnej.

114

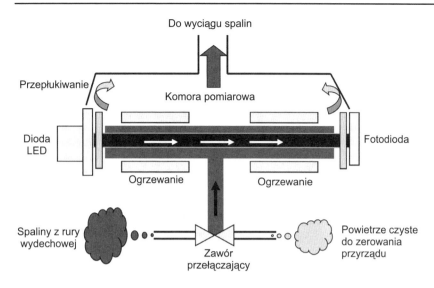

Rys. 3.45. Zasada działania dymomierza absorpcyjnego

Przykładem dymomierza absorpcyjnego o częściowym przepływie spalin jest MDO 2 LON frmy MAHA (rys. 3.46) lub 3.010/3.011 firmy Bosch (rys. 3.47). Przy ocenie zadymienia spalin konieczne jest doprowadzenie pełnej dawki paliwa, jaka występuje w eksploatacji silnika, ponieważ im większa dawka wtryśniętego paliwa, tym większe zadymienie. Najbardziej racjonalny byłby pomiar zadymienia w warunkach pełnego obciążenia silnika. Gwarantuje to większą dokładność i powtarzalność pomiarów, a ponadto poźniejsze włączenie się regulatora prędkości obrotowej. Pomiar taki wymaga jednak dysponowania hamownią podwoziową.

W warunkach warsztatowych przyjęto więc prostszą metodę pomiaru w warunkach swobodnego przyspieszania prędkości obrotowej silnika. Polega to na tym, że w czasie pomiaru pedał „gazu" jest szybko wciskany do oporu. Do cylindrów zaczyna być dostarczana pełna dawka paliwa, aż do chwili, kiedy silnik osiągnie prędkość obrotową regulowaną i dawkowanie paliwa zostanie zmniejszone wskutek zadziałania regulatora pompy wtryskowej. Pomiar zadymienia jest więc wykonywany w tym bardzo krótkim przedziale czasu (rys. 3.48).

Do pomiarów w warunkach swobodnego przyspieszania prędkości obrotowej silnika nie może być wykorzystywany dymomierz filtracyjny z pompą tłokową, np. polski dymomierz DE 400, ponieważ nie zapewnia wystarczającej dokładności i powtarzalności wyników. Natomiast do tego typu pomiarów nadają się dymomierze filtracyjne z pompą przeponową (o ciągłym zasysaniu spalin), np. dymomierze A VL 407, 409 i 415 oraz Bosch RFT 100, jak również wszystkie dymomierze absorpcyjne.

Poniżej przedstawiono ramowy sposób przeprowadzenia kontroli zadymienia spalin, ponieważ ze względu na odmienność konstrukcji i zasady działania dymomierzy, ich sposób obsługi jest zróżnicowany.

Rys. 3.46. Dymomierz
absorpcyjny MDO 2 LON
firmy MAHA w wersji
z monitorem do obserwacji
przebiegu i wyników
pomiaru

Rys. 3.47. Wielofunkcyjny przyrząd do badania spalin BEA 460 firmy Bosch mający
bezprzewodowe połączenie z komputerem stacjonarnym lub z laptopem

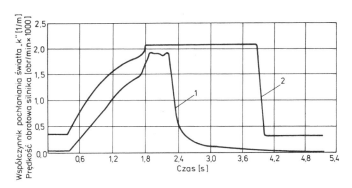

Rys. 3.48. Przebieg zadymienia spalin przy swobodnym zwiększaniu prędkości obrotowej
1 – współczynnik pochłaniania światła, 2 – prędkość obrotowa silnika

Potrzebne przyrządy i narzędzia

- dymomierz absorpcyjny, np. ISC Olivier D 60, Opacilyt 1010 firmy Junkalor, AVL 435, DO 9500 firmy Radiotechnika, RTT 100/110 firmy Bosch.

Wykonanie pomiaru

- Zagrzać silnik do normalnej temperatury pracy. Temperatura oleju w silniku powinna wynosić min. 80°C. Uwaga: gwałtowne przyspieszanie zimnego silnika grozi jego uszkodzeniem.
- Sprawdzić szczelność układu wydechowego. Usunąć widoczną nieszczelność, ponieważ wynik pomiaru będzie błędny (zaniżony).
- Jeżeli dostęp do końca rury wydechowej jest utrudniony, to można szczelnie przedłużyć układ wydechowy o odcinek o długości odpowiadający co najmniej sześciu średnicom rury wydechowej przy stosowaniu dymomierza pełnoprzepływowego lub dziewięciu średnicom – przy dymomierzu o częściowym przepływie spalin.
- Włączyć i zagrzać dymomierz, a następnie wyzerować zgodnie z instrukcją jego obsługi.
W dymomierzu absorpcyjnym przeczyścić szkła układu optycznego.
- Oczyścić układ wydechowy badanego samochodu przez uruchomienie silnika i pozostawienie z podwyższoną prędkością obrotową na około 1 minutę.
- Wprowadzić sondę dymomierza centrycznie do rury wydechowej na głębokość minimum trzech średnic rury (dla rur wydechowych o mniejszej średnicy jest przeznaczona sonda ⌀ 10 mm, a dla rur grubszych – sonda ⌀ 27 mm). W przypadku dymomierza DM 102, który nie ma sondy, oś optyczna układu musi się pokrywać z osią rury wydechowej i znajdować się w odległości pokazanej na rysunku 3.44.
- Podczas pracy silnika na biegu jałowym wcisnąć szybko, ale nie gwałtownie, pedał „gazu", aby uzyskać pełny wydatek pompy wtryskowej. Przytrzymać wciśnięty pedał do czasu uzyskania maksymalnej prędkości obrotowej i zadziałania regulatora. Następnie zwolnić pedał „gazu".

117

Uwaga. Jeżeli pompa wtryskowa nie ma automatycznej blokady urządzenia rozruchowego, to przyspieszanie należy rozpocząć od wyższej prędkości (900 obr/min), aby zapobiec wtryśnięciu dawki rozruchowej.

Należy wykonać co najmniej trzy pomiary następujące po sobie, przerwa po każdym pojedynczym pomiarze musi wynosić 15 s. Jeśli wyniki przeprowadzonego testu nie tworzą sekwencji malejącej oraz różnica pomiędzy poszczególnymi pomiarami jest nie większa niż 0,5 m^{-1}, wtedy dymomierz powinien automatycznie dokonać przeliczeń, w rezultacie których otrzymujemy wartość zadymienia jako średnią arytmetyczną trzech ostatnich prób oraz maksymalną różnicę wartości parametru k pomiędzy poszczególnymi pomiarami. Jeśli rezultaty trzech ostatnich prób nie spełniają wymienionych wymogów, sytuacja się powtarza, dopóki maksymalna różnica wartości zadymienia k pomiędzy poszczególnymi pomiarami osiągnie wartość poniżej 0,5 m^{-1} oraz wyniki nie będą tworzyć sekwencji malejącej.

Ocena wyników

W dymomierzu absorpcyjnym wynik pomiaru odczytuje się jako stopień zadymienia spalin N, określany w skali liniowej 0...100%, nazywaną również skalą Hartridge (HRT) lub jako współczynnik absorpcji k, określany w skali nieliniowej 0...∞ (m^{-1}). Przy przepływie czystego powietrza wskazania są 0, natomiast dla spalin całkowicie nieprzezroczystych wskazania są N = 100% i $k = \infty$ (m^{-1}). Zależność między różnymi jednostkami zadymienia spalin pokazano na nomogramie (rys. 3.49).

W nowoczesnych silnikach ZS samochodów osobowych i dostawczych zadymienie spalin zawiera się w granicach 20...30% HRT lub k = 0,5...0,85 m^{-1}. Przy ocenie stanu technicznego silników należałoby stosować kryteria zadymienia spalin określane przez producentów, którzy jednak na ogół nie podają tego parametru.

Dopuszczalne zadymienie spalin zostało określone na drodze prawnej, w rozporządzeniu Ministra Transportu i Gospodarki Morskiej z dnia 1.02.1993 r. Zadymienie spalin nie może przekraczać:
k = 2,5 m^{-1} i 66% HRT dla silników ZS wolnossących,
k = 3,0 m^{-1} i 72% HRT dla silników ZS turbo.

Samochody przekraczające powyższe granice nie mogą zostać dopuszczone do eksploatacji.

Najbardziej rozpowszechniony w Polsce dymomierz absorpcyjny DM 102 ma skalę pomiarową 0...5 jednostek oraz naniesiony punkt oznaczony liczbą 70%. Punkt ten był obowiązujący w Polsce do dnia 30.04.1993 jako kryterium dopuszczenia pojazdu z silnikiem ZS do ruchu. Obecnie obowiązujące kryteria, określone w jednostkach podanych na dymomierzu DM 102, wynoszą 2,8 dla silników wolnossących oraz 3,3 dla silników doładowanych.

Wzrost zadymienia spalin może być spowodowany:
– niesprawnością wtryskiwaczy (wadliwe rozpylanie, utrata szczelności rozpylacza, zaniżone ciśnienie otwarcia wtryskiwacza, nagar na końcówce),
– źle ustawionym początkiem tłoczenia (wtrysku), na ogół zbyt późnym,

118

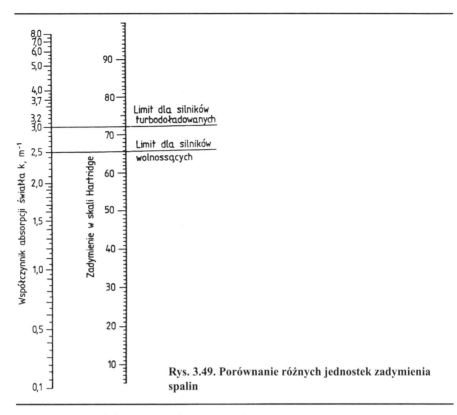

Rys. 3.49. Porównanie różnych jednostek zadymienia spalin

- niesprawnością przestawiacza wtrysku,
- nadmiernym dawkowaniem pompy wtryskowej,
- niesprawnością cylindrów i głowicy (zużycie układu tłokowo-cylindrowego, nieszczelność głowicy),
- zanieczyszczeniem wkładu filtru powietrza,
- dławieniem w układzie dolotowym powietrza,
- niesprawnością układu doładowania powietrza.

Badanie spalin metodą pomiaru koncentracji cząstek stałych

Firma MAHA opracowała w ostatnim czasie nową metodę badania spalin, która umożliwia analizowanie poziomu zadymienia współczesnych silników wysokoprężnych, charakteryzujących się bardzo wysokim ciśnieniem wtrysku. Silniki te emitują do atmosfery bardzo niewielkie cząstki stałe (mniejsze niż 0,001 mm). Co prawda poziom widocznego zadymienia tych silników, m.in. dzięki zastosowaniu filtrów cząstek stałych, jest niższy od jednostek starszej generacji z pompami rzędowymi i rozdzielaczowymi, jednak dla płuc te małe cząstki są znacznie groźniejsze od większych cząstek emitowanych przez starsze silniki, ponieważ nie są odkasływane przez człowieka. Ponadto, sprawność działania filtra cząstek stałych jest trudna do sprawdzenia w warunkach warsztatu samochodowego. Standardowa wartość współczynnika k dla samochodów z filtrem cząstek stałych wynosi 0,02, co jest poza zakresem dokładności pomiarowej większości dymomierzy absorpcyjnych.

a

Rys. 3.50. Dymomierz MPM 4 firmy MAHA mierzący koncentrację cząstek stałych w spalinach
a – widok urządzenia, b – widok ekranu kontrolnego

b

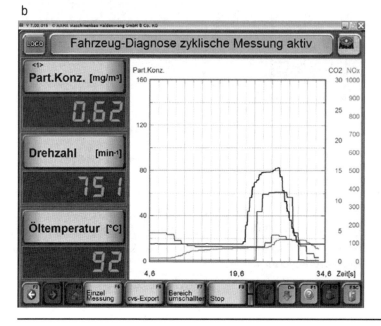

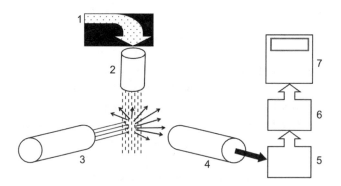

Rys. 3.51. Zasada działania dymomierza MPM 4 firmy MAHA
1 – spaliny pobrane z rury wylotowej, 2 – przewód prowadzący spaliny, 3 – strumień lasera, 4 – detektor światłą rozproszonego, 5 – wzmacniacz sygnału, 6 – układ obróbki sygnału, 7 – wyświetlacz

120

Metoda zastosowana w dymomierzu MPM 4 firmy MAHA polega na pomiarze koncentracji cząstek stałych laserem. Strumień spalin pobrany sondą z rury wylotowej jest prowadzony w dymomierzu przed promieniem lasera. Detektor światła rozproszonego mierzy stężenie cząstek stałych w miligramach na metr sześcienny i wynik pomiaru pokazuje na wyświetlaczu z rozdzielczością 0,01 mg/m³. Podczas badania są rejestrowane cząstki o wielkości nawet 0,001 mm.

3.6.2. Pomiar kąta wyprzedzenia tłoczenia

Do prawidłowego przebiegu procesu spalania w silniku wysokoprężnym konieczne jest rozpoczęcie wtryskiwania paliwa w ściśle określonej chwili przed zwrotem zewnętrznym (ZZ) tłoka. To wyprzedzenie wtryskiwania jest wyrażone kątem, o który wał korbowy obróci się od chwili rozpoczęcia wtryskiwania do momentu osiągnięcia przez tłok punktu ZZ. Często zamiast kąta wyprzedzenia wtryskiwania producenci silników podają kąt wyprzedzenia tłoczenia jako główny parametr do kontroli ustawienia pompy wtryskowej. Jest to kąt, o który wał korbowy obróci się od chwili rozpoczynania wytłaczania paliwa z przestrzeni pompowania sekcji tłoczącej do przewodu wysokiego ciśnienia do momentu, w którym tłok osiągnie zwrot zewnętrzny. Kąt wyprzedzenia tłoczenia jest podawany w stopniach obrotu elementu pędnego sekcji tłoczącej lub w milimetrach wzniosu tłoka pompy wtryskowej, w powiązaniu z odpowiednim oznakowaniem na kole zamachowym.

Ustawienie kąta wyprzedzenia tłoczenia przeprowadza się w przypadku stwierdzenia spadku mocy silnika, stukowego przebiegu spalania lub czarnego zabarwienia spalin.

Pomiar kąta wyprzedzenia tłoczenia metodą statyczną

POMPA WTRYSKOWA RZĘDOWA

Potrzebne przyrządy i narzędzia

– momentoskop w postaci rurki z przezroczystego tworzywa ze złączką umożliwiają zamontowanie na króćcu sekcji tłoczącej pompy,
– klucz do demontażu złączki przewodu wysokiego ciśnienia,
– klucz do wykonania ewentualnej regulacji.

Wykonanie pomiaru

– Odkręcić przewód wysokiego ciśnienia z pierwszej sekcji pompy i na króciec nakręcić momentoskop (rys. 3.52).
– Ustawić dźwignię sterującą regulatora w położeniu maksymalnego podawania paliwa.
– Obracać wałem korbowym silnika do chwili, aż w szklanej rurce momentoskopu ukaże się paliwo. W razie potrzeby odpowietrzyć układ zasilania.
– Obrócić wał korbowy o około 1/4 obrotu w kierunku przeciwnym do tego, jaki ma podczas pracy.

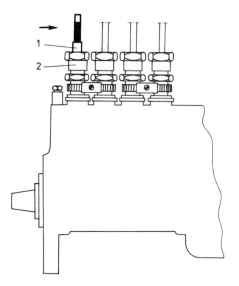
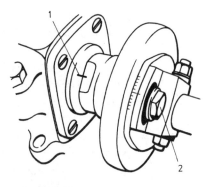

Rys. 3.52. Ustawianie kąta wyprzedzenia
tłoczenia za pomocą momentoskopu
1 – momentoskop, 2 – króciec pierwszej sekcji pompy

Rys. 3.53. Znak początku tłoczenia
umieszczony na pompie wtryskowej
(1) i śruba regulacyjna (2) części
nastawnej sprzęgła

– Obracać wał korbowy zgodnie z kierunkiem pracy obserwując przy tym rurkę momentoskopu. Początek ruchu paliwa w rurce oznacza początek tłoczenia. Zwrócić uwagę na położenie znaków ustawczych na pompie wtryskowej (rys. 3.53) lub kole zamachowym silnika.

Ocena wyników

Jeżeli znak na kołnierzu pompy nie pokryje się ze znakiem na wałku napędowym, należy wyregulować kąt wyprzedzenia tłoczenia obracając część nastawną sprzęgła w takich granicach, na jakie pozwalają podłużne wycięcia śruby (1, rys. 3.53).

W rozwiązaniach konstrukcyjnych, w których pompa jest mocowana kołnierzowo, regulację wykonuje się poprzez obrócenie pompy względem jej osi.

POMPA WTRYSKOWA ROZDZIELACZOWA

Potrzebne przyrządy i narzędzia

– czujnik zegarowy ze specjalną oprawką,
– zestaw trzpieni ustawczych, zależnie od typu silnika.

Wykonanie pomiaru

– Obracając wał korbowy, ustawić tłok 1. cylindra w położeniu ZZ. Do kontroli wykorzystać znaki ustawcze przewidziane przez producenta (rys. 3.54) lub trzpień ustawczy (rys. 3.55).

122

Rys. 3.54. Widok punktu ZZ na kole zamachowym na przykładzie silnika VW Golf

– Wykręcić zaślepkę z pompy wtryskowej znajdującą się między przewodami wysokiego ciśnienia i w to miejsce wkręcić czujnik zegarowy w specjalnej oprawce (rys. 3.56). Nastawić wskazanie czujnika tak, aby napięcie wstępne wynosiło 2 mm.
– Obracać wał korbowy w kierunku przeciwnym do kierunku pracy, aż wskazówka czujnika przestanie się poruszać.
– Ustawić skalę czujnika na „0",.
– Obrócić wał korbowy zgodnie z kierunkiem pracy, aż tłok 1. cylindra ustawi się w położeniu ZZ.
– Czujnik powinien wskazać wymaganą wielkość wyprzedzenia tłoczenia.

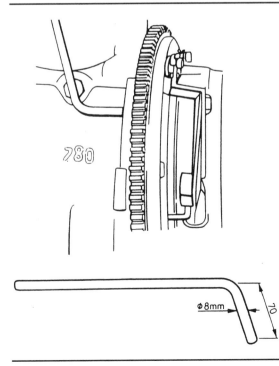

Rys. 3.55. Miejsce umieszczenia trzpienia do unieruchomienia wału korbowego w położeniu ZZ tłoka l. i 4. cylindra (silniki Citroën/Peugeot/Polonez 1.9D)

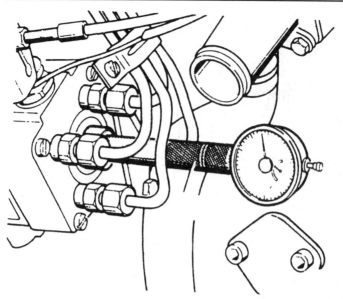

Rys. 3.56. Miejsce wkręcenia czujnika zegarowego w pompę wtryskową

– Jeżeli zachodzi konieczność regulacji, to należy poluzować śruby mocujące pompę wtryskową i odpowiednio ją obrócić (rys. 3.57). Następnie powtórzyć czynności sprawdzające wyprzedzenie tłoczenia.

Pomiar kąta wyprzedzenia tłoczenia metodą dynamiczną

Dynamiczny kąt wyprzedzenia tłoczenia mierzy się podczas pracy silnika na biegu jałowym. Do pomiaru jest potrzebny diagnoskop układu wtryskowego silnika ZS, zwany popularnie „diesel-tester", wyposażony w nadajnik impulsów ciśnienia paliwa. Nadajnik stanowi czujnik piezoelektryczny zakładany na przewód wtryskowy, który służy do rejestrowania szczytowego ciśnienia w układzie wtryskowym, odpowiadającemu początkowi procesu tłoczenia w pompie wtryskowej (patrz rys. 2.19). Moment początku tłoczenia jest odniesiony do położenia wału korbowego rejestrowanego lampą stroboskopową lub wbudowanym na stałe czujnikiem ZZ. Urządzenie pomiarowe mierzy odstęp czasowy między oboma impulsami i przekształca w wielkość kątową, przekazywaną następnie na wyświetlaczu jako kąt wyprzedzenia wtrysku. Mierzony dynamiczny kąt wyprzedzenia wtrysku jest w przybliżeniu równy statystycznemu kątowi tłoczenia pod warunkiem, że czujnik piezoelektryczny zostanie założony w pobliżu króćca wylotowego pompy wtryskowej.

Nie wszystkie przyrządy diagnostyczne wskażą jednakową wartość dynamicznego początku wtrysku. Z uwagi na różną czułość stosowanych czujników piezoelektrycznych spotyka się trzy skale odczytu początku wtrysku:

1. AVL, Bosch, Souriau, Sun;
2. Time Trac Stanodyne, Snap-on;
3. Technotest.

124

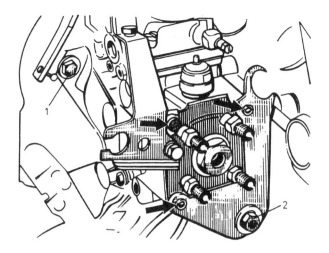

Rys. 3.57. Elementy regulacji położenia pompy wtryskowej
Śrub pokazanych strzałkami nie należy luzować podczas regulacji
1 – jedna z trzech śrub mocujących pompę do tylnego wspornika, 2 – czwarta śruba mocująca pompę do kadłuba poprzez wspornik

O różnicach odczytu zależnie od użytej skali świadczy przykład samochodu Opel Astra 1.7D: początek wtrysku mierzony przyrządem Bosch lub AVL wynosi 3° przed ZZ, natomiast mierzony przyrządem Technotest już 12° przed ZZ.

Za pomocą diagnoskopu można również mierzyć zmiany kąta wyprzedzenia tłoczenia w funkcji prędkości obrotowej (przez operowanie pedałem „gazu"), co umożliwia sprawdzenie działania przestawiacza kąta wtrysku oraz przyspieszacza rozruchu na zimno. Bardziej rozbudowane diagnoskopy są wyposażone w oscyloskopy, które umożliwiają obserwację na ekranie krzywych obrazujących przebieg ciśnienia w przewodzie wtryskowym. Istnieje wiele rozwiązań konstrukcyjnych diagnoskopów, począwszy od prostych diesel-adapterów, które współpracują z diagnoskopem silnika benzynowego (np. DS 9300 firmy Radiotechnika), poprzez kasety pomiarowe z lampą stroboskopową (np. CDT-100 firmy Spólnota), aż do systemów diagnostycznych (np. AVL DiSystem 845). Niektórzy producenci samochodów wyposażają silnik i pompę wtryskową w złącza umożliwiające bezpośrednie podłączenie specjalnego diagnoskopu, który „śledzi" położenie wałka pompy wtryskowej oraz wału korbowego (rys. 3.58).

Jeżeli tester ma dwa czujniki ciśnienia, to istnieje możliwość obserwacji przesunięcia fazowego pomiędzy początkiem wtrysku w dwóch kolejnych przewodach wtryskowych.

Potrzebne przyrządy i narzędzia

– Diesel-tester, np. CDT-100 firmy Spólnota (rys. 3.59) lub diagnoskop GS 3194 firmy Radiotechnika z przystawką Diesel Adapter DS 9300.

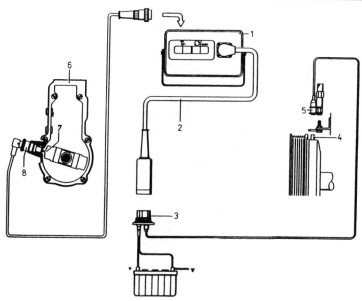

Rys. 3.58. Silniki samochodów Mercedes Benz są fabrycznie przystosowane do pomiaru dynamicznego kąta wyprzedzenia zapłonu za pomocą specjalnego diagnoskopu
1 – diagnoskop, 2 – przewód diagnoskopu ze specjalnym wtykiem, 3 – gniazdo wtykowe do diagnostyki silnika, 4 – kołek określający punkt ZZ, 5 – czujnik położenia punktu ZZ, 6 – pompa wtryskowa, 7 – występ na elemencie regulatora określający początek tłoczenia, 8 – czujnik położenia wałka pompy wtryskowej

Wykonanie pomiaru

– Doprowadzić silnik do stanu nagrzania.
– Założyć czujnik ciśnienia na przewód wtryskowy, jak najbliżej pompy wtryskowej (jeżeli producent silnika nie zaleca inaczej). Miejsce zamontowania powinno być odcinkiem prostym, suchym i gładkim. W razie potrzeby oczyścić powierzchnię przewodu drobnoziarnistym papierem ściernym.
– Podłączyć diagnoskop do zasilania.
– Jeżeli silnik ma wbudowany czujnik położenia ZZ (samochody nowej generacji), to połączyć go z diagnoskopem.
– W innym przypadku wykorzystać znak ustawczy na kole pasowym, względnie zamachowym. Jeżeli brak jest znaków, określić położenie ZZ tłoka 1. cylindra za pomocą trzpienia ustawczego (patrz rys. 3.55) i wykonać kredą dwa znaki: jeden na kole pasowym (lub zamachowym), drugi – odniesienia na kadłubie.
– Uruchomić silnik i pozostawić na biegu jałowym.
– Skierować błyski lampy stroboskopowej na znaki ustawcze i pokrętłem lampy „zgrać" znak wirujący z nieruchomym. Czynności tej nie wykonuje się, jeżeli diagnoskop jest połączony z czujnikiem ZZ.
– Odczytać na wyświetlaczu wartość kąta wyprzedzenia tłoczenia.
– Sprawdzić działanie przestawiacza kąta wtrysku, zwiększając stopniowo prędkość obrotową aż do maksymalnej i odczytując dla tej prędkości kąt wtrysku.

126

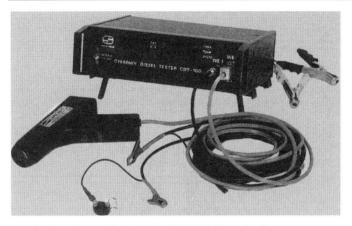

Rys. 3.59. Cyfrowy diesel-tester CDT-I00 firmy Spólnota

Ocena wyników

Otrzymane wartości porównać z danymi fabrycznymi. W razie potrzeby wyregulować ustawienie pompy wtryskowej w sposób opisany w poprzednim podrozdziale.

Jeżeli diagnoskop jest wyposażony w oscyloskop, to można obserwować przebiegi ciśnienia w przewodach wtryskowych. Przebieg ciśnienia jest odwzorowaniem zjawisk falowych zachodzących między pompą wtryskową a wtryskiwaczem i można z niego odczytać (rys. 3.60):

1 – początek otwarcia zaworu tłoczącego;

2 – początek otwarcia rozpylacza;

3 – szczytowe ciśnienie w układzie wtryskowym, odpowiadające zakończeniu procesu tłoczenia w pompie wtryskowej;

4 – spadek ciśnienia wywołany zamknięciem zaworu tłoczącego;

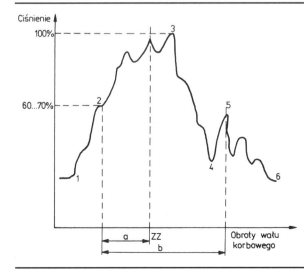

Rys. 3.60. Przebieg ciśnienia w przewodzie wtryskowym w funkcji kąta obrotu wału korbowego
Opis w tekście

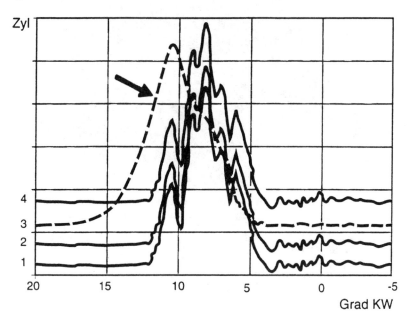

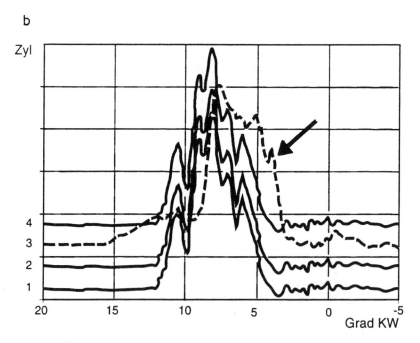

Rys. 3.61. Przykłady przebiegów ciśnień w przewodach wtryskowych obserwowanych na ekranie diagnoskopu AVL Di System

a – strzałka wskazuje zbyt wczesne i równomierne narastanie ciśnienia spowodowane w przewodzie cylindra nr 3 uszkodzeniem zaworka odciążającego, b – strzałka wskazuje opóźnione narastanie ciśnienia w przewodzie cylindra nr 3, spowodowane nieszczelnym gniazdem rozpylacza

5 – wzrost ciśnienia wywołany zamknięciem rozpylacza (zmniejszenie objętości w rozpylaczu powoduje powstanie fali nadciśnienia);

6 – wygasające oscylacje ciśnienia, aż do poziomu ciśnienia szczątkowego (resztkowego).

Z obrazu można odczytać rzeczywiste kąty:

a – wyprzedzenia wtrysku;

b – trwania wtrysku.

Na ekranie można wyświetlić jednocześnie krzywe dla wszystkich cylindrów, umieszczone jedna nad drugą lub nałożone (rys. 3.61). Usterki w instalacji wtryskowej (nieszczelny rozpylacz lub zawór tłoczący, zawieszanie się igły w rozpylaczu itp.) będą powodować nieprawidłowe przebiegi ciśnień.

3.6.3. Badanie wtryskiwaczy

Działanie wtryskiwaczy wymontowanych z silnika sprawdza się na specjalnym próbniku. Różnice konstrukcyjne między próbnikami pochodzącymi od różnych producentów sprawiają jednak, że wyniki badań nie są podawane w określonych jednostkach. Na wynik pomiaru ma m.in. wpływ „przestrzeń szkodliwa" próbnika. Wymagania stawiane próbnikom do sprawdzania wtryskiwaczy oraz warunki samego sprawdzania podano w normie ISO 8984. Charakterystycznymi parametrami oceny funkcjonalnej wtryskiwaczy są:
– ciśnienie otwarcia wtryskiwacza,
– dźwięk (chrypienie) rozpylacza,
– jakość rozpylenia (badanie wzrokowe),
– szczelność gniazda rozpylacza (badanie wzrokowe),
– szczelność połączeń wtryskiwacza.

Próbnik składa się z podstawy, w której umieszczono pompę z zaworami, z korpusu z zaworem odcinającym i komorą wyrównawczą, przezroczystego zbiornika z olejem probierczym oraz manometru (rys. 3.62).

Otwór umieszczony w rączce dźwigni próbnika służy do zawieszenia ciężarków podczas sprawdzania i kalibracji przyrządu. W trakcie naciskania na dźwignię olej jest zasysany ze zbiornika i podawany pod dużym ciśnieniem do badanego wtryskiwacza.

Potrzebne przyrządy i narzędzia

– próbnik do sprawdzania wtryskiwaczy, np. PRW firmy WSK „Kraków", EPS100 firmy Bosch, firmy Leitenberger,
– klucze do montażu wtryskiwacza,
– urządzenie do pochłaniania mgły olejowej (zalecane), np. EPS738 firmy Bosch.

Wykonanie badania

Przed przystąpieniem do sprawdzania należy wtryskiwacz dokładnie przemyć w czystym oleju napędowym. Jeżeli montuje się do wtryskiwacza nowy rozpylacz, należy sprawdzić płynność przesuwania się igły w korpusie rozpylacza.

129

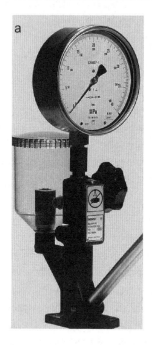
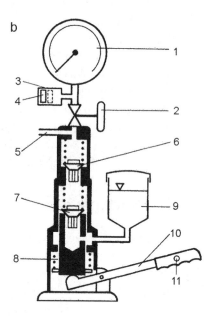

Rys. 3.62. Próbnik do wtryskiwaczy EPS 100 firmy Bosch (a) i jego przekrój (b)

1– manometr, 2 – zawór odcinający, 3 – komora wyrównawcza, 4 – wkładka do korygowania objętości, 5 – wylot oleju pod ciśnieniem do wtryskiwacza, 6 – zawór tłoczący, 7 – zawór ssący, 8 – tłok pompy, 9 – zbiornik, 10 – dźwignia pompy, 11 – punkt do kalibracji

Igła wysunięta o około 1/3 swojej długości i nachylona pod kątem 45° względem poziomu, przy różnych położeniach igły w korpusie powinna opadać pod własnym ciężarem, aż do oparcia o przylgnię (stożkowe lub płaskie siedzenie) w korpusie rozpylacza. Jeżeli igła nie opada, rozpylacz należy starannie przemyć w oleju napędowym z benzyną, a następnie ponowić próbę. Jeżeli po kilkukrotnym przemyciu igła nie będzie właściwie spływać, należy wymienić rozpylacz.

- Napełnić zbiornik próbnika czystym olejem probierczym odpowiadającym normie ISO 4113.
- Przy otwartym zaworze odcinającym uruchamiać tak długo dźwignię pompy, aż zacznie wydostawać się olej bez pęcherzyków powietrza.
- Podłączyć przewód wtryskowy do obsady wtryskiwacza, w razie potrzeby wykorzystując odpowiedni adapter.
- W celu zmierzenia ciśnienia otwarcia wtryskiwacza, należy naciskać powoli dźwignię pompy do dołu (0,5 skoku/s). Podczas pompowania obserwować, przy jakim ciśnieniu wskazówka na manometrze zatrzyma się (rozpylacz nie chrypi) lub kiedy ciśnienie nagle spada (rozpylacz chrypi). Osiągnięte wtedy największe ciśnienie jest ciśnieniem otwarcia wtryskiwacza.
- Przed przystąpieniem do oceny dźwięku (chrypienia) rozpylacza należy odłączyć manometr od układu, zamykając zawór odcinający (nagłe wzrosty ciśnienia mogą uszkodzić manometr). Na początku dźwignię pompy napędzać powoli, aż odgłos chrypienia zacznie być słyszalny. Kiedy rozpylacz

jeszcze nie chrypi, to należy zwiększyć szybkość pompowania. Chrypienie wskazuje, że igła w czasie ruchu posuwisto-zwrotnego nie zacina się, tzn. gniazdo igły i studzienka są mechanicznie sprawne.
- W celu oceny szczelności gniazda rozpylacza powoli naciskać dźwignię pompy, aż manometr wskaże ciśnienie niższe o 20 bar od wcześniej odczytanego ciśnienia otwarcia. Przy tym ciśnieniu, w ciągu 10 s nie może się oderwać od rozpylacza żadna kropla paliwa. Dopuszcza się zawilgocenie powierzchni. Jeżeli w ciągu 10 s kropla opadnie, to wtryskiwacz należy rozebrać i oczyścić. Jeżeli przy powtórzonym badaniu znowu pojawi się wyciek, trzeba rozpylacz i odpowiednią część obsady wymienić.
- W celu sprawdzenia jakości rozpylenia (kształtu strugi i kąta rozpylenia) należy zamknąć zawór odcinający w celu odłączenia manometru od ciśnienia w układzie (skoki wysokiego ciśnienia mogą uszkodzić manometr) i jednostajnie naciskać na dźwignię pompy, aby ocenić strugę wtryskiwanego paliwa.

Ocena wyników

Ciśnienie otwarcia badanego wtryskiwacza jest podawane w fabrycznej instrukcji obsługi silnika/pojazdu, a czasami na obsadzie wtryskiwacza. Jeżeli ciśnienie wskazane przez manometr odbiega od wymaganego, to należy wyregulować ciśnienie wtrysku zmieniając liczbę podkładek regulacyjnych we wtryskiwaczu. Tolerancję ciśnienia początku wtrysku, należy utrzymać w granicach + 0,5 MPa (+5 kG/cm^2).

Nowe rozpylacze, które nie chrypią w trakcie napędzania dźwigni pompy (od ruchu powolnego i wykonywanego w sposób ciągły do szybkiego i raptownego), nie nadają się do zamontowania w silniku. Nowe rozpylacze niektórych producentów (np. Boscha) są podzielone na tzw. grupy dźwiękowe. Wraz z postępującym zużyciem gniazd w rozpylaczu, zmieniają się ich własności dźwiękowe. Podczas badania na próbniku, używany rozpylacz musi w trakcie szybkich ruchów dźwigni pompy generować głośne chrypienie oraz/lub dawać dobre rozpylenie paliwa.

Podczas oględzin strugi paliwa (rys. 3.63) obowiązują następujące kryteria:
- W przypadku rozpylaczy otworowych (wyjątek: wtryskiwacze dwusprężynowe) paliwo powinno wypływać przez wszystkie otworki dobrze rozpylone, tzn. tworzyć mgiełkę (rozpylacze o małych kątach rozpylania powinny podczas wtrysku dawać bardziej zwartą strugę). Rozpylany olej powinien być równomiernie rozłożony w przekroju prostopadłym do kierunku rozpylania. Niedopuszczalne są oddzielne krople dostrzegalne gołym okiem, ciągłe strumienie i miejscowe zagęszczenia. Kąt rozpylania powinien być zgodny z cechą podaną na rozpylaczu.
- Oś stożka rozpylanego paliwa powinna leżeć w osi otworu wypływowego rozpylacza. Maksymalne odchylenie osi stożka rozpylania od osi otworu nie powinno być większe niż 1/4 kąta rozwarcia stożka rozpylania.
- Podczas sprawdzania jakości rozpylania niedopuszczalne jest pojawienie się oleju napędowego w postaci kropel na czole rozpylacza. Nawilgocenie czoła rozpylacza jest dopuszczalne. Początek i koniec wtrysku powinien być

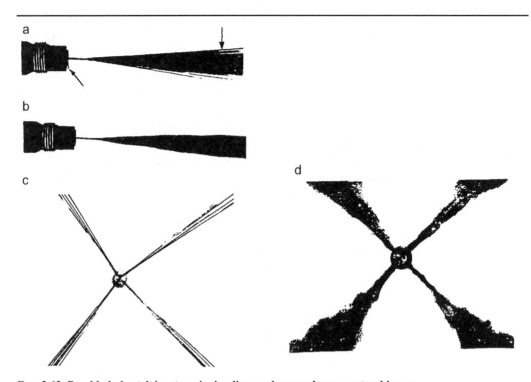

Rys. 3.63. Przykłady kształtów strumieni paliwa podawanych przez wtryskiwacze
a – rozpylacz cieknący (strzałka lewa) i strumień źle rozpylonego paliwa (strzałka prawa), b – rozpylacz prawidłowo pracujący, c – rozpylacz otworowy dający strumienie paliwa równomierne, ale nierozpylone, d – rozpylacz otworowy dający strumienie paliwa rozpylone prawidłowo

wyraźny z towarzyszącym mu charakterystycznym ostrym dźwiękiem. Jeżeli rozpylacz podaje paliwo skośnie lub nie rozpylone, to nie powinien być dalej eksploatowany.

– Rozpylacze typu DN...SD mają kształt strugi zależny od swojej konstrukcji. Kształt strugi powinien być równomierny.

– Rozpylacze czopikowe spłaszczone z dławieniem DN...SD mają czopik jednostronnie zeszlifowany, który powoduje specyficzny kształt strugi paliwa. Przekrój strugi jest owalem i jest większy niż w przypadku zwykłego rozpylacza czopikowego dławiącego (bez spłaszczenia czopika).

– Nie można sprawdzać wtryskiwaczy dwusprężynowych z rozpylaczami otworowymi.

– W przypadku wtryskiwaczy eksploatowanych już dłuższy czas, kształt strugi paliwa może odbiegać od idealnego kształtu nowego rozpylacza, nie powodując widocznych zakłóceń w pracy silnika. Kształt strugi paliwa można poprawić czyszcząc rozpylacz odpowiednią metodą (np. w myjce ultradźwiękowej).

Stan wtryskiwaczy i prawidłowość ich działania mają duży wpływ na pracę silnika wysokoprężnego. Nieprawidłowo działające wtryskiwacze pogarszają rozruch silnika, powodują zmniejszenie mocy oraz zwiększenie zużycia paliwa.

Najważniejsze niedomagania silnika, spowodowane między innymi złym stanem technicznym wtryskiwaczy, są następujące:

- silnik nie daje się uruchomić – należy między innymi sprawdzić, czy połączenia przewodów wysokiego ciśnienia nie są poluzowane i czy nie ma stamtąd przecieków oraz czy wtryskiwacze dobrze pracują, czy nie zawisła igła w rozpylaczu, czy wtryskiwacz jest szczelny, a także czy nie nastąpiło rozregulowanie początku wtrysku;
- silnik osiąga za małą moc – postępowanie jak wyżej;
- silnik ma twardy bieg (stuka) – sprawdzić, czy nie jest wyregulowane za wysokie ciśnienie początku wtrysku w stosunku do zalecanego przy rozpylaczach wielootworowych, czy nie zostały zatkane poszczególne otwory.

3.7. SKANOWANIE UKŁADÓW OBD

Od 1 kwietnia 2001 roku wszystkie nowo homologowane w Polsce samochody z silnikami Zl muszą być wyposażone w system diagnostyki OBO (On Board Diagnostic – diagnostyka pokładowa). Obowiązkowym zadaniem systemów diagnostyki pokładowej zgodnych z normami europejskimi EOBD jest ciągłe monitorowanie parametrów układu napędowego, które bezpośrednio lub pośrednio mogą wpływać na zwiększoną emisję spalin z układu wylotowego, recyrkulację spalin lub zasilania. Jest to konieczne, aby spełnić obowiązujące limity emisji spalin, które muszą być utrzymywane przez co najmniej 5 lat lub 80 000 km przebiegu. Monitorowanie pracy tych układów umożliwia wykrycie niesprawności już w początkowej fazie, gdy wpływ spalin na środowisko jest jeszcze niewielki.

Kryteria określające próg wystąpienia uszkodzenia każdego z elementów odpowiedzialnych za nadmierną emisję toksycznych składników spalin zostały ustalone na takim poziomie, że przekroczenie go o 50% od poziomu dopuszczalnego dla danego typu pojazdu jest rejestrowane w postaci kodu błędu.

Jako błędy są rejestrowane:

- wypadanie zapłonów, które wpływa na emisję węglowodorów oraz może spowodować uszkodzenie katalizatora;
- zbyt niska sprawność katalizatora;
- nieszczelność układu zasilania paliwem;
- nieprawidłowe działanie układów elektronicznych i czujników sterujących poszczególnymi systemami silnika pojazdu, zwłaszcza sondy lambda.

Do odczytu kodów błędów (rys. 3.64) służy tester do układów diagnostyki pokładowej, zwany skanerem. Głównym zadaniem przyrządu jest odczytanie informacji diagnostycznej o parametrach pracy układu napędowego związanych z emisją spalin, o stanie dostępnych monitorów diagnostycznych, a także sprawdzanie i kasowanie kodów usterek zapamiętanych w pamięci komputera (komputerów) pokładowego samochodu.

Funkcje te są realizowane zgodnie z wymaganiami amerykańskich norm SAE, dotyczących systemów OBDlI, oraz europejskich norm ISO, dotyczących systemów EOBD.

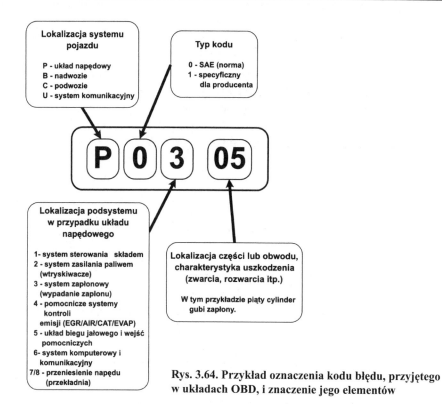

Lokalizacja systemu pojazdu

P - układ napędowy
B - nadwozie
C - podwozie
U - system komunikacyjny

Typ kodu

0 - SAE (norma)
1 - specyficzny
dla producenta

P 0 3 05

Lokalizacja podsystemu w przypadku układu napędowego

1- system sterowania składem
2 - system zasilania paliwem (wtryskiwacze)
3 - system zapłonowy (wypadanie zapłonu)
4 - pomocnicze systemy kontroli emisji (EGR/AIR/CAT/EVAP)
5 - układ biegu jałowego i wejść pomocniczych
6- system komputerowy i komunikacyjny
7/8 - przeniesienie napędu (przekładnia)

Lokalizacja części lub obwodu, charakterystyka uszkodzenia (zwarcia, rozwarcia itp.)

W tym przykładzie piąty cylinder gubi zapłony.

Rys. 3.64. Przykład oznaczenia kodu błędu, przyjętego w układach OBD, i znaczenie jego elementów

Istnieją 4 standardy komunikacji z OBDII:
- **ISO-9141-2, ISO-14230 (KWP2000)**

większość pojazdów europejskich i azjatyckich;
- **SAE J1850 VPW**

General Motors, Chrysler, niektóre modele Toyoty i Lexusa;
- **SAE J1850 PWM**

Ford do 2003;
- **ISO 15765/SAE J2480 CAN**

większość samochodów po 2003 roku.

Obserwując obecność określonych pinów w gnieździe diagnostycznym często można określić, który protokół został zastosowany w danym pojeździe. Należy przy tym pamiętać, że niektóre pojazdy wykorzystują więcej niż jeden protokół.

Standard   **Występujące piny**

J1850 PWM   2,4,5,10,16
J1850 VPW   2,4,5,16 ale nie 10
ISO9441/ISO14230   4,5,7,16 oraz opcjonalnie 15
CAN   4,5,6,14,16

Znaczenie poszczególnych pinów w gnieździe diagnostycznym:

Pin	Opis
2	J1850 Bus+
4	masa nadwozia
5	masa sygnałowa
6	CAN High (J-2284)
7	ISO 9141/ISO14230 linia K
10	J1850 Bus
14	CAN Low (J-2284)
15	ISO 9141/ISO14230 linia L
16	zasilanie (+)

Potrzebne przyrządy

– skaner układów OBD, np. AMX 550 firmy Automex z Gdańska (rys. 3.65), AT 511 firmy Atal (rys. 3.66), EOBD decoder firmy SPX, ACT 2 HandyScan firmy Crypton.

Wykonanie pomiaru

– Zlokalizować w pojeździe złącze OLC o wyglądzie pokazanym na rysunku 3.67.
– Podłączyć jeden koniec przewodu diagnostycznego do złącza DLC pojazdu, a drugi do gniazda diagnostycznego skanera, np. przyrządu AMX 550 (rys. 3.66).
– Włączyć zapłon badanego pojazdu i zasilanie przyrządu.
  Może się zdarzyć, że przyrząd nie zidentyfikuje typu systemu OBDII/EOBD

Rys. 3.65. Skaner AMX 550 firmy Automex z Gdańska

Rys. 3.66. Tester układów
sterujących przez złącze szeregowe
AT 511 firmy ATAL

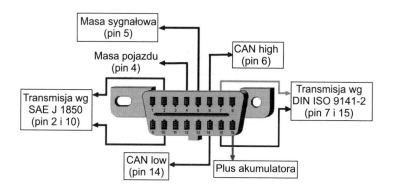

Rys. 3.67. Widok 16-stykowego złącza diagnostycznego (OLC), stosowanego
w systemach OBDII/EOBD

w badanym pojeździe i wówczas należy jeszcze raz sprawdzić połączenia, czy włączony jest zapłon i odszukać informację, czy w pojeździe znajduje się system OBDII/EOBD (najlepiej w fabrycznej dokumentacji pojazdu).

System OBDII obowiązkowo mają pojazdy:
• sprzedawane po 1 stycznia 1996 w USA;
• sprzedawane po 1 stycznia 2001 w Unii Europejskiej;
• sprzedawane po 1 stycznia 2002 w Polsce;
• z silnikiem wysokoprężnym sprzedawane po 1 stycznia 2003.

Samochody sprzedawane wcześniej mogły mieć system OBDII, ale nie było to dla producentów obowiązkowe.

Samochody wyposażone w system OBDII mają charakterystyczne złącze 16-pinowe. Występowanie złącza nie jest niestety wyznacznikiem wyposażenia w system OBDII. Istnieje sporo pojazdów z okresu przejściowego, mających identyczne złącze podłączone do sterowników starszego typu, nie obsługujących OBDII.

W niektórych samochodach pochodzących z okresu przed wprowadzeniem obowiązku stosowania systemu OBD/EOBD w nowo homologowanych pojazdach w krajach UE, producenci zastosowali jedynie złącze DLC, zgodne z normami opisującymi standardy OBD/EOBD, bez użycia protokołów transmisji zgodnych z tymi normami.

Przykładem takich pojazdów bardzo często spotykanych na polskim rynku są samochody Daewoo Nubira II i Skoda Octavia.

– Gdy skaner nawiązał połączenie z komputerem pokładowym badanego pojazdu, są wyświetlane w nim informacje dotyczące m.in. liczby wykrytych modułów (sterowników) i liczby usterek w pamięci komputera (komputerów) pokładowego badanego pojazdu; wartości parametrów bieżących, niezbędnych do oceny pracy zespołu napędowego (silnik i skrzynka biegów) pod względem emisji składników toksycznych spalin.

Są to na przykład:
- informacja o pracy układu sterującego silnika z wykorzystaniem sygnałów sondy lambda lub bez wykorzystania tych sygnałów (w pętli otwartej) oraz ewentualna informacja o przyczynie, dlaczego układ sterujący silnika nie wykorzystuje sygnałów sondy;
- obciążenie silnika;
- prędkość obrotowa silnika;
- temperatura cieczy chłodzącej silnik;
- wartości współczynników adaptacyjnych;
- prędkość jazdy samochodu;
- stopień otwarcia przepustnicy;

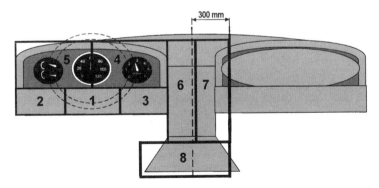

Rys. 3.68. Złącze diagnostyczne powinno być ulokowane wewnątrz nadwozia, w obszarze ograniczonym końcem tablicy rozdzielczej po stronie kierowcy, a odległością 300 mm od linii środka pojazdu. Preferowane są miejsca oznaczone na rysunku numerami 1, 2 i 3. Dopuszczalne jest również położenie złącza w obszarach 5, 6, 7, 8

- informacja o zamknięciu przepustnicy w położeniu biegu jałowego;
- bazowy czas wtrysku paliwa;
- temperatura powietrza dolotowego.

- Następnie odczytuje się kody usterek zapamiętane w pamięci sterownika, związanych bezpośrednio z parametrami emisyjnymi pojazdu. W systemach OBDII/EOBD mogą występować dwa rodzaje usterek:
  - błędy oczekujące (nazywane również prawdopodobnymi) – są to usterki pojawiające się po raz pierwszy, których potwierdzenie odbędzie się dopiero po stwierdzeniu wystąpienia tego błędu odpowiednią liczbę razy;
  - błędy zarejestrowane (nazywane również „zamrożonymi") – są to usterki, których występowanie zostało potwierdzone.

Odczytane kody można skasować z pamięci sterownika.

3.8. DIAGNOSTYKA TURBOSPRĘŻAREK

Jednym ze sposobów podwyższenia osiągów silnika, poza zwiększaniem jego pojemności skokowej, jest zwiększenie ilości doprowadzanego powietrza, co pozwala dostarczyć i spalić więcej paliwa, a to z kolei pozwala rozwinąć większą moc. Najskuteczniejszą metodą jest wtłaczanie siłą dużej ilości powietrza do cylindrów silnika, do czego wykorzystuje się sprężarki o napędzie mechanicznym lub turbosprężarki napędzane energią spalin. Ten drugi sposób doładowania jest stosowany obecnie najczęściej.

Turbosprężarka składa się z dwóch wirników osadzonych na wspólnym wałku, a obracających się w osobnych komorach. Do komory turbiny dopływają spaliny z układu wylotowego, wprawiając wirnik w ruch. Dzięki temu zaczynają wirować również łopatki odśrodkowej sprężarki i sprężone powietrze napełnia przez układ dolotowy cylindry. Im więcej spalin, tym szybciej pracuje turbosprężarka i większe jest ciśnienie dostarczanego przez nią powietrza. W trakcie sprężania rośnie temperatura powietrza, co zmusza do stosowania chłodnicy powietrza między sprężarką a zaworem dolotowym w głowicy cylindrów. Turbosprężarka jest ponadto wyposażona w zawór bezpieczeństwa, otwierający ujście dla spalin, kiedy ciśnienie doładowania przekroczy maksymalną wartość.

W celu poprawienia płynności mocy rozwijanej przez silnik, stosuje się układ „downsizing" z turbosprężarką i sprężarką mechaniczną, który pozwala obniżyć pojemność skokową silnika przy zachowaniu mocy (rys. 3.70).

Turbosprężarka jest stosunkowo prostym, ale bardzo starannie zaprojektowanym i precyzyjnie wykonanym urządzeniem. Powodem tego są warunki pracy, które nie należą do najłatwiejszych. Począwszy od wysokich prędkości obrotowych układu wirującego (przekraczających 200 tys. obr/min), poprzez często zmieniające się obciążenia dynamiczne, aż po wysoką temperaturę napędzających spalin (dochodzącą w silniku o zapłonie iskrowym do 1000°C). Przedwczesna awaria turbosprężarki jest na ogół wynikiem działania czynników zewnętrznych. Pochodzą one od tych układów silnika, które współpracują bezpośrednio z turbosprężarką. Są to: układ dolotowy, układ wylotowy oraz układ smarowania.

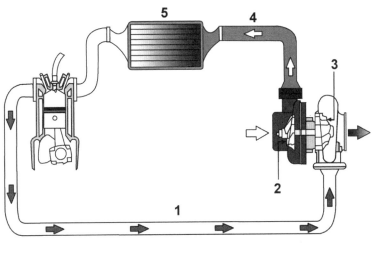

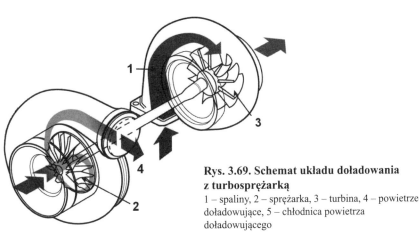

Rys. 3.69. Schemat układu doładowania z turbosprężarką
1 – spaliny, 2 – sprężarka, 3 – turbina, 4 – powietrze doładowujące, 5 – chłodnica powietrza doładowującego

Sprawdzanie luzów w turbosprężarce

W celu sprawdzania luzu osiowego i luzu promieniowego wałka wirnika, należy wykonać poniższe czynności (rys. 3.71).

- Obracać wałek wirnika przy nakrętce wałka lub kole turbiny (2), aż złogi nagaru olejowego zostaną usunięte z wałka i z obudowy turbosprężarki.
- Obracać wałek wirnika, kontrolując czy nie zakleszcza się i równomiernie obraca. Wałek wirnika jest stabilizowany odśrodkowo i jest prowadzony w ułożyskowaniu ze względnie dużymi luzami.
- Poruszać wałkiem wirnika w kierunku osiowym (sprawdzanie luzu osiowego) i sprawdzić, czy jest wyczuwane opieranie się wirnika turbiny (2) lub wirnika sprężarki o obudowę turbosprężarki. Jeśli opieranie się wirnika turbiny (2) lub wirnika sprężarki o obudowę turbosprężarki nie jest wyczuwalne, to luz osiowy jest prawidłowy. Jeśli opieranie się jest wyczuwalne, wymień turbosprężarkę.

139

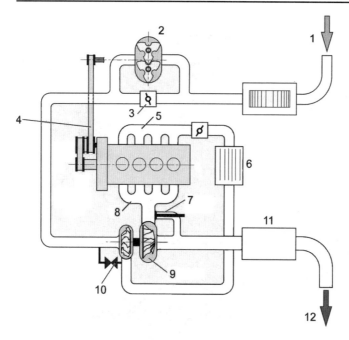

Rys. 3.70. Schemat układu sprężarek doładowujących silnika TSI firmy Volkswagen
1 – dopływ powietrza, 2 – sprężarka mechaniczna, 3 – klapa regulująca przepływ powietrza przez sprężarkę mechaniczną, 4 – przekładnia pasowa napędzająca sprężarkę mechaniczną, 5 – kolektor dolotowy, 6 – chłodnica powietrza doładowującego, 7 – zawór upustowy spalin, 8 – kolektor wylotowy, 9 – turbosprężarka, 10 – zawór bocznikowy powietrza, 11 – katalizator, 12 – wylot spalin

---

- Poruszać wałkiem wirnika w kierunku promieniowym (sprawdzanie luzu promieniowego) obracając przy tym i sprawdzić, czy jest wyczuwane opieranie się wirnika turbiny (2) lub wirnika sprężarki. Jeśli opieranie się wirnika turbiny (2) lub wirnika sprężarki o obudowę turbosprężarki nie jest wyczuwalne, to luz promieniowy jest prawidłowy. Jeśli opieranie się jest wyczuwalne, wymienić turbosprężarkę.

Sprawdzanie łopatek i wałka turbosprężarki

Oględziny turbosprężarki wykonuje się po jej wymontowaniu z pojazdu i rozebraniu. Poniżej podajemy możliwe przyczyny najczęściej spotykanych uszkodzeń elementów turbosprężarki.

Uszkodzenia łopatek sprężarki

Uszkodzenia te powstają w wyniku uderzenia w wirujące z dużą prędkością łopatki zanieczyszczeń, które przedostały się do układu dolotowego silnika. Dochodzi do zniszczenia powierzchni czynnej bądź krawędzi natarcia na kole sprężarki (ubytki materiału, wygięcie łopatek). W wyniku uszkodzenia łopatek sprężarki, układ wirujący traci wyrównoważenie, co w efekcie prowadzi do zwiększenia luzu wirnika i poważnego uszkodzenia całego zespołu. Często ten

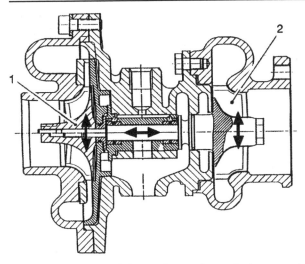

Rys. 3.71. Sprawdzanie luzu osiowego i promieniowego w turbosprężarce
1 – wirnik sprężarki, 2 – wirnik turbiny

rodzaj uszkodzenia powstaje na skutek zaniedbania wymiany filtru powietrza, odpowiedzialnego za jakość dostarczanego czynnika. Skontrolować należy także szczelność i czystość układu dolotowego.

Uszkodzenia łopatek turbiny

Spowodowane są najczęściej przez elementy silnika, które znalazły się w spalinach. Mogą to być fragmenty zaworów, świecy, tłoka czy pierścieni, ale także cząstki nagaru z komory spalania lub rdzy z kolektora wylotowego. Łopatki turbiny mogą również zostać uszkodzone na skutek działania zbyt wysokiej temperatury lub ciśnienia spalin. Zniszczenie łopatek turbiny powoduje (podobnie jak w przypadku sprężarki) utratę odpowiedniego wyrównoważenia układu wirującego, co w efekcie prowadzi do poważnej awarii zespołu.

Uszkodzenia wałka turbosprężarki

Są następstwem obniżenia właściwości smarnych oleju, zbyt niskim ciśnieniem oleju w układzie smarowania lub brakiem jego dostarczania do łożysk turbosprężarki. Zbyt niski poziom oleju w układzie może spowodować opóźnienie w jego doprowadzeniu, co prowadzi do wytarcia oraz przypalenia łożyskowania zespołu turbosprężarki. Stosowanie oleju silnikowego niskiej jakości, zbyt rzadka jego wymiana, zanieczyszczenie paliwem lub cieczą chłodzącą, powodują obniżenie jego właściwości smarnych. Dochodzi do przytarcia wałka w łożyskach, a następnie do zwiększenia luzu wirnika, co prowadzi do uszkodzenia całego układu wirującego. Podobne uszkodzenia powodują zanieczyszczenia stałe znajdujące się w oleju silnikowym. Ciała obce mogą przeniknąć do układu smarowania podczas dokonywania napraw i przeglądów pojazdu i doprowadzić do zanieczyszczenia oleju silnikowego. Opiłki metalu czy spieki oleju tworzą na powierzchni wałka i łożysk głębokie rysy oraz bruzdy.

141

Równie niebezpieczne dla turbosprężarki jest zbyt małe ciśnienie oleju w układzie smarowania lub choćby chwilowy brak jego dostarczania. Na skutek przerwania filmu olejowego, w łożyskach turbosprężarki dochodzi do tzw. tarcia suchego. Powoduje to zwiększenie temperatury pracy układu, widoczne jako przebarwienia i „przypalenia" powierzchni wałka i łożysk. Lokalne przegrzanie elementów turbosprężarki, będące efektem nagłej przerwy w procesie smarowania, jest charakterystyczne dla nagłego wyłączenia gorącego silnika. W przypadku zdiagnozowania takiej przyczyny uszkodzenia turbosprężarki, należy przede wszystkim sprawdzić ciśnienie oleju kierowanego do łożysk turbosprężarki oraz stan przewodu doprowadzającego olej. Jeżeli jest on nieszczelny, załamany czy też jego średnica wewnętrzna jest zmniejszona, należy go bezwzględnie wymienić na nowy.

4. DIAGNOSTYKA UKŁADU ZAPŁONOWEGO

4.1. BADANIE OBWODU NISKIEGO NAPIĘCIA

Poszukiwanie usterek w układzie zapłonowym, które powodują zakłócenia w pracy silnika (wymienione w tabl. 1–3) wymaga w pierwszej kolejności sprawdzenia ciągłości obwodu niskiego napięcia oraz przepływu prądu w tym obwodzie.

Poszukiwanie przerwy w obwodzie niskiego napięcia

Potrzebne przyrządy i narzędzia

- lampka kontrolna (wykonana z żarówki samochodowej 5 W lub 21 W, rys. 4.1a) lub próbnik ciągłości obwodów elektrycznych (rys. 4.1b).

Wykonanie pomiaru

- Zdjąć kopułkę z aparatu zapłonowego i sprawdzić, czy styki przerywacza są zwarte. Jeśli są zwarte, należy je rozewrzeć wsuwając między nie płyt-

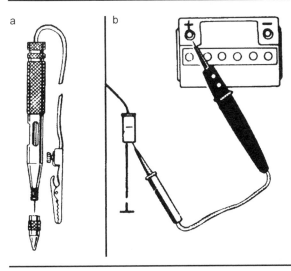

Rys. 4.1. Proste przyrządy do wykrywania przerw, zwarć lub błędnych połączeń przewodów instalacji elektrycznej samochodu
a – lampka kontrolna, b – próbnik ciągłości obwodu elektrycznego

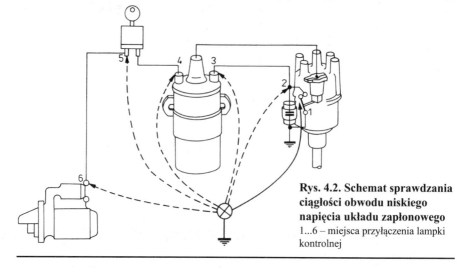

Rys. 4.2. Schemat sprawdzania ciągłości obwodu niskiego napięcia układu zapłonowego
1...6 – miejsca przyłączenia lampki kontrolnej

kę z materiałem izolującym lub przetaczając samochód z włączonym najwyższym biegiem.

– Włączyć kluczykiem zapłon.
– Jeden zacisk lampki kontrolnej połączyć starannie z masą samochodu, drugim biegunem dotykać kolejno punktów obwodu pierwotnego, oznaczonych numerami od l do 6 na rysunku 4.2.
– Obserwować moment zaświecenia się lampki. Jeśli na przykład zaświecenie nastąpiło dopiero w punkcie 3, będzie to oznaczało istnienie przerwy w obwodzie między rozdzielaczem a cewką zapłonową (między punktami 2–3) lub upływ prądu do masy w tym miejscu.

Pomiar spadków napięcia

Poluzowane połączenia przewodów, utlenione styki, zwarcie z masą lub uszkodzenia izolacji są przyczyną powstawania spadków napięcia w obwodzie pierwotnym układu zapłonowego, a to z kolei może wywoływać trudności z uruchomieniem silnika, nierównomierność jego pracy itp. (por. tabl. 1–3).

Potrzebne przyrządy i narzędzia

– woltomierz,
– odcinek przewodu elektrycznego.

Wykonanie pomiaru

– Zacisk wejściowy rozdzielacza (1, rys. 4.3) połączyć odcinkiem przewodu z masą, eliminując w ten sposób wpływ stanu styków przerywacza na wynik pomiaru oraz wykluczając możliwość uruchomienia silnika.
– Podłączyć woltomierz do zacisku „+" akumulatora i do zacisku 15 cewki zapłonowej. Włączyć zapłon i obserwować wskazania przyrządu. Dopuszczalny spadek napięcia w stosunku do znamionowego może wynosić 0,8 V przy instalacji 12 V i 0,4 V przy instalacji 6 V. Jeżeli spadek napięcia przekracza tę wartość, należy – w celu zlokalizowania miejsca zbyt dużych

144

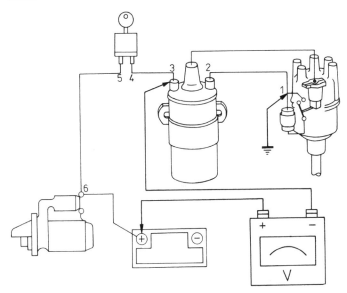

Rys. 4.3. Schemat pomiaru spadku napięcia w układzie zapłonowym

oporów przepływu prądu – pozostawić zacisk „+" woltomierza podłączony do akumulatora, a drugim sprawdzać punkty 3, 5 i 6 (rys. 4.3).

– Podłączyć woltomierz do zacisku „+" akumulatora i do zacisku 6 rozrusznika. Na krótko uruchomić rozrusznik i odczytać wskazania przyrządu. Dopuszczalne spadki napięcia wynoszą 0,6 V przy instalacji 12 V i 0,25 V przy instalacji 6 V.

– Podłączyć woltomierz do zacisku „–" akumulatora i do obudowy (masy) rozrusznika. Na krótko uruchomić rozrusznik. Przyrząd powinien wskazać spadki napięcia nie przekraczającego 0,1...0,2 V.

4.2. BADANIE CEWKI ZAPŁONOWEJ

Cewka zapłonowa jest niezależnym elementem układu zapłonowego, którego zadaniem jest przetwarzanie niskiego napięcia (6 lub 12 V) na napięcie wysokie (20...40 kV), niezbędne do wywołania przeskoku iskry na elektrodach świecy. Urządzenie to pracuje w bardzo trudnych warunkach otoczenia, jest narażone na drgania występujące w pojeździe i długotrwałe przeciążenia prądowe. Pomimo niekorzystnych warunków pracy cewka zapłonowa, dzięki odpowiedniej budowie, należy do bardziej niezawodnych elementów układu zapłonowego. Dlatego też w przypadku stwierdzenia niezadowalającej pracy układu zapłonowego, przyczyn usterki powinno się najpierw szukać w pozostałych elementach układu.

Niesprawności cewki najczęściej wynikają z:

– przepalenia uzwojenia,
– pęknięcia głowicy,
– znacznego zanieczyszczenia głowicy.

145

Sprawdzanie cewki bez przyrządów

Wstępną ocenę stanu cewki rozpoczyna się od jej oględzin, podczas których należy szczególną uwagę zwrócić na:

– głowicę cewki (1, rys. 4.4); czy nie ma pęknięć lub wypalonej na powierzchni ścieżki przewodzącej, które mogą tworzyć drogę upływu na masę dla prądu wysokiego napięcia,

– obudowę cewki (3); czy nie jest zaolejona, co może świadczyć o wycieku oleju izolacyjnego z obudowy i w rezultacie doprowadzić do jej zniszczenia,

– czystość głowicy cewki, ponieważ ewentualne zabrudzenia i zawilgocenia ułatwiają odpływ prądu do masy, a ponadto sprzyjają powstawaniu wyładowań powierzchniowych mogących trwale uszkodzić cewkę,

– zaciski przewodów elektrycznych (2); czy nie są skorodowane lub poluzowane oraz czy nie są zamienione miejscami, co spowodowałoby nieprawidłową biegunowość cewki.

Typowym wewnętrznym uszkodzeniem cewki zapłonowej jest przepalenie jej uzwojeń. Usterka ta powstaje przede wszystkim wskutek długotrwałego przepływu prądu przez cewkę przy włączonym zapłonie i zwartych stykach przerywacza lub z przyczyn ukrytych wad izolacji przewodów.

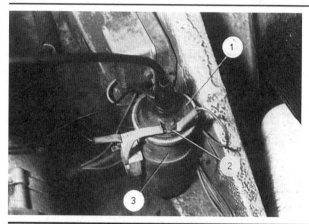

Rys. 4.4. Miejsca oględzin cewki zapłonowej
1 – głowica, 2 – zaciski przewodów elektrycznych, 3 – obudowa,

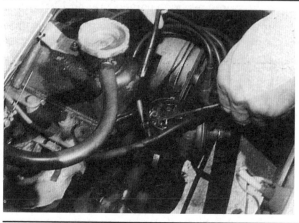

Rys. 4.5. Sposób sprawdzania cewki zapłonowej i obwodu wysokiego napięcia

Najprostszym sposobem sprawdzenia ciągłości uzwojeń cewki zapłonowej jest wykonanie próby ręcznego wywoływania wyładowań iskrowych.

Wykonanie pomiaru

– Obrócić wał korbowy silnika na tyle, aby uzyskać zwarcie styków przerywacza.
– Włączyć zapłon.
– Wyjąć z kopułki rozdzielacza przewód wysokiego napięcia od cewki i jego koniec zbliżyć do masy, np. do kadłuba silnika, na odległość kilku milimetrów, maksymalnie 10 mm, (rys. 4.5).
– Kilkakrotnie rozewrzeć styki przerywacza. Do wykonania tej czynności można posłużyć się wkrętakiem.

Ocena wyników

Brak przeskoków iskry z końca przewodu do masy świadczy o uszkodzeniu cewki. Natomiast o jej sprawności, jak również pozostałych elementach układu zapłonowego, będzie świadczyło pojawienie się równomiernych i energicznych wyładowań o niebieskiej barwie iskry.

Sprawdzanie rezystancji uzwojeń

Metoda ta pozwala na dokładniejsze sprawdzenie ciągłości obwodu uzwojenia pierwotnego i wtórnego cewki zapłonowej. Podczas pomiaru rezystancji nie jest konieczne wymontowywanie cewki z samochodu. Wykonując badania w pojeździe należy jednak pamiętać o odłączeniu przewodów z zacisków na głowicy cewki.

Potrzebne przyrządy i narzędzia

– omomierz.

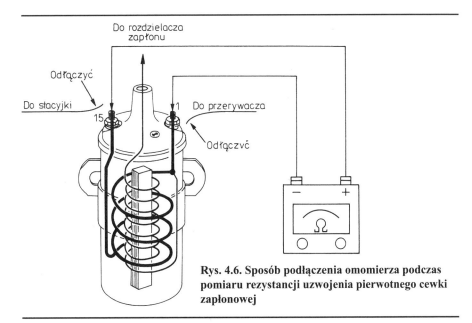

Rys. 4.6. Sposób podłączenia omomierza podczas pomiaru rezystancji uzwojenia pierwotnego cewki zapłonowej

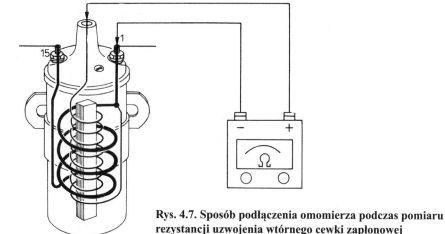

Rys. 4.7. Sposób podłączenia omomierza podczas pomiaru
rezystancji uzwojenia wtórnego cewki zapłonowej

Wykonanie pomiaru

- Badając obwód uzwojenia pierwotnego podłączyć końcówki przyrządu w sposób pokazany na rysunku 4.6.
- Odczytać wskazania omomierza.
- Sprawdzając obwód uzwojenia wtórnego, przyłożyć jedną końcówkę przyrządu do gniazda wysokiego napięcia, a drugą do dowolnego zacisku niskiego napięcia (rys. 4.7).
- Odczytać wskazania omomierza.

Ocena wyników

W obu pomiarach zmierzona wartość rezystancji powinna odpowiadać danym fabrycznym. Jeżeli brak jest takich danych, można przyjąć, że rezystancja uzwojenia pierwotnego cewki o napięciu 12 V wynosi 3...6 Ω, a cewki o napięciu 6 V wynosi 1...1,5 Ω. Rezystancja uzwojeń wtórnych wynosi 4...20 kΩ. Duży rozrzut tej wartości – nawet w fabrycznie nowych cewkach – powoduje, że badanie jakości uzwojenia wtórnego jest orientacyjne.

 Sprawdzanie długości iskry

Badanie cewki zapłonowej pod kątem jej zdolności do wytwarzania napięcia zapłonu polega, w najprostszej metodzie pomiarowej, na zmierzeniu długości iskry wytworzonej przez cewkę.

Potrzebne przyrządy i narzędzia

- iskiernik ostrzowy, np. wchodzący w skład wyposażenia kasety probierczej KP-6/24 lub KPE-6/24.

Wykonanie pomiaru

- Połączyć badaną cewkę z kasetą (rys. 4.8). Badanie może odbywać się w pojeździe lub po wymontowaniu cewki z samochodu.

148

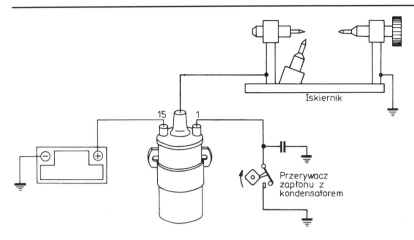

Rys. 4.8. Schemat układu do pomiaru napięcia wtórnego za pomocą iskiernika ostrzowego

– Włączyć wibrator, który spełnia rolę przerywacza.
– Stopniowo zwiększać odstęp między elektrodami iskiernika, aż dojdzie do nieregularności lub zaniknięcia wyładowań iskrowych.
– Określić maksymalną odległość między elektrodami przy której występują jeszcze ciągłe przeskoki iskry.

Ocena wyników

Zmierzoną odległość, nazywaną długością iskry, należy porównać z danymi fabrycznymi. W przypadku braku takich danych można uznać cewkę za sprawną, jeżeli długość iskry wyniesie przynajmniej:
 9 mm dla cewek zapłonowych standardowych,
12 mm dla cewek zapłonowych dużej mocy,
14 mm dla cewek elektronicznych układów zapłonowych.

W przypadku powstania wątpliwości co do uzyskanego wyniku, zaleca się powtórzenie pomiaru po podgrzaniu cewki do temperatury 80°C. Długość iskry nie powinna być mniejsza o więcej niż 2 mm w porównaniu z podanymi wyżej wartościami.

4.3. BADANIE ROZDZIELACZA ZAPŁONU

4.3.1. Sprawdzanie przerywacza

Zadaniem przerywacza jest, przypomnijmy, przerywanie prądu obwodu pierwotnego w celu wytworzenia w cewce zapłonowej wysokiego napięcia, potrzebnego do spowodowania przeskoku iskry między elektrodami świecy zapłonowej.

W konwencjonalnym układzie zapłonowym przerywanie prądu odbywa się za pomocą styków: nieruchomego (kowadełka) i ruchomego (młoteczka), który jest napędzany krzywką wałka rozdzielacza aparatu zapłonowego.

Pomimo stosowania specjalnych materiałów przerywacz jest elementem układu zapłonowego najbardziej podatnym na uszkodzenia i rozregulowanie. Do typowych niesprawności przerywacza należą:

- niewłaściwe przyleganie styków przerywacza,
- rozregulowanie przerwy między stykami,
- osłabienie lub pęknięcie sprężyny dociskającej młoteczek do kowadełka.

Wzrokowa ocena stanu przerywacza

Podczas oględzin przerywacza należy szczególną uwagę zwrócić na stan powierzchni styków i ich przyleganie. Powierzchnia gładka i lśniąca świadczy o prawidłowym stanie styków. Szare zabarwienie powierzchni oznacza zbyt małą siłę docisku styków, natomiast wyraźnie niebieskie wskazuje na uszkodzenie cewki lub kondensatora. Wżery w młoteczku i narosty na kowadełku (rys. 4.9) świadczą o naturalnym zużyciu się styków. Powodują one niewłaściwe przyleganie styków, co w rezultacie osłabia wyładowanie iskrowe między elektrodami świec zapłonowych. Styki zużywają się najwolniej wówczas, gdy powierzchnia przylegania młoteczka do kowadełka jest jak największa. Dlatego też nierównoległość lub wzajemne przesunięcie styków (rys. 4.10b i c) będą sprzyjać ich przyspieszonemu nadpaleniu. Powierzchnie styków nie mogą mieć śladów smaru, oleju i obcych ciał. Połączenie elektryczne młoteczka z zaciskiem cewki zapłonowej nie może mieć śladów uszkodzenia (rys. 4.11).

Do niezbędnego zakresu oględzin rozdzielacza należy również sprawdzenie, czy głowica i palec nie mają pęknięć i widocznych ścieżek pochodzących od wyładowań powierzchniowych, czy wałek krzywki nie ma luzu w ułożyskowaniu, a sama krzywka śladów wytarcia.

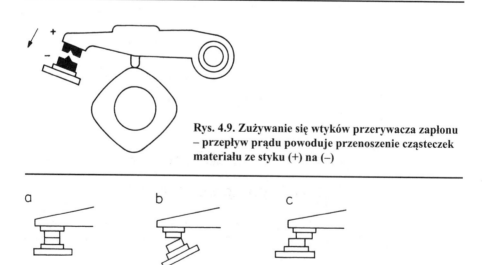

Rys. 4.9. Zużywanie się wtyków przerywacza zapłonu – przepływ prądu powoduje przenoszenie cząsteczek materiału ze styku (+) na (−)

Rys. 4.10. Styki przerywacza zużywają się najwolniej wtedy, kiedy powierzchnia przylegania młoteczka do kowadełka jest największa (a). Niewłaściwe przyleganie styków (b i c) przyspiesza ich zużycie

Rys. 4.11. Przetarta izolacja przewodu łączącego młoteczek z zaciskiem na obudowie przerywacza jest przyczyną zaniku wyładowań elektrycznych na świecach zapłonowych

Sprawdzanie spadku napięcia na stykach przerywacza

Badanie to służy do szybkiej oceny stopnia zużycia styków przerywacza, a ponadto pozwala ujawnić te nieprawidłowości, które nie są łatwo dostrzegalne podczas wzrokowych oględzin, jak na przykład zanieczyszczenie styków smarem lub olejem, przerwanie wewnętrznego połączenia elektrycznego.

Potrzebne przyrządy i narzędzia

– woltomierz wchodzący w skład miernika diagnostycznego, np. SUS-9.

Wykonanie pomiaru

– Obracając wał korbowy silnika doprowadzić do zwarcia styków przerywacza.
– Podłączyć woltomierz; jedną końcówkę do zacisku rozdzielacza zapłonu, a drugą do masy (rys. 4.12).
– Włączyć zapłon i odczytać wskazania miernika.

Uwaga. Jeżeli woltomierz nie jest wyposażony w układ zabezpieczający przed przepięciem, to podczas pomiaru nie wolno spowodować rozwarcia styków, ponieważ napięcie instalacji zniszczy miernik.

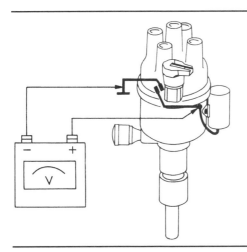

Rys. 4.12. Sprawdzanie spadku napięcia na stykach przerywacza zapłonu

Styki uznaje się za wystarczająco dobre, jeżeli spadek napięcia na nich nie przekracza 0,15 V, niezależnie od nominalnego napięcia sieci (6 lub 12 V). W przypadku większych wartości spadku napięcia, styki należy oczyścić, a następnie powtórzyć pomiar. Jeżeli miernik będzie nadal wskazywał spadek napięcia przekraczający 0,15 V, styki wymagają wymiany na nowe.

W przypadku dysponowania miernikiem diagnostycznym wyposażonym w mikroprocesor możliwe jest mierzenie spadku napięcia na stykach przerywacza podczas pracy silnika. Za dopuszczalny spadek napięcia należy przyjmować wartość określoną w instrukcji obsługi miernika.

4.3.2. Pomiar odstępu między stykami przerywacza i kąta zwarcia

Jednym z ważniejszych parametrów regulacyjnych silnika wyposażonego w konwencjonalny układ zapłonowy. jest kąt zwarcia przerywacza, a dokładniej kąt obrotu krzywki odpowiadającej położeniu zwarcia styków (rys. 4.13). Kąt ten decyduje bezpośrednio o prawidłowej pracy układu zapłonowego, a tym samym wpływa na rozwijaną moc silnika, zużycie paliwa oraz emisję środków toksycznych w spalinach. Kąt zwarcia jest wielkością geometryczną, ustalaną konstrukcyjnie przez określenie wymiarów krzywki lub odpowiednie ustawienie elementów przerywacza. Jest więc parametrem stałym, niezależnym od prędkości obrotowej silnika. Podczas eksploatacji następuje naturalne zużywanie się krzywki (zmiana profilu), styków (wypalanie powierzchni), wałka (luzy w ułożyskowaniu), co prowadzi do zmiany odstępu między stykami i tym samym kąta zwarcia.

Najprostszą metodą sprawdzenia kąta zwarcia na drodze pośredniego pomiaru jest skontrolowanie odstępu między rozwartymi stykami przerywacza. Między obiema wielkościami istnieje prosta zależność przedstawiona na rysunku 4.14.

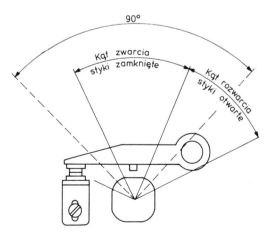

Rys. 4.13. Graficzne przedstawienie kąta zwarcia i rozwarcia styków przerywacza w silniku 4-cylindrowym czterosuwowym

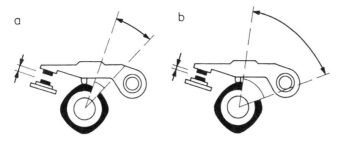

Rys. 4.14. Zależność między kątem zwarcia a odstępem między stykami; im większy odstęp, tym mniejszy kąt zwarcia (a) i odwrotnie (b)

 Pomiar i regulacja odstępu między stykami przerywacza

Ze względu na sposób przeprowadzenia badania należy je traktować jako mało dokładne. Dotyczy to szczególnie styków, które były już przez pewien czas użytkowane (rys. 4.15). Styki nadmiernie zużyte powinno się bezwzględnie wymieniać na nowe.

Potrzebne przyrządy i narzędzia

– szczelinomierz z blaszkami o odpowiedniej grubości,
– wkrętak.

Wykonanie pomiaru

– Obrócić wał korbowy silnika, doprowadzając do maksymalnego rozwarcia się styków przerywacza.
– Blaszkę szczelinomierza, której grubość odpowiada wymaganemu odstępowi, wsunąć między rozwarte styki przerywacza (rys. 4.16a). Szczelinomierz powinien dawać się przesuwać między stykami z wyczuwalnym, niewielkim oporem.

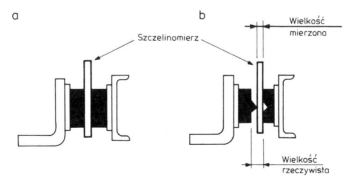

Rys. 4.15. W przypadku uformowania się narostu i krateru nie można dokładnie zmierzyć odstępu między stykami przerywacza
a – styki nowe, b – styki używane

153

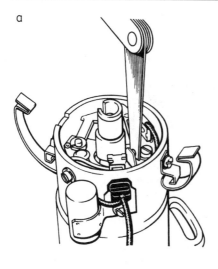

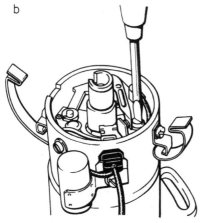

Rys. 4.16. Sprawdzanie odstępu między stykami przerywacza za pomocą szczelinomierza (a) i jego regulowanie (b)

- Jeżeli odstęp między stykami okaże się niewłaściwy, należy przeprowadzić jego regulację zmieniając położenie kowadełka po zluzowaniu wkręta, który go mocuje (rys. 4.16b).
- Zaleca się wykonanie pomiaru szczeliny między stykami kolejno dla wszystkich garbów krzywki w celu sprawdzenia luzu promieniowego wałka. Różnice w zmierzonych wartościach nie powinny przekraczać 0,10 mm.

 Pomiar i regulacja kąta zwarcia

Potrzebne przyrządy i narzędzia

- miernik kąta zwarcia, stanowiący oddzielny przyrząd, np. miernik MKZ--200, lub wchodzący w skład przyrządu diagnostycznego, np. SUS-9.
- obrotomierz, jeżeli miernik kąta zwarcia nie umożliwia pomiaru prędkości obrotowej,
- wkrętak.

154

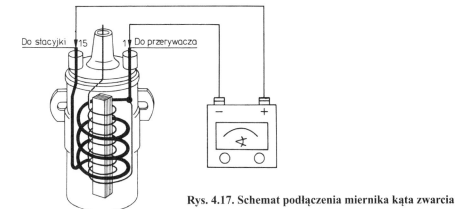

Rys. 4.17. Schemat podłączenia miernika kąta zwarcia

Wykonanie pomiaru

– Podłączyć miernik zgodnie z zaleceniami instrukcji obsługi. Z reguły przyrząd łączy się z zaciskami 1 i 15 cewki zapłonowej (rys. 4.17).
– Uruchomić silnik i pozostawić na biegu jałowym obserwując wskazanie przyrządu. Jeżeli posługujemy się przyrządem SUS-9, to wartość kąta zwarcia należy odczytać na podziałce:
  0... 60° dla silników 6-cylindrowych,
  0... 90° dla silników 4-cylindrowych,
  0...90° dla silników 2-cylindrowych (odczyt należy pomnożyć przez 2).
– Korzystając z obrotomierza ustalić prędkość obrotową silnika na ok. 2000 obr/min, a następnie sprowadzić płynnie do prędkości biegu jałowego, obserwując jednocześnie zmiany na mierniku kąta zwarcia.

Ocena wyników

Kąt zwarcia odczytuje się, w zależności od rodzaju podziałki miernika, bezpośrednio w stopniach bądź w procentach określających stosunek kąta zwarcia styków do kąta między kolejnymi zapłonami w cylindrze. Dane do odpowiedniego przeliczenia wartości kąta zwarcia dla silników o różnej liczbie cylindrów, podano w tablicy 4–1.

Zmierzony kąt zwarcia można uznać za prawidłowy, jeżeli mieści się w zakresie:

125°... 140° dla silników 1–3-cylindrowych dwusuwowych,
45°... 65° dla silników 4-cylindrowych czterosuwowych,
35°... 41 ° dla silników 6-cylindrowych,
32°... 37° dla silników 8-cylindrowych.

Powyższe wartości są orientacyjne i dlatego zmierzone wartości kąta należy porównać z danymi producenta.

Jeżeli odczytana wartość nie mieści się w podanych granicach, konieczna jest odpowiednia regulacja odstępu styków przerywacza. Należy przy tym pamiętać, że zmniejszenie szczeliny powiększa kąt zwarcia, i odwrotnie.

155

Dane do przeliczania wartości kąta zwarcia dla różnej liczby cylindrów w silniku

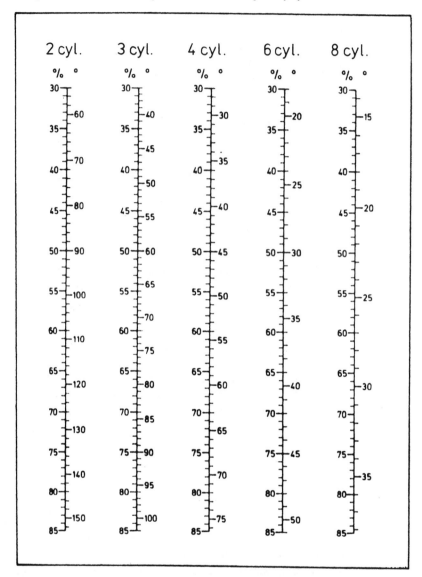

Podczas próby zwiększenia prędkości obrotowej kąt zwarcia nie powinien się zmieniać więcej niż o 3% (ok. 3° dla silników 4-cylindrowych i 5° dla silników 2-cylindrowych). Brak stabilności kąta zwarcia przy dużej prędkości obrotowej może być spowodowany nadmiernym luzem w ułożyskowaniu wałka rozdzielacza bądź zbyt małą siłą docisku styków, wynikającą z nieodpowiedniej sprężyny młoteczka lub zacieraniem się jego ułożyskowania. Zwiększenie się kąta zwarcia może być spowodowane nieprawidłowym przyleganiem powierzchni styków przerywacza, wynikającym z ich nadmiernego zużycia. Zmienianie się kąta zwarcia podczas płynnego obniżania prędkości obrotowej może świadczyć o poluzowaniu się płytki przerywacza.

4.3.3. Badanie kondensatora

Kondensator jest połączony równolegle do styków przerywacza, co sprawia, że ładuje się w chwili rozwarcia styków, a rozładowuje w chwili ich zamknięcia. Obniżając napięcie na stykach kondensator zapobiega ich nadpaleniu i przedwczesnemu zużyciu.

W przypadku stwierdzenia objawów wskazujących na możliwość wadliwego działania kondensatora (por. tabl. 1–3 pkt. A.2. A.3, A.4 i A.11) wskazane jest przeprowadzenie następującego badania:

- sprawdzenie zamocowania kondensatora (prawidłowość połączenia z przerywaczem i z masą pojazdu),
- pomiar rezystancji szeregowej w celu sprawdzenia ciągłości połączenia między okładzinami kondensatora a przewodem wyjściowym,
- pomiar rezystancji równoległej w celu sprawdzenia izolacji okładzin kondensatora,
- pomiar pojemności kondensatora.

Sprawdzanie kondensatora bez użycia przyrządów

Bezprzyrządowe badanie kondensatora polega nie tylko na sprawdzeniu prawidłowości jego zamocowania, ale również na wykonaniu prostej próby ciągłości połączeń wewnętrznych oraz sprawności izolacji okładzin. Podczas próby wykorzystuje się wysokie napięcie powstające w uzwojeniu wtórnym cewki zapłonowej.

Wykonanie badania

- Odłączyć przewód kondensatora od przerywacza i połączyć go z przewodem wysokiego napięcia cewki zapłonowej, wyjętym z kopułki rozdzielacza.
- Włączyć zapłon i kilkakrotnie rozewrzeć styki przerywacza.
- Przewód kondensatora po odłączeniu od przewodu wysokiego napięcia zbliżyć końcem do obudowy kondensatora. Jeżeli przeskoczy wyraźna, słyszalna (w postaci trzasku) iskra elektryczna, będzie to świadczyło o prawidłowym połączeniu przewodu wyjściowego kondensatora z okładzinami, a także o właściwym styku jego obudowy z masą.
- Próbę należy przeprowadzić ponownie z tą różnicą, że rozładowanie kondensatora wykonuje się dopiero po upływie ok. 10 s. Jeżeli podczas rozładowania powstanie odpowiednio „mocna" iskra, można wnioskować, że izolacja między okładzinami jest wystarczająca.

Sprawdzanie kondensatora za pomocą próbnika

Dokładniejsze badanie kondensatora zamontowanego lub wymontowanego z samochodu można przeprowadzić dopiero za pomocą odpowiedniego miernika wielkości elektrycznych.

Potrzebne przyrządy i narzędzia

- próbnik kondensatorów, np. PK-2 lub PK-3 względnie kaseta probiercza KPE6/24 firmy Spólnota (rys. 4.18),
- narzędzia do ewentualnego wymontowania kondensatora z samochodu.

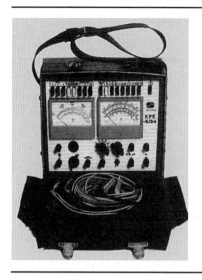

Rys. 4.18. Kaseta probiercza KPE-6/24
do sprawdzania układów elektrycznych
w samochodzie

Wykonanie pomiaru i ocena wyników

– Próbnik odpowiednio podłączyć do zasilania i do kondensatora po odłączeniu wyprowadzenia kondensatora od zacisku rozdzielacza; ustawić przełącznik na żądany pomiar.

– Wartość pojemności kondensatora odczytać bezpośrednio na skali przyrządu. Powinna się mieścić w granicach 0,20...0,25 μF. Zbyt mała pojemność będzie powodowała iskrzenie na stykach, a zbyt duża zmniejszenie napięcia w obwodzie.

– Włączyć pomiar rezystancji równoległej kondensatora (inaczej oporności izolacji) i określić jej wartość z położenia wskazówki na kolorowym polu skali. Jeżeli rezystancja jest właściwa, to wskazówka powinna się zatrzymać w polu białym.

– Przyłożyć do kondensatora prąd zmienny w celu sprawdzenia rezystancji szeregowej. Można ją uznać za prawidłową, jeżeli wskazówka zatrzyma się w polu białym.

4.3.4. Sprawdzanie i ustawianie wyprzedzenia zapłonu

Ustawienie rozdzielacza zapłonu powinno zapewnić przeskok iskry między elektrodami świecy zapłonowej w takim momencie położenia wału korbowego, aby silnik uzyskiwał największą moc przy najmniejszym zużyciu paliwa. Moment zapłonu w cylindrze mieszanki paliwowo-powietrznej jest określany z reguły w mierze kątowej, jako odstęp kątowy (mierzony na wale korbowym) między położeniem tłoka w chwili przeskoku iskry na świecy, a jego skrajnym położeniem zewnętrznym (ZZ). Ma on nazwę kąta wyprzedzenia zapłonu. Jeżeli kąt ten jest mniejszy od wymaganego (mówimy wtedy, że zapłon jest opóźniony), w takim przypadku silnik nie osiąga maksymalnej mocy (samochód staje się mniej zrywny), silnik przegrzewa się i wzrasta zużycie paliwa. Natomiast kiedy zapłon następuje przy zbyt dużym kącie wyprzedzenia zapłonu (zapłon przy-

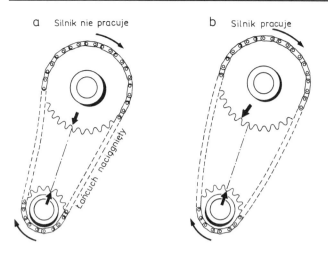

a Silnik nie pracuje   b Silnik pracuje

Łańcuch naciągnięty

Rys. 4.19. Ustawienie się kół łańcuchowych napędu rozrządu podczas sprawdzania wyprzedzenia zapłonu lampką kontrolną (a) i lampą stroboskopową (b)

spieszony), to spalanie w silniku przebiega stukowo, co objawia się charakterystycznym metalicznym dzwonieniem w silniku podczas przyspieszania. Również i w tym przypadku silnik nie rozwija pełnej mocy, wzrasta zużycie paliwa oraz przyspiesza się zużycie jego elementów.

W chwili stwierdzenia objawów świadczących o niewłaściwym wyprzedzeniu zapłonu (por. tabl. 1–3) należy sprawdzić i wyregulować kąt zwarcia styków przerywacza, a następnie ustawić kąt wyprzedzenia zapłonu.

Są dwie metody ustawiania zapłonu. Jedna statyczna, polegająca na ustawieniu tzw. wstępnego wyprzedzenia zapłonu, gdy silnik pozostaje nieruchomy. Druga dynamiczna, jest wykonywana podczas pracy silnika na biegu jałowym i stwarza możliwość ustawienia rzeczywistego wyprzedzenia zapłonu.

Obecnie metoda statyczna nie jest zalecana z uwagi na niedostateczną dokładność pomiaru. Niektórzy producenci samochodów wymagają w instrukcjach obsługi przeprowadzania kontroli zapłonu tylko z uruchomionym silnikiem, ponieważ pozwala to uwzględnić przy pomiarze wszystkie luzy występujące między wałem korbowym a wałkiem rozdzielacza zapłonu. Nie bez wpływu na pomiar jest również zachowanie się łańcucha rozrządu. W unieruchomionym silniku łańcuch pozostaje naprężony z jednej strony (rys. 4.19a). Podczas pracy silnika natomiast pojawia się, pod wpływem siły odśrodkowej, „wybrzuszanie" łańcucha (lub paska zębatego) z obydwu stron kół zębatych (rys. 4.19b). W wyniku tego zjawiska następuje względne obrócenie wałka rozrządu w kierunku obrotów silnika, powodując tym niewielkie zwiększenie wyprzedzenia zapłonu w stosunku do ustalonego przy nieruchomym silniku. W miarę wydłużania się łańcucha, wynikającego z naturalnego zużycia, silnik nabiera tendencji zwiększania wyprzedzenia zapłonu. Zjawisko to nie występuje, jeśli wałek rozrządu jest napędzany kołami zębatymi.

Sprawdzanie i ustawianie wstępnego wyprzedzenia zapłonu

Statyczną metodę ustawienia zapłonu zaleca się stosować tylko w przypadkach koniecznych, kiedy nie ma możliwości skorzystania z lampy stroboskopowej. Pomiar jest wtedy dość niedokładny, do czego przyczynia się sposób obracania wału korbowego oraz możliwość popełnienia błędu w czasie odczytywania kąta wyprzedzenia.

Potrzebne przyrządy i narzędzia

– lampka kontrolna (por. rys. 4.1),
– narzędzia do poluzowania śrub zaciskowych rozdzielacza zapłonu.

Wykonanie pomiaru

– Lampkę kontrolną podłączyć jednym przewodem do zacisku 1 cewki zapłonowej lub do przerywacza, a drugim do masy pojazdu (rys. 4.20).
– Włączyć zapłon.
– Obracać wał korbowy zgodnie z kierunkiem jego pracy. Można to wykonać przetaczając samochód do przodu z włączonym najwyższym biegiem. Zaleca się wykręcenie z silnika świec zapłonowych, aby ciśnienie sprężania nie hamowało ruchu tłoków. Obracanie wału korbowego w kierunku jego pracy ma na celu zmniejszenie wpływu luzów w napędzie rozdzielacza podczas pomiaru.
– Przekręcając powoli wał korbowy obserwować lampkę kontrolną. Moment jej zaświecenia będzie oznaczał rozwarcie się styków przerywacza, które spowoduje powstanie iskry na świecy zapłonowej w jednym z cylindrów.
– Jeżeli przeskok iskry nastąpił w pierwszym cylindrze (lub w czwartym w przypadku silnika 4-cylindrowego), to w chwili zaświecenia się lampki znak (zwykle nacięcie) na kole pasowym (lub na kole zamachowym) powinien znaleźć się naprzeciw znaku wykonanego na pokrywie rozrządu (lub obudowie sprzęgła). Będzie to odpowiadało właściwemu ustawieniu tłoka w chwili zapłonu.
  Przykłady rozmieszczenia na silniku znaków do ustawiania zapłonu dla niektórych marek samochodów pokazano na rysunku 4.21.
– Jeżeli w chwili zaświecenia się lampki kontrolnej znaki do ustawienia zapłonu nie pokryją się, konieczne jest przeprowadzenie odpowiedniej regulacji.

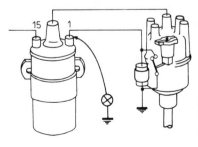

Rys. 4.20. Schemat podłączenia lampki kontrolnej podczas sprawdzania wyprzedzenia zapłonu

a
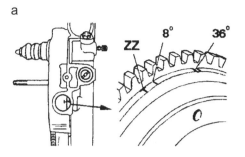

b
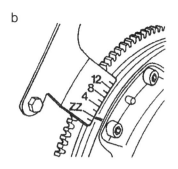

a – Alfa Romeo 33 1.3/1.5 z silnikiem 305

b – Citroen AX, BX, ZX, Peugeot 205 309, 405 z silnikami TU

c

d
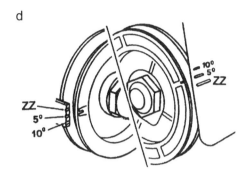

c – Citroen BX, ZX, XM, Peugeot 205, 309, 405 z silnikami XU

d – Fiat Uno z silnikami 146/149

e
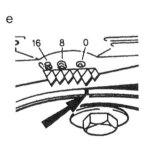

f
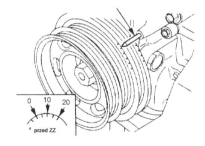

e – Ford Fiesta, Escort z silnikami CVH

f – Nissan Almera 1.4/1.6 (1995–2000)

Rys. 4.21. Przykłady rozmieszczenia na silniku znaków służących do regulacji wyprzedzenia zapłonu

161

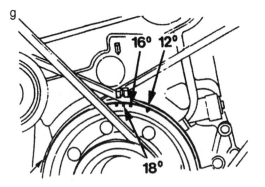

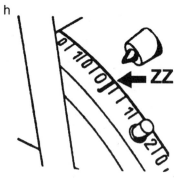

g – Honda Civic, Civic CRX
z silnikami D13, D14, D15, D16, ZC

h – Mercedes Benz 190E, 230E
z silnikami M102

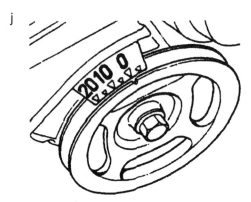

i – Mazda 121 z silnikiem B1

j – Nissan Micra (K10) z silnikami MA 10/12

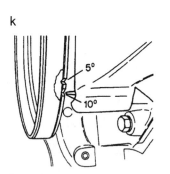

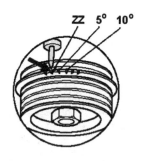

k – Opel Corsa z silnikami E,
C 14 NV, LV, NZ

l - Nissan Micra 1.0/1.3 (1992–2002)

162

– Sposób regulacji zależy od budowy rozdzielacza. Najczęściej zapłon ustawia się przez pokręcanie obudowy rozdzielacza, po uprzednim poluzowaniu śrub mocujących. Obracając wał korbowy należy „zgrać" znaki do ustawiania zapłonu, a następnie obracać obudowę rozdzielacza do chwili zaświecenia lampki. Obracanie korpusu rozdzielacza w kierunku zgodnym z obrotami wałka rozdzielacza powoduje opóźnienie chwili zapłonu, natomiast w kierunku przeciwnym – przyspieszenie.

Uwaga. Obudowę rozdzielacza powinno się jednak obracać tylko w kierunku przeciwnym do ruchu pracującego wałka rozdzielacza. Ma to na celu wykluczenie wpływu luzu występującego w mechanizmie rozdzielacza zapłonu na wynik pomiaru. Jeżeli więc okaże się, że zapłon występuje zbyt wcześnie, to dla jego opóźnienia należy w pierwszym ruchu obrócić obudowę rozdzielacza o znaczny kąt w kierunku zgodnym z obrotami wałka rozdzielacza, a następnie powoli cofać aż do chwili zaświecenia się lampki.

– Po wykonaniu regulacji należy powtórzyć czynności sprawdzenia ustawienia zapłonu.
– Jeżeli nie dysponuje się lampką kontrolną, a zachodzi konieczność szybkiej kontroli ustawienia zapłonu, można posłużyć się przewodem wysokiego napięcia łączącym cewkę zapłonową z rozdzielaczem. Koniec przewodu należy wyjąć z kopułki rozdzielacza i zbliżyć na ok. 5 mm do masy pojazdu, np. do kadłuba silnika. Włączyć zapłon i obracać wałem korbowym silnika. Jeżeli w momencie „zgrania się" znaków nastąpi przeskok iskry między przewodem a masą, to kąt wyprzedzenia zapłonu można uznać za prawidłowy.

Uwaga. W przypadku obsługi elektronicznego układu zapłonowego należy stosować się do zaleceń producenta dotyczących zasad bezpiecznej pracy z uwagi na występowanie w układzie niebezpiecznego wysokiego i niskiego napięcia (por. rozdz. 12).

– Po wykonaniu czynności regulacyjnych należy dodatkowo sprawdzić ustawienie zapłonu podczas jazdy. Jadąc z prędkością ok. 60 km/h na IV biegu, po prawidłowym nagrzaniu się silnika, należy szybko nacisnąć na pedał przyspieszenia. Pojawienie się zanikających stuków w silniku (dzwonienie) będzie świadczyło o prawidłowym ustawieniu zapłonu. Intensywne i nie zanikające stuki świadczą o zbyt wczesnym zapłonie, a zupełny brak stuków – o zbyt późnym.

Sprawdzanie wyprzedzenia zapłonu za pomocą lampy stroboskopowej

Sprawdzanie i regulacja wyprzedzenia zapłonu metodą dynamiczną (podczas pracy silnika) wymaga zastosowania lampy stroboskopowej. Lampa ta ma elektrody umieszczone w gazie (ksenonie), między którymi występują wyładowania dające w rezultacie intensywne i krótkie błyski. Zaświecenie lampy jest wy-

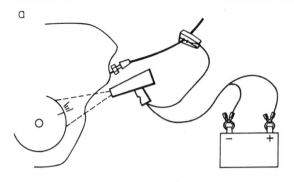

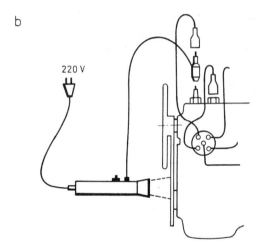

Rys. 4.22. Schemat podłączenia lampy stroboskopowej
a – z czujnikiem zaciskanym na przewodzie zapłonowym pierwszego cylindra,
b – z sondą zakładaną między przewód zapłonowy pierwszego cylindra a świecę zapłonową lub kopułkę aparatu

wołwane sygnałem elektrycznym pochodzącym od czujnika, zakładanego bezpośrednio na przewód wysokiego napięcia pierwszego cylindra (rys. 4.22a) lub między ten przewód a świecę zapłonową (rys. 4.22b) – w zależności od budowy lampy. W ten sposób błysk lampy pojawia się jednocześnie z wystąpieniem zapłonu w pierwszym cylindrze silnika. Zasilanie lamp stroboskopowych odbywa się najczęściej z akumulatora pojazdu, rzadziej z sieci 220 V.

Potrzebne przyrządy i narzędzia

– lampa stroboskopowa, np. XENON (WTW), KS 8403 (Radiotechnika), względnie wchodząca w skład przyrządu diagnostycznego, np. SUS-9 (FOUS), TS 8600 (Radiotechnika) lub MAG-l (UNI-TROL),
– narzędzia do poluzowania śrub zaciskowych rozdzielacza zapłonu.

Wykonanie pomiaru

– Uruchomić silnik i nagrzać go do normalnej temperatury pracy.
– Podłączyć lampę stroboskopową dwoma przewodami do zasilania, a trzecim do przewodu wysokiego napięcia pierwszego cylindra (wg rys. 4.22).

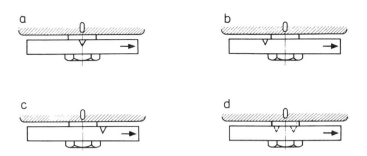

Rys. 4.23. Ustawienie się znaków na kole pasowym i kadłubie silnika oświetlonych lampą stroboskopową, jeżeli wyprzedzenie zapłonu jest:

a – prawidłowe, b – zbyt wczesne, c – opóźnione, d – oscylujące

– Pozostawić silnik pracujący na biegu jałowym oraz odłączyć, jeżeli jest, przewód od podciśnieniowego regulatora wyprzedzenia zapłonu.
– Skierować pulsujące światło lampy na obracające się koło pasowe (lub koło zamachowe). Wskutek efektu stroboskopowego znak na kole będzie się wydawał nieruchomy. Jeżeli zatrzyma się naprzeciw odpowiedniego znaku wykonanego na pokrywie rozrządu lub na obudowie sprzęgła (por. rys. 4.21), to ustawienie zapłonu można uznać jako prawidłowe (rys. 4.23a). W przypadku nie pokrycia się znaków (rys. 4.23b i c) zachodzi konieczność regulacji wyprzedzenia zapłonu poprzez odpowiednie obracanie obudowy rozdzielacza w sposób poprzednio już opisany. Jeżeli znak na kole nie „stoi" w jednym punkcie, lecz oscyluje (rys. 4.23d), świadczy to o zużyciu przekładni napędu rozdzielacza zapłonu lub napędu wałka rozrządu.
– W silniku, który ma oznaczony tylko zwrot zewnętrzny tłoka (FIAT 125P) do ustawiania zapłonu należy użyć, jeżeli brak jest odpowiednio wyskalowanego szablonu, lampy stroboskopowej o regulowanym opóźnieniu błysków i miernika wskazującego wartość tego opóźnienia w stopniach kątowych, np. przyrządu SUS-9. Ustawienie zapłonu sprawdza się w ten sposób, że po skierowaniu światła lampy na obracające się koło pasowe (lub zamachowe) pokrętłem w lampie opóźnia się jej błyski do chwili uzyskania pokrycia się znaku na kole ze znakiem ZZ. Wartość odczytana z miernika będzie wielkością kąta wyprzedzenia zapłonu.

 Sprawdzanie wyprzedzenia zapłonu w silnikach wyposażonych w czujnik położenia ZZ

Wiele nowoczesnych silników, szczególnie wyposażonych w elektroniczne układy zapłonowe, wymaga bardziej dokładnego ustawienia zapłonu niż zapewnia to lampa stroboskopowa. Producenci takich silników, m.in. firma Audi, Opel, VW, Daimler-Benz, Volvo, umieszczają na kole zamachowym (lub innej części obrotowej związanej z wałem korbowym) znak w postaci nacięcia lub kołka jednego lub dwóch), instalując jednocześnie w bloku silnika indukcyjny czujnik położenia ZZ (rys. 4.24). Czujnik ten może być również zakładany tylko na czas pomiaru. Do odczytania kąta wyprzedzenia zapłonu służą urządzenia diagnostyczne przystosowane do łączenia z czujnikiem, np. tester QST 900 firmy SUN, multitest z serii 15, 18 lub 21 firmy Hofmann. Urządzenie podłącza się do czujnika oraz do świecy zapłonowej lub przewodu wysokiego napięcia pierwszego cylindra. Podczas pracy silnika urządzenie otrzymuje dwa impulsy: jeden powstający w chwili zapłonu w pierwszym cylindrze i drugi powstający podczas mijania czujnika przez kołek lub inny znacznik (patrz rys. 3.34). Ze zmierzonego czasu między dwoma impulsami oraz prędkości obrotowej silnika zostaje wyliczony w urządzeniu kąt wyprzedzenia zapłonu. Pomiar bez użycia lampy stroboskopowej jest bardziej dokładny, ponieważ nie jest obarczony błędem paralaksy, a także nie wymaga dostępu do żadnych znaków na silniku.

W samochodach, w których czujnik położenia ZZ jest zamontowany dokładnie w miejscu odpowiadającym zwrotowi zewnętrznemu tłoka 1. cylindra wskazania na diagnoskopie będą odpowiadać rzeczywistemu wyprzedzeniu zapłonu.

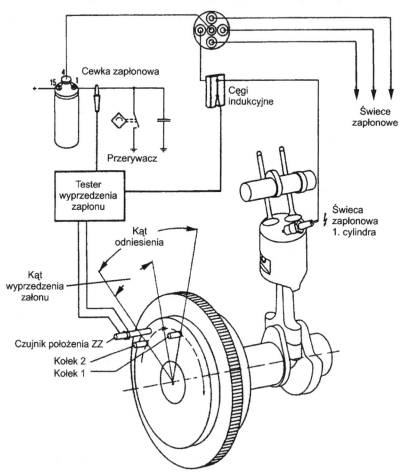

Rys. 4.24. Sprawdzanie wyprzedzenia zapłonu w silniku wyposażonym w czujnik położenia ZZ oraz kołki ustawcze

W samochodach, w których czujnik położenia ZZ jest przesunięty względem znaków ustawczych (występów), wskazania miernika należy odpowiednio skorygować; na przykład w samochodzie Cinquecento 700 należy zwiększyć o 10°.

4.3.5. Sprawdzanie działania odśrodkowego regulatora wyprzedzenia zapłonu

Zadaniem odśrodkowego regulatora wyprzedzenia zapłonu jest przyspieszenie zapłonu odpowiednio do zwiększania prędkości obrotowej silnika. Ciężarki regulatora (5, rys. 4.25), odchylane siłą bezwładności podczas obracania się ze wzrastającą prędkością wałka rozdzielacza (8), pokonują opór sprężyny (7) i powodują obrót krzywki (1) w kierunku zgodnym z obrotem palca rozdzielacza, a tym samym wzrost wyprzedzenia zapłonu.

Przyczyną niedomagania odśrodkowego regulatora wyprzedzenia zapłonu jest najczęściej:
– zmiana charakterystyki sprężyn (osłabienie sprężyn),
– pęknięcie sprężyny,
– nadmierne luzy osi ciężarków i ich sworzni.

W przypadku stwierdzenia objawów w pracy silnika wskazujących na nieprawidłowe działanie regulatora (por. tabl. 1–3 pkt. A.5 lub A.12) należy sprawdzić jego charakterystykę.

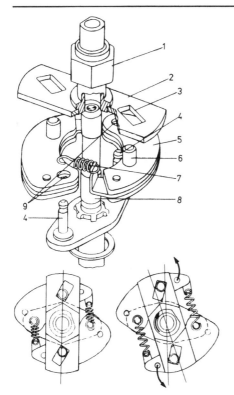

Rys. 4.25. Odśrodkowy regulator wyprzedzenia zapłonu
1 – krzywka, 2 – płytka prowadząca, 3 – otwór sworznia ciężarka, 4 – oś ciężarka, 5 – ciężarek, 6 – sworzeń ciężarka, 7 – sprężyna, 8 – wałek rozdzielacza, 9 – otwór osi ciężarka

Potrzebne przyrządy i narzędzia

– miernik kąta wyprzedzenia zapłonu oraz lampa stroboskopowa z układem opóźnienia błysku,
– obrotomierz.

Wykonanie pomiaru

Uruchomić silnik i nagrzać go do normalnej temperatury pracy.

– Zdjąć z regulatora podciśnieniowego (jeżeli jest) przewód łączący go z gaźnikiem w celu wyeliminowania ewentualnego wpływu podciśnienia na wyprzedzenie zapłonu.
– Podłączyć przyrządy i wykorzystując obrotomierz zwiększyć prędkość obrotową silnika do jednej z wartości wybranych na podstawie poniższych wskazówek.
– Skierować pulsujące światło lampy na koło pasowe (lub wieniec koła zamachowego) i pokrętłem w lampie stroboskopowej doprowadzić do pokrycia się znaków na kole pasowym i pokrywie napędu rozrządu (kadłubie silnika). Na mierniku odczytać wartość kąta wyprzedzenia zapłonu. Jeżeli znak stały (na kadłubie silnika) wyznacza moment zapłonu, to miernik wskaże przyspieszenie zapłonu wywołane działaniem regulatora. Natomiast w przypadku istnienia na silniku tylko punktu ZZ należy od wartości wskazanej przez miernik odjąć kąt wstępnego wyprzedzenia zapłonu.
– Pomiar wykonać dla kilku charakterystycznych wartości prędkości obrotowej silnika wtedy, kiedy:
– zaczyna działać jedna sprężyna regulatora (z reguły między 1000 i 1500 obr/min),
– zaczyna działać druga sprężyna, jeżeli regulator ma charakterystykę dwustopniową (z reguły między 2000 i 3000 obr/min),
– przestaje działać regulator odśrodkowy (z reguły powyżej 3000 obr/min).
Przy wyborze prędkości obrotowej najkorzystniej posłużyć się charakterystyką danego regulatora, zamieszczoną w książce napraw samochodu (rys. 4.26).

Uwaga. Często charakterystyki regulatorów podawane w książkach napraw odnoszą się do prędkości obrotowej wałka rozdzielacza zapłonu, a nie do wału korbowego silnika. W celu porównania wyników pomiaru otrzymanych na silniku z wartościami charakterystyki, należy odczytaną z wykresu prędkość obrotową i kąty przyspieszenia zapłonu mnożyć przez dwa.

Ocena wyników

Po zakończeniu pomiarów sprawdzić, czy otrzymane wartości przyspieszenia zapłonu są zgodne z charakterystyką i mieszczą się w granicach wyznaczonych tolerancją. Należy przy tym pamiętać, aby dane z charakterystyki powiększyć o kąt wstępnego wyprzedzenia zapłonu.

Jeżeli uzyskane wyniki nie mieszczą się w polu tolerancji, należy wymienić sprężyny lub regulator na nowy (rys. 4.27).

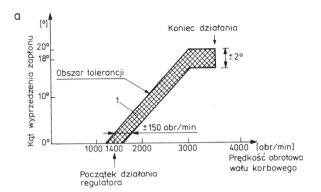

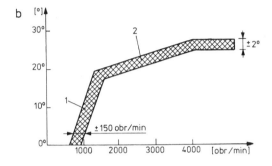

Rys. 4.26. Przykłady charakterystyk regulatorów odśrodkowych w samochodach PF 126P (charakterystyka jednostopniowa) i FSO 125P (charakterystyka dwustopniowa)

1 – linia działania jednej sprężyny,
2 – linia działania dwóch sprężyn

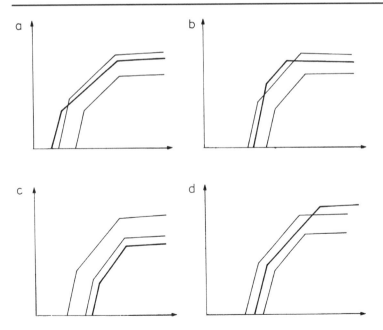

Rys. 4.27. Przykłady nieprawidłowych charakterystyk regulatora odśrodkowego spowodowanych:

a – wydłużeniem sprężyny cieńszej, b – wydłużeniem sprężyny grubszej, c – zwiększonymi oporami w mechanizmie regulatora, d – nadmiernymi luzami w mechanizmie regulatora

169

4.3.6. Sprawdzanie działania podciśnieniowego regulatora wyprzedzenia zapłonu

Niektóre rozdzielacze zapłonu są wyposażone w podciśnieniowy regulator wyprzedzenia zapłonu, który służy do przestawiania chwili zapłonu w zależności od obciążenia silnika przy małych i średnich prędkościach obrotowych. W momencie uchylania przepustnicy gaźnika podciśnienie w przewodzie dolotowym działa na przeponę (3, rys. 4.28), która odkształcając się pokonuje opór sprężyny (2) i wywołuje obrót płytki rozdzielacza (6) w kierunku przeciwnym do kierunku obrotu krzywki (7). Następuje przyspieszenie zapłonu. W miarę dalszego otwierania przepustnicy podciśnienie maleje, a gdy przepustnica jest całkowicie otwarta regulator podciśnieniowy przestaje działać.

Typowymi uszkodzeniami podciśnieniowego regulatora wyprzedzenia zapłonu są:
- nieszczelności przepony,
- zmiana charakterystyki lub pęknięcie sprężyny,
- zanieczyszczenie lub nieszczelność przewodu łączącego regulator z gaźnikiem,
- unieruchomienie tarczy z przerywaczem (zatarcie).

Niedomagania regulatora powodują zmianę jego charakterystyki i w rezultacie zakłócenia w pracy silnika (por. tabl. 1–3 pkt. A.5 i A.12).

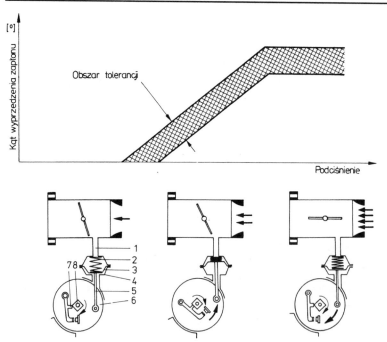

Rys. 4.28. Schemat działania podciśnieniowego regulatora wyprzedzenia zapłonu i jego charakterystyka

1 – przewód podciśnieniowy, 2 – sprężyna powrotna przepony, 3 – przepona, 4 – obudowa regulatora, 5 – cięgło, 6 – płytka przerywacza, 7 – wałek rozdzielacza z krzywką, 8 – zderzak młoteczka

Sprawdzanie działania regulatora bez użycia przyrządów

Najprostszy sposób sprawdzenia działania regulatora podciśnieniowego polega na odłączeniu przewodu podciśnienia od gaźnika i mocnym zassaniu ustami powietrza przez wolny koniec przewodu. Wytworzone przez płuca podciśnienie powinno spowodować obrócenie się płytki ze stykami.

Sprawdzanie regulatora za pomocą lampy stroboskopowej

Dokładniejszy sposób sprawdzenia działania podciśnieniowego regulatora polega na pomiarze całkowitego kąta wyprzedzenia zapłonu metodą dynamiczną, podobnie jak przy wyznaczaniu charakterystyki, regulatora odśrodkowego.

Potrzebne przyrządy i narzędzia

– miernik kąta wyprzedzenia zapłonu oraz lampa stroboskopowa z układem opóźnienia błysku,
– obrotomierz.

Wykonanie pomiaru

– Uruchomić silnik i nagrzać go do normalnej temperatury pracy.
– Podłączyć przyrządy i wykorzystując obrotomierz ustawić prędkość obrotową silnika na ok. 2000 obr/min (przy tej prędkości działają zarówno regulator odśrodkowy, jak i podciśnieniowy).
– Skierować światło lampy na znaki służące do ustawiania zapłonu. Pokrętłem w lampie doprowadzić do pokrycia się znaków i odczytać na mierniku kąt wyprzedzenia zapłonu.
– Odłączyć od gaźnika przewód podciśnienia wyłączając w ten sposób z działania regulator podciśnieniowy.
– Powtórzyć pomiar kąta wyprzedzenia zapłonu.

Ocena wyników

Jeżeli wartość kąta wyprzedzenia zapłonu, zmierzona po odłączeniu regulatora podciśnieniowego, będzie mniejsza od pierwszej wartości, oznacza to, że regulator podciśnieniowy jeet sprawny. Aby jednak mieć pewność poprawności

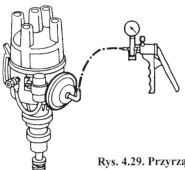

Rys. 4.29. Przyrząd do sprawdzania podciśnieniowego regulatora wyprzedzenia zapłonu

działania regulatora podciśnieniowego należy sprawdzić jego charakterystykę, do czego jest potrzebny manometr o odpowiednim zakresie pomiaru oraz urządzenie do wytworzenia podciśnienia w regulatorze (rys. 4.29).

4.4. SPRAWDZANIE ŚWIECY ZAPŁONOWEJ

4.4.1. Oględziny i obsługa świecy zapłonowej

Oględziny świecy zapłonowej

Działanie świecy zapłonowej można najprościej sprawdzić dokonując jej oględzin po wykręceniu z silnika. Wygląd elektrod i stożka izolatora, ich zabarwienie i rodzaj pokrywających osadów dostarczą informacji nie tylko o funkcjonowaniu i stopniu zużycia świecy, ale również o procesach zachodzących w poszczególnych cylindrach silnika, o pracy układu zapłonowego oraz układu zasilania paliwem.

Świece należy oglądać wkrótce po zatrzymaniu samochodu, aby uniknąć wyciągania fałszywych wniosków z ich wyglądu, który stale się zmienia wraz ze zmianą warunków pracy silnika. Przed badaniem samochód powinien przejechać odcinek ok. 10 km ze zmienną prędkością w zakresie średnich obciążeń silnika. Nie może być włączone „ssanie", a tuż przed zatrzymaniem silnika nie powinien on pracować zbyt długo na biegu jałowym. Brązowy kolor stożka izolatora (w odcieniach od jasnego do rdzawo-brunatnego) i ciemnobrązowy osad wewnątrz korpusu (rys. 4.30a) świadczą o właściwym doborze świecy zapłonowej oraz o prawidłowym stanie technicznym silnika.

Czarny, suchy nalot na stożku izolatora, elektrodach i korpusie (4.30b) świadczy o:
- zbyt bogatej mieszance paliwowo-powietrznej spowodowanej niewłaściwą regulacją gaźnika, silnym zanieczyszczeniem filtru powietrza, uszkodzonym lub zbyt często używanym urządzeniu rozruchowym („ssaniem"),
- niewłaściwej wartości cieplnej świecy, typ zbyt „zimny",
- opóźnionym zapłonie.

Zaolejenie świecy zapłonowej (rys. 4.30c) może być spowodowane:
- zbyt wysokim poziomem oleju w silniku,
- zużyciem pierścieni tłokowych, cylindrów lub prowadnic zaworów,
- zatkanym odpowietrzeniem skrzyni korbowej.

Czysty, biały stożek izolatora, nadtopione elektrody i korpus o niebieskawym zabarwieniu świadczą o przegrzaniu świecy, które może być wynikiem:
- zbyt ubogiej mieszanki paliwowo-powietrznej, do której przyczyniła się niewłaściwa regulacja gaźnika lub zasysanie „fałszywego" powietrza,
- zbyt wczesnego zapłonu,
- niewłaściwej wartości cieplnej świecy, typ zbyt „gorący".
- nieszczelności w połączeniu świecy z głowicą (niedokręcenie lub brak uszczelki),
- istnienia przedwczesnych zapłonów od nagaru w komorze spalania. Nagar na świecy zapłonowej (rys. 4.30d) świadczy o skłonności paliwa, a szczególnie oleju do tworzenia nagaru.

Nadmiernie zużyte elektrody (rys. 4.30e, f) świadczą o przekroczeniu okresu trwałości świecy.

Zgodnie z zaleceniami producentów świec zapłonowych, przeciętna trwałość świec typu standard wynosi:

dla silników czterosuwowych 15 000 km przebiegu samochodu,

dla silników dwusuwowych 10 000 km przebiegu samochodu.

Okresy te wydłużają się do 20...30 tys. km dla świec wieloelektrodowych lub z elektrodą środkową wykonaną z metali szlachetnych (srebro, platyna).

Świece zapłonowe należy wymieniać po osiągnięciu wskazanego przebiegu, nawet jeśli nie wykazują zewnętrznie śladów zużycia, ponieważ wzrasta wtedy szybko prawdopodobieństwo wystąpienia zakłóceń w pracy silnika wywołanych utratą przez świece sprawności działania.

Rys. 4.30. Przykłady wyglądu końcówki świecy zapłonowej
a – prawidłowo użytkowany, b – z czarnym suchym nalotem, c – zaolejony, d – z nagarem,
e – z nadmiernie zużytą elektrodą środkową, f – z nadmiernie zużytą elektrodą masową

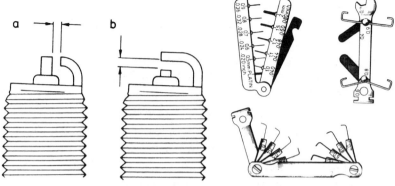

Rys. 4.31. Odstęp między elektrodami ustawionymi bocznie (a) lub czołowo (b)

Rys. 4.32. Przykłady przyrządów do regulacji przerwy iskrowej

Ustawienie przerwy iskrowej

Do zakresu obsługi świec zapłonowych oprócz czyszczenia należy sprawdzenie i ustawienie przerwy iskrowej. Odstęp między elektrodami zaleca się sprawdzać co 5000 km oraz wówczas, gdy wystąpią objawy świadczące o nieprawidłowym funkcjonowaniu świec zapłonowych (por. tabl. 1–3).

Sposób pomiaru i regulacji przerwy iskrowej zależy od rozmieszczenia i kształtowania elektrod bocznych, jednak obowiązuje tu generalna zasada, że powierzchnia robocza elektrody masowej musi być równoległa do powierzchni czołowej lub bocznej elektrody środkowej (rys. 4.31).

Potrzebne przyrządy i narzędzia

– przyrząd do sprawdzania i regulacji przerwy iskrowej (rys. 4.32) lub wkrętak i kalibrowany drucik.

Wykonanie pomiaru

– Wcisnąć między elektrody kalibrowany drucik odpowiadający wymaganej szczelinie. Jeżeli drucik daje się przesuwać z lekko wyczuwalnym oporem, to odstęp między elektrodami można uznać za prawidłowy. Zwykle producenci zalecają przerwę iskrową 0,6...0,8 mm.
– Jeżeli przerwa iskrowa nie odpowiada wymaganej, należy ją wyregulować odpowiednio odginając lub doginając elektrodę boczną.

Uwaga. Wszystkie świece zapłonowe zamontowane w danym silniku powinny mieć jednakowy odstęp między elektrodami.

4.4.2. Sprawdzanie działania świecy zapłonowej

Do najczęściej występujących niesprawności świec zapłonowych należą (rys. 4.33):

– niewłaściwy odstęp między elektrodami,

174

– zanieczyszczenie lub zaolejenie,
– nadmierne zużycie elektrod,
– uszkodzenie izolatora świecy,
– uszkodzenie korpusu i nieszczelność świecy.

Usterki te powodują nierównomierną pracę silnika, utrudniony rozruch, spadek mocy silnika i zwiększenie zużycia paliwa (por. tabl. 1–3). Po stwierdzeniu wymienionych objawów należy odszukać niesprawną świecę i sprawdzić ją według jednej z poniższych metod.

Wykrywanie niesprawnej świecy zapłonowej w silniku

Najprostszym sposobem wykrycia niesprawnej świecy zapłonowej jest porównanie dotykiem temperatury izolatorów w ciepłym jeszcze silniku. Niższa temperatura jednego z izolatorów wskaże świecę pracującą z przerwami lub zupełnie nie wywołującą zapłonów.

Inną, pewniejszą metodą jest kolejne wyłączanie świec podczas pracy silnika na biegu jałowym. Świecę wyłącza się przez zdjęcie nasadki przewodu wy-

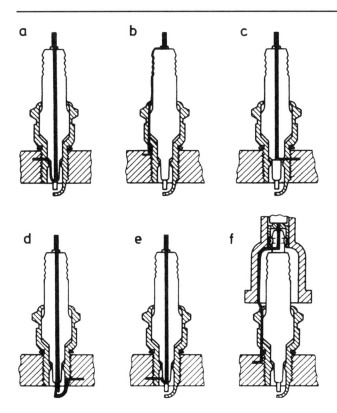

Rys. 4.33. Drogi przepływu prądu do masy w przypadku różnych uszkodzeń świecy zapłonowej i jej nasadki
a – przez nagar na stożku izolatora, b – przez zanieczyszczenia na zewnętrznej powierzchni izolatora, c – przez miejsce pęknięcia izolatora, d – przez „mostek" na elektrodach, e – przez miejsce odprysku końca izolatora lub zmostkowanie między korpusem a elektrodą środkową, f – przez zanieczyszczenia lub pęknięcia nasadki świecy

Rys. 4.34. Monitor Wysokiego Napięcia MV-4 firmy Delta Tech Electronics z Jasła, umożliwiający sprawdzenie „jakości" iskry w czterech cylindrach jednocześnie bez wykręcania świec zapłonowych i odłączania od nich przewodów wysokiego napięcia

sokiego napięcia. Jeśli świeca jest sprawna, to pojawi się nierównomierność w pracy silnika. Odłączenie przewodu ze świecy wadliwie działającej nie spowoduje zmian rytmu pracy silnika.

Uwaga. W samochodach wyposażonych w elektroniczne układy zapłonowe nie wolno dotykać i odłączać przewodów zapłonowych podczas pracy silnika, gdyż wysokie napięcie występujące w układzie jest niebezpieczne dla człowieka.

Dodatkową kontrolę pracy świecy zapłonowej można przeprowadzić po wykręceniu jej z gniazda głowicy i dotknięciu korpusem do masy samochodu, bez odłączania od rozdzielacza zapłonu (rys. 4.34). Jeżeli przy pracującym silniku iskra nie pojawi się na elektrodach, będzie to oznaką niesprawności świecy lub pozostałych elementów układu zapłonowego. Natomiast fakt pojawienia się iskry nie jest równoznaczny z występowaniem zapłonów w cylindrze, ponieważ napięcie przebicia jest znacznie niższe na wolnym powietrzu niż w sprężonej mieszance.

Sprawdzanie świecy zapłonowej za pomocą testera

Dokładniejsze sprawdzenie świecy zapłonowej wymaga zbadania jej funkcjonowania w warunkach możliwie najbardziej zbliżonych do warunków normalnej eksploatacji. Do tego celu służą specjalne przyrządy (testery), które obok badania świecy umożliwiają również jej oczyszczenie przez piaskowanie.

Ten rodzaj badania jest obecnie coraz rzadziej stosowany, ponieważ, jak dowodzi praktyka, produkowane obecnie świece zapłonowe zachowują pełną sprawność w okresie eksploatacji między zalecanymi wymianami. Nie bez znaczenia jest również koszt usługi badania, który może przekraczać koszt zakupu nowego kompletu świec.

4.5. BADANIE ELEKTRONICZNEGO UKŁADU ZAPŁONOWEGO

Podczas badania tradycyjnych układów zapłonowych uzyskiwano zadowalające rezultaty oceniając napięcie pierwotne i wtórne oraz mierząc kąt zwarcia i kąt wyprzedzenia zapłonu, w sposób opisany w poprzednich rozdziałach. Przy dzisiejszych, elektronicznych układach zapłonowych nie jest to już takie proste, ponieważ układy te są zespolone z systemami sterowania silnikiem, a w wielu rozwiązaniach w ogóle trudno jest pobrać potrzebne sygnały. Z drugiej strony przy nowoczesnych układach zapłonowych można popełnić istotne błędy, jeśli nie umie się analizować obrazów oscyloskopowych (patrz rozdz. 4.6). Sterownik, aż do pewnego punktu, zawsze próbuje generować wymagane napięcie zapłonu. Niektóre sterowniki są przystosowane do przekazywania podłączonemu testerowi parametrów pracy silnika w postaci numerycznej.

Podstawowa korzyść z tego sposobu diagnozowania polega na tym, że dane są jednoznaczne i w przeciwieństwie do obrazów oscyloskopowych nie dopuszczają prawie żadnej błędnej interpretacji. Dalsza zaleta tej „metody parametrów" tkwi w tym, że bez zwiększania liczby przyłączeń i kosztownych adapterów może być wykorzystana komunikacja ze sterownikiem, która pozwala na „wyciągnięcie" ze sterownika informacji, koniecznych dla poprawnej diagnozy. Jednak nie wszystkie sterowniki są przygotowane do tego, aby na tej drodze przekazywać do testera zbierane przez siebie informacje. Przy starszych typach pojazdów diagnozowanie za pomocą urządzenia diagnostycznego i oscyloskopu stanowi zawsze jedyny możliwy wybór. W przybliżeniu sześćdziesiąt parametrów, od sygnału rozrusznika poprzez badanie czasu otwarcia pojedynczego wtryskiwacza, aż do temperatury płynu chłodzącego albo odchylenia chwili zapłonu między cylindrami i naturalnie sprawdzenia obecności iskry na poszczególnych cylindrach, może być dla przykładu odczytywane ze sterownika i sprawdzane za pomocą diagnoskopu, np. KTS 650 firmy Bosch lub Mega Macs firmy Gutmann.

Przygotowanie do badania

Zanim rozpocznie się diagnozowanie układu zapłonowego należy pamiętać o rzeczach podstawowych takich jak: sprawdzenie napięcia akumulatora, sprawdzenie i ewentualne usunięcie zauważonych usterek w układzie paliwowym, sprawdzenie mechanicznego stanu silnika (ciśnienia sprężania, luzów zaworów, faz rozrządu, szczelności układu dolotowego i wydechowego itd.). Tylko wtedy, gdy istnieje pewność, że stan mechaniczny silnika nie budzi zastrzeżeń oraz układ paliwowy jest sprawny, użycie sprzętu diagnostycznego do przeprowadzenia dalszych testów ma sens. Jednym z pierwszych kroków jest odczyt pamięci usterek. Korzystanie wyłącznie z układu samodiagnozy jest o tyle niebezpieczne, że zawiera niekiedy wpisy niezrozumiałe, mało prawdopodobne lub, co często się zdarza, pamięć nie zawiera żadnych kodów usterek! Często przy sporadycznie występujących błędach (chwilowe wypadanie zapłonu na obciążeniach częściowych i w czasie przyśpieszania) zdarza się, że układ samodiagnozy nie rozpoznaje żadnego błędu.

177

Oprócz wykorzystania przebiegów oscyloskopowych zapłonu należy wykorzystać, o ile sterownik na to pozwala, odczyt wartości mierzonych. Przy czym dopiero od pewnej liczby wypadających zapłonów sterownik zalicza to jako usterkę, zapisuje jej kod i zapala lampkę kontrolną sprawności systemu.

Na wszelki wypadek, nim przed jazdą próbną skasuje się pamięć usterek, powinno się wydrukować kody zarejestrowane w pamięci! Powinno się to robić szczególnie wtedy, gdy ma się do czynienia z systemem adaptacyjnym (przystosowującym się do zmian stanu silnika, np. zużywających się cylindrów), gdyż może być konieczne najpierw wyregulowanie podstawowych parametrów systemu. Często usterki są rejestrowane dlatego, ponieważ elementy systemu już od dłuższego czasu pracują poza ich zaprogramowaną granicą. To jest częsty przypadek wtedy, kiedy istnieje właściwie tylko niewielka usterka, np. zasysanie „fałszywego" powietrza przez uszczelnienie kolektora dolotowego, i sterownik ciągle próbuje wyregulować zakłócenie. Jeśli wtedy, w omawianym przypadku, zostanie osiągnięta górna albo dolna granica adaptacji sondy lambda, to pojawi się odpowiedni wpis usterki i może się wydawać, że przyczyna leży w uszkodzonej sondzie.

Fazy badania

Napięcie zapłonu to wartość napięcia pomiędzy elektrodami świecy zapłonowej, przy którym następuje przeskok iskry. Zależy ono między innymi od ciśnienia i składu mieszanki paliwowo-powietrznej, budowy i kształtu elektrod oraz od przerwy między elektrodami. Kiedy pojawi się wyładowanie, napięcie na elektrodach spada do wartości tzw. napięcia spalania, którego wartość, podobnie jak wartość napięcia zapłonu, może być wyświetlana przez urządzenie diagnostyczne. Usterki mechaniczne w silniku (np. zbyt małe sprężanie) mogą mieć wpływ zarówno na napięcie zapłonu, jak i na czas trwania iskry.

Obowiązuje następująca zasada:
– wysokie ciśnienie sprężania → wysokie napięcie zapłonu, krótki czas trwania iskry,
– niskie ciśnienie sprężania → niskie napięcie zapłonu, długi czas trwania iskry.

Czas trwania iskry to okres, w którym pomiędzy elektrodami trwa przeskok iskry. Zależy on od rodzaju układu zapłonowego i wynosi od około 1,5 do 3,5 ms. W nieuszkodzonych układach zapłonowych musi być on w przybliżeniu równy na wszystkich świecach. Odchylenia mogą być wywołane różnymi odstępami elektrod, zakopconymi albo zaolejonymi świecami, niewystarczającą jakością mieszanki (np. mocno zubożona) albo mechanicznym zużyciem silnika. Na wszelki wypadek należy porównać przebieg wyładowania iskrowego dla wszystkich cylindrów. Zależnie od możliwości testera odbywa się to przez porównanie kształtu wyładowania iskrowego pojedynczych cylindrów jeden po drugim albo wszystkich cylindrów równocześnie.

Regulacja kąta wyprzedzenia zapłonu następuje przez dobranie momentu zapłonu do aktualnych warunków pracy silnika w zależności od prędkości obrotowej i obciążenia.

W najstarszych układach, z mechanicznym rozdzielaczem zapłonu, zmiana kąta wyprzedzenia realizowana była przez regulator odśrodkowy i podciśnieniowy (patrz rozdziały 4.3.5 i 4.3.6). Nowoczesne układy zapłonowe wykorzystują z reguły podciśnienie w kolektorze dolotowym jako główny parametr, który pozwala na wybranie w sterowniku optymalnego kąta wyprzedzenia zapłonu w szerokim zakresie prędkości obrotowych, przy wykorzystaniu informacji dodatkowych, takich jak temperatura cieczy chłodzącej, skład mieszanki, ustawienie przepustnicy albo jakość paliwa.

W tradycyjnej metodzie pomiaru wyprzedzenia zapłonu wykorzystuje się lampę stroboskopową. Współczesne systemy zapłonowe oferują tymczasem możliwość badania regulacji kąta poprzez odczyt konkretnych wartości. Możliwymi źródłami usterek są: nieszczelne lub niedrożne złącza podciśnieniowe lub przewody, uszkodzone czujniki spalania stukowego, paliwo złej jakości, sterownik pracujący w trybie awaryjnym, sterownik uszkodzony itd. Typowe zauważone w takich przypadkach objawy to: brak mocy silnika, wysokie zużycie paliwa, dzwonienie w czasie przyśpieszenia albo stuki. Przy badaniu gazów wydechowych zostanie pokazana zbyt wysoka zawartość toksycznych składników spalin.

Uwaga: w niektórych sterownikach z mapą zapłonu świadome przestawianie kąta wyprzedzenia zapłonu stabilizuje prędkość obrotową biegu jałowego względnie poprawia skład spalin. Wtedy „skakanie" wskazania kąta wyprzedzenia zapłonu na biegu jałowym jest normalne!

Kąt zwarcia w bezstykowych układach zapłonowych jest regulowany w zależności od prędkości obrotowej i napięcia akumulatora. To pozwala na zapewnienie cewce zapłonowej wystarczającego czasu do zgromadzenia w jej polu magnetycznym odpowiedniej energii także przy wysokich prędkościach obrotowych silnika. Funkcja regulacji kąta zwarcia daje się sprawdzać zarówno na podstawie wartości liczbowych, jak i z przebiegów oscyloskopowych. W pierwszym przypadku następuje podanie aktualnego kąta zwarcia w stopniach albo procentach, w drugim przypadku czas zwarcia przedstawiany jest w milisekundach (ms).

Dalsze badanie polega na pomiarze kąta zwarcia podczas powolnego zwiększania liczby obrotów z biegu jałowego do wartości maksymalnej. Z rosnącą liczbą obrotów kąt zwarcia powinien być coraz większy i osiągać wartość maksymalną (około 70%, jak podaje wielu producentów). Jeżeli wartość kąta zwarcia rośnie w sposób ciągły, oznacza to, że regulacja przebiega prawidłowo. Na wykresie oscyloskopowym wartość kąta zwarcia (wyrażona w ms) powinna równomiernie opadać do zadanej wartości. Jednocześnie należy sprawdzać regulację prądu w uzwojeniu pierwotnym cewki (ograniczanie prądu). Zasadniczą sprawą jest także zwrócenie uwagi na „gładki" przebieg wzrostu napięcia, ponieważ on odzwierciedla przepływ prądu przez uzwojenie pierwotne cewki i pozwala wnioskować o poprawnym funkcjonowaniu stopni końcowych.

Możliwe źródła usterek: moduł zapłonu (w tych systemach, gdzie występuje jeszcze jako oddzielna część), sterownik silnika, system czujników jak również masa (–) albo zasilanie (+). Możliwe objawy to: niedostateczna moc, wypadanie zapłonu albo wysokie zużycie paliwa. Równie częste są zbyt wysokie wartości emisji gazów spalinowych przy podwyższonej liczbie obrotów.

Regulacja prądu pierwotnego lub jego ograniczenie przez sterownik ma chronić cewkę zapłonową przed przeciążeniem termicznym. To dotyczy przede wszystkim cewek, które wskutek małej rezystancji są przeznaczone do szybkiego naładowania. Ta regulacja lub ograniczanie prądu jest realizowane często przez podnoszenie napięcia na zacisku 1 cewki (tam nominalnie jest minus) do napięcia w przybliżeniu równego napięciu akumulatora i może następować w sposób ciągły albo impulsowy. Sprawdzenie można równie dobrze przeprowadzić na obrazie oscyloskopowym pierwotnego jak też wtórnego uzwojenia cewki, w ten sposób że liczbę obrotów biegu jałowego powoli podwyższa się aż do około 4000...5000 obr/min.

Przy ciągłym ograniczaniu prądu pierwotnego widoczny jest na biegu jałowym wyraźnie widoczny wzrost napięcia w końcu kąta zwarcia, na krótko przed napięciem przebicia.

Przy zwiększaniu prędkości obrotowej są jednak możliwe różne oscylogramy, zależnie od występującego systemu. Na przykład kąt zwarcia nie zmienia się aż do osiągnięcia tak zwanej progowej liczby obrotów (przy czym czas ograniczania w istocie staje się coraz mniejszy) i dopiero po przekroczeniu tej liczby obrotów (najczęściej przy około 2500...3000 obr/min) dokonuje się adaptacja kąta zwarcia. W tym momencie „znika" z obrazu oscyloskopowego linia ograniczenia prądu pierwotnego. W innym przykładzie ograniczenie prądu pierwotnego pozostaje jednak niezmienione podczas zwiększania obrotów i tylko kąt zwarcia jest zmieniany do tego momentu. Gdy osiągnie on swoją zadaną wartość maksymalną, wtedy następuje ograniczenie prądu (około 4000... ...5000 obr/min).

W systemach z impulsowym ograniczeniem prąd pierwotny jest na biegu jałowym załączany i wyłączany przez sterownik w sposób zdefiniowany. Przy zwiększaniu prędkości obrotowej dokonuje się korekta kąta zwarcia, przy czym przełączanie prądu pierwotnego pozostaje bez zmian. Nagłe dodanie gazu powoduje wzrost kąta zwarcia do wartości maksymalnej i bezzwłoczne ograniczenie prądu. Na oscylogramie jest to wyraźnie widoczne jako częste załączanie i wyłączanie.

Konsekwencją braku ograniczania prądu pierwotnego są przegrzane albo przepalone cewki zapłonowej, niedostateczna moc przy wyższych prędkościach obrotowych (np. podczas dłuższych jazd na autostradzie), brak iskry albo wysokie zużycie paliwa. Najczęściej takie usterki spowodowane są uszkodzeniem modułu zapłonowego albo sterownika silnika.

Czujniki prędkości obrotowej, faz rozrządu i położenia wału korbowego są stosowane w systemach zapłonowych i systemach sterowania silnikiem do rozpoznania ustawienia wałów korbowych, faz rozrządu i prędkości obrotowej silnika.

Czujniki do rozpoznawania faz rozrządu są montowane przy wale rozrządu. Ich sygnały są niezbędne dla sekwencyjnych systemów wtrysku paliwa i/lub systemów bezpośredniego zapłonu z indywidualnymi cewkami. Czujniki przy wałach korbowych dostarczają informacje o liczbie obrotów albo o ustawieniu tłoka pierwszego cylindra (traktowanego jako referencyjny). Zależnie od producenta pojazdu stosowane są różne typy czujników: czujniki Halla, czujniki indukcyjne, czujniki optyczne. Podczas gdy czujniki indukcyjne wysyłają do sterownika analogowe sygnały napięciowe, czujniki Halla i optyczne dostarczają sygnały cyfrowe, które mogą być przez sterownik bezpośrednio przerabiane. W razie potrzeby także czujniki indukcyjne mogą przekazywać do sterownika sygnały cyfrowe, jeśli zostaną wyposażone w układ wstępnego przetwarzania sygnału z uzwojeniem pierwotnym i wtórnym. Poprzez sterownik jest wytwarzany w uzwojeniu pierwotnym obwód rezonansowy, podczas gdy uzwojenie wtórne tworzy obwód magnetyczny z kołem impulsowym. Jeżeli rośnie strumień magnetyczny w wyniku wejścia zęba koła impulsowego w obwód magnetyczny, to rośnie napięcie po stronie wtórnej i prowadzi to do przesunięcia faz obu obwodów rezonansowych. To przesunięcie faz wykorzystywane jest przez sterownik.

Usterki w tym zakresie mogą być powodowane przez uszkodzone koło impulsowe (uszkodzenie zębów przy koło zamachowym, zgięcie kołka itd.), przez obluzowane styki w przewodach sygnałowych, także przez mechaniczne zużycie łożysk na wale korbowym i rozrządu powodujące drgania i bicie promieniowe, które prowadzą do fałszywego obliczenia chwili zapłonu. Z tego powodu nowoczesne sterowniki dokonują oceny prawdopodobieństwa sygnałów wychodzących z poszczególnych czujników. W przypadku otrzymania sygnałów niejasnych (niepewnych), sterownik przechodzi w tryb awaryjny, by uniknąć uszkodzenia katalizatora. Z reguły tryb awaryjny jest „udokumentowany" w układzie samodiagnozy odpowiednim wpisem kodu usterki.

Czujnik Halla lub **czujnik indukcyjny** dostarczają sygnałów niezbędnych do obliczenia kąta wyprzedzenia zapłonu i kąta zwarcia. W rozdzielaczach zapłonu z czujnikiem Halla, na wałku znajduje się obracająca się przesłona z liczbą okien odpowiadającą liczbie cylindrów. Zależnie od tego, czy okno albo odcinek przesłony znajduje się przed elementem Halla, jest włączane względnie wyłączane pole magnetyczne. Wytwarzane dzięki temu sygnały napięciowe są wzmacniane w czujniku i jako tak zwany sygnał prostokątny dostarczane do modułu zapłonu. Proporcje przesłony i okna określają kształt sygnału prostokątnego (tzw. współczynnik wypełnienia impulsu). Czujnik jest zasilany napięciem stabilizowanym między 5 i 12 V (zależnie od typu pojazdu) przez moduł zapłonowy albo sterownik silnika. Prostokątny sygnał czujnika Halla daje się dobrze rejestrować za pomocą oscyloskopu. Źródła błędów w tym zakresie mogą być następujące: uszkodzony element Halla albo brak napięcia zasilania, co objawia się brakiem możliwości uruchomienia silnika, zatrzymywaniem się silnika, szarpnięciami itd.

Nieco inaczej wygląda to przy urządzeniach z czujnikiem magnetoindukcyjnym. Zespół czujnika składa się z magnesu stałego, cewki, stojana i wirnika (rys. 4.35). Przy wchodzeniu zęba w pole magnetyczne jest wytwarzany impuls dodatni, przy opuszczeniu ujemny. Amplituda napięcia i częstotliwość zależą od liczby obrotów silnika. Obraz oscyloskopowy czujnika indukcyjnego

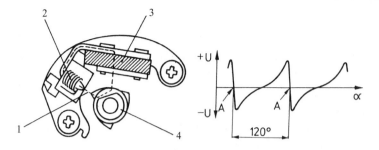

Rys. 4.35. Zasada działania czujnika magnetoindukcyjnego w rozdzielaczu zapłonu oraz przebieg napięcia *U* w cewce czujnika w funkcji obrotu wirnika α ((silnik 3-cylindrowy)
1 – szczelina powietrzna, 2 – cewka czujnika, 3 – magnes stały, 4 – wirnik, A – położenie naprzeciwległe występu wirnika i rdzenia czujnika

jest charakterystyczny: krzywa wznosi się aż do maksymalnej wartości napięcia po czym stromo opada. Złącza elektryczne pozwalają łatwo identyfikować oba typy czujników. Czujnik Halla posiada trzy, czujnik indukcyjny dwa styki w złączu.

Najczęściej występujące usterki są podobne do tych, które występują w czujnikach Halla. W praktyce czujnik indukcyjny daje jeszcze dodatkowo możliwość zmiany polaryzacji sygnału, co oznacza wyraźne przyspieszenie chwili zapłonu (dla czterocylindrowego silnika o 45° obrotu wału korbowego). W obrazie oscyloskopowym sygnału napięciowego czujnika można to łatwo rozpoznać po kształcie krzywej (patrz. rys. 4.35 i 4.50). Jeśli przejście krzywej z wartości dodatnich na ujemne odbywa się w najbardziej stromym jej odcinku, to polaryzacja jest właściwa, jeśli w odcinku o łagodnym zboczu to należy zmienić polaryzację przez zamianę miejscami przewodów w złączu elektrycznym. Obraz oscyloskopowy wysokiego napięcia nie wykaże tej usterki.

Czujniki położenia i prędkości wału korbowego to zwykle czujniki indukcyjne współpracujące z wieńcem zębatym na wale korbowym. Typowa krzywa oscyloskopowa składa się z 57 pików indukcyjnych sinusoidalnego kształtu w przybliżeniu równo wysokich i równo szerokich i jednego, który większe wartości napięcia samoindukcji uzyskuje w wyniku dłuższego trwania okresów, wywołanego przez dwa podtoczone zęby. Amplituda sygnału zależy od liczby obrotów i musi przekraczać już przy prędkości rozruchowej pewną najmniejszą wartość napięcia, zwaną wartością progową. Gdy sygnał jest zbyt niski albo ciągłość sygnału przerwana, to świadczy o usterce czujnika albo koła współpracującego z czujnikiem i silnik gaśnie względnie nie daje się uruchomić.

Ogólne zasady diagnozowania

Przy pracach z układami zapłonowymi ważne są pewne podstawowe reguły, które zawsze powinny być przestrzegane, by chronić ludzi i sprzęt. Po pierwsze generujące się w układzie zapłonowym napięcia są do tego stopnia wysokie, że przy nie kontrolowanym przeskoku na osobę diagnozującą mogą powodować uszczerbek na zdrowiu. Z kolei nieprawidłowe postępowanie z elektronicznymi zespołami spowoduje ich uszkodzenie. Dla przykładu wyciągnięcie wtyczek przy sterownikach przy pracującym silniku albo włączanym zapłonie (wystąpienie pików napięciowych!), użycie lamp kontrolnych albo mierników z wysokim oporem wewnętrznym albo spowodowanie zwarcia w wyniku stosowania samodzielnie budowanych adapterów umożliwiających pomiar sygnałów.

Zasadniczo przy wszystkich pracach kontrolnych, przy których silnik nie powinien się uruchomić, należy odciąć dostarczanie paliwa do cylindrów przez wyjęcie bezpiecznika elektrycznej pompy paliwa, przekaźnika pompy albo przez rozłączenie przewodów elektrycznych wtryskiwaczy, by zapobiec przykrym konsekwencjom nagromadzenia się paliwa w katalizatorze.

Usterki we wszystkich typach elektronicznych układów zapłonowych są powodowane często przez niepewny styk, nadmierne opory albo brak masy, jako spóźnione następstwa mycia silnika detergentami pod wysokim ciśnieniem i niehermetycznego uszczelnienia wtyczek i złączy elektrycznych. Wtyczki i złącza elektryczne zanieczyszczone przez korozję powinny być czyszczone spirytusem i przed połączeniem pokryte sprayem do styków.

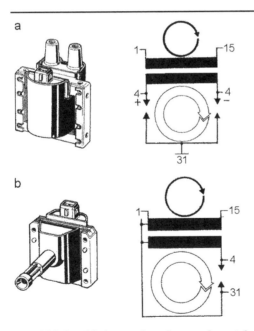

Rys. 4.36. Przykłady cewek zapłonowych spotykanych w elektronicznych układach zapłonowych

a – cewka dwubiegunowa (tzw. DFS) z dwoma wyjściami obwodu wtórnego, podaje jednocześnie iskrę do dwóch cylindrów. Jedna iskra (główna) zapala mieszankę w suwie sprężania pierwszego cylindra, a druga iskra (jałowa) przeskakuje w suwie wydechu cylindra drugiego. Obie iskry wykazują różną polaryzację napięcia zapłonu. W jednym zespole lub obudowie może być umieszczonych kilka cewek typu D;

b – cewka jednobiegunowa (tzw. EFS) z jednym wyjściem obwodu wtórnego (nazywana również cewką indywidualną lub palcową). W silnikach wielocylindrowych bez rozdzielacza zapłonu każdy cylinder ma przydzieloną jedną cewkę EFS. Na ogół cewka EFS jest montowana bezpośrednio na świecy zapłonowej

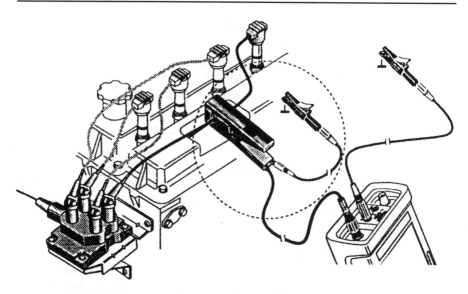

Rys. 4.37. Sposób podłączenia testera do jednego obwodu wtórnego układu zapłonowego bezrozdzielaczowego z dwoma cewkami dwubiegunowymi DFS

Układy zapłonowe z podwójnymi cewkami dają iskrę jednocześnie na dwóch świecach (rys. 4.36a). Ta cecha charakterystyczna przynosi nawet korzyści przy wykrywaniu usterek: przy uszkodzeniu jednej cewki na obu obsługiwanych przez nią cylindrach występują zakłócenia. Jeżeli na oscyloskopie jest wskazywana usterka tylko przy jednym cylindrze, to badanie jest proste: należy bliżej przyjrzeć się wskazanemu cylindrowi. Nie ma potrzeby podmiany żadnych elementów układu zapłonowego. W grę wchodzi jedynie przewód wysokiego napięcia, świeca, urządzenie wtryskowe albo mechaniczny układ silnika. Należy zauważać jeszcze jedną cechę szczególną podwójnych cewek: w rozwiązaniach, w których moduł zapłonu wraz z cewką znajdują się w jednej obudowie, można dokonywać pomiarów tylko za pomocą specjalnych przystawek, które liczbę obrotów i wyzwalanie dla oscylogramu uzwojenia wtórnego mogą generować z innych źródeł (rys. 4.37, 4.38). Przy tych układach zapłonowych (np. Delco-Remy, Opel) nie jest dostępny zacisk 1. Tak samo przy podwójnych cewkach zapłonowych, w których jedno wyjście znajduje się bezpośrednio na świecy i druga świeca jest „zaopatrywana" przez kabel wysokiego napięcia. Także one potrzebują odpowiedniego adaptera do badania, ponieważ tylko jeden sygnał może być bezpośrednio ściągnięty.

Systemy z indywidualnymi cewkami są nieporównanie trudniejsze do diagnozowania, ponieważ napięcie wtórne nie może być mierzone bezpośrednio, lecz jedynie „drogami okrężnymi". Zależnie od producenta pojazdu względnie od urządzenia diagnostycznego istnieją dwie możliwości:
1. Przebieg napięcia wtórnego jest obliczany z przebiegu napięcia pierwotnego. Do tego jest potrzebny specjalny adapter włączany między zaciski 1 i 15.

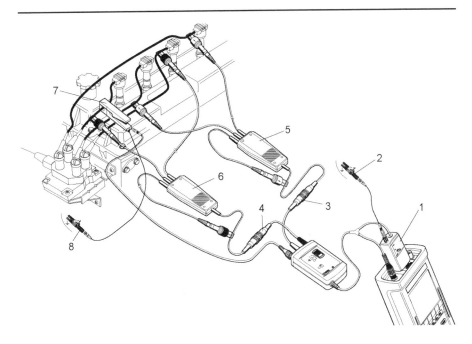

Rys. 4.38. Sposób podłączenia testera do wszystkich obwodów wtórnych układu zapłonowego bezrozdzielaczowego z dwoma cewkami dwubiegunowymi DFS

1 – adapter, 2 – przewód masowy, 3, 4 – złącza, 5, 6 – zespół sondy obwodu wtórnego,
7 – sonda pojemnościowa, 8 – masa sondy pojemnościowej

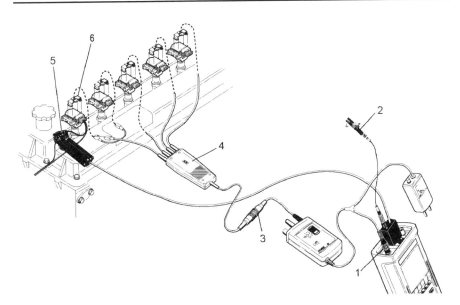

Rys. 4.39. Sposób podłączenia testera do wszystkich obwodów wtórnych układu zapłonowego bezrozdzielaczowego z cewkami jednobiegunowymi EFS na świecach zapłonowych (bez przewodów zapłonowych)

1 – adapter, 2 – przewód masowy, 3 – złącze zespołu przetworników pomiarowych obwodu wtórnego,
4 – adapter przetworników, 5 – sonda indukcyjna, 6 – przetworniki pomiarowe

2. Na indywidualne cewki (rys. 4.36b) są nakładane specjalne przetworniki pomiarowe (sondy obwodu wtórnego), pokazane na rysunku 4.39.

Poważną wadą tej metody jest to, że wymaga ona drogich adapterów, które pasują tylko do określonego typu cewek (patrz rys. 2.17). Są także układy
z indywidualnymi cewkami, w których cewki nie są montowane bezpośrednio
na świecy. W tych systemach przebieg napięcia wtórnego może być mierzony
jak przy normalnym układzie zapłonowym. Jeżeli tester nie posiada kilku sond
wysokiego napięcia, to dokonuje się przełączania analogicznie jak w układach
z podwójnymi cewkami.

4.6. BADANIE OSCYLOSKOPOWE UKŁADU ZAPŁONOWEGO

Oscyloskop wchodzący w skład zestawu diagnostycznego pokazuje wszystkie
fazy przebiegu zapłonu w sposób graficzny, co umożliwia ich obserwację i na
tej podstawie określenie stanu układu zapłonowego. Otrzymywany na ekranie
oscyloskopu wykres przedstawia chwilowy obraz niezwykle szybkich zmian
napięcia podczas poszczególnych faz zapłonu. Aby w pełni wykorzystać możliwości pomiarowe oscyloskopu, należy zapoznać się z wzorcowymi oscylo-
gramami otrzymanymi dla w pełni sprawnego układu zapłonowego. Po uruchomieniu silnika ukażą się na ekranie podłączonego oscyloskopu obrazy zmian
napięcia w uzwojeniu pierwotnym lub wtórnym w funkcji kąta obrotu wałka
rozdzielacza (rys. 4.40).

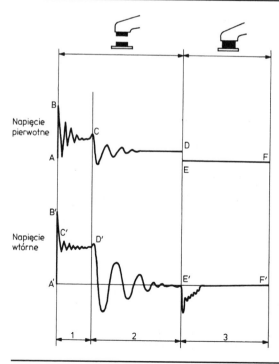

**Rys. 4.40. Przebieg napięcia
pierwotnego i wtórnego podczas
wyładowania iskrowego na
świecy, rejestrowany na ekranie
oscyloskopu**
1 – odcinek działania iskry, 2 – odcinek
przejściowy, 3 – odcinek zwarcia

186

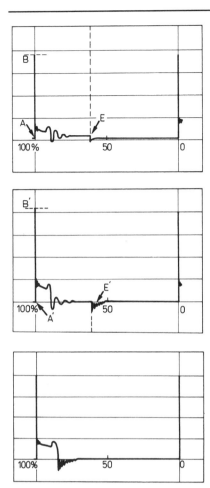

Rys. 4.41. Oscylogramy przebiegu napięć podczas sprawdzania tranzystorowego, bezstykowego układu zapłonowego

Charakterystyka przebiegu napięcia pierwotnego i wtórnego dzieli się na trzy fazy: odcinek działania iskry, odcinek przejściowy lub oscylacyjny i odcinek zwarcia.

Na oscylogramie obwodu pierwotnego punkt A określa moment rozwarcia się styków przerywacza i początek narastania napięcia do punktu B. Impuls ten przetransformowany na uzwojenie wtórne powoduje w punkcie B przeskok iskry na elektrodach świecy zapłonowej. Między punktami B i C są widoczne zanikające oscylacje, powstające w elektrycznym układzie drgającym kondensator–cewka zapłonowa. W punkcie C następuje wygaśnięcie iskry, któremu towarzyszy niewielki wzrost napięcia.

W drugiej fazie, tzw. przejściowej, między punktami C i D następują oscylacje napięcia o innej częstotliwości niż poprzednio, które zanikają całkowicie, dążąc do linii poziomej. Z końcem odcinka przejściowego rozpoczyna się odcinek zwarcia, zapoczątkowany momentem zetknięcia się styków przerywacza. Okres zwarcia styków przedstawia linia pozioma między punktami E i F.

Przebieg napięcia na oscylogramie obwodu wtórnego rozpoczyna się w punkcie A´ prostą pionową linią, która obrazuje wartość napięcia potrzebną

187

do wywołania przeskoku iskry zapłonowej. Linia ta zwana jest linią napięcia zapłonu i kończy się w punkcie B′. Po przeskoczeniu na świecy iskry napięcie znacznie się zmniejsza, do wartości niezbędnej do podtrzymania wyładowania. Na ekranie oscyloskopu jest to widoczne w postaci poziomej lub lekko nachylonej linii, rozpoczynającej się w punkcie C′, a kończącej się w punkcie D′. Ma ona nazwę linii iskry, a jej długość świadczy o czasie trwania iskry. Punkt D′ obrazuje zerwanie iskry, ponieważ energia cewki zapłonowej nie wystarcza, aby nadal podtrzymywać jej przepływ. W chwili, gdy iskra gaśnie następuje niewielki wzrost napięcia, które oscylacyjnie zanika przed rozpoczęciem zwarcia. Moment zamknięcia styków objawia się w punkcie E′ krótką linią pionową, opadającą poniżej linii zerowej, a następnie przechodzącej z wygasającymi oscylacjami w linię poziomą. W punkcie F′ rozwierają się styki przerywacza i rozpoczyna się nowy cykl zapłonu dla następnego cylindra.

Pionowe wychylenie linii wykresu na ekranie oscyloskopu przedstawia sobą napięcie. Jej położenie względem linii zerowej zależy od biegunowości napięcia.

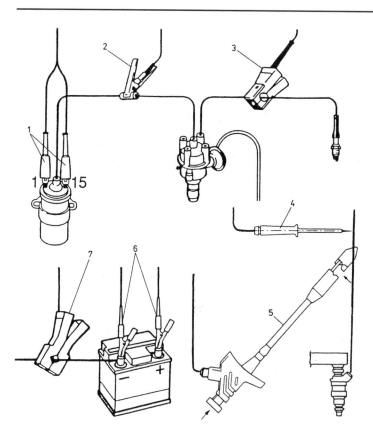

Rys. 4.42. Przykłady końcówek pomiarowych diagnoskopu silnika ZI
1 – zacisk szczękowy, 2 – sonda pomiarowa na przewód wysokiego napięcia cewki zapłonowej, 3 – sonda pomiarowa indukcyjna na przewód zapłonowy świecy, 4 – nasadka igłowa, 5 – nasadka przebijająca izolację przewodu, 6 – zacisk typu „krokodyl", 7 – sonda hallotronowa do pomiaru natężeń prądu

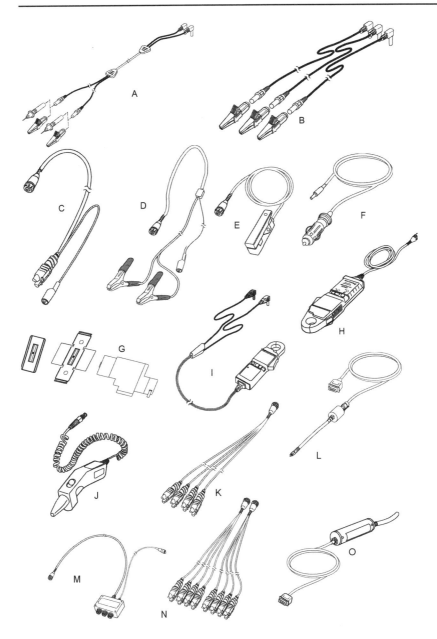

Rys. 4.43. Przykłady końcówek pomiarowych i sond, stanowiących wyposażenie nowoczesnego testera diagnostycznego silników ZI i ZS

A – końcówki do pomiarów multimetrowych, B – końcówki w kolorach żółtym, zielonym i niebieskim do obserwowania sygnałów na oscyloskopie, C – końcówka pomiarowa obwodu zapłonowego wtórnego, D – końcówka pomiarowa obwodu zapłonowego pierwotnego, E – sonda pojemnościowa obwodu zapłonowego wtórnego, F – przewód do zasilania testera z zapalniczki podczas jazd drogowych, G – przetworniki pomiarowe obwodów wtórnych, H – cęgi prądowe do pomiarów natężeń dużych prądów, I – cęgi prądowe do pomiarów natężeń małych prądów, J – sonda temperatury, K – końcówki do pomiarów układów zapłonowych typu DIS, L – sonda podciśnienia, M – adapter do końcówek DIS służący do podłączenia do testera i masy pojazdu, N – zestaw przewodów do badania obwodów wtórnych układów bezrozdzielaczowych, O – przetwornik ciśnienia

Dla ułatwienia obserwacji przebiegu napięcia wtórnego, które ma przeciwną polaryzację w stosunku do napięcia pierwotnego (ponieważ elektroda masowa świecy zapłonowej musi mieć biegunowość dodatnią), obwód prądowy oscyloskopu ma możliwość niezbędnego odwrócenia fazy. W rzeczywistości więc pierwszy impuls napięcia byłby obserwowany poniżej linii zerowej.

Oś pozioma wykresu przedstawia sobą czas trwania zapłonu, wyrażany kątem obrotu wałka rozdzielacza. Jeżeli sygnał napięciowy od momentu rozwarcia styków do końca ich zwarcia dokładnie wypełnia przestrzeń obrazu, to można zmierzyć kąt zwarcia, odczytując go na podziałce poziomej ekranu. W przypadku wyskalowania podziałki w procentach można posłużyć się danymi z tablicy 4–1, w celu odpowiedniego przeliczenia wartości kąta.

Podczas badania tranzystorowego, bezstykowego układu zapłonowego obraz przebiegu napięcia wtórnego na oscyloskopie nie różni się praktycznie od takiego samego przebiegu dla układu konwencjonalnego. Jedynie w opisie obrazu rozwieranie i zwieranie styków przerywacza należy zastąpić blokowaniem (punkt A´) lub włączeniem się (E´) tranzystora (rys. 4.41).

Obraz przebiegu napięcia pierwotnego jest już nieco inny niż w przypadku układu konwencjonalnego. Między punktami B i C brak jest zanikających oscylacji, ponieważ elektroniczny układ zapłonowy nie jest wyposażony w kondensator. Na początku działania iskry mogą być widoczne jedynie niewielkie drgania wywołane przez istniejącą pojemność połączeń. W tranzystorowych układach zapłonowych z czujnikiem magnetoindukcyjnym (ze zmiennym kątem zwarcia) obserwuje się na ekranie oscyloskopu „wędrówkę" punktu E´ w lewo wraz ze zwiększaniem prędkości obrotowej silnika.

Sposób łączenia oscyloskopu z badanym układem zapłonowym może być odmienny w zależności od typu urządzenia i spełnianych przez niego funkcji.

W przypadku badania elektronicznego układu zapłonowego oscyloskop należy przyłączyć do tego zacisku uzwojenia pierwotnego cewki zapłonowej, który jest połączony z modułem zapłonowym. Drugi zacisk uzwojenia pierwotnego jest połączony z „+" akumulatora poprzez wyłącznik zapłonu.

W zapłonach bezrozdzielaczowych (typu DIS) często cewka zapłonowa lub zespół cewek stanowią hermetycznie zamknięty podzespół, z którego wychodzą przewody wysokiego napięcia oraz przewody do urządzenia sterującego. Nie ma więc dostępu do uzwojenia pierwotnego cewki. W takim przypadku trzeba użyć na przewód pomiarowy nasadki przebijającej (patrz 5, rys. 4.42), którą nakłada się na jeden z przewodów łączących urządzenie sterujące z cewką zapłonową.

Elektroniczny układ zapłonowy może być sterowany napięciem 5 V zamiast 12 V (np. Polonez 1.5/1.6i). Aby była możliwa obserwacja przebiegów na ekranie konieczne jest wtedy wzmocnienie sygnału z uzwojenia pierwotnego cewki zapłonowej. Do tego celu służą specjalne przystawki.

Podczas testowania układów rozdzielaczowych, w których jest niedostępny przewód wysokiego napięcia łączący cewkę zapłonową z rozdzielaczem można użyć sond zakładanych na przewody zapłonowe świec. Tę samą sondę można wykorzystać do sprawdzania obwodu wtórnego w bezrozdzielaczowym układzie zapłonowym DIS, kiedy występuje kilka cewek zapłonowych. Układ bada się wtedy w jednym kroku, a impulsy zapłonowe dla wszystkich świec są obrazowane jeden za drugim.

W celu otrzymania na ekranie oscyloskopu czytelnego obrazu zaleca się zwiększenie prędkości obrotowej silnika do ok. 1200 obr/min, co pozwoli na wykluczenie niepożądanego wpływu nierównomierności jego biegu.

W zależności od typu urządzenia istnieje możliwość prezentowania obrazów w różnej postaci:

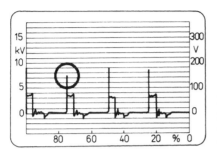

Rys. 4.44. Napięcie zapłonu we wskazanym cylindrze zbyt niskie na skutek:
– za małej przerwy iskrowej w świecy zaplonowej,
– zanieczyszczenia elektrod świecy

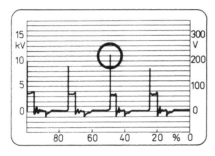

Rys. 4.45. Napięcie zapłonu we wskazanym cylindrze zbyt wysokie na skutek:
– za dużej przerwy iskrowej w świecy zaplonowej,
– przerwy w przewodzie wysokiego napięcia.
Maksymalne rozbieżności napięć między cylindrami jednego silnika nie mogą przekraczać ± 1,5 kV

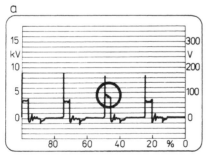

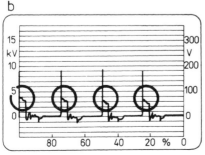

Rys. 4.46. Wysokie, skośnie biegnące napięcie linii iskry może być spowodowane:
a – uszkodzeniem opornika przeciwzakłóceniowego w nasadzie świecy lub przewodu wysokiego napięcia o rozłożonej rezystancji między rozdzielaczem a świecą, jeśli występuje w jednym cylindrze
b – uszkodzeniem opornika przeciwzakłóceniowego w palcu rozdzielacza lub przewodzie wysokiego napięcia o rozłożonej rezystancji między cewką a rozdzielaczem, jeśli występuje we wszystkich cylindrach

- pojedynczy sygnał rozciągnięty na całym ekranie (rys. 4.40),
- wszystkie sygnały zapłonu podane w formie obrazów seryjnych (napięcie występuje w kolejności zapłonu, rys. 4.44),
- wszystkie sygnały zapłonu nałożone na siebie (rys. 4.47),
- wszystkie sygnały zapłonu podane na ekranie jeden nad drugim, tzw. raster (rys. 4.49).

Na rysunkach 4.44–4.49 pokazano zestaw obrazów najczęściej występujących uszkodzeń układu zapłonowego. Ze względu na to, że różne typy urządzeń nie pokazują identycznych obrazów, przedstawione oscylogramy mają znaczenie

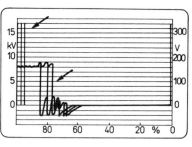

Rys. 4.47. Po nałożeniu na siebie przebiegów napięć wtórnych obraz nie pokrywa się na skutek zużycia krzywki lub walca rozdzielacza

a

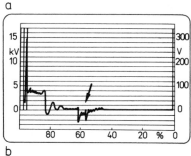

b

Rys. 4.48. Sygnał zwarcia na oscylogramie obwodu wtórnego (a) i pierwotnego (b) przybiera postać silnej oscylacji na skutek:
– małej siły docisku styków przerywacza
– poluzowania styku przerywacza

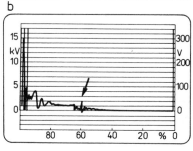

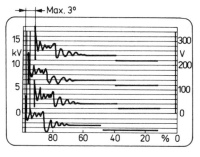

Rys. 4.49. Przebiegi napięcia pierwotnego wszystkich cylindrów w układzie raster
Nadmierna niesymetryczność spowodowana m.in. zużyciem przekładni napędu wału rozrządu, wałka rozdzielacza lub jego elementów

informacyjne o podstawowych kształtach linii. Dokładna interpretacja zmian sygnałów jest podawana w instrukcji obsługi urządzenia.

W skład elektronicznego układu zapłonowego wchodzą czujniki magnetoindukcyjne (modułu zapłonowego, położenia wału korbowego) i czujniki hallotronowe (sterujące pracą modułu zapłonowego), które można sprawdzić za pomocą oscyloskopu.

Sprawdzanie czujnika magnetoindukcyjnego

W przypadku wystąpienia niesprawności układu zapłonowego, wskazującej na uszkodzenie czujnika, należy najpierw sprawdzić omomierzem rezystancję cewki czujnika. Jeżeli pomiar omomierza nie wykaże odchyłki większej o 20% od danych fabrycznych, to konieczne jest sprawdzenie sygnału z czujnika oscyloskopem, który pozwoli wykryć dodatkowe uszkodzenia jak: zwarcie międzyzwojowe cewki czujnika, wyłamanie nabiegunnika, utratę „siły" magnesu czujnika czy zbyt dużą szczelinę.

Pomiary czujnika można przeprowadzać albo na wymontowanym rozdzielaczu zapłonu pokręcając ręcznie wałkiem rozdzielacza, albo na rozdzielaczu zamontowanym i napędzanym rozrusznikiem lub silnikiem. Wielkość i kształt sygnału zależą od prędkości obrotowej (rys. 4.50 i 4.51).

Sprawdzanie czujnika hallotronowego

Czujnik hallotronowy (Halla) jest umieszczony w rozdzielaczu zapłonu i steruje pracą modułu zapłonowego (np. w samochodach Łada Samara, Skoda Favorit, Volkswagen, Toyota) lub pełni funkcję czujnika fazy umocowanego na wałku rozrządu (układ wtryskowy IAW Weber). Jego elektroniczny element Hallotron wytwarza napięcie zależne od tego czy jest poddawany działaniu pola magnetycznego wytwarzanego przez magnes stały, czy nie. Strumień magne-

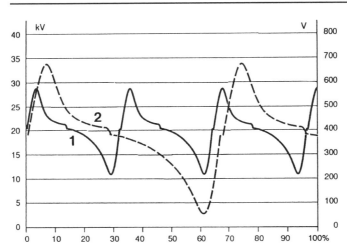

Rys. 4.50. Prawidłowy obraz sygnału z czujnika magnetoindukcyjnego zapłonu na przykładzie samochodu Polonez 1.5/1.6
1 – n = 850 obr/min, 2 – n = 4000 obr/min

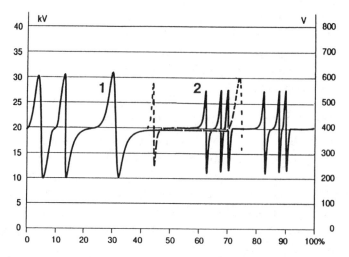

Rys. 4.51. Prawidłowy obraz sygnału z czujnika CPW 170 samochodu Fiat Cinquecento
1 – n = 850 obr/min, 2 – n = 3000 obr/min

tyczny jest modulowany przez wirujący element. Napięcie wyjściowe z czujnika zawiera się pomiędzy masą a napięciem zasilania. Czujnik można rozpoznać po trzech wyprowadzeniach elektrycznych (masa, sygnał wyjściowy, napięcie zasilające). Do sprawdzenia czujnika nie można użyć omomierza, w związku z czym najłatwiej jest przeprowadzić badanie oscyloskopowe, obserwując kształt sygnału wyjściowego. Po podłączeniu końcówki pomiarowej oscyloskopu do zacisku wyjściowego czujnika i uruchomieniu silnika, na ekranie powinien pojawić się obraz pokazany na rysunku 4.52.

Wysokość obrazu powinna być stała, niezależna od prędkości obrotowej silnika, zaś częstotliwość przebiegu wprost proporcjonalna do obrotów. Brak obrazu lub odchylenia od prawidłowego mogą być spowodowane brakiem styku

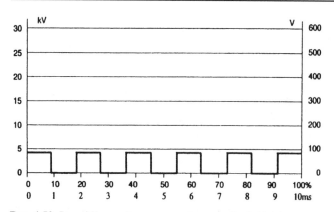

Rys. 4.52. Prawidłowy obraz z sygnału czujnika hallotronowego zapłonu na przykładzie samochodu Łada Samara (bieg jałowy)

194

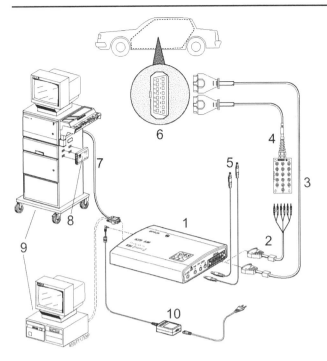

Rys. 4.53. Różne możliwości podłączenia uniwersalnego testera układów elektronicznych KTS520 lub KTS550 firmy Bosch

1 – KTS 520/550, 2 – przewód połączeniowy ze złączem 6-stykowym, 3 – przewód-adapter OBD, 4 – skrzynka CARB z gniazdami wtykowymi, 5 – przewody do pomiarów wielkości elektrycznych lub oscyloskopowych, 6 – złącze OBD w samochodzie, 7 – przewód połączeniowy RS 232, 8 – mocowanie KTS 520/550 do wózka, 9 – skomputeryzowane stanowisko diagnostyczne, 10 – zasilacz

w złączu, uszkodzeniem magnesu lub hallotronu. Jeżeli silnika nie można uruchomić, to rozdzielacz zapłonu trzeba wymontować (bez odłączania przewodów) i obserwować przebieg na ekranie podczas obracania wałkiem.

Czasami w literaturze fachowej można spotkać się z określeniami: diagnostyka szeregowa i diagnostyka równoległa. **Diagnostyka szeregowa** polega na podłączeniu testera do fabrycznego gniazda diagnostycznego (trzeba wtedy dysponować odpowiednim złączem) lub do znormalizowanego gniazda OBD/OBDII/EOBD. Za pomocą diagnostyki szeregowej można odczytać i wykasować kody usterek, odczytać parametry bieżące (rzeczywiste) układów, wykonać aktywacje i regulacje zespołów. **Diagnostyka równoległa** jest wykonywana poprzez wpięcie testera specjalnym złączem między wiązkę przewodów wchodzącą do sterownika pojazdu, a sam sterownik. Diagnostyka równoległa pozwala – poprzez analizę wartości na wejściu do sterownika pojazdu – na skontrolowanie wszystkich fizycznych sygnałów w systemach elektronicznych. Mierzoną wartość (sygnał) możemy prześledzić oscyloskopem oraz porównać z wartościami granicznymi (wzorcowymi) dla danego pojazdu.

5. DIAGNOSTYKA UKŁADU HAMULCOWEGO

5.1. BADANIE WSTĘPNE UKŁADU HAMULCOWEGO

Wstępna ocena układu hamulcowego ma na celu określenie stopnia zużycia elementów układu oraz przyczyn stwierdzonych objawów jego niesprawności (por. tabl. 1–3).

W zakres stacjonarnego badania układu hamulcowego wchodzą:
- ocena jałowego i czynnego skoku pedału hamulca,
- ocena szczelności układu,
- ocena stopnia zużycia hamulca bębnowego lub tarczowego,
- sprawdzenie działania urządzenia wspomagającego hamulce,
- ocena przydatności płynu hamulcowego.

Omówiony poniżej sposób postępowania dotyczy hydraulicznego układu hamulcowego, jako najszerzej rozpowszechnionego w samochodach osobowych i dostawczych.

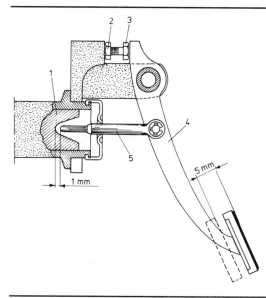

Rys. 5.1. Regulacja jałowego skoku pedału hamulca
1 – tłok pompy hamulcowej,
2 – przeciwnakrętka,
3 – śruba ograniczająca skok pedału,
4 – pedal hamulca, 5 – popychacz,

Pomiar jałowego i czynnego skoku pedału hamulca

Między tłokiem pompy hamulcowej (1, rys. 5.1) a popychaczem (5) powinien być stały luz (ok. 1 mm). Brak tego luzu powodowałby w układzie, mimo zwolnienia pedału hamulca (4), pozostawienie nadmiernego ciśnienia niepozwalającego na zupełne cofnięcie tłoczków lub szczęk. Przełożenie w układzie dźwigniowym sprawia, że wartości luzu w pompie hamulcowej odpowiada kilkakrotnie większy skok pedału hamulca, nazywany „jałowym". Działanie układu hamulcowego powinno rozpocząć się dopiero po wykonaniu skoku jałowego. Dalszy ruch pedału, tzw. „skok czynny", powoduje dosunięcie tłoczków do tarcz (lub szczęk do bębnów), a następnie uzyskanie odpowiedniej siły hamowania. Najczęściej skok czynny pedału ocenia się mierząc odległość rezerwową jego stopki od podłogi.

Potrzebne przyrządy i narzędzia

– linijka lub miernik przemieszczenia pedału,
– klucz do regulacji.

Wykonanie pomiaru

– Przyłożyć linijkę do stopy pedału hamulca (rys. 5.2).
– Powoli nacisnąć pedał hamulca (najlepiej ręką) do momentu pierwszego wyczuwalnego oporu.
– Odczytać na linijce wartość skoku jałowego pedału i w razie potrzeby wyregulować.

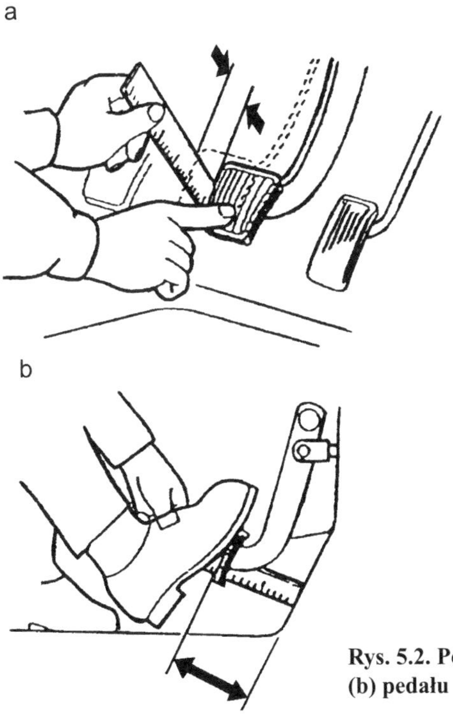

a

b

Rys. 5.2. Pomiar ruchu jałowego (a) i skoku czynnego (b) pedału hamulca za pomocą linijki

Uwaga. Jeżeli układ hamulcowy ma urządzenie wspomagające, pomiar jałowego skoku pedału należy przeprowadzić wówczas, gdy silnik jest unieruchomiony. Podczas pracy silnika skok jałowy pedału zwiększa się samoczynnie.

- Nacisnąć pedał hamulca nogą do oporu (z siłą ok. 500 N) i odczytać na linijce odległość stopy pedału od podłogi kabiny.
- Powtórzyć pomiar po kilkakrotnym szybkim naciśnięciu pedału i przytrzymaniu go z możliwie dużą siłą (ok. 700 N) przez ok. 1 minutę.

Ocena wyników

Zmierzoną wartość skoku jałowego pedału hamulca porównać z danymi podanymi w instrukcji (por. tabl. 5–1). Zbyt mały skok pedału w porównaniu z wymaganym powoduje przyspieszone zużycie okładzin ciernych oraz wzrost zużycia paliwa. Zbyt duży skok powoduje zmniejszenie skuteczności hamowania i świadczy o zwiększonych luzach w mechanizmie sterowania pedału lub o nieszczelności w układzie hamulcowym. W obu przypadkach należy, po sprawdzeniu, czy stan osi pedału nie budzi zastrzeżeń (brak wyczuwalnych luzów), wyregulować skok jałowy pedału. W mechanizmie pokazanym na rysunku 5.1 służy do tego śruba (3), a w mechanizmie pokazanym na rysunku 5.2 – włącznik świateł hamowania, który obraca się po poluzowaniu przeciwnakrętek. W niektórych samochodach wyposażonych w mechanizmy hamulcowe z samoregulacją szczęk hamulcowych (np. PF 126P) skoku jałowego pedału się nie reguluje. Skok czynny pedału hamulca powinien mieć taką wartość, aby rezerwowa odległość między stopą pedału a podłogą kabiny nie była mniejsza niż 20% pełnego, możliwego skoku pedału. Zmniejszenie się tej odległości poniżej 20% nie gwarantuje skuteczności działania układu hamulcowego. Zbyt duży skok czynny pedału świadczy o nadmiernych luzach między nakładkami ciernymi a bębnem hamulcowym (lub tarczą hamulcową), spowodowanych na przykład ich znacznym zużyciem. Zbyt mały skok może być spowodowany zapieczeniem się tłoczków w cylindrach hamulcowych, uszkodzeniem sprężyny ściągającej lub za małym luzem między elementami ciernymi a bębnem hamulcowym (tarczą).

Tablica 5–1

Skok jałowy pedału hamulca

Marka i typ samochodu	Skok jałowy pedału hamulca [mm]
Dacia 1300/1310P	5
FSO 125P	0...3
FSO Polonez	0...3
Lada	3...5
Lada Samara	3...5
FIAT 126P	3...5
Skoda 105/120	3...5
Wartburg 353, 1.3	10...20
ZAZ Tavria	3...7

Skok czynny nie powinien się zmieniać podczas próby kilkakrotnego naciskania pedału. Jeżeli staje się coraz mniejszy, oznacza to zapowietrzenie układu hamulcowego. Jeżeli wzrasta, może to wskazywać na niesprawność zaworu zwrotnego pompy hamulcowej. Z kolei w ostatniej próbie (przytrzymanie maksymalnie wciśniętego pedału) skok czynny nie powinien się zwiększać. Jego stopniowy wzrost wskazywałby na istnienie nieszczelności w układzie hamulcowym.

Ocenę szczelności układu hamulcowego należy przeprowadzić niezależnie od wyniku tej próby.

Ocena szczelności układu hamulcowego na podstawie wytwarzanego ciśnienia

Najprostszym sposobem oceny szczelności układu hamulcowego jest stała obserwacja poziomu płynu hamulcowego w zbiorniku. Czynność ta, opisana w rozdziale 1.1, należy do zakresu stałej obsługi samochodu.

Wzrokowe sprawdzanie poziomu płynu hamulcowego oraz wyszukiwanie śladów przecieków nie gwarantuje skutecznej kontroli stanu układu hamulcowego, ponieważ w ten sposób nie jest możliwe wykrycie małych nieszczelności, szczególnie zlokalizowanych w niewidocznych miejscach. Dlatego dokładna ocena jego szczelności jest możliwa dopiero za pomocą specjalnych przyrządów. Konieczność przeprowadzenia tego badania narzucają względy bezpieczeństwa ruchu drogowego, które wymagają, aby układ hamulcowy był całkowicie szczelny.

Potrzebne przyrządy i narzędzia

- przyrząd do wywierania nacisku na pedał hamulca,
- dwa manometry (o zakresach pomiarowych 0...1 MPa i 0...10 MPa) ze złączkami,
- klucz do odkręcania odpowietrznika układu hamulcowego.

Wykonanie pomiaru

Między stopą pedału hamulca a siedzeniem kierowcy umieścić przyrząd rozpierający (rys. 5.3).

- Manometr niskociśnieniowy o zakresie pomiarowym 0...1 MPa umieścić w miejsce dowolnego odpowietrznika w kole. Po zamontowaniu manometru odpowietrzyć układ.
- Za pomocą przyrządu rozpierającego wywrzeć taki nacisk na pedał hamulca, aby w układzie hamulcowym powstało ciśnienie 0,2...0,5 MPa. Utrzymać stały nacisk na pedał przez ok. 5 min.
- Zmienić manometr na wysokociśnieniowy o zakresie pomiarowym 0...10 MPa i powtórzyć pomiar ustawiając tak przyrząd rozpierający, aby w układzie hamulcowym powstało ciśnienie 5...10 MPa.
  Nie zwalniać przyrządu przez ok. 10 minut. W przypadku dwuobwodowego układu hamulcowego pomiar ten należy wykonać kolejno dla obu obwodów.

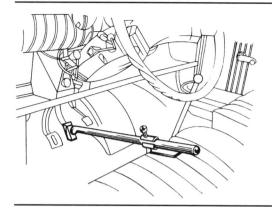

Rys. 5.3. Przyrząd do wywierania
nacisku na pedał hamulca

Uwaga. W samochodach wyposażonych w urządzenie wspomagające pomiary przeprowadza się raz z uruchomionym silnikiem, a drugi raz po jego unieruchomieniu i kilkakrotnym naciśnięciu pedału hamulca w celu usunięcia podciśnienia z serwomechanizmu.

– Po zakończeniu pomiarów i usunięciu manometrów odpowietrzyć układ.

Ocena wyników

Wartość niskiego ciśnienia, ustawiona podczas pierwszego pomiaru, nie może zmienić się przez 5 minut. Spadek ciśnienia jest dowodem istnienia nieszczelności w układzie.

Natomiast wysokie ciśnienie, wytworzone podczas drugiego pomiaru, nie może opadać szybciej niż 1 % na minutę.

Może się zdarzyć, że podczas pierwszego pomiaru zostanie stwierdzony spadek niskiego ciśnienia, natomiast w drugim wysokie ciśnienie będzie utrzymywało się na wymaganym poziomie. Przyczyną takich objawów jest uszkodzenie pierścienia uszczelniającego tłoczek. Wysokie ciśnienie powoduje takie ściśnięcie uszczelki, że pomimo uszkodzenia staje się ona szczelna.

Uwaga. Powyższe badanie można również wykonać za pomocą samego przyrządu do wywierania nacisku na pedał (poprzez ocenę zmian wartości siły nacisku na pedał), jeżeli jest on wyposażony w manometr do pomiaru siły nacisku. Dokładność pomiarów jest jednak mniejsza.

Ocena stopnia zużycia hamulca bębnowego

Kontrolę stanu bębna hamulcowego, okładzin ciernych oraz regulację luzu szczęk należy przeprowadzać w okresach podanych w instrukcji obsługi samochodu (z reguły co 10 000 km), a przede wszystkim natychmiast po stwierdzeniu zmniejszenia się skuteczności hamowania.

Potrzebne przyrządy i narzędzia

– linijka lub suwmiarka,
– klucze do demontażu koła i bębna hamulcowego,

200

- ściągacz do bębna hamulcowego (w razie potrzeby),
- podnośnik samochodowy.

Wykonanie pomiaru

- Zabezpieczyć samochód przed przetoczeniem się, na przykład podkładając kliny pod koła.
- Podnieść jedną stronę samochodu, zabezpieczyć podstawką i zdjąć koło, a następnie bęben hamulcowy. W przypadku nadmiernych oporów podczas zdejmowania bębna należy go kilkakrotnie uderzyć młotkiem przez drewniany klocek w krawędź od strony wewnętrznej. W niektórych konstrukcjach do zdjęcia bębna konieczne jest zastosowanie specjalnego ściągacza.

Uwaga. W pojazdach wyposażonych we wzierniki do oceny grubości okładzin ciernych demontaż koła i bębna hamulcowego nie jest konieczny.

- Zmierzyć grubość okładzin ciernych obu szczęk (rys. 5.4) oraz sprawdzić stan bieżni bębna hamulcowego.
- Badanie wykonać kolejno dla wszystkich bębnów.

Ocena wyników

Jeżeli grubość okładziny ciernej, zmierzona w miejscu najbardziej zużytym, wynosi 1,5 mm lub mniej, należy okładziny lub całe szczęki hamulcowe w danym kole wymienić na nowe. Zaleca się wymianę po obu stronach osi w celu uniknięcia nierównomiernego działania hamulców.

Wymiana elementów trących jest również konieczna, jeżeli okładzina cierna została zanieczyszczona smarem lub olejem.

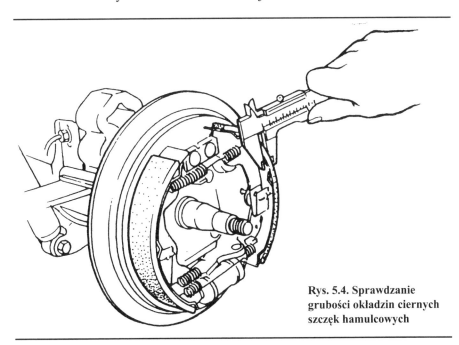

Rys. 5.4. Sprawdzanie grubości okładzin ciernych szczęk hamulcowych

Powierzchnia robocza bębna hamulcowego nie może być nadmiernie zowalizowana oraz nosić śladów głębokich rys. Naprawa bębna przez przetoczenie jego bieżni nie może spowodować powiększenia znamionowej średnicy bębna więcej niż o 1...2 mm. Przekroczenie tej granicy stworzy niebezpieczeństwo sprężystego odkształcenia się bębna podczas hamowania, co skutecznie zmniejsza siłę hamowania.

Ocena stopnia zużycia hamulca tarczowego

Pomimo zalet hamulców tarczowych cechuje je szybsze niż w hamulcach bębnowych zużywanie się elementów trących oraz większa wrażliwość na zanieczyszczenia.

Kontrola stanu technicznego hamulców tarczowych obejmuje następujące czynności:
- pomiar zużycia klocków hamulcowych;
- ocenę stanu i grubości tarczy hamulcowej;
- pomiar bicia tarczy hamulcowej;
- ocenę stanu zacisku hamulcowego i łatwości ruchu tłoczka cylinderka.

Potrzebne przyrządy i narzędzia

- suwmiarka,
- czujnik zegarowy z uchwytem, na przykład magnetycznym,
- narzędzia do demontażu koła jezdnego i wyjęcia klocków hamulcowych,
- podnośnik samochodowy.

Wykonanie pomiaru

- Zabezpieczyć samochód przed przetoczeniem.
- Podnieść jedną stronę samochodu, zabezpieczyć podstawką i zdjąć koło, a następnie oczyścić z błota i kurzu zacisk hamulca.
- Wyjąć klocki hamulcowe z zacisku i zmierzyć grubość materiału ciernego (rys. 5.5).
- Ocenić stan tarczy hamulcowej i zmierzyć jej grubość (rys. 5.6) w czterech punktach na obwodzie, w pewnej odległości od zewnętrznej krawędzi tarczy (w miejscu działania klocków hamulcowych) w tym celu zaleca się przyklejenie do szczęk suwmiarki odpowiednich ostrzy pomiarowych lub przyłożenie dwóch podkładek, ewentualnie monet.

Uwaga. Przed wsunięciem szczęk suwmiarki do zacisku hamulca należy cofnąć cylinderki, zwracając uwagę, aby płyn hamulcowy nie wyciekł ze zbiornika. W razie potrzeby należy strzykawką usunąć odpowiednią ilość płynu.

- Pomiar bicia tarczy hamulcowej należy rozpocząć od sprawdzenia i ewentualnego wyregulowania luzu łożyska piasty (por. rozdz. 6.1). Następnie należy zamocować czujnik zegarowy do zacisku hamulcowego lub łatwo dostępnego elementu zawieszenia (rys. 5.7). Sworzeń pomiarowy czujnika powinien być oddalony od krawędzi zewnętrznej tarczy hamulcowej na odle-

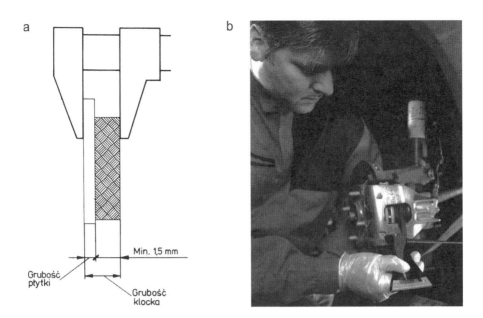

Rys. 5.5. Pomiar grubości klocka hamulcowego
a – za pomocą suwmiarki po wymontowaniu klocka z zacisku, b – za pomocą specjalnego przymiaru bez demontażu zacisku hamulca

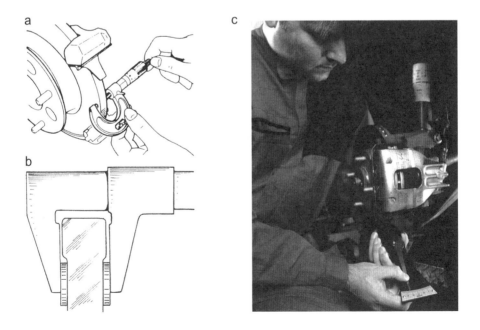

Rys. 5.6. Pomiar grubości tarczy hamulcowej
a – za pomocą mikrometru po wymontowaniu zacisku, b – za pomocą suwmiarki i dwóch monet,
c – za pomocą specjalnego przymiaru

203

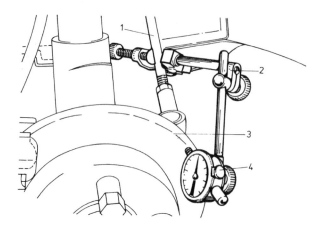

Rys. 5.7. Pomiar bicia tarczy hamulcowej
1 – drążek kierowniczy, 2 – uchwyt mocowania czujnika, 3 – tarcza hamulcowa, 4 – czujnik zegarowy

głość ok. 10 mm. Kontrolę bicia osiowego przeprowadza się wykonując ręcznie przynajmniej jeden pełny obrót tarczy hamulcowej i obserwując największe oraz najmniejsze wychylenie wskazówki na tarczy czujnika.

– Po włożeniu nowych lub używanych klocków hamulcowych sprawdzić łatwość przesuwania się tłoczków. W tym celu, korzystając z pomocy drugiej osoby, nacisnąć na pedał hamulca z nieznaczną siłą (najlepiej uczynić to ręką). Działanie na pedał powinno spowodować dosunięcie klocków hamulcowych do tarczy. Po puszczeniu pedału i obróceniu piastą koła klocki powinny cofnąć się odhamowując tarczę. Jeżeli tak się nie stanie, będzie to świadczyło o zanieczyszczeniu gniazd w zacisku hamulca.

Ocena wyników

Klocki hamulcowe nie nadają się do dalszego użytkowania, jeżeli grubość materiału ciernego wynosi mniej niż 1,5 mm. Należy je wymienić parami, jednocześnie po obu stronach osi.

Jeżeli klocki hamulcowe nie osiągnęły jeszcze granicznego zużycia, to z pomierzonej grubości materiału ciernego można wyciągnąć wniosek co do możliwości dalszego ich użytkowania. Na przykład, jeśli kontrola była przeprowadzona po 20 000 km przebiegu i wykazała 50% zużycie klocków (przy wyj-

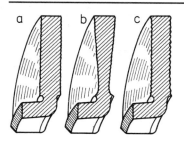

Rys. 5.8. Przykłady zużycia tarczy hamulcowej
a – tarcza wymagająca przeszlifowania powierzchni, b – tarcza do wymiany ze względu na stożkowość przekroju, c – tarcza do wymiany ze względu na zbyt głębokie rowki na powierzchni

ściowej grubości wkładki ciernej 10 mm), to z ich wymianą należy się liczyć po przejechaniu dalszych 10...12 tys. km, oczywiście przy zachowaniu dotychczasowego stylu jazdy.

Dopuszczalne bicie tarczy hamulcowej może wynosić maksymalnie 0,20 mm, chociaż niektórzy producenci samochodów ograniczają tę wartość do 0,15 mm (FSO, Skoda, WAZ). W przypadku stwierdzenia, że bicie tarczy przekracza tę wartość i nie jest to spowodowane poluzowaniem się śrub mocujących tarczę do piasty koła, należy tarczę przeszlifować lub wymienić na nową. Wymiana tarczy jest również konieczna po stwierdzeniu zmiany jej kształtu na stożkowaty (rys. 5.8b). Głębokie rowki na powierzchni tarczy (rys. 5.8a) dają się usunąć poprzez szlifowanie. W wyniku obróbki mechanicznej grubość tarczy nie może zmniejszyć się o więcej niż 0,5...1 mm w porównaniu z nową tarczą, tzn. 0,25...0,5 mm na stronę.

Sprawdzanie działania urządzenia wspomagającego hamulce

Podciśnieniowe urządzenie wspomagające, tzw. serwo, służy do wzmacniania siły nacisku wywieranego przez kierowcę na pedał hamulca w celu zwiększenia skuteczności hamowania (rys. 5.9).

Pojawienie się objawów nieprawidłowej pracy układu hamulcowego, które mogą wskazywać na niesprawność urządzenia wspomagającego (por. tabl. 1–3), stwarza konieczność sprawdzenia jego działania. Poniżej podano prosty, nie wymagający dodatkowych przyrządów, sposób kontroli.

Wykonanie badania

– Przy unieruchomionym silniku nacisnąć kilkakrotnie na pedał hamulca, w celu usunięcia z serwa resztek podciśnienia.
– Przytrzymać wciśnięty niewielką siłą pedał hamulca i uruchomić silnik.
– Zaobserwować ewentualny ruch pedału.

Ocena wyników

Zamknięcie zaworu (14, rys. 5.9) spowoduje natychmiastowe powstanie różnicy podciśnień między komorami. Przepona (13) przemieści się w kierunku komory 11, powodując odczuwalne opadanie pedału przy nie zmienionej sile nacisku stopy. Jeżeli to nie nastąpi, to jest uszkodzony przewód podciśnieniowy, przepona lub zawór.

5.2. SPRAWDZANIE SKUTECZNOŚCI DZIAŁANIA HAMULCÓW PODCZAS PRÓBY DROGOWEJ

Pomiar drogi hamowania

Jest to najprostszy sposób sprawdzania skuteczności działania hamulców. Długość drogi hamowania stanowi jedno z kryteriów oceny stanu technicznego układu hamulcowego.

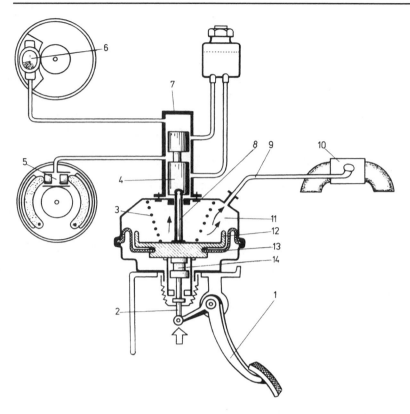

Rys. 5.9. Schemat działania układu hamulcowego z podciśnieniowym urządzeniem wspomagającym

1 – pedał hamulca, 2 – trzpień sterujący, 3 – sprężyna, 4 – tłok pompy hamulcowej, 5 – hamulec tylny, 6 – hamulec przedni, 7 – pompa hamulcowa, 8 – popychacz, 9 – przewód doprowadzający podciśnienie, 10 – kolektor ssący silnika, II – komora podciśnienia, 12 – tłok, 13 – przepona, 14 – zawór

Badanie skuteczności hamulców poprzez pomiar drogi hamowania powinno się odbywać z zachowaniem następujących warunków:

– wybrany odcinek drogi nie może spowodować zagrożenia bezpieczeństwa dla innych użytkowników;

– droga powinna przebiegać poziomo, jej nawierzchnia musi być równa, twarda i sucha;

– ciśnienie w ogumieniu samochodu powinno być zgodne z zaleceniami producenta;

– rzeźba bieżnika powinna odpowiadać wymaganiom przepisów ustawy „Prawo o ruchu drogowym" (m.in. głębokość bieżnika nie może być mniejsza niż 1 mm);

– pojazd powinien być równomiernie obciążony ładunkiem o masie równej jego ładowności; dopuszcza się badania samochodu z samym kierowcą;

– przed dokonaniem pomiaru należy ustalić dokładność wskazań prędkościomierza przy prędkości 30 km/h (patrz rozdz. 1.3).

Wykonanie pomiaru

- Na początku wybranego odcinka drogi narysować kredą na nawierzchni linię prostopadłą do osi jezdni, która wyznaczy początek drogi hamowania.
- W odległości 9 m narysować drugą linię prostopadłą do osi jezdni. Odległość ta odpowiada długości największej, dopuszczonej polskimi przepisami, drogi hamowania samochodu osobowego.
- Samochodem obciążonym, np. tylko kierowcą, dojechać do pierwszej linii z prędkością 30 km/h i rozpocząć hamowanie w chwili, gdy przednie koła pojazdu miną linię (sprzęgło może pozostać włączone). Podczas hamowania należy wywierać taki nacisk na pedał, aby koła pojazdu nie znalazły się w poślizgu. Samochód powinien zachować nadany przez kierowcę kierunek ruchu.
- Po zatrzymaniu się samochodu sprawdzić położenie przednich kół względem drugiej narysowanej linii.

Ocena wyników

Hamulce można uznać za sprawne, jeśli samochód zatrzyma się przednimi kołami przed drugą linią lub na niej. W przypadku sprawdzania skuteczności działania hamulca awaryjnego (pomocniczego) drugą linię należy narysować w odległości 18 m od linii wyznaczającej początek drogi hamowania. Pomiar wykonać w sposób opisany wyżej, przy czym siła wywierana na dźwignię hamulca ręcznego nie powinna przekraczać 400 N.

Wyniki badania należy traktować jako orientacyjne z uwagi na możliwość występowania wielu błędów w pomiarze (m.in. błąd wskazań prędkościomierza, opóźnienie reakcji podczas uruchamiania pedału hamulca, różna siła nacisku na pedał).

 Pomiar opóźnienia hamowania

Metoda sprawdzania skuteczności działania hamulców poprzez określenie wielkości opóźnienia hamowanego pojazdu wymaga zastosowania specjalnego przyrządu pomiarowego.

Najprostsze przyrządy działają na zasadzie wahadła, którego wychylenie od pionu pod wpływem siły bezwładności jest miarą opóźnienia, jakie towarzyszy pojazdowi podczas hamowania. W opóźnieniomierzach nowej generacji pomiar jest dokonywany za pomocą precyzyjnych tensometrycznych przetworników siły na sygnał elektryczny. Wyniki pomiarów opóźnień i siły nacisku są podczas procesu hamowania rejestrowane w pamięci procesora i po przetworzeniu wyświetlane na ekranie przyrządu lub przesłane do komputera. Wartość osiąganego opóźnienia wykorzystuje się jako drugie kryterium do oceny skuteczności działania hamulców. Podczas badania muszą być zachowane takie same warunki, jak podczas pomiaru długości drogi hamowania.

Potrzebne przyrządy i narzędzia

- opóźnieniomierz, np. VZM 100 firmy MAHA, AMX 520 Automex, CL-170, OP-1 ELHOS (rys. 5.10).

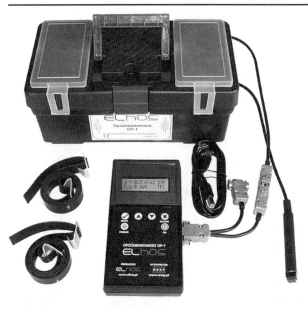

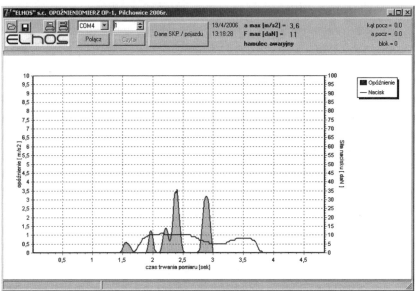

Rys. 5.10. Opóźnieniomierz OP-1 firmy ELHOS z Pilchowic. Oprogramowanie na PC pozwala wykreślić przebieg opóźnienia i stworzyć dokument z oceną skuteczności hamulców

Wykonanie pomiaru

– Ustawić przyrząd VZM 100 w dogodnym miejscu, np. na podłodze przed fotelem pasażera.
– Założyć czujnik nacisku na pedał hamulca.
– Rozpędzić samochód do prędkości 30...50 km/h i po ustawieniu się wskazówki opóźnieniomierza na zero rozpocząć intensywne hamowanie ze stałym naciskiem nogi na pedał.

208

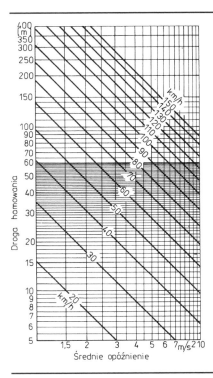

Rys. 5.11. Diagram do określania średniego opóźnienia na podstawie drogi hamowania osiąganej przy różnych prędkościach początkowych

– Podczas hamowania odczytać wskazanie opóźnieniomierza . Nie wymaga się utrzymywania intensywnego hamowania aż do zatrzymania pojazdu.

Ocena wyników

Przyrząd VZM 100 zmierzy i zarejestruje przebiegi nacisku na pedał i opóźnienia hamowania, podając przy tym wartość maksymalną i średnią opóźnienia oraz wartość maksymalną i średnią siły nacisku na pedał hamulca. Zarejestrowane wartości opóźnienia należy porównać z wartościami określonymi w przepisach.

Uzyskana podczas pomiaru wartość opóźnienia hamowania dla samochodu osobowego nie może być mniejsza niż 5,2 m/s². Wartość mniejsza świadczy o niedostatecznej skuteczności hamowania. Minimalna wartość opóźnienia osiąganego podczas badania hamulca awaryjnego wynosi 2,6 m/s² (dla samochodów rejestrowanych po raz pierwszy od 1.01.1994 r.). Wyniki badań metodą pomiaru drogi hamowania i metodą pomiaru opóźnienia hamowania są ze sobą porównywalne. Zależność tę przedstawia diagram na rysunku 5.11, wykreślony dla różnych prędkości początku hamowania. Maksymalną wartość opóźnienia oblicza się dzieląc średnie opóźnienie przez współczynnik zadziałania hamulców hydraulicznych, wynoszący 0,75.

5.3. SPRAWDZANIE SKUTECZNOŚCI DZIAŁANIA HAMULCÓW PRZEZ POMIAR SIŁY HAMOWANIA

Przepisy ustawy „Prawo o ruchu drogowym" dopuszczają możliwość badania skuteczności hamulców pojazdów przez pomiar siły hamowania na urządze-

209

niu płytowym (najazdowym) lub rolkowym. Ten drugi rodzaj urządzenia znalazł powszechne zastosowanie w stacjach obsługi samochodów oraz w stacjach kontroli pojazdów, które wykonują okresowe badania techniczne dopuszczające samochody do ruchu. Powszechność używania urządzeń rolkowych wynika z zalet tej metody badania: obiektywnego pomiaru siły hamowania, niezależności od warunków atmosferycznych, krótkiego czasu pomiaru, możliwości zmierzenia niektórych parametrów układu hamulcowego, np. nierównomierności działania hamulców, pomiaru siły nacisku na pedał hamulca. Niezależnie od typu i nazwy producenta urządzeń rolkowych do pomiaru sił hamowania, ich budowa i ogólne zasady działania są podobne. Głównym elementem urządzenia są dwie pary rolek napędowych, na które najeżdża samochód, kolejno przednimi i tylnymi kołami. Każda z par rolek napędza niezależnie od siebie jedno koło samochodu. Jedna z rolek (8, rys. 5.12) jest napędzana silnikiem elektrycznym (6).

W niektórych rozwiązaniach rolka ta przekazuje napęd na drugą poprzez łańcuch (7). Silnik elektryczny jest zawieszony wahliwie na łożyskach i wyposażony w ramię reakcyjne, działające na hydrauliczny siłomierz. W nowszych konstrukcjach urządzeń zamiast hydraulicznego cylindra stosuje się zespół sprężyn o znanej charakterystyce oraz przetwornik indukcyjny do pomiaru strzałki ugięcia tych sprężyn, np. w urządzeniu BHE-5, albo czujnik tensometryczny, np. w urządzeniach brek on 1/13 firmy Hofmann, IW-2 Electronic firmy MAHA. Po naciśnięciu pedału hamulca powstaje w miejscu styku opony z rolką siła hamowania, która wywołuje odpowiednio proporcjonalny moment reakcji na ramieniu silnika elektrycznego. Siła oddziaływania ramienia powoduje powstanie ciśnienia w układzie pomiarowym lub ugięcie sprężyn, względnie odkształcenia tensometru (rys. 5.12). W przypadku układu hydraulicznego wzrost

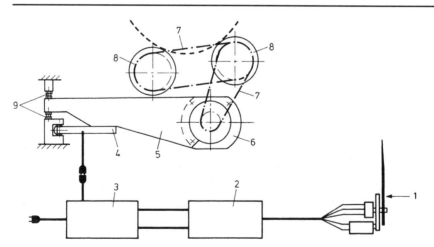

Rys. 5.12. Schemat urządzenia rolkowego do pomiaru sił hamowania z elektrycznym układem pomiarowym

1 – wskaźnik, 2 – wzmacniacz serwomechanizmu, 3 – zasilacz i wzmacniacz, 4 – płytka zginana z czujnikiem tensometrycznym, 5 – ramię reakcyjne, 6 – silnik z reduktorem, 7 – łańcuch, 8 – rolki napędowe, 9 – zderzaki

ciśnienia jest odczytywany bezpośrednio na manometrze wyskalowanym w jednostkach siły hamowania. W innych układach pomiarowych następuje przetworzenie odkształcenia mechanicznego na sygnał elektryczny, który – po wzmocnieniu i obróbce – jest przekazywany do urządzenia rejestrującego.

Urządzenia rolkowe są często wyposażone w tzw. trzecią rolkę, która napędzana od koła samochodu ma za zadanie sygnalizowanie na kolumnie sterowniczej momentu wystąpienia poślizgu koła. Pojawia się on po zablokowaniu koła hamulcem i uniemożliwia wykonanie prawidłowego pomiaru. W związku z tym trzecia rolka powoduje również automatyczne wyłączenie silnika elektrycznego. Sterowanie całym urządzeniem może odbywać się

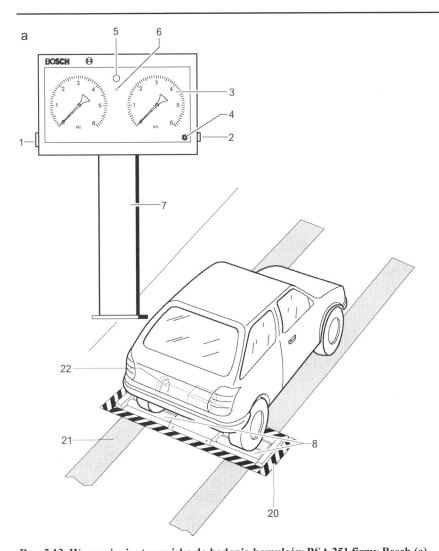

Rys. 5.13. Wyposażenie stanowiska do badania hamulców BSA 251 firmy Bosch (a)
1 – wyłącznik główny, 2 – przycisk „Automatyka", 3 – wskaźnik, 4 – lampka „Automatyka", 5 – lampka „Różnica sił hamowania", 6 – odbiornik podczerwieni, 7 – kolumna sterownicza, 8 – zespół rolek, 20 – pas ostrzegawczy, 21 – linie kierunku jazdy, 22 – badana oś

Stanowisko do badania hamulców BSA

Klient :   ....
                ....
                ....

Typ pojazdu: ....
Nr rej. pojazdu: ....

Data: 11.8.2005

HAMULEC ROBOCZY

Oś przednia:

Opory toczenia:	214 N	45%	119 N
Siła hamowania:	2257 N	3%	*2211N
Owalizacja :	<100 N		111 N
Nacisk osi: (dop. masa całk.)			1020 daN
Skuteczność ham. osi:		43%	
Siła nacisku na pedał h.:		15.0 daN	

Oś tylna:

Opory toczenia:	91 N	9%	83 N
Siła hamowania:	1306 N	3%	*1282 N
Owalizacja:	<100 N		<100 N
Nacisk osi: (dop. masa całk.)			1020 daN
Skuteczność ham. osi:		25%	
Siła nacisku na pedał h.:		28,0 daN	

HAMULEC POSTOJOWY

Siła hamowania:	1179 N	10%	*1070 N
Siła nacisku na pedał h.:	0,0 daN		

WARTOŚĆ CAŁKOWITA

Nacisk całk.:	1020 daN
Całkowita siła hamowania:	
Oś przednia:	4468 N
Oś tylna:	2588 N

	7056 N
Hamulec postojowy:	2249 N

WSP. SKUTECZNOŚCI HAMOWANIA

Hamulec robocze:	69%
Hamulec postojowy:	22%

Rys. 5.13. Protokół
z badania hamulców
na stanowisku
rolkowym (b)

z miejsca kierowcy, przewodowo lub bezprzewodowo – za pomocą nadajnika promieniowania podczerwonego. Odczyt sił hamowania odbywa się, w zależności od typu urządzenia, na wskaźnikach analogowych lub cyfrowych. Zaletą tych ostatnich jest łatwiejsze odczytywanie wartości granicznych sił hamowania, natomiast wadą trudność w obserwowaniu fazy narastania sił oraz ich zmienności. Często na kolumnie sterowniczej umieszcza się dodatkowy wskaźnik procentowej różnicy sił hamowania między lewym i prawym kołem. Urządzenia rolkowe są dodatkowo wyposażone w przyrząd do pomiaru nacisku na pedał hamulca działający w oparciu o układ hydrauliczny lub elektryczny (rys. 5.16).

W konstrukcji urządzenia rolkowego szczególnie ważny jest rodzaj materiału pokrywającego rolki. Warunki pomiaru wymagają bowiem zachowania dużego współczynnika tarcia między rolkami a oponami badanego pojazdu. Zakłada się, że powinien on wynosić przy suchych rolkach co najmniej 0,5. Materiał rolek powinien zapewniać oszczędne zużycie opon i w jednakowym stopniu odpowiadać każdemu profilowi bieżnika. Są różne rodzaje okładzin rolek, które w mniejszym lub większym stopniu spełniają te wymagania. Stosowane są rolki stalowe z nacięciami lub z przyspawanymi prętami (charakteryzujące się dużą trwałością), rolki pokryte siatką metalową, rolki betonowe (odznaczające się wysokim współczynnikiem tarcia, również w stanie mokrym), rolki pokryte tworzywem sztucznym, często z domieszką korundu (powodują mniejsze niszczenie opon).

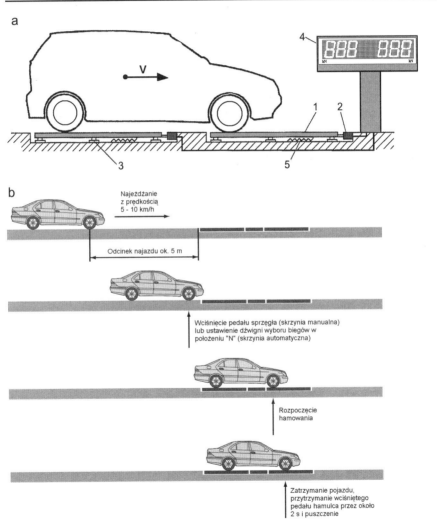

Rys. 5.14. Schemat urządzenia płytowego do badania hamulców w wersji czteropłytowej (a) i fazy badania hamulców obu osi pojazdu na tym urządzeniu (b)

1 – płyta najazdowa, 2 – czujniki siły, 3 – bieżnie rolkowe, 4 – zespół wskaźników, 5 – sprężyny

Dzięki firmie HEKA coraz szersze zastosowanie znajduje urządzenie płytowe do dynamicznego badania skuteczności działania hamulców. Badanie następuje w czasie najechania z prędkością 5...10 km/h na dwie lub cztery ruchome płyty urządzenia i wyhamowania na nich (rys. 5.14).

Na skutek działania sił bezwładności samochodu oraz przyczepności między oponami i powierzchnią płyt następuje przemieszczenie płyt na kulkach. Wartość przemieszczenia jest proporcjonalna do siły hamowania. Przemieszczenie płyt mierzy się za pomocą czujników tensometrycznych, a programowalny mikroprocesor przeprowadza obróbkę danych. Już przy pierwszym zatrzymaniu są badane oś przednia i tylna jednocześnie (urządzenie w wersji czteropłytowej). Drugie takie hamowanie służy do badania hamulca awaryjnego. Całe badanie wraz z wydrukiem mierzonych wartości trwa 1 minutę. Zasada pomiaru na urządzeniu płytowym odpowiada rzeczywistemu przebiegowi hamowania pojazdu na drodze, ponieważ rozkład masy jest dynamiczny. Inną zaletą urządzenia jest możliwość sprawdzenia działania korektora sił hamowania, niezależnie od jego typu.

Potrzebne przyrządy i narzędzia

– urządzenie rolkowe do pomiaru sił hamowania, np. BHR-5 lub BHE-5,
– przyrząd do pomiaru nacisku na pedał hamulca, jeżeli nie jest w wyposażeniu urządzenia rolkowego.

Zalecenie stosowania tego przyrządu podczas badania wynika z odpowiednich przepisów uzupełniających do ustawy „Prawo o ruchu drogowym" i jest podyktowane koniecznością stworzenia w miarę obiektywnych warunków pomiaru oraz porównywalności wyników.

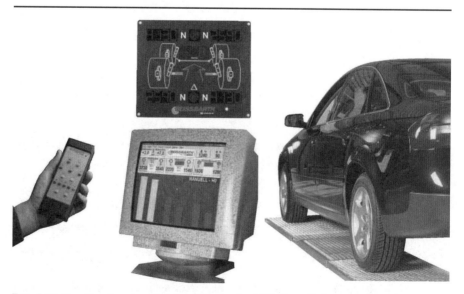

Rys. 5.15. Urządzenie czteropłytowe microbrake 1000 firmy Beissbarth jest obsługiwane zdalnym pilotem i pozwala na badanie hamulców w samochodach z napędem 4 × 4

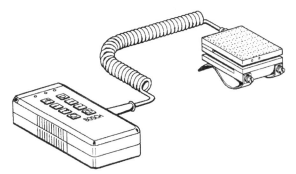

Rys. 5.16. Przyrząd do pomiaru siły nacisku na pedał hamulca firmy Bosch. Przyrząd kontaktuje się bezprzewodowo z kolumną sterowniczą, na której jest wyświetlana siła nacisku na pedał w trakcie badania hamulców

Wykonanie pomiaru

– Samochód wprowadzić przednimi kołami na rolki napędowe urządzenia w ten sposób, aby oś podłużna pojazdu pokrywała się z osią symetrii urządzenia (opony nie mogą stykać się z ramą urządzenia). Jeżeli samochód zostanie ustawiony ukośnie, to podczas pomiaru koła będą przesuwały się wzdłuż rolek.

Uwaga. Ciśnienie w ogumieniu musi być zgodne z wartościami zaleconymi przez producenta pojazdu, ponieważ decyduje w dużym stopniu o poprawności uzyskanych wyników.

– Na pedał hamulca nałożyć czujnik przyrządu do pomiaru siły nacisku na pedał.
– Włączyć napęd rolek i zaobserwować wskazania mierników na kolumnie sterowniczej. Jeżeli jest to wartość różna od zera, będzie to świadczyło o istnieniu oporów tarcia w kołach przednich lub układzie napędowym (dotyczy pojazdu z przednim napędem). Jako opory nadmierne traktuje się wartość przekraczającą 2...3% obciążenia kół dla osi nie napędzanej lub 5% dla osi napędzanej.

Uwaga. Jeżeli układ hamulcowy jest wyposażony w podciśnieniowe urządzenie wspomagające, należy unieruchomić silnik samochodu.

– Rozpocząć powolne wywieranie nacisku na pedeł hamulca i obserwować wskazania mierników.
– Przerwać pomiar w momencie wywarcia na pedał nacisku 500 N lub zasygnalizowania przez urządzenie wystąpienia poślizgu kół na rolkach, jeśli zablokowanie kół wywołała mniejsza siła nacisku na pedał. Zapamiętać wartości sił hamowania otrzymane dla obu kół przedniej osi.
W przypadku zablokowania koła należy odczytać maksymalną siłę hamowania osiągniętą przed wystąpieniem poślizgu. Zmierzone siły hamowania porównać z wymaganymi wartościami. Pomiar powtórzyć, jeżeli za pierwszym razem nie osiągnie się wymaganych wskazań.

Uwaga. W samochodach charakteryzujących się niedociążeniem osi przedniej, ze względu na nierównomierny rozkład obciążeń (PF 126P) może oka-

zać się niemożliwe osiągnięcie wymaganych wartości sił hamowania wskutek zbyt wczesnego wystąpienia poślizgu kół przednich. Aby temu zaradzić zaleca się dodatkowe obciążenie pojazdu (w przypadku PF 126P wystarczy umieszczenie w bagażniku dodatkowych obciążników). Innym sposobem jest odpowiednie zmniejszenie siły nacisku na pedał hamulca. Otrzymaną wartość siły hamowania można uznać za wystarczającą wówczas, gdy jest mniejsza od wymaganej w takiej proporcji, w jakiej nastąpiło zmniejszenie siły nacisku na pedał. Aby uniknąć trudności z właściwą interpretacją wyniku badania, zaleca się obciążenie samochodu ładunkiem o masie równej jego ładowności.

- Wyłączyć napęd rolek i przejechać samochodem tak, aby koła tylnej osi ustawiły się na rolkach.
- Włączyć napęd rolek. Mierniki wskażą wartość zerową lub oporów tarcia (patrz uwaga wyżej).
- Rozpocząć powolne wywieranie nacisku na pedał hamulca i obserwować wskazania mierników. Dalsze postępowanie jest takie, jak opisano podczas sprawdzania osi przedniej.

Uwaga. W przypadku pojazdu wyposażonego w korektor sił hamowania sterowany wielkością obciążenia osi może okazać się, że prawidłowy pomiar jest niemożliwy do wykonania z powodu ograniczenia ciśnienia płynu w hamulcach kół tylnych. W takiej sytuacji należy zwiększyć obciążenie tylnej osi, np. naciskając pionowo na tylny zderzak, co spowoduje odblokowanie działania korektora.

- Wykonać pomiar siły hamowania hamulca awaryjnego (tzw. ręcznego). Na dźwignię hamulca należy działać z siłą nie większą niż 400 N. Jeżeli nie ma możliwości sprawdzenia siły nacisku, należy dźwignię hamulca zaciągnąć maksymalnie, lecz bez dopuszczenia do zablokowania kół. Odczytać wartość maksymalną dla obu kół i porównać z wymaganymi wartościami.

Uwaga. Często się zdarza, że po zaciągnięciu dźwigni hamulca awaryjnego samochód zostaje wypchnięty z rolek, co uniemożliwia sprawdzenie sił hamowania. W takiej sytuacji pomiar należy wykonywać oddzielnie dla każdego koła, wyłączając na czas badania napęd rolek drugiego koła.

Wykonanie pomiaru dla samochodu wyposażonego w układ ABS

Samochody wyposażone w układ zapobiegający blokowaniu kół podczas hamowania (tzw. ABS) sprawdza się w taki sam sposób, jak opisano wyżej. W razie potrzeby układ można wyłączyć.

Wykonanie pomiaru dla samochodu z napędem 4 × 4

Podczas sprawdzania na urządzeniu rolkowym samochodów z napędem na cztery koła, które są wyposażone w międzyosiowy mechanizm różnicowy z samoczynnym blokowaniem za pomocą sprzęgła mokrego z olejem silikonowym, należy bezwzględnie stosować się do zaleceń producentów dotyczących warunków pomiaru. Wynika to z istnienia efektu stałego współdziałania przedniej i tylnej osi. Podczas napędzania rolkami urządzenia kół jednej osi, przy zatrzymanej drugiej osi, dochodzi do silnego nagrzania oleju silikonowego w sprzęgle. W miarę wzrostu temperatury traci on stopniowo swoją lepkość, aż do całkowitego zesztywnienia. Powoduje to przeniesienie siły napędowej rolek na drugą, nie badaną oś i w efekcie „wyrzucenie" samochodu z rolek. Ten sposób pomiaru grozi również uszkodzeniem sprzęgła.

Dlatego też producenci na ogół zabraniają sprawdzania takich samochodów na jednoosiowych urządzeniach rolkowych, jeżeli nie ma możliwości odwrócenia kierunku obrotów jednej pary rolek lub wydają w tym względzie specjalne zalecenia. W urządzeniach rolkowych przystosowanych do badania pojazdów 4×4, doprowadza się do zatrzymania wału napędowego w wyniku odwrócenia kierunku napędzania jednego koła osi i stopniowej regulacji prędkości obrotowej koła. Unika się dzięki temu przekazywania siły hamowania na drugą oś (brak mocy krążącej). Do badania nierozłącznych napędów 4×4 powinno się dysponować dwuosiowym urządzeniem rolkowymi, urządzeniem z opcją odwracania kierunku obrotów jednej pary rolek lub mobilnymi rolkami wolnobieżnymi, które podkłada się pod koła nie badanej osi.

W związku z wprowadzaniem na rynek pojazdów z permanentnym napędem 4×4 sterowanym elektronicznie, producenci urządzeń rolkowych przygotowali ostatnio nowe rozwiązania do badania hamulców w takich pojazdach. Przykładem są rolki firmy MAHA z systemem pomiarowym Speed Control Mode (SCM). W systemie tym obroty obu kół jednej osi na rolkach są synchronizowane kątowo, przy czym rolki nie obracają się już w kierunkach przeciwnych. Prędkość obrotowa rolek jest tak określana, aby była niższa od zadanej w sterowniku pojazdu prędkości włączenia napędu drugiej osi lub progu aktywacji mechanicznego sprzęgła wiskozowego.

Ocena wyników

Z pomiaru sił hamowania na urządzeniu rolkowym można określić następujące wielkości:
— siłę hamowania każdego koła,
— siłę hamowania hamulca awaryjnego,
— różnicę sił hamowania kół jednej osi,
— nierównomierność sił hamowania.

Otrzymane wyniki pomiaru i obliczeń należy porównać z wartościami granicznymi, które określa się dla danego samochodu na podstawie przepisów uzupełniających do ustawy „Prawo o ruchu drogowym".

W myśl tych przepisów badany układ hamulcowy można uznać za sprawny wówczas, gdy:
— stosunek procentowy sił hamujących do nacisku kół hamowanych nie jest mniejszy niż 25% (dla samochodów osobowych i zespołów złożonych z samochodu osobowego i przyczepy lekkiej).

Siły hamowania można więc uznać za wystarczające, jeżeli został spełniony następujący warunek:

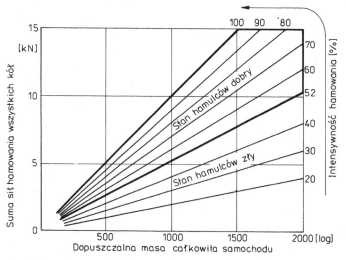

Rys. 5.17. Nomogram do obliczania skuteczności hamowania

$$\frac{\text{suma sił hamowania w N}}{10 \times \text{d.m.c. samochodu w kg}} \times 100\% \geqslant 52\%$$

gdzie:

d.m.c. (dopuszczalna masa całkowita) = masa własna pojazdu + masa kierującego + dopuszczalna ładowność.

W literaturze fachowej powyższa proporcja nosi często nazwę „wskaźnika skuteczności hamowania" lub „intensywności hamowania". Skorzystanie z przedstawionego obok nomogramu (rys. 5.17) pozwala uniknąć czasochłonnych obliczeń.

W przypadku hamulca awaryjnego wymagane jest spełnienie następującego warunku:

$$\frac{\text{suma sił hamowania tylnej osi w N}}{10 \times \text{d.m.c. samochodu w kg}} \times 100\% \geqslant 26\%^*$$

– Siła hamowania koła po jednej stronie pojazdu nie różni się od siły hamowania koła po drugiej stronie pojazdu tej samej osi o więcej niż 30%, przyjmując za 100% siłę większą (dotyczy tylko hamulca roboczego).
    Różnica sił hamowania dla kół jednej osi musi więc spełniać następującą zależność:

$$\frac{\text{różnica sił hamowania w N}}{\text{większa siła hamowania}} \times 100\% \leqslant 30\%$$

Jeżeli urządzenie rolkowe nie jest wyposażone we wskaźnik lub drukarkę bezpośrednio pokazujące wartość różnicy sił hamowania, można dla uniknięcia obliczeń posłużyć się odpowiednim nomogramem (rys. 5.18).

---

*23% dla samochodów osobowych rejestrowanych po raz pierwszy do dnia 31 XII 1993 r.

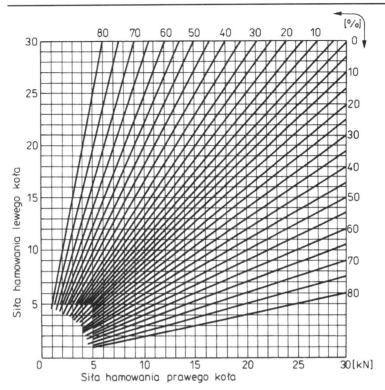

Rys. 5.18. Nomogram do obliczania procentowej różnicy sił hamowania lewego i prawego koła jednej osi

Wartość 30% jest wielkością graniczną określoną przepisami. Jednak ze względu na bezpieczeństwo jazdy zaleca się, aby ten parametr nie przekraczał 15% w przypadku hamulców tarczowych lub 20% w przypadku hamulców bębnowych (typu Simplex).

– Wahania wskazań siły hamowania w ciągu kilku obrotów koła, spowodowane owalizacją bębna hamulcowego lub biciem tarczy hamulcowej, nie przekraczają 20% średniej wartości siły. Wartość tę określa się na podstawie maksymalnych i minimalnych sił hamowania odczytywanych podczas utrzymywania stałego nacisku na pedał hamulca w czasie obracania się koła. Różnica tych sił odniesiona do ich średniej wartości jest miarą nierównomierności siły hamowania, obliczoną według wzoru:

$$\frac{\text{maks. siła ham.} - \text{min. siła ham.}}{0{,}5\,(\text{maks. siła ham.} + \text{min. siła ham.})} \times 100\% \leqslant 20\%$$

Przekroczenie granicy 20% może grozić podczas jazdy przedwczesnym zablokowaniem się hamowanego koła.

Z praktyki przyjmuje się, że hamulec roboczy jest sprawny, jeżeli można doprowadzić na rolkach do zerwania przyczepności (zablokowania) jednego z kół każdej osi, a różnica sił hamowania w całym zakresie pomiaru nie przekracza 10%. Jeżeli różnica mieści się w granicach 11...30%, to hamulec może

219

stworzyć niebezpieczeństwo wypadku na śliskiej nawierzchni i wymaga przeglądu. Natomiast można uznać za sprawny hamulec awaryjny, jeżeli nastąpi przynajmniej częściowe wyniesienie samochodu z rolek, co spowoduje wyłączenie napędu, a różnica sił nie przekracza 30%.

5.4. SPRAWDZANIE HAMULCA NAJAZDOWEGO

Przyczepa o dopuszczalnej masie całkowitej większej niż połowa masy własnej samochodu ciągnącego musi być wyposażona w hamulec roboczy typu bezwładnościowego, nazywany również najazdowym. Jego działanie polega na wykorzystaniu siły powstającej między samochodem a przyczepą pod wpływem „najeżdżania" przyczepy na hamujący pojazd. Im większe jest opóźnienie hamowania samochodu, tym większą siłą napiera na niego przyczepa. Siłę tę wykorzystuje się do mechanicznego uruchomienia jej hamulców.

Działanie hamulca najazdowego sprawdza się na stanowisku rolkowym przy użyciu specjalnego urządzenia, które wywiera kontrolowany nacisk przez siłownik na mechanizm hamulca przyczepy.

Potrzebne przyrządy i narzędzia

– stanowisko rolkowe do badania hamulców,
– urządzenie do wywierania kontrolowanego nacisku, np. WN-400 firmy Arcon ISC, CPV 2000 firmy Cartec (rys. 5.19).

Wykonanie pomiaru

– Umocować między hak holowniczy samochodu ciągnącego a przyczepę urządzenie do wywierania kontrolowanego nacisku.

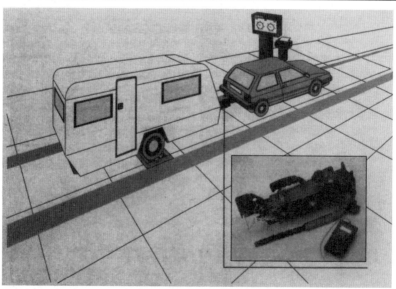

Rys. 5.19. Urządzenie do wywierania kontrolowanego nacisku na mechanizm hamulca przyczepy CPV 2000 firmy Cartec

- Wprowadzić badaną przyczepę na rolki hamulcowe.
- Uruchomić urządzeniem hamulec najazdowy. W urządzeniu WN-400 należy w tym celu doprowadzić do siłownika sprężone powietrze. Wywierana siłą nacisku stanowi równowartość 10% dopuszczalnej masy całkowitej badanej przyczepy.
- Dokonać odczytu na stanowisku rolkowym wartości sił hamujących obu kół przyczepy.

Ocena wyników

Wskaźnik skuteczności hamowania, czyli stosunek sił hamowania obu kół przyczepy do jej dopuszczalnej masy całkowitej, nie może być mniejszy niż 40%, niezależnie od dnia pierwszej rejestracji.

5.5. OCENA PRZYDATNOŚCI PŁYNU HAMULCOWEGO

Podczas eksploatacji samochodu płyn hamulcowy ulega bardzo niekorzystnemu, stałemu procesowi absorbowania wilgoci z atmosfery. Ta infiltracja wody do płynu hamulcowego odbywa się głównie przez zbiornik wyrównawczy i w mniejszym stopniu przez ścianki przewodów elastycznych oraz cylinderki hamulcowe. Zawartość wody w płynie hamulcowym jest głównym kryterium oceny jego przydatności, ponieważ woda obniża temperaturę wrzenia płynu. Stwierdzono, że 3-procentowa zawartość wody w płynie, który w stanie świeżym wykazuje temperaturę wrzenia 290°C, powoduje jej obniżenie do 150°C. Tak niska temperatura wrzenia grozi podczas intensywnego hamowania powstawaniem w układzie hamulcowym korków parowych, które opóźniają narastanie ciśnienia i powodują zmniejszenie siły hamowania. Tworzenie się korków parowych można rozpoznać po „miękkim" pedale hamulca lub jego nagłym opadaniu podczas intensywnych hamowań. Stężenie wody w układzie hamulcowym nie jest równomierne. Stwierdzono, że już po rocznej eksploatacji płyn pobrany w pięciu miejscach układu miał różną zawartość wody. Jeżeli w pompie hamulcowej było jej około 1,5%, to w cylinderku koła przedniego lewego 2%, przedniego prawego 2,5%, tylnego prawego 3% oraz tylnego lewego 3,4%. Dlatego też, jeżeli pomiar w zbiorniku wyrównawczym na pompie hamulcowej wykaże zawartość wody większą niż 1 %, to zaleca się wymianę płynu hamulcowego, ponieważ płyn występujący w cylinderkach hamulcowych będzie miał zbyt niską temperaturę wrzenia.

Różnica między temperaturą wrzenia płynu w zbiorniczku i w okolicy kół może sięgać nawet 50°C. W ciągu 2 lat eksploatacji temperatura wrzenia płynu może spaść z 270°C do 150°C.

W celu zapewnienia prawidłowego i bezpiecznego działania układu hamulcowego wszystkie istotne parametry płynu należy utrzymywać na odpowiednim poziomie, określonym międzynarodowymi wymaganiami, takimi jak np. SAE J1703, ISO 4925 lub FMVSS nr 116, czyli np. DOT 4.

Wszystkie one określają przede wszystkim temperaturę wrzenia tzw. suchego i mokrego. Przyczyną występowania dwóch różnych temperatur wrzenia jest fizykochemiczna budowa płynu. Jednym z istotnych zadań płynu hamulcowego jest także ochrona przed korozją. Zarówno dodatki antykorozyjne, jak i zawartość wody mają wpływ na powstawanie korozji w układzie hamulcowym. Dodatki antykorozyjne z czasem tracą swoje zdolności, a coraz większa zawartość wody wpływa na przyspieszenie tego zjawiska.

Aby zachować zdolność płynu do pracy w wysokich temperaturach i jego właściwości antykorozyjne, należy go wymieniać zgodnie z zaleceniami producenta pojazdu lub maksymalnie co 2 lata. Okresowo należy sprawdzać temperaturę wrzenia płynu. Najprostsze, a zarazem najtańsze przyrządy do oceny przydatności płynu wykorzystują zjawisko przewodnictwa elektrycznego cieczy, które zmienia się wraz ze zwiększaniem się zawartości wody. Tego typu testery na podstawie przewodności elektrycznej płynu próbują oszacować temperaturę jego wrzenia bądź zawartość wody. Przy takich próbach należy jednak pamiętać, że wynik wskazania testera jest tylko wartością przybliżoną, a więc nie można mieć pewności, czy płyn może być jeszcze używany, czy też należy go już bezwzględnie wymienić. Pomiary dokonywane z zastosowaniem takich przyrządów są silnie zależne od temperatury. Z kolei różnorodny skład chemiczny dostępnych na rynku płynów powoduje, że rzeczywista zawartość wody przy takich pomiarach nie może być określona precyzyjnie.

Aby być pewnym, w jaki sposób płyn hamulcowy zachowa się podczas jazdy w samochodzie, należy sprawdzić jego faktyczną temperaturę wrzenia. W warunkach warsztatowych najlepszym rozwiązaniem jest zastosowanie testera działającego na zasadzie pomiaru faktycznej temperatury wrzenia badanego płynu.

a   b

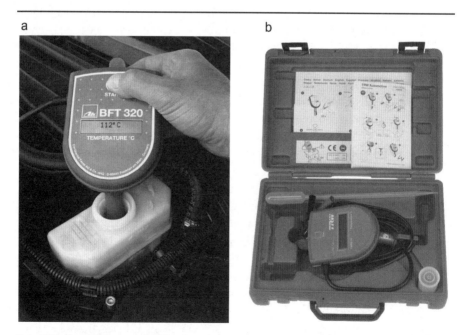

Rys. 5.20. Przykłady przyrządów do pomiaru temperatury wrzenia płynu hamulcowego: ATE BFT 320 (a) oraz TRW YWB 214 (b)

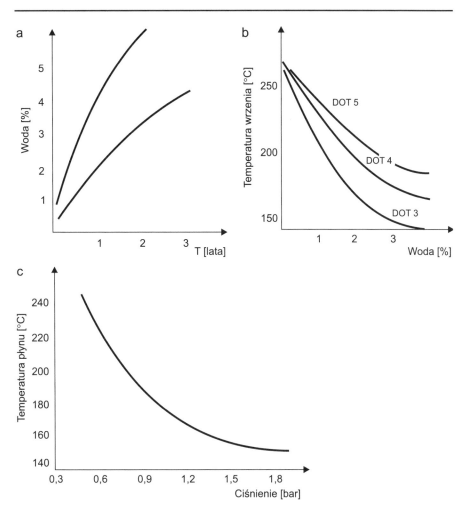

Rys. 5.21. Zmiana parametrów płynu hamulcowego wg ROMESS electronic
a – zmiana zawartości wody w miarę starzenia się płynu, b – zależność temperatury wrzenia płynu od zawartości wody i jakości płynu, c – zmiana ciśnienia w układzie hamulcowym w zależności od temperatury płynu

Potrzebne przyrządy i narzędzia

– przyrząd kontrolny płynu hamulcowego, np. BFT-92 firmy SYNTEC IN-STRUMENT, BFT 2000 firmy MAHA, DPH-101 firmy WTM, BFT 320 firmy ATE (rys. 5.20a) lub YWB 214 firmy TRW (rys. 5.20b).

Wykonanie pomiaru i ocena wyników

– Zanurzyć sondę pomiarową przyrządu w zbiorniku wyrównawczym z płynem hamulcowym. W tym miejscu układu zawartość wody w płynie jest najmniejsza, jednak z uwagi na łatwy dostęp do płynu pomiar wykonuje się w zbiorniku wyrównawczym, a następnie odpowiednio interpretuje wynik pomiaru.

- Odczytać na wskaźniku temperaturę wrzenia płynu lub procentową zawartość wody (zależnie od wersji przyrządu).
- Jeżeli przyrząd wskaże temperaturę wrzenia poniżej 175°C lub więcej niż 1% wody, należy płyn hamulcowy wymienić na nowy. Jeżeli natomiast zaświeci się dioda najniższego przedziału (0...1%), zaleca się powtórzenie pomiaru z użyciem płynu hamulcowego pobranego przez odpowietrznik jednego z tylnych kół, ponieważ w tym miejscu zawartość wody jest największa w układzie i może przekraczać 1%.

Gdy zawartość wody w płynie hamulcowym wzrasta do 3%, temperatura wrzenia płynu obniża się o około 80...90°C zależnie od jakości płynu. Minimalna temperatura płynu, w której mogą się jeszcze tworzyć korki parowe, wynosi według norm 140°C dla płynów klasy DOT 3, 155°C dla płynów klasy DOT 4 i 180°C dla płynów klasy DOT 5 (rys. 5.21).

5.6. SPRAWDZANIE UKŁADU ABS

Samochody wyposażone w ABS zapobiegający poślizgowi kół podczas hamowania mają na tablicy rozdzielczej żółtą lampkę kontrolną. Zaświecenie się jej podczas jazdy sygnalizuje kierowcy, że nie może liczyć na działanie układu ABS i w przypadku gwałtownego hamowania może dojść do zablokowania kół.

Lampka kontrolna ABS może sygnalizować nie tylko sam fakt wyłączenia się układu, lecz także rodzaj usterki stwierdzony przez elektroniczny zespół sterujący odpowiednio zakodowaną sekwencją błyśnięć. Dotyczy to jednak tylko układów z samodiagnostyką. Pierwsze rozwiązania elektronicznych sterowników nie miały funkcji samodiagnostycznej i lampka ABS spełniała jedynie funkcję kontrolną.

Sygnały świetlne zakodowane dla poszczególnych czujników są zróżnicowane zależnie od rodzaju usterki (uszkodzenie tarczy z naciętymi zębami, sygnał przerywany lub słabnący, brak przepływu prądu).

Do odczytania kodów można użyć testerów samodiagnostyki, np. KTS 500 firmy Bosch (patrz rys. 2.10), LASER 2000 firmy Lucas, PDL 900 lub PDL 1000 firmy Sun, MT2500 firmy Snap-on. Do zlokalizowania usterki w układzie ABS sterowanym elektronicznie służą specjalne przyrządy diagnostyczne, np. DYNASTAT 4000 firmy MOTORSCAT (rys. 5.22) lub tester KDAS 0003 firmy Bosch do diagnostyki układów ABS Bosch drugiej generacji (rys. 5.23).

Tester DYNASTAT 4000 jest przeznaczony do diagnozowania w warunkach statycznych i dynamicznych najpopularniejszych układów ABS: BOSCH, TEVES, BENDIX, LUCAS, bez i z samodiagnozą. Tester łączy się równolegle ze sterownikiem ABS i sprawdza wszystkie połączone z nim podzespoły, porównując ich wartości elektryczne i identyfikując nieprawidłowości, nawet jeśli występują krótkotrwale.

Stwierdzenie uszkodzenia jest sygnalizowane świeceniem kontrolki na płycie czołowej testera. Każda informacja świetlna znajduje odniesienie w zaleceniach serwisowych.

Rys. 5.22. DYNASTAT
4000 firmy
MOTORSCAN
do testowania układów
ABS

Tester KDAS 0003 firmy Bosch służy do sprawdzenia elementów wszystkich wersji systemu BOSCH ABS 2. tester bada za pomocą 6 kroków pomiarowych wszystkie peryferyjne podzespoły układu, za wyjątkiem elektronicznego urządzenia sterującego. Samodiagnoza w urządzeniu sterującym ABS 2 sprawia, że dodatkowe badanie tego urządzenia za pomocą testera staje się zbędne. Wskazanie uszkodzeń odbywa się za pomocą diod LED, za wyjątkiem sygnału z czujnika prędkości obrotowej, który może być odczytany na wskaźniku analogowym.

Do sprawdzenia **czujników prędkości kątowej kół**, które są czujnikami magnetoindukcyjnymi (o zmiennej reluktancji), można wykorzystać uniwersalny przyrząd diagnostyczny lub multimetr samochodowy. Napięcie w czujniku jest indukowane wtedy, kiedy ząb koła impulsowego mija pole magnetyczne czujnika. Sterownik układu ABS porównuje częstotliwości (a nie wysokości napięcia), z czujników prędkości kątowej kół i wykorzystuje tę informację do utrzymywania prędkości kół w trakcie hamowania. lm prędkość jest większa, tym częstotliwość również staje się większa.

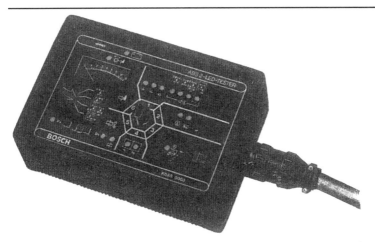

Rys. 5.23. Tester KDAS 0003 firmy Bosch do sprawdzania elementów układów BOSCH ABS 2

225

Potrzebne przyrządy

– multimetr samochodowy 711PF (rys. 10.4) lub ESCORT 328 firmy ESCORT (rys. 10.5), przenośny przyrząd diagnostyczny PMS 100 firmy Bosch (rys. 5.24), tester układów elektronicznych ASD 2000 firmy LONGUS, tester ABS firmy Autoelektronika z Poznania, diagnoskop FSA 450 firmy Bosch (rys. 10.8).

Wykonanie pomiaru

– Podnieść samochód i zabezpieczyć przed opadnięciem.
– Włączyć zapłon, silnik nie pracuje. Odłączyć czujnik prędkości kątowej koła od instalacji elektrycznej samochodu. Połączyć przyrząd diagnostyczny ze złączem wtykowym czujnika prędkości kątowej, a następnie obracać ręką koło.
   Lub
– Uruchomić silnik. Podłączyć się do czujnika za pomocą elastycznego adaptera szpilkowego, jak pokazano na rysunku 5.24 (względnie użyć kostki pośredniej). Włączyć bieg i równomiernie rozpędzać koła napędowe. Do sprawdzenia kół osi nienapędzanej zastosować metodę pierwszą (zapłon włączony, silnik nie pracuje).

Ocena wyników

W przypadku niskiej amplitudy sygnału z czujnika powinno się sprawdzić, czy między czujnikiem a kołem impulsowym nie ma nadmiernego odstępu. Jeśli wystąpi migotanie amplitudy, może to oznaczać skrzywienie osi. Wartości międzyszczytowe muszą być między sobą jednakowe, a sygnał musi wyglądać na symetryczny, jak na rysunku 5.24. Nieregularny sygnał będzie spowodowany nieodpowiednią szczeliną powietrzną lub brakiem zęba w kole impulsowym.

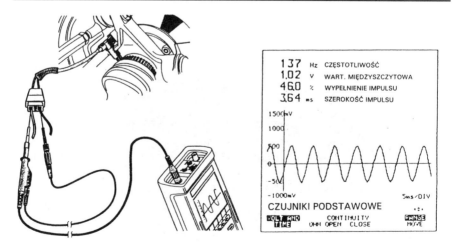

Rys. 5.24. Sprawdzanie czujnika prędkości kątowej koła oraz wyniki testu czujnika prędkości koła wyświetlane na ekranie przyrządu PMS 100

5.7. SPRAWDZANIE HAMULCÓW ELEKTROMECHANICZNYCH EPB

Elektromechaniczny hamulec postojowy EPB, stosowany m.in. w samochodach VW Passat (od 2004), Audi A6 i A8 (od 2002) oraz Volvo S80, wymaga specjalnej procedury sprawdzania na rolkach. Do sterowania i diagnozy elektromechanicznego hamulca postojowego służy jego własny sterownik. Jest on połączony ze sterownikiem ESP i w ten sposób stanowi element całej sieci CAN (rys. 5.25). Po uzyskaniu polecenia uruchomienia hamulca EPB sterownik EPB włącza zasilanie silnika elektrycznego (3, rys. 5.26). Obracający się gwintowy trzpień przekładni (2) przesuwa skojarzoną z nim nakrętkę (1), która z kolei przesuwa tłok hamulca (4). Następuje zaciśnięcie obu klocków hamulcowych na tarczy. Po wyłączeniu zasilania silnika elektrycznego układ pozostaje zaciśnięty dzięki samohamowności w napędzie śrubowym. Jeżeli sterownik EPB będzie podejrzewał, że hamulec postojowy został włączony, gdy tarcza była nagrzana, to po pewnym czasie dosunie nakrętkę do tłoka. Dzięki temu hamulec nie poluzuje się, gdy hamulce ostygną. Zwolnienie hamulca następuje poprzez zmianę biegunowości zasilania silnika elektrycznego.

W celu wymiany wkładek ciernych i dokonania innych prac wymagających demontażu zacisku koła tylnego, układ EPB musi być przełączony w tryb ser-

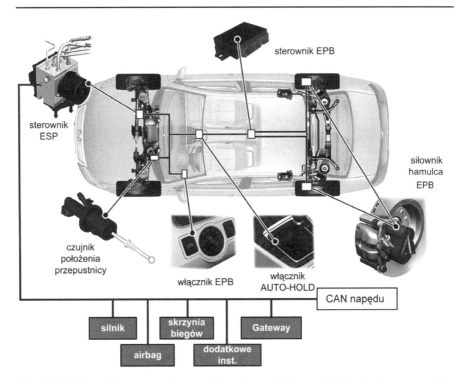

Rys. 5.25. Układ elektromechanicznego hamulca postojowego EPB jest włączony w sieć CAN i może być diagnozowany za pomocą testera. Na rysunku widoczny włącznik hamulca EPB

wisowy (nakrętka napędzająca tłok zostaje wtedy wycofana w skrajne położenie wewnętrzne). Do tego celu można wykorzystać tester diagnostyczny z odpowiednim oprogramowaniem lub specjalistyczny przyrząd serwisowy, na przykład pokazany na rysunku 5.27.

Potrzebne przyrządy

– EBT firmy TRW (rys. 5.27a), ATE EST firmy Continental Automotive Systems (rys. 5.27b) lub EPB-2006 firmy FT Elektronik.

Deaktywacja hamulca EPB

Pierwszą czynnością serwisową jest deaktywacja hamulca EPB. Poniżej opisano procedurę deaktywacji na przykładzie samochodu VW Passat C3. Aby przekonać się, czy w danym modelu występuje hamulec EPB, wystarczy rzut oka na tablicę rozdzielczą i odszukanie włącznika hamulca (patrz rys. 5.25). Ponadto, przy zaciskach hamulców kół tylnych powinny być widoczne siłowniki.

– Podłączyć przyrząd do gniazda diagnostycznego pojazdu EOBD (OBD II).
– Włączyć zapłon.
– Zwolnić hamulec postojowy. Jeżeli jest to niemożliwe, w zestawie wskaźników ukazuje się symbol „hamulec zasadniczy”. Nacisnąć pedał hamulca i przytrzymać, uruchomić przyciskiem hamulec postojowy. Symbol hamulca zasadniczego, kontrolka hamulców oraz dioda w przycisku hamulca postojowego gasną.
– Nacisnąć odpowiedni przycisk na przyrządzie. W przyrządzie EPB-2006 będzie to przycisk „Speichern/save”. Sterownik przechodzi w tryb serwisowy i powoduje otwarcie tylnych zacisków hamulcowych. Proces ten jest słyszalny dzięki pracy silników elektrycznych. Zaczynają migać dioda w przycisku hamulca postojowego i kontrolka hamulców w zestawie wskaźników, natomiast ciągle świeci kontrolka „hamulec postojowy uszkodzony/deaktywowany”.

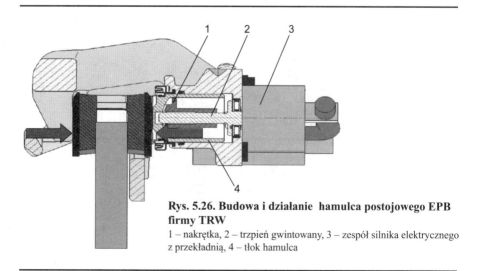

Rys. 5.26. Budowa i działanie hamulca postojowego EPB firmy TRW
1 – nakrętka, 2 – trzpień gwintowany, 3 – zespół silnika elektrycznego z przekładnią, 4 – tłok hamulca

– Wyłączyć zapłon i wyciągnąć wtyczkę z gniazda diagnostycznego, aby wykluczyć nieumyślną aktywację hamulca podczas pracy. Można przystąpić do wymiany klocków hamulcowych.

Aktywacja hamulca EPB

– Wyłączyć zapłon.
– Podłączyć przyrząd do gniazda diagnostycznego.
– Nacisnąć odpowiedni przycisk na przyrządzie.

Sprawdzanie hamulca postojowego EPB na rolkach

– Wyłączyć hamulec postojowy (wcisnąć przycisk hamulca postojowego i nacisnąć pedał hamulca).

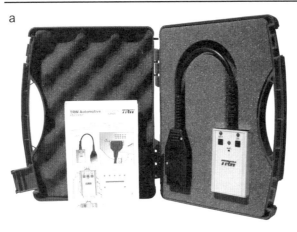

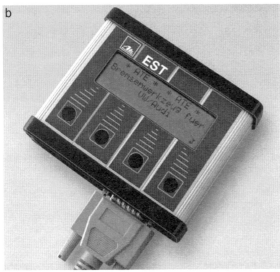

Rys. 5.27. Przykłady specjalistycznych przyrządów do obsługi elektromechanicznych hamulców postojowych EPB
a – EBT firmy TRW, b – ATE EST firmy Continental Automotive Systems

- Zapiąć pas bezpieczeństwa kierowcy (pas pasażera jest bez znaczenia).
- Wjechać tylnymi kołami na rolki. Włączyć rolki i pozostawić pracujące przez przynamniej 5 sekund. W tym czasie prędkość powinna utrzymywać się na stałym poziomie 2,5...9 km/h. Kontrolka musi świecić. Oznacza to, że układ EPB znajduje się w trybie badania technicznego.
- Naciskać powoli przycisk hamulca postojowego 4 razy. Siła hamowania musi wzrastać po każdym naciśnięciu. Obserwować wskazania zegarów. Piąte naciśnięcie przycisku kończy tryb testu i zwalnia hamulec postojowy.
- Wyjechać z rolek i zatrzymać pojazd. Wcisnąć przycisk hamulca postojowego i odpiąć pas bezpieczeństwa. Podjąć próbę ruszenia na pierwszym biegu. Koła muszą blokować.
- Ponownie zapiąć pas i dokonać próby ruszenia na pierwszym biegu. Hamulec postojowy musi być zwolniony.

6. DIAGNOSTYKA UKŁADU JEZDNEGO

6.1. BADANIE ZAWIESZENIA KÓŁ

Zawieszenie kół w samochodzie, niezależnie od rozwiązań konstrukcyjnych, spełnia kilka podstawowych zadań:
- zapewnia prowadzenie kół i ich kierowalność;
- przenosi na nadwozie samochodu siły wywołane w czasie jazdy reakcjami nawierzchni drogi na koła;
- zapewnia odpowiedni komfort jazdy poprzez ograniczenie przechyłów nadwozia i tłumienie drgań.

Diagnostyka zawieszenia kół polega na wykrywaniu w układzie niesprawnych elementów, które uniemożliwiają spełnienie powyższych zadań. Pierwszych informacji o stanie zawieszenia kół dostarczają jego oględziny zewnętrzne (m.in. ogumienia – por. tabl. 1–2) oraz obserwacja zachowania się samochodu podczas jazdy. Sposób przeprowadzania badań wstępnych omówiono w rozdziałach 1.1 i 1.2.

Następnym etapem badania z użyciem narzędzi i przyrządów pomiarowych jest określenie wartości luzów w poszczególnych elementach zawieszenia.

Wykrywanie luzów w układzie jezdnym i kierowniczym

Najprostszym sposobem wykrycia nadmiernych luzów w układzie jezdnym samochodu jest próba poruszenia kołem po podniesieniu go do góry. Sprawdzając w ten sposób stan zawieszenia przedniego uzyskuje się jednocześnie informacje o luzach w układzie kierowniczym.

Szybką kontrolę stanu technicznego elementów układu jezdnego i kierowniczego umożliwia detektor luzów nazywany również szarpakiem. Jest to urządzenie płytowe o napędzie elektrycznym, pneumatycznym lub hydraulicznym, które wykonując krótkie przemieszczenia i (lub) obroty w różnych kierunkach powoduje poziome ruchy koła i wszystkich elementów z nim związanych (rys. 6.1). Urządzenie jest zazwyczaj wyposażone w lampę ręczną, która może mieć przyciski do sterowania ruchami płyt. Urządzenie można montować w podłodze lub na podnośniku i daje się obsługiwać przez jedną osobę.

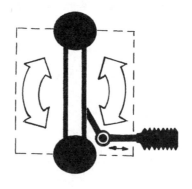

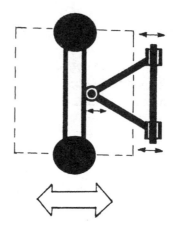

Rys. 6.1. Przykład detektora luzów w układzie jezdnym i układzie kierowniczym

Potrzebne przyrządy i narzędzia

– podnośnik samochodowy.

Wykonanie badania

– Za pomocą podnośnika unieść przód samochodu tak, aby sprawdzane koło nie stykało się z ziemią. W niektórych samochodach (Żuk, Lada) podnośnik musi być ustawiony pod wahaczem, aby odciążona sprężyna zawieszenia nie spowodowała skasowania luzów w układzie (rys. 6.2b).

– Chwycić dłońmi za oponę i poruszać nią energicznie na boki, w kierunkach pokazanych na rysunku 6.2c. Wykonując ruchy zgodnie ze strzałkami w płaszczyźnie pionowej można wyczuć luzy w łożyskach kół (10, rys. 6.3), w sworzniach zwrotnicy oraz w tulei metalowo-gumowej wahacza (9) lub resoru. Ruszając natomiast kołem zgodnie ze strzałkami w płaszczyźnie poziomej można wykryć luzy w łożyskach kół i przegubach drążków kierowniczych (2). Miejsca pojawienia się luzów zależą od konstrukcji badanego zawieszenia.

– Sprawdzane koło wprawić w powolny ruch obrotowy, osłuchując piastę koła. Koło powinno obracać się bez oporów (opory wystąpią w przypadku koła napędzanego) i nienaturalnych odgłosów (szumów i zgrzytów).

232

a

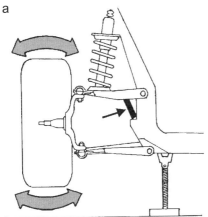

b

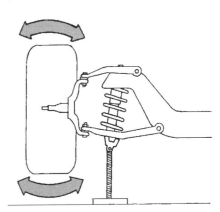

c

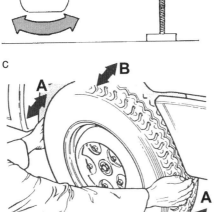

Rys. 6.2. Do sprawdzania luzów koło powinno być uniesione w taki sposób, aby zwolnić nacisk sprężyny na sworznie wahacza. Gdy sprężyna opiera się o górny wahacz (a), wówczas między tym wahaczem a ramą (nadwoziem) należy umieścić podkładkę (strzałka) i podeprzeć ramę (nadwozie). Gdy sprężyna opiera się o dolny wahacz (b), wówczas należy podeprzeć ten wahacz. Po uniesieniu samochodu i chwyceniu dłońmi za oponę (c) należy poruszać kołem w odpowiednich kierunkach: w płaszczyźnie pionowej (A) podczas sprawdzania luzów w zawieszeniu albo w płaszczyźnie poziomej (B) podczas sprawdzania luzów w układzie kierowniczym

Występowanie tych zjawisk będzie świadczyło albo o uszkodzeniu łożysk kół, albo o ocieraniu szczęk hamulcowych (lub klocków) o bęben (lub o tarczę).

– W podobny sposób sprawdzić w zawieszeniu tylnym stan łożysk kół i elementy prowadzenia koła. Ich określenie wymaga znajomości budowy danego zawieszenia – jeden z przykładów pokazano na rysunku 6.4.

– Dokładniejsze zlokalizowanie luzów i miejsc uszkodzeń wymaga obserwacji elementów zawieszenia podczas poruszania kołem jezdnym (do tego potrzebna jest pomoc drugiej osoby). Miejsca podlegające oględzinom zaznaczono na rysunkach 6.3 i 6.4.

Pomiar luzu w ułożyskowaniu kół

Dokładniejszą, a zarazem obiektywną metodą określania luzu osiowego łożysk kół jest jego pomiar za pomocą czujnika zegarowego.

Potrzebne przyrządy i narzędzia

– czujnik zegarowy,
– uchwyt magnetyczny lub wspornik do mocowania czujnika zegarowego do piasty koła,

233

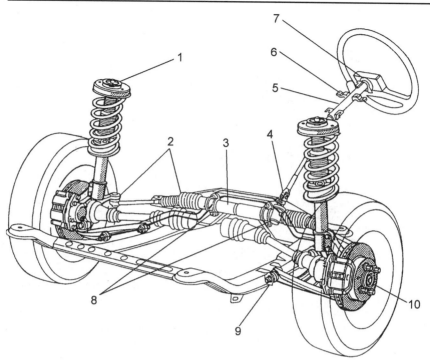

Rys. 6.3. Możliwe miejsca pojawienia się luzów w zawieszeniu przednim i układzie kierowniczym

1 – mocowanie kolumny zawieszenia, 2 – przeguby kulowe drążka kierowniczego, 3 – przekładnia kierownicza, 4 – przegub krzyżakowy wału kierownicy, 5 – kolumna z wałem kierownicy, 6 – mocowanie kolumny kierownicy, 7 – mocowanie kierownicy, 8 – mocowanie przekładni kierowniczej, 9 – łączniki wahacza, 10 – łożysko koła

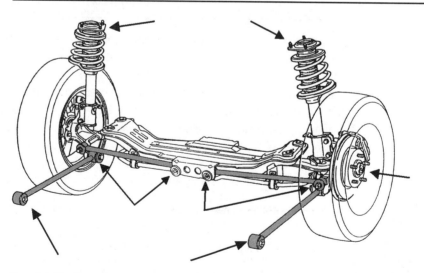

Rys. 6.4. Zawieszenie tylne samochodu Mazda 626 z podwójnym, trapezowym układem wahaczy poprzecznych (dwa wahacze poprzeczne o nierównej długości i jeden wzdłużny) i ze sprężynami śrubowymi. Strzałkami zaznaczono możliwe miejsca pojawienia się luzów

Rys. 6.5. Sprawdzanie luzu osiowego łożysk piasty koła za pomocą czujnika zegarowego

- klucz do kół,
- podnośnik samochodowy,
- wkrętak do zdemontowania miseczki ochraniającej nakrętkę czopa zwrotnicy (w razie potrzeby).

Wykonanie pomiaru

- Zdjąć kołpak i poluzować śruby mocujące koło.
- Zabezpieczyć samochód przed przetoczeniem, a następnie podnośnikiem unieść badane zawieszenie, tak, aby koło nie stykało się z ziemią.
- Zdjąć koło i zdemontować, jeżeli istnieje, miseczkę ochronną nakrętki czopa zwrotnicy.
- Zamocować do piasty koła uchwyt magnetyczny (lub specjalny wspornik) z przymocowanym czujnikiem zegarowym (rys. 6.5).
- Oprzeć trzpień mierniczy czujnika o czoło czopa zwrotnicy i ustawić wskazanie czujnika na zero.

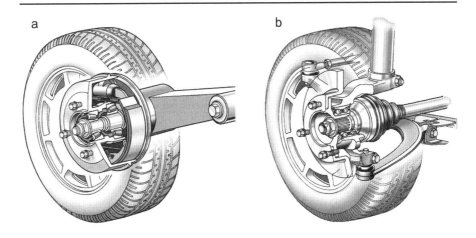

Rys. 6.6. Przykłady ułożyskowania koła jezdnego
a – na łożyskach stożkowych, b – na łożysku dwurzędowym kulkowym skośnym

– Poruszać pastą wzdłuż osi czopa zwrotnicy, odczytując na czujniku wartość przesunięcia się piasty.

Ocena wyników

Wartość luzu osiowego łożyska nie powinna być większa od podawanej przez producenta jako dopuszczalna. Zwykle graniczna wartość luzu wynosi 0,1...0,5 mm w przypadku łożysk stożkowych (rys. 6.6a) lub jednorzędowych łożysk kulkowych skośnych. W tych rozwiązaniach konstrukcyjnych ułożyskowania jest możliwe przeprowadzenie regulacji luzu po stwierdzeniu przekroczenia wartości dopuszczalnych. W innym rozwiązaniu, z zastosowaniem specjalnego dwurzędowego łożyska kulkowego (rys. 6.6b), powstanie jakiegokolwiek luzu jest niedopuszczalne. Jeżeli więc pomiar wykaże luz osiowy łożyska, należy je wymienić na nowe.

6.2. BADANIE AMORTYZATORÓW

Amortyzatory służą do wytłumienia drgań nadwozia i mas nieresorowanych samochodu. Drgania są powodowane uderzeniami kół o nierówności terenu, a ich wielkość decyduje nie tylko o zachowaniu się samochodu podczas jazdy, ale także wpływa na trwałość elementów sprężystych i opon.

Niesprawności amortyzatorów ujawniają się wyraźnie w czasie jazdy (por. tabl. 1–3) i są odczuwane w różnych postaciach:
– zbyt powolnego wygasania drgań nadwozia po przejechaniu nierówności drogi (rys. 6.7),
– narastania drgań nadwozia podczas jazdy po następujących po sobie nierównościach drogi,
– niedostatecznej przyczepności kół do drogi,
– wydłużonej drogi hamowania.

O nieprawidłowym funkcjonowaniu amortyzatorów można się już przekonać podczas oględzin zewnętrznych samochodu, m.in. na podstawie wyglądu opon (por. tabl. 1–2) oraz zachowania się nadwozia po jego rozkołysaniu (por. rozdz. 1.1).

Dokładniejsze rozpoznanie niesprawnego amortyzatora oraz ocenienie stopnia jego zużycia jest możliwe dopiero na stanowisku kontrolnym. W diagnostyce warsztatowej powszechnie stosuje się badanie amortyzatorów w stanie zamontowanym w pojeździe z uwagi na łatwość i szybkość wykonania pomiarów. Metoda ta ustępuje dokładnością badaniu stanowiskowemu, jakie wykonuje się po wymontowaniu amortyzatora z samochodu, ponieważ m.in. nie eliminuje wpływu stanu zawieszenia kół i sztywności opon na wynik oceny.

Istnieje wiele rozwiązań konstrukcyjnych urządzeń do kontroli amortyzatorów. Ich działanie jest oparte na jednej z dwóch metod badawczych, polegających na uzyskiwaniu drgań swobodnych lub wymuszonych.

 Badanie amortyzatorów metodą drgań swobodnych

Jest to prosty i mniej kosztowny sposób badania amortyzatorów, polegający na spowodowaniu ruchu nadwozia i obserwacji jego zanikających drgań. Jedna z metod polega na spuszczeniu samochodu z pewnej wysokości na koła. Czyn-

236

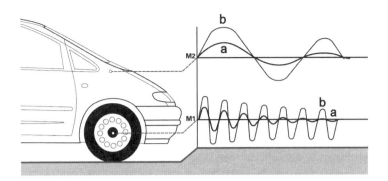

Rys. 6.7. Drgania nadwozia po przejechaniu przeszkody na drodze
a – w przypadku amortyzatorów sprawnych,
b – w przypadku amortyzatorów niesprawnych

nik wahań, przymocowany do błotnika przekazuje amplitudy powstających drgań swobodnych nadwozia do urządzenia rejestrującego. Stąd otrzymuje się wykres drgań tłumionych przez amortyzator.

Druga metoda, opisana poniżej, polega na krótkim i silnym naciśnięciu błotnika nad badanym amortyzatorem. Czujnik ultradźwiękowy przymocowany do błotnika odbiera sygnały odbite od ziemi lub od nadajnika sygnałów umieszczonego na ziemi i przekazuje je do opracowania przez mikroprocesor.

Inny jeszcze sposób sprawdzania amortyzatorów metodą drgań swobodnych proponuje firma HEKA w urządzeniu płytowym H 2000 wersji UA2 i UA4 do badania hamulców oraz zawieszenia. Zdolność tłumienia poszczególnych amortyzatorów jest badana po pełnym wyhamowaniu samochodu na stanowisku, gdy następuje ich maksymalne ugięcie jako reakcja od sił hamowania, a następnie zanikanie ugięć, aż do osiągnięcia stanu równowagi.

Najprostszym przyrządem do określenia stanu amortyzatorów jest tester BIG RED niemieckiej firmy M-Tronic, który umocowany do błotnika mierzy elektronicznie tłumienie drgań nadwozia.

Potrzebne przyrządy i narzędzia

– tester amortyzatorów BIG RED firmy M-Tronic

Wykonanie pomiaru

– Ustawić samochód na płaskim podłożu.
– Umocować tester BIG RED przyssawkami do błotnika powyżej koła.
– Połączyć przyrządem zewnętrzny nadajnik ultradźwięków EUS-40, który kładzie się przy kole (rys. 6.8a).
– Silnym, krótkim naciśnięciem na błotnik ugiąć zawieszenie. System pomiarowy testera wykonuje za pomocą ultradźwięków pomiar odległości między przyrządem a nadajnikiem ustawionym na podłożu.
– Wykonać powyższe czynności przy wszystkich kołach samochodu. Wyniki zostają zapamiętane automatycznie.

237

Ocena wyników

Rejestrowanie drgań przez BIG RED-a odbywa się na zasadzie pomiaru przebiegów czasowych ultradźwięków. Za pomocą wewnętrznego mikroprocesora BIG RED oblicza dane i prezentuje w sposób graficzny na wyświetlaczu zachowanie się nadwozia podczas drgania. Wbudowany wyświetlacz ułatwia analizowanie drgań, ponieważ pokazywana jest nie tylko bezwymiarowa liczba, ale również rzeczywisty przebieg tłumienia drgań nadwozia. Przebieg otrzymuje się na wydruku z wbudowanej drukarki termicznej. BIG RED został tak skonstruowany, aby można było sprawdzać amortyzatory w samochodzie bez potrzeby wprowadzania danych referencyjnych. Na podstawie rozkładu częstości występowania różnego typu zawieszeń w ponad 1000 pojazdów ustalono trzy klasy zawieszeń: „sportowe", „normalne" i „miękkie". Dane te zostały wprowadzone do oprogramowania. Nie mniej istnieje możliwość w menu wyboru zmierzenia na nowo danych referencyjnych pojazdu i wprowadzenia ich jako wzorzec dla późniejszych pomiarów. Po wybraniu odpowiedniej kategorii pojazdu „sport", „normalny" lub „miękki", pokaże się wynik w postaci symbolu, ewentualnie z dodatkowymi informacjami. Jeżeli badane zawieszenie mieści się w zadanej specyfikacji dla tej kategorii, to pojawi się słupek. Im wyższy jest słupek, tym lepsze jest tłumienie drgań. Natomiast jeżeli badane zawieszenie

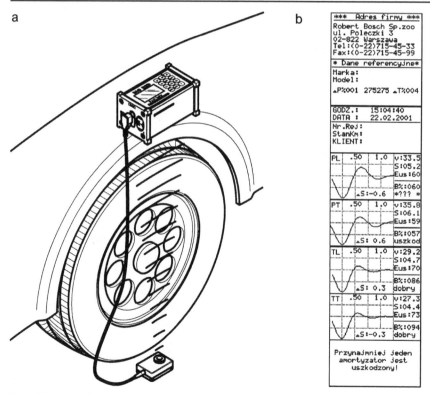

Rys. 6.8. Przenośny tester amortyzatorów BIG RED niemieckiej firmy M-Tronic (a) i przykład wydruku wyników pomiaru (b)

nie mieści się w zadanej kategorii, to pokaże się znak w postaci trójkąta ostrzegawczego. Jeżeli zawieszenie nie spełnia minimalnych wymagań, stawianych przez bezpieczeństwo jazdy na drodze, to w przypadku każdej kategorii pojawi się znak „STOP".

Jako dodatkowe informacje są pokazywane (rys. 6.8b):

v = max prędkość nadwozia w [cm/s],

S = max przemieszczenie się nadwozia (do dołu) w [cm],

Eus = przedstawia linearne tłumienie w [%],

$B\%$ = ocena w [%], jeżeli na początku testu podano wartość referencyjną.

Wartość EUS informuje, o jaki procent zmniejszyła się amplituda w stosunku do poprzedniej. Oznacza to, że dla pomiaru nie są istotne bezwzględne wartości dystansu i nie wpływają na jego wynik. Krzywa bardziej lub mniej rozciągnięta wskutek silniejszego lub słabszego naciśnięcia na błotnik będzie miała zawsze ten sam przebieg wygaszania. Dlatego do wyznaczenia tłumienia drgań nadwozia nie jest potrzebne kalibrowanie pomiaru przemieszczenia. Wartość $B\%$ porównuje aktualny wynik pomiaru z wybraną kategorią lub z zadaną wcześniej wartością referencyjną.

Z prawej strony wydruku jest podawana tekstem ocena amortyzatorów: „dobry", „???", „uszkodzony".

Badanie amortyzatorów metodą drgań wymuszonych

Metoda ta polega na wymuszeniu drgań badanego koła i jego zawieszenia powyżej częstotliwości rezonansowej. Po usunięciu siły wymuszającej rozpoczyna się zanikanie drgań tłumionych pracą amortyzatora, elementów zawieszenia i elastycznością opony. W miarę obniżania się częstotliwości drgań pojawia się w pewnym momencie rezonans, którego amplituda jest wielkością charakteryzującą stan amortyzatora. Sposób oceny jakości tłumienia drgań zależy od konstrukcji urządzenia kontrolnego. Powszechne zastosowanie w stacjach obsługi samochodów znalazły urządzenia badające amortyzatory metodą drgań wymuszonych, które działają na podstawie analizy drgań w funkcji czasu, np. Shocktester firmy Boge, lub analizy nacisku koła na podłoże, np. firmy AREX, SA2D firmy MAHA.

W urządzeniu Shocktester Boge płyta najazdowa (5, rys. 6.9) jest wprawiana przez silnik elektryczny (2) i mimośród w ruch drgający z częstotliwością ok. 15 Hz, która jest wyższa od częstotliwości rezonansowej zawieszenia, wynoszącej ok. 6...8 Hz. Po wymuszeniu drgań kola zawieszenia i amortyzatora silnik elektryczny zostaje wyłączony i następuje wytłumienie drgań. Przebieg drgań jest rejestrowany przez czujnik ultradźwiękowy (6), przetworzony elektronicznie i przedstawiony na wskaźniku LCD. Stan techniczny amortyzatora określa się przez porównanie otrzymanych wyników z charakterystykami wzorcowymi dla danego pojazdu, zapamiętanymi w komputerze.

Protokół badania zawiera wykresy drgań.

Urządzenia analizujące nacisk koła na płytę pomiarową występują albo jako testery wibracyjne o zmiennej amplitudzie drgań, albo jako testery wibracyjne o stałej amplitudzie drgań.

W pierwszym przypadku wyniki badania muszą być odnoszone do bazy danych w celach porównawczych.

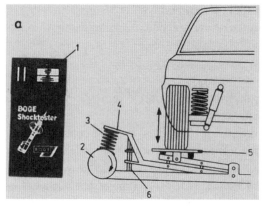

Rys. 6.9. Schemat działania urządzenia do badania amortyzatorów Shocktester 2000 firmy Boge (a) oraz wykresy uzyskiwane podczas badania (b, c)

1 – pulpit sterowniczy, 2 – silnik elektryczny napędu, 3 – sprężyna, 4 – ramię drgające, 5 – płyta najazdowa, 6 – czujnik ultradźwiękowy, 7 – przedział wysokiej częstotliwości wzbudzenia 8...15 Hz, 8 – przedział rezonansu (6...8 Hz), 9 – przedział niskiej częstotliwości, zanikanie procesu drgania osi; A – strefa bezpieczna maksymalnej amplitudy drgań (zielona), B – strefa ryzyka (żółta), C – strefa niebezpieczna (czerwona), b – diagram dla samochodu z amortyzatorami sprawnymi, c – diagram dla samochodu z amortyzatorami niesprawnymi

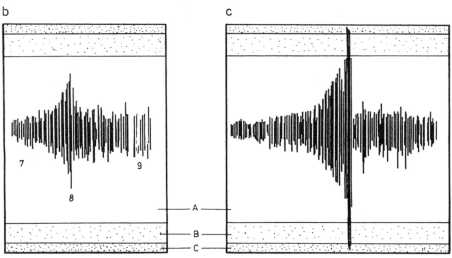

W drugim przypadku urządzenie wymusza drgania koła z częstotliwością od 0 do 25 Hz i mierzy stosunek nacisku dynamicznego do nacisku statycznego koła.

Stosunek ten zmienia się w funkcji częstotliwości drgań osiągając minimum przy częstotliwości rezonansowej zawieszenia (12...16 Hz). Do oceny stanu amortyzatorów (a także całego zawieszenia) wystarcza odniesienie wyników pomiaru do tabeli wymagań ustalonej przez EUSAMA (Europejskie Stowarzyszenie Producentów Amortyzatorów).

Potrzebne przyrządy i narzędzia

– urządzenie do badania amortyzatorów według testu EUSAMA, np. FWT 2005-E firmy CARTEC, tester firmy AREX.

Wykonanie pomiaru

– Wyregulować ciśnienie w oponach do nominalnego z dokładnością ±5%. Ciśnienie w oponach wpływa na przyczepność kół do jezdni i tym samym na wynik pomiaru. Zbyt wysokie ciśnienie spowoduje uzyskanie gorszych wyników. Samochód podczas badania nie powinien być obciążony; dopuszcza się jednak obecność w nim kierowcy.

- Wjechać przednimi kołami na płyty najazdowe, które zostaną automatycznie włączone i wprawione w drgania o częstotliwości 25 Hz i skoku 6 mm. Płyty po wymuszeniu drgań kół są automatycznie wyłączane.
- Odczytać na wskaźniku cyfrowym wynik badania dla obu amortyzatorów. Wynik jest również zapisywany przez drukarkę.
- Powtórzyć badania dla zawieszenia tylnego.

Ocena wyniku

Urządzenie nie mierzy maksymalnych i minimalnych wartości amplitudy drgań kół (jak odbywa się to w urządzeniu BOGE), lecz podaje wynik w wartościach bezwzględnych. Powstaje on z porównania zmierzonego najmniejszego nacisku drgających kół z ich statycznym naciskiem na płytę.

Metoda EUSAMA ocenia skuteczność tłumienia amortyzatorów według czterostopniowej skali:

- 0 do 20% – zła skuteczność,
- 21 % do 40% – dostateczna,
- 41% do 60% – dobra,
- ponad 61 % – doskonała.

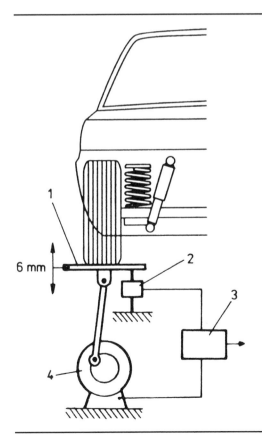

Rys. 6.10. Schemat urządzenia do badania amortyzatorów metodą EUSAMA

1 – płyta najazdowa, 2 – tensometryczny układ pomiarowy, 3 – układ elektroniczny, 4 – silnik elektryczny

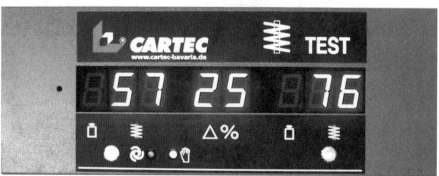

Rys. 6.11. Stanowisko do kontroli zawieszenia i amortyzatorów FWT firmy Cartec ma możliwość pracy w dwóch niezależnych trybach: kontroli amortyzatorów i zawieszenia w trybie pracy EUSAMA oraz kontroli i wykrywania stuków przy regulowanej częstotliwości

Pomiar nacisku koła uzyskuje się w wyniku pomiaru za pomocą dwóch dodatkowych czujników ciśnieniowych, a dzięki regulacji częstotliwości drgań w zakresie od 3 do 29 Hz istnieje możliwość stopniowego wymuszania drgań. Optymalny zakres częstotliwości do kontroli stuków określony na podstawie doświadczenia firm BMW i Mercedes-Benz wynosi od 10 do 20 Hz. Przy otwartej pokrywie silnika, otwartym bagażniku lub też w trudno dostępnych miejscach jest możliwa lokalizacja nieznanych stuków dzięki płynnej regulacji częstotliwości drgań.

Kryteria oceny są jednakowe dla wszystkich pojazdów z wyjątkiem lekkich samochodów z napędem na przednią oś, dla których jest konieczne obniżenie wymagań dla amortyzatorów tylnych. Różnica między stroną lewą i prawą nie powinna przekraczać 20% pomiędzy wartościami EUSAMA.

6.3. BADANIE KOŁA JEZDNEGO

Badanie koła samochodu obejmuje sprawdzenie stanu tarczy, stopnia zużycia ogumienia oraz niewyrównoważenia kompletnego koła. Dwie pierwsze czynności, jako wchodzące w zakres oględzin zewnętrznych pojazdu, zostały opisane w rozdziale 1.1. Natomiast metody wykrywania i oceny niewyrównoważenia koła wymagają zastosowania specjalnych urządzeń diagnostycznych i zostaną tutaj szerzej omówione.

Pierwszych informacji o niewyrównoważeniu koła dostarcza obserwowanie zachowania się pojazdu podczas jazdy na drodze (por. tabl. 1–3) oraz wygląd bieżnika opon (por. tabl. 1–2). Wystąpienie tych objawów, a szczególnie wibracji koła kierownicy, świadczy już o znacznym stopniu niewyrównoważenia, które może w rezultacie doprowadzić nawet do zagrożenia bezpieczeństwa ruchu drogowego. Niewyrównoważenie jest zjawiskiem szkodliwym dla samo-

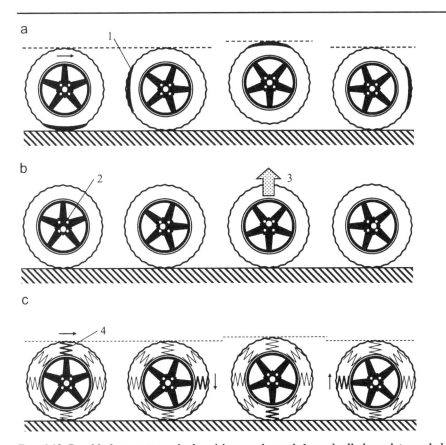

Rys. 6.12. Przykłady powstawania drgań harmonicznych 1. rzędu dla kompletnego koła
a – niewyrównoważenie statyczne spowodowane nierównomiernym rozkładem masy, b – zmiana odległości osi obrotu koła od drogi wymuszona błędem wykonania tarczy koła lub jej biciem promieniowym, c – zmiana odległości osi obrotu koła od drogi wymuszona nierównomierną sztywnością promieniową opony, miejsce o większej sztywności ugina się w mniejszym stopniu;
1 – statyczne niewyrównoważenie, 2 – mimośrodowość, 3 – siła pionowa jako reakcja drogi, 4 – miejsce o większej sztywności boku opony

chodu, bowiem zwiększa dynamiczne obciążenie łożysk kół i zawieszenia, tym samym przyspieszając zużywanie się tych zespołów.

Jako przyczyny powstawania drgań kół wymienia się:

- niewyrównoważenie tarczy koła lub/i opony,
- nierównomierna sztywność promieniowa opony,
- bicie tarczy koła,
- niekołowość opony,
- niedokładne wykonanie opony/tarczy koła,
- niewyrównoważenie lub bicie tarczy koła/bębna hamulcowego,
- kombinacja kilku powyższych nieprawidłowości.

Wymienione przyczyny mogą wywoływać drgania harmoniczne różnego rzędu. Jedna oscylacja przypadająca na jeden obrót koła jest określana jako składowa harmoniczna pierwszego rzędu lub krócej pierwsza harmoniczna. Drgania harmoniczne pierwszego rzędu są wywoływane statycznym niewyrównoważeniem (rys. 6.12a), biciem promieniowym tarczy koła (rys. 6.12b) oraz nierównomierną sztywnością boku opony, tzw. sztywnością promieniową (rys. 6.12c). Koło może wykonywać również dwa drgania i więcej na jeden obrót, mówimy wtedy o drugiej harmonicznej, trzeciej .... itd. (rys. 6.13 i 6.14).

Przypominamy

Drgania harmoniczne są szczególnym rodzajem drgań okresowych. Charakteryzują się stałą amplitudą i są opisane sinusoidą. Ze względu na prostotę opisu, drgania harmoniczne są wykorzystywane do prezentacji wielu drgań rzeczywistych jako ich przybliżenie (lub poprzez rozkład na nie). Najprostszym przykładem ciała wykonującego drgania harmoniczne jest ciężarek zawieszony na sprężynie.

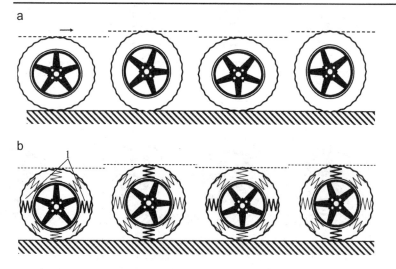

Rys. 6.13. Przykłady powstawania drgań harmonicznych 2. rzędu dla kompletnego koła
a – błąd wykonania tarczy koła lub opony (owalność), b – zmiana odległości osi obrotu koła od drogi wymuszona nierównomierną sztywnością promieniową opony w dwóch miejscach;
1 – miejsca o większej sztywności boku opony

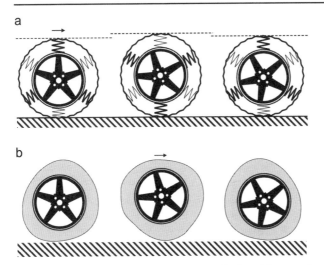

Rys. 6.14. Przykłady przyczyn powstawania drgań harmonicznych 3. rzędu

a – zmiana odległości osi obrotu koła od drogi wymuszona nierównomierną sztywnością boku opony w trzech miejscach, b – błąd wykonania tarczy koła lub opony

Wirująca, nie zróżnicowana masa koła może wywołać drgania w kierunku pionowym, wokół zawieszenia wahaczy (rys. 6.15a) lub, jeżeli koła, są kierowane, w kierunku poziomym, wokół sworznia zwrotnicy (rys. 6.15b). Uzyskanie spokojnego toczenia się koła wymaga takiego wyrównania mas uczestniczących w ruchu obrotowym, aby oś bezwładności oraz środek masy koła pokrywały się dokładnie z osią obrotu (rys. 6.16). Niewyrównoważenie przedstawione na rysunku 6.16a, wywołujące pionowe drgania koła, można usunąć w sposób statyczny, tzn. bez konieczności wprawiania koła w ruch obrotowy. Ułożyskowane koło ustawi się zawsze tak, że najcięższy jego punkt zajmie położenie najniższe. Ciężarki wyrównoważające należałoby umieścić naprzeciwko najcięższego punktu, tak dobierając ich masę, aby koło pozostawało w bezruchu w każdym nadanym mu położeniu. Ciężarki powinno się mocować po obu stronach tar-

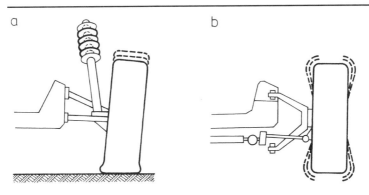

Rys. 6.15. Toczące się niewyrównoważone koło drga w kierunku pionowym (a) lub poziomym (b)

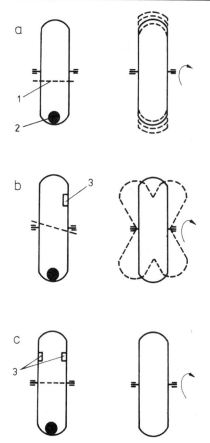

Rys. 6.16. Schematyczne przedstawienie działania niewyrównoważenia i sposobu jego usunięcia

a – koło statycznie niewyrównoważone (środek masy koła nie pokrywa się z osią jego obrotu), b – koło statycznie wyrównoważone, ale umieszczenie ciężarka po jednej stronie tarczy spowodowało niewyrównoważenie dynamiczne (główna oś bezwładności koła nie pokrywa się z osią jego obrotu), c – koło wyrównoważone statycznie i dynamicznie; 1 – oś bezwładności koła, 2 – nadmiar masy powodujący niewyrównoważenie, 3 – ciężarek wyrównoważający

czy koła w celu uniknięcia niewyrównoważenia dynamicznego (rys. 6.16b i c). Ten drugi rodzaj niewyrównoważenia, powodujący głównie poziome drgania koła, można usunąć wprawiając koło w ruch obrotowy i równoważąc ciężarkami powstające wówczas siły i momenty.

Oba rodzaje niewyrównoważenia będą szczególnie silnie odczuwane, jeżeli wystąpią w przednich kołach zawieszonych niezależnie. Natomiast najmniejsze oddziaływanie niewyrównoważenia (tylko statyczne) wystąpi w tylnym zawieszeniu o osi sztywnej. Do ustalenia wielkości i położenia masy niewyrównoważonej, a następnie jej usunięcia służą wyważarki, wykonane jako urządzenie stacjonarne (koło musi być wymontowane z samochodu do badania) lub dostawne (koło pozostaje na pojeździe). Przed przystąpieniem do wyrównoważenia koła należy najpierw sprawdzić jego bicie opisaną niżej metodą.

 ## Sprawdzanie bicia koła

Czynność ta polega na sprawdzaniu dla opony i tarczy koła bicia promieniowego, czyli odchyłki od kształtu kołowego oraz bicia bocznego, czyli odchylenia od płaszczyzny prostopadłej do osi obrotu.

246

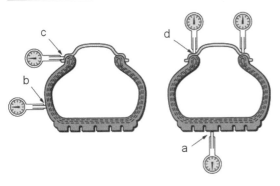

Rys. 6.17. Pomiar bicia promieniowego koła (a), bocznego opony (b), bocznego tarczy koła (c) i promieniowego tarczy koła (d)

Rys. 6.18. Przyrząd do pomiaru bicia koła, zamontowany na wyważarce do kół

Potrzebne przyrządy i narzędzia

- rysik na podstawce lub specjalny przyrząd z czujnikiem zegarowym (rys. 6.18),
- kreda,
- podnośnik samochodowy.

Wykonanie pomiaru

- Za pomocą podnośnika unieść koło jezdne na tyle, aby nie stykało się z ziemią.
- Przystawić ostrze rysika do badanej powierzchni opony lub tarczy koła. Zwrócić uwagę, aby ostrze nie dotykało powierzchni (rys. 6.17). Jeżeli dysponujemy specjalnym przyrządem z czujnikiem zegarowym, to jego stopkę z rolką przystawić do powierzchni koła, a tarczę czujnika ustawić na zero (rys. 6.18). Pomiar można również wykonać po zamontowaniu koła na wyważarce stacjonarnej.
- Koło pokręcać powoli ręką, obserwując maksymalne i minimalne odsuwanie się opony (lub tarczy koła) od ostrza rysika. Miejsca największych odchyleń zaznaczyć kredą i ocenić wielkość bicia. Jeżeli do pomiaru stosujemy czujnik zegarowy, to miarą bicia koła jest największa różnica wskazań.

Ocena wyników

Bicie promieniowe i boczne kół nie powinno przekraczać wartości podanych w tablicy 6–l.

Dla kół wyposażonych w opony radialne o symbolach prędkości S, H, V zaleca się, aby sumaryczne bicie promieniowe (opona + tarcza koła) wynosiło maksymalnie ok. 1 mm.

Koła z biciem promieniowym przekraczającym 2 mm nie można wyrównoważyć w sposób zapewniający spokojne jego toczenie się po drodze. Bicie

247

Dopuszczalne bicie koła (wg BN-75/3621-01)

Średnica tarczy koła [cale]	Dopuszczalne bicie promieniowe i boczne [mm]	
	tarczy koła	opony
do 13 włącznie	1,5	3
powyżej 13	2	4

promieniowe koła można ograniczyć przestawiając oponę w stosunku do tarczy koła w ten sposób, aby najwyższe miejsce opony pokryło się z najniższym miejscem tarczy (rys. 6.19).

Nadmierne bicie boczne może być wynikiem niewłaściwego zamontowania opony lub skrzywienia tarczy koła.

Wyrównoważanie koła wymontowanego z samochodu

Ten sposób wyrównoważania koła, z użyciem wyważarki stacjonarnej, cechuje znaczna dokładność samego pomiaru oraz, co jest jego wadą, brak gwarancji uzyskania pełnego efektu wyrównoważenia. Ta druga cecha wynika z nieuwzględnienia podczas pomiaru innych mas obrotowych niż koło, np. bębna hamulcowego, jak również przyjęcia osi wyważarki za bazę pomiarową. Po zamontowaniu wyrównoważonego koła do samochodu może się więc okazać, że nadal istnieje niewyrównoważenie, które może powodować bęben hamulcowy lub niecentrycznie z osią obrotu zamocowana tarcza koła.

Wśród wyważarek stacjonarnych najbardziej rozpowszechnione są wyważarki z elektronicznym systemem wyrównoważenia. Siły odśrodkowe wywołane masą niewyrównoważoną powodują zmienne drgania podpory sprężystej. Za pomocą odpowiedniego czujnika są one przetwarzane na impuls elektryczny o częstotliwości proporcjonalnej do obrotów koła i amplitudzie proporcjonalnej do niewyrównoważenia. W najnowszych konstrukcjach wyważarek stosuje się rozwiązanie z niewahliwie łożyskowaną podporą.

Rozwiązania konstrukcyjne nowoczesnych wyważarek stacjonarnych umożliwiają m.in.:
– uzyskanie wysokiej czułości układu pomiarowego; dokładność wskazań niewyrównoważenia jest regulowana dwu- lub trzystopniowo (dla wyrówno-

a   b

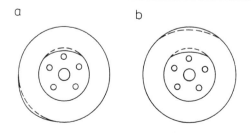

Rys. 6.19. Bicie promieniowe koła (a) można ograniczyć przestawiając oponę w stosunku do tarczy koła w ten sposób, aby najwyższe miejsce opony pokryło się z najniższym miejscem tarczy (b)

ważenia precyzyjnego do 1 g, dla normalnego do 5 g i dla zgrubnego do 10 g); dokładność wskazań miejsca niewyrównoważenia dochodzi do 1,5°;
– obniżenie prędkości obrotowej wału wyważarki, dzięki czemu uległy skróceniu czas rozbiegu koła, czas pomiaru (do 3 s) i czas wyhamowywania; zwiększa to również trwałość urządzenia;

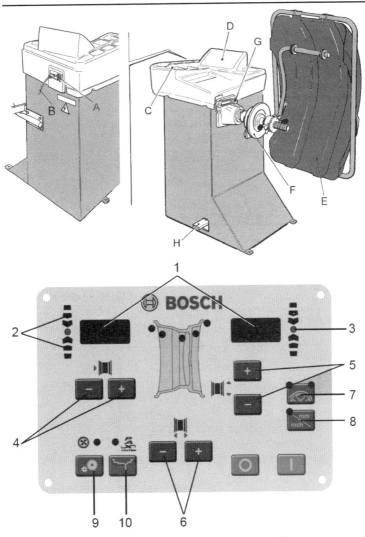

Rys. 6.20. Elektroniczna wyważarka do kół WBE 4110 firmy Bosch z automatycznym cyklem pomiarowym, obejmującym start, pomiar, hamowanie, dynamiczne wyrównoważanie. Niżej panel sterowania z podwójnym wyświetlaczem, pokazującym masę ciężarka i jego pozycję dla obu płaszczyzn

A – wyłącznik główny, B – kabel zasilania, C – pojemniki na ciężarki, D – pulpit sterowania, E – osłona koła, F – uchwyt koła, G – nastawnik odstępu, H – pedał hamulca,
1 – wskaźnik parametrów, 2 – lampki LED kierunku obracania dla punktu niewyrównoważenia, 3 – miejsce niewyrównoważenia (LED), 4 – przyciski wprowadzania odległości obręczy, 5 – przyciski wprowadzania średnicy obręczy, 6 – przyciski wprowadzania szerokości obręczy, 7 – przycisk SPLIT, 8 – przycisk wyboru jednostek dla szerokości lub średnicy obręczy (mm/cale), 9 – przycisk kontroli działania (MENU), 10 – przycisk wyboru programu wyrównoważania (MODE)

– pokazywanie na tablicy (ekranie) lokalizacji niewyrównoważenia za pomocą wielu diod świetlnych lub poprzez zmianę barwy wskaźnika niewyrównoważenia (rys. 6.20);
– pomiar niewyrównoważenia, dla obu płaszczyzn w jednym przebiegu pomiarowym; parametry niewyrównowyważenia są wyświetlane jednocześnie (w przypadku dwóch wskaźników cyfrowych) lub zapamiętywane i wy-

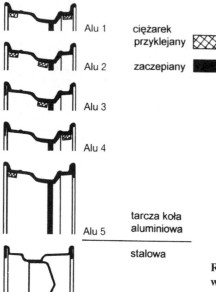

Rys. 6.21. Specjalne programy wyważania kół w zależności od typu tarczy koła i sposobu mocowania ciężarka

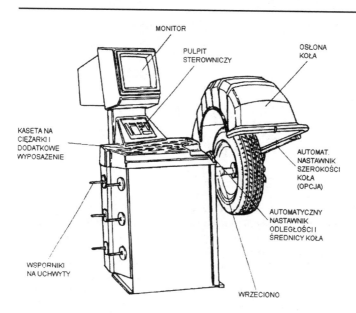

Rys. 6.22. Wyważarka B 304 z kolorowym monitorem sterowana mikroprocesorowo, oferowana przez firmy CEMB i Bosch

świetlane kolejno dla obu płaszczyzn (w przypadku jednego wskaźnika);
- wyważenie kół z tarczami ze stopu aluminiowego i różnym systemem mocowania ciężarków wyrównoważających (rys. 6.21);
- zatrzymanie koła po wyhamowaniu dokładnie w takim położeniu, aby miejsce niewyrównoważenia znalazło się u góry (np. w wyważarce Geodyna 88);
- realizację programu minimalizacji, który służy do określenia bicia poosiowego tarczy koła oraz opony i takiego wzajemnego ułożenia tych elementów, aby bicia wzajemnie się znosiły;
- realizację przynajmniej jednego z opisanych niżej programów optymalizacji.

Programy optymalizacji

W tradycyjnych wyważarkach jest możliwe jedynie zminimalizowanie pierwszej harmonicznej pochodzącej od nierównomiernego rozkładu mas. Wyrównanie mas uczestniczących w ruchu obrotowym polega na takim założeniu ciężarków kompensujących, aby oś bezwładności oraz środek masy koła pokrywały się dokładnie z osią obrotu (rys. 6.23a). W nowszych wyważarkach stosowane mikroprocesorowe sterowanie zapewnia wysoką dokładność pomiarów. Jednak sam, nawet bardzo dokładny, proces wyważania dynamicznego jeszcze nie usunie wibracji koła, jeśli ta wynika z wady kształtu opony i obręczy koła, czy z nierównomiernej sprężystości opony. Dlatego wyważarki o wyższym standardzie wykonania są wyposażane w programy optymalizacji i minimalizacji, które pozwalają nie tylko korzystnie zamontować oponę na obręczy, ale również zminimalizować masę ciężarków korekcyjnych.

Optymalizacja dynamiczna, nazywana również wagową lub z języka angielskiego Match, jest procesem pomiarowym pozwalającym ustawić pierwszą harmoniczną drgań opony dokładnie na przeciwko pierwszej harmonicznej drgań obręczy, w celu zminimalizowania pierwszej harmonicznej drgań kompletnego koła (rys. 6.23b). Jedna z wersji programu polega na wyważaniu kompletnego koła w trzech cyklach. Najpierw należy po pierwszym pomiarze przesunąć oponę na obręczy koła o 180° i powtórzyć pomiar. Następnie przesunąć oponę tak, aby naniesione

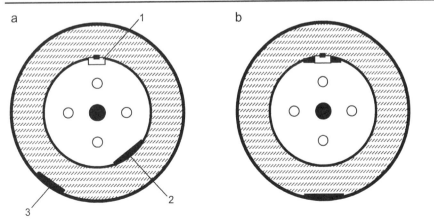

Rys. 6.23. Koło wyważone bez optymalizacji (a) i z optymalizacją rozłożenia mas (b)
1 – ciężarek korekcyjny, 2 – niewyrównoważenie obręczy, 3 – niewyrównoważenie opony

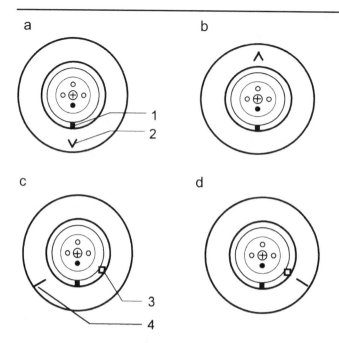

Rys. 6.24. Przebieg optymalizacji dynamicznej koła kompletnego

a – koło po wstępnej kontroli niewyważenia, naniesienie znaku kredą na oponie, b – obrócenie opony na tarczy koła o 180° przed ponownym badaniem, c – naniesienie kredą znaków w miejscach niewyważenia wskazanych na ekranie wyważarki, d – obrócenie opony na tarczy koła do „zgrania" znaków, 1 – zawór do pompowania, 2 – znak kredą na oponie, 3 – znak niewyważenia tarczy koła, 4 – znak niewyważenia opony

kredą znaki według wskazań urządzenia się pokryły (rys. 6.24). Na koniec przeprowadzić właściwe wyważanie dynamiczne. Druga wersja programu optymalizacji polega na zdjęciu opony z obręczy koła i sprawdzeniu wyważenia samej obręczy koła (jeżeli niedowaga nie przekracza 10 g, to wykonywanie optymalizacji jest nieopłacalne). Następnie bada się niewyrównoważenie obręczy koła z dowolnie założoną oponą. Po pomiarze przenosi się wskazane miejsca niewyrównoważenia na koło i przesuwa oponę na obręczy koła do „zgrania" znaków. Ostatnim etapem programu jest wykonanie właściwego wyważania dynamicznego kompletnego koła w celu usunięcia pozostałego jeszcze niewyrównoważenia. Można spotkać wyważarki, które realizują obie wersje optymalizacji.

Niektóre wyważarki, zwłaszcza producentów włoskich, wykonują jeszcze inny rodzaj optymalizacji nazywany **optymalizacją statyczną,** która polega na zminimalizowaniu szczątkowego niewyrównoważenia statycznego. Stosując podczas normalnego wyważania ogólnie dostępne ciężarki korekcyjne o wadze stopniowanej co 5 gramów, dobiera się ich masę zbliżoną do prawdopodobnej wielkości niewyrównoważenia. Może się więc zdarzyć, że na obu płaszczyznach powstanie błąd niewyrównoważenia statycznego, którego suma może osiągnąć do 4 gramów. Aby usunąć ten błąd, wyważarka po wykonaniu programu optymalizacji wskaże automatycznie optymalną wielkość ciężarków do założenia zależnie od jego umiejscowienia, po lewej lub prawej stronie koła (rys. 6.25).

Wyważarka realizująca **program minimalizacji** niewyrównoważenia jest wyposażana w specjalny czujnik w postaci rolki do określenia bicia promieniowego koła, nazywany również detektorem ekscentryczności. Proces minimalizacji jest również wykonywany w trzech cyklach pomiarowych. W pierwszym bicie jest mierzone na całym obwodzie obręczy koła. W drugim – na obwodzie opony zamontowanej na obręczy koła. Z wyważarki uzyskuje się informację, o jaki kąt należy przesunąć oponę względem obręczy koła, aby zminimalizować wzajemne bicie poosiowe tych elementów. Kolejny krok pomiarowy służy do sprawdzenia poprawności zamontowania opony.

Niektóre firmy, jak na przykład Hofmann i Hunter, proponują w swoich wyważarkach stosowanie tzw. „**optymalizacji spokojnego biegu**", która pozwala usunąć ewentualne wibracje wyważonego koła, wynikające z wady kształtu i nierównomiernej sprężystości opony. Założono, że twarde miejsce opony jest najczęściej również jej miejscem ciężkim oraz że wadę kształtu obręczy koła można skompensować twardością opony. W trakcie optymalizacji wyważarka w trzech cyklach pomiarowych (1 – pomiar niewyrównoważenia obręczy koła bez opony, 2 – pomiar niewyrównoważenia obręczy koła z zamontowaną oponą, 3 – pomiar niewyrównoważenia koła z oponą przesuniętą o 180°) tak kojarzy oponę względem obręczy koła, że najwyższe miejsce zowalizowania obręczy znajdzie

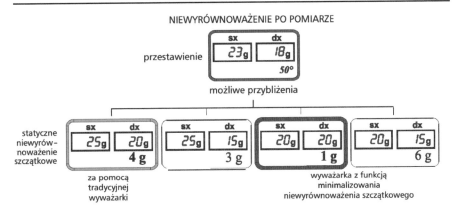

Rys. 6.25. Przykłady pozostawienia niewyrównoważenia szczątkowego dla wyważarki tradycyjnej oraz z programem optymalizacji statycznej

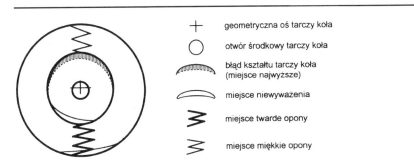

Rys. 6.26. Koło po optymalizacji spokojnego biegu

Rys. 6.27. W wyważarce Hunter GSP 9700 stworzono warunki badania koła zbliżone do rzeczywistych warunków współpracy koła z drogą. Specjalna rolka jest dociskana do obracającego się koła, symulując w ten sposób drogę i powodując odpowiednie ugięcie opony

się przy miękkim miejscu opony (rys. 6.26). Kiedy w trakcie jazdy samochodem najwyższe miejsce obręczy koła znajdzie się od strony jezdni, to koło ugnie się na miękkim miejscu opony, kompensując w ten sposób bicie promieniowe. Po wykonaniu optymalizacji należy przeprowadzić tradycyjne wyważanie.

W wyważarce Hunter GSP 9700 zastosowano specjalny program, który pozwala zoptymalizować drgania zarówno pierwsze, jak i drugie oraz trzecie harmoniczne opony i obręczy. Wyważarkę wyposażono w dodatkową rolkę o średnicy 152,4 mm (rys. 6.27) oraz funkcję **„Road Test"** (testu drogowego). Dociskana rolka tocząc się po oponie pozwala ocenić zmiany wartości siły promieniowej, wywołane nierównomierną sztywnością promieniową opony, błędem kształtu i biciem opony. Dodatkowe czujniki przystawiane do krawędzi obręczy umożliwiają rejestrację bicia osiowego i promieniowego obręczy dla obu jej stron. Po badaniu obsługujący otrzymuje wskazówkę na ekranie monitora, w jaki sposób należy obrócić oponę względem obręczy koła, aby zminimalizować wielkości siły promieniowej.

Potrzebne przyrządy i narzędzia

- wyważarka stacjonarna np. TROL, ALUTROL (UNI-TROL), AFB-118, WKC-18 (FOUS), Schenck, Hofmann, Ravaglioli, SICE, CEMB, Beissbarth,

- przyrząd do miejscowego ściśnięcia opony, np. RSO-18 firmy FOUS (rys. 6.31),
- szczypce do zakładania ciężarków,
- klucz do odkręcania kół,
- podnośnik samochodowy.

Wykonanie pomiaru

- Po podniesieniu samochodu wymontować koło. Ciśnienie powietrza w oponie powinno być zgodne z ciśnieniem określonym w instrukcji fabrycznej.
- Zamocować koło na wrzecionie wyważarki stosując odpowiednią tarczę centrującą.

  Przykłady przyrządów mocujących o różnych rozwiązaniach konstrukcyjnych przedstawiono na rysunku 6.32. Przyrząd ze stożkiem centrującym (rys. 6.32a) stosuje się, gdy środkowy otwór kluczy koła pokrywa się z wystarczającą dokładnością z osią obrotu koła. Przyrząd z tarczą uchwytową (rys. 6.32b,c) służy do centrowania koła względem otworów pod śruby mocujące i należy go stosować dla nieprzelotowych tarcz koła lub kiedy otwór środkowy tarczy przelotowej jest owalny względnie nie współśrodkowy z osią obrotu (odchyłka współosiowości przekracza 1,5 mm). Przyrząd przedstawiony na rysunku 6.32d służy do szybkiego mocowania kół o tym samym rozstawie śrub mocujących i jest przeznaczony dla konkretnej marki samochodu.

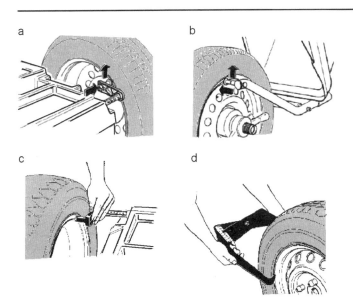

Rys. 6.28. Zależnie od wersji wyważarki, wprowadzanie parametrów koła może odbywać się: automatycznie - odstęp, szerokość i średnica koła są wprowadzane przez dosunięcie wewnętrznego nastawnika (a) oraz zewnętrznego nastawnika (b) albo ręcznie - odstęp obręczy mierzy się, dosuwając nastawnik do wewnętrznej krawędzi obręczy (c), szerokość koła mierzy się mackami (d), średnicę obręczy odczytuje się z opony i wprowadza za pomocą klawiatury

– Usunąć z bieżnika opony brud i zakleszczone kamienie. Usunąć ciężarki poprzednio umieszczone na tarczy koła. Jeżeli koło ma zamontowaną nową oponę, sprawdzić, czy stopka opony jest prawidłowo osadzona na obręczy oraz czy oznaczenie „miejsca lekkiego" opony (kolorowa kropka na boku opony) znajduje się przy zaworze dętki.
– Sprawdzić boczne i promieniowe bicie koła, jeżeli nie zostało to wykonane przed zdjęciem koła z samochodu. Sprawdzić również, czy otwory centrujące tarczy koła nie są nadmiernie wyrobione.

Uwaga. Koło z nadmiernym biciem lub wyrobionymi otworami centrującymi będzie wykazywało po wyrównoważeniu, odkręceniu i powtórnym jego zamocowaniu w innym już położeniu nawet kilkudziesięciogramowe niewyrównoważenie.

– Na tablicy wyważarki wybrać odpowiednie nastawy dla badanego koła: szerokość i średnicę koła, odległość wewnętrznej krawędzi tarczy koła od pierwszego łożyska wału wyważarki (wg instrukcji wyważarki). W niektórych wyważarkach, odległość ta jest wprowadzana do układu pomiarowego przez dosunięcie ręką zderzaka nastawnika do obrzeża tarczy koła i cofnięcie go do położenia wyjściowego.
– Włączyć silnik wyważarki, który napędzi koło. Jeżeli istnieje osłona zabezpieczająca, należy ją wcześniej zamknąć.

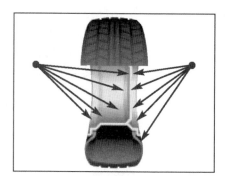

Rys. 6.29. Nowoczesna, w pełni automatyczna wyważarka geodyna Optima firmy Hofmann pracuje w technologii 3D Laser. Oznacza to, że wszystkie parametry koła, bicie poprzeczne i wzdłużne oraz liczba ramion obręczy są wprowadzane bezdotykowo za pomocą trzech kamer laserowych CCD

Rys. 6.30. Przykłady różnych rozwiązań konstrukcyjnych wyważarek

a – wyważarka do kół Rapid 40 firmy Schenck z pionowo ustawionym wrzecionem; b – wyważarka C 86 firmy CEMB o bardzo krótkim czasie pomiaru, mniejszym średnio o 50% w stosunku do wyważarek tradycyjnych (osiągnięto go, rezygnując z zastosowania przekładni pasowej przenoszącej napęd z wałka silnika elektrycznego na wał wyważarki, na którym jest mocowane koło; w tych wyważarkach wałek silnika elektrycznego jest przedłużony w taki sposób, że koło jest mocowane bezpośrednio na nim); c – wyważarka Megaspin 900 firmy Hofmann wyposażona w antywibracyjny system AVS, składający się z czujnika do pomiaru promieniowego bicia koła i rolki (rolka służy do pomiaru geometrii obręczy); dzięki temu systemowi można zminimalizować drgania odczuwalne na kierownicy, pochodzące od koła zniekształconego geometrycznie

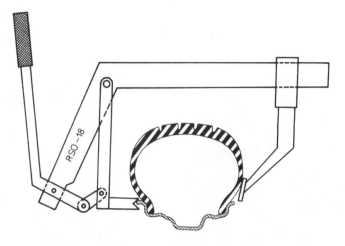

Rys. 6.31. Przyrząd typu RSO-18 do miejscowego ściśnięcia opony

- Po ustaleniu się wskazań dla jednej płaszczyzny korekcji koła przełączyć układ elektroniczny na pomiar niewyważenia w drugiej płaszczyźnie. Oba wyniki pomiaru są zapamiętywane w układzie elektronicznym i wskazywane również po wyłączeniu napędu.
- Wyłączyć napęd wyważarki z jednoczesnym włączeniem hamowania. Na podstawie wskazań dobrać wielkość ciężarka i miejsce jego umocowania na tarczy koła.
- W wyważarkach bez automatycznego pozycjonowania odbywa się to przez ręczne obracanie kołem w celu nastawienia na podzielni kątowej wartości odpowiadającej wskazaniu miernika położenia niewyrównoważenia. W najwyższym punkcie tarczy koła, po stronie odpowiadającej zapalonej diodzie sygnalizacyjnej, założyć ciężarek korekcyjny o masie wskazanej przez miernik wartości niewyrównoważenia. Podczas zakładania ciężarka ścisnąć oponę specjalnym przyrządem (rys. 6.31) powodując odsunięcie jej stopki od obrzeża tarczy. Umożliwia to swobodne założenie ciężarka korekcyjnego (rys. 6.34).
- Niektóre nowoczesne wyważarki do kół są wyposażone w program przebiegający w sposób w pełni zautomatyzowany: od pomiaru wielkości tarczy koła, poprzez pomiar i pozycjonowanie, aż do przyklejenia odpowiedniego ciężarka we właściwym miejscu (rys. 6.35). Przyklejane ciężarki stosuje się w tarczach kół aluminiowych, po wewnętrznej, niewidocznej stronie ramienia. Po zamocowaniu ciężarków powtórzyć pomiar, sprawdzając prawidłowość wyrównoważenia koła. Niewyrównoważenie tzw. „szczątkowe" nie powinno przekraczać 10 g dla średnic tarcz kół do 13" włącznie (wg BN-75/3621--01). Jednak dla kół przednich napędzanych, prowadzonych na zawieszeniu typu McPherson, wartość ta powinna być jeszcze niższa i wynosić 5 g.

Uwaga. Po nałożeniu ciężarków i powtórnym włączeniu wyważarki może zdarzyć się, że mierniki wskażą pewne niewyrównoważenie w okolicach miejsca, w którym został już zamontowany ciężarek korekcyjny. Spowo-

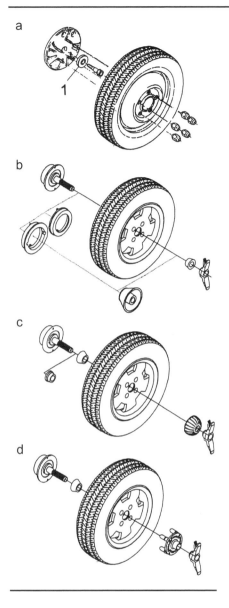

Rys. 6.32. Przykłady uchwytów mocujących badane koło do wrzeciona wywaźarki

a – uchwyt uniwersalny z adapterem środkującym (1), b – uchwyt z centrowaniem zewnętrznym, c – uchwyt z centrowaniem wewnętrznym, d – uchwyt z adapterem SR dla obręczy z nierównym otworem środkowym

dowane jest to niedoskonałością wskazań miernika położenia nie-wyrównoważenia lub wadliwym założeniem ciężarka. W celu usu-nięcia tego szczątkowego niewy-równoważenia wystarczy przesu-nąć uprzednio zamontowany cię-żarek o 1–2 działki w kierunku wskazanym przez miernik.

Wyrównoważenie koła w samochodzie

Bardziej słuszne jest wyrównowa-żenie kół razem ze współpracujący-mi elementami mechanizmu jezd-nego, a więc bez zdejmowania go z samochodu.

Ten sposób wyrównoważania pozwala uwzględnić ewentualne niewyrównoważenie bębna hamul-cowego (lub tarczy hamulcowej) i piasty, które mogą powstać pomimo dużej dokładności wykonania tych ele-mentów. Zaleca się go stosować dla kół mocowanych na zawieszeniu typu McPherson.

W wywaźarkach dostawnych odczyt wyników pomiaru odbywa się albo w oparciu o efekt stroboskopowy, np. Finishbalancer firmy Hofmann, RAW-03 firmy Schenck ASG, albo przy pomocy układu optoelektronicznego działającego na podczerwień, np. sd-10 firmy Hofmann (rys. 6.38) lub system EF-13 firmy Corghi ASG (rys. 6.39).

Wywaźarka stroboskopowa (rys. 6.37) składa się z dwóch zasadniczych zes-połów: urządzenia napędowego z tablicą sterowniczą wskaźnikami i lampą stro-boskopową oraz z czujnika drgań. Bęben urządzenia stykając się z bokiem opo-

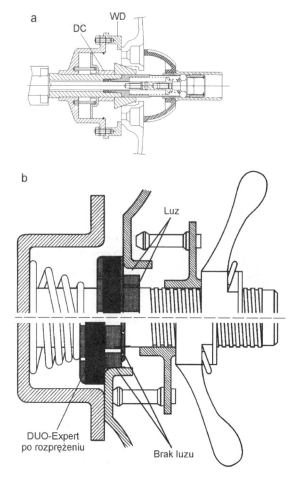

Rys. 6.33. Przykłady uchwytów do centrowania na środkowym otworze tarczy koła
a – uchwyt stosowany w wyważarkach B303 (DC i WD – elementy dystansowe stosuje się dla bardzo szerokich kół), b – uchwyt Duo-expert stosowany w wyważarkach Haweka, ściskanie pierścienia powoduje zwiększanie jego średnicy zewnętrznej i zmniejszanie średnicy wewnętrznej

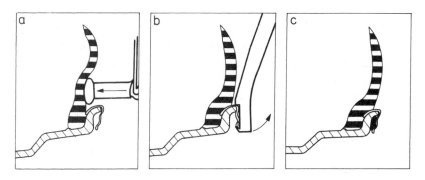

Rys. 6.34. Kolejność czynności podczas zakładania na tarczę koła ciężarka wyrównoważającego
a – ściśnięcie boku opony i włożenie sprężynki, b – uniesienie sprężynki, c – wsunięcie ciężarka

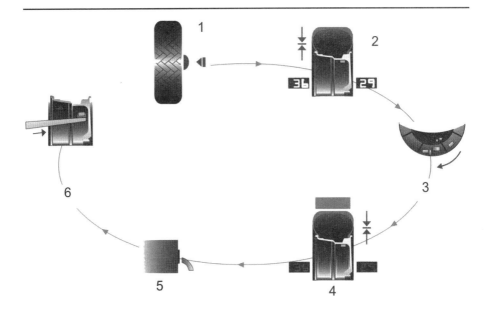

Rys. 6.35. Przykład przebiegu zautomatyzowanego programu wyważania koła z aluminiową tarczą. Na krawędzi wewnętrznej jest mocowany ciężarek ze sprężynką, natomiast od środka koła, dla strony zewnętrznej, jest mocowany ciężarek przyklejany

1 – mocowanie koła na wrzecionie, 2 – pomiar i dokładne pozycjonowanie miejsca przyklejenia ciężarka, 3 – automatyczne wybranie ciężarka ze sprężynką z magazynku, 4 – ustawienie koła we właściwym położeniu, 5 – precyzyjne przycięcie ciężarka przyklejanego z taśmy, 6 – przyklejenie ciężarka umieszczonego na ramieniu

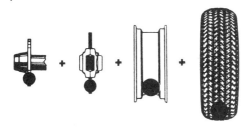

Rys. 6.36. Wszystkie obracające się elementy układu jezdnego mogą mieć niewyrównoważenia, które w większym lub mniejszym stopniu się sumują

ny napędza uniesione koło samochodu. Podczas obracania koła powstaje w czujniku drgań, przystawionym do zawieszenia (przy pomiarze drgań pionowych) lub do bębna hamulcowego w osi poziomej koła (przy pomiarze drgań w płaszczyźnie poziomej), napięcie elektryczne proporcjonalne do amplitudy drgań mechanicznych. Sygnał czujnika jest doprowadzany do przyrządu pomiarowego, który przetwarza go na wielkość niewyrównoważenia.

Lampa stroboskopowa, umieszczona w ścianie czołowej wyważarki, jest pobudzana impulsami elektrycznymi od czujnika drgań i błyska w chwili maksymalnej amplitudy, oświetlając wirujące koło. Umożliwia to określenie położenia miejsca niewyrównoważenia.

Stosowane dotychczas powszechnie wyważarki stroboskopowe są obecnie zastępowane bardziej dokładnymi wyważarkami optoelektronicznymi, które umożliwiają sprawdzenie obu kół osi napędzanej w jednym przebiegu pomiarowym, trwającym kilka sekund.

261

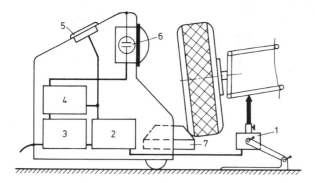

Rys. 6.37. Schemat budowy elektronicznej, stroboskopowej wyważarki do kół EWKA-15
1 – czujnik elektromagnetyczny drgań koła, 2 – wzmacniacz sygnału elektrycznego, 3 – układ zasilający,
4 – układ ładowania lampy stroboskopowej, 5 – wskaźnik, 6 – lampa stroboskopowa, 7 – bęben
napędowy

Sposób przeprowadzenia pomiaru wyważarką optoelektroniczną zostanie
przedstawiony na przykładzie wyważarki RAW 840 firmy Schenck, w skład której wchodzą wózek pomiarowy z tablicą wskaźników, podstawką i czujnikiem
podczerwieni, pilot zdalnego sterowania oraz urządzenie do napędzania koła.
Wyposażenie wyważarki może być poszerzone do dwóch lub czterech wózków,
co znacznie skraca czas pomiaru.

Potrzebne przyrządy i narzędzia

– wyważarka RAW 840 z jednym wózkiem pomiarowym (rys. 6.40).

Wykonanie pomiaru

– Unieść oś samochodu i podstawić pod koło wózek pomiarowy.
– Opuścić samochód tak, aby wahaczem lub stabilizatorem oparł się na podstawce wózka pomiarowego, możliwie blisko koła. Pomiędzy oponą a czujnikiem podczerwieni musi być zachowana odległość 1...9 cm.

Rys. 6.38. Elektroniczna wyważarka sd-10 firmy Hofmann (a) i sposób doważania kół napędzanych (b)

Rys. 6.39. Elektroniczna wyważarka EF13 firmy Corghi oraz widok jej pulpitu ze wskaźnikiem cyfrowym i przyciskami

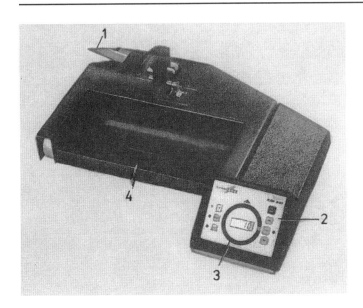

Rys. 6.40. Wózek pomiarowy wyważarki RAW 840
1 – dyszel, 2 – tablica wskaźników, 3 – wskaźnik położenia kątowego niewyważenia, 4 – czujnik podczerwieni

Rys. 6.41. Po umieszczeniu wózka pomiarowego pod kołem nanosi się znak kredą na oponie (wyważarka RAW 840)

Rys. 6.42. Włączanie pomiaru niewyrównoważenia kół napędzanych z miejsca kierowcy

Rys. 6.43. Urządzenie do napędzania koła

Zalecane sposoby mocowania na wyważarce obręczy kół popularnych marek samochodów

Marka samochodu	Model samochodu	Średnica otworu centralnego w mm	Średnica podziałowa otworów mocujących w mm	Liczba otworów mocujących	Sposób mocowania na wrzecionie wyważarki
Alfa Romeo	33/145/146/155/164 TS, STS	58	98	4	A
	164 GTV / Spider (96-)	58	98	5	A
	75 / Spider (7.92-)	58	108	4	A
AUDI	80 / 90 / 100 (-91)	57	108	5	A
	80 / 100 (92-)	57	112	5	A
	90 (92-)	57	100	4	A
	A4 / A6 / A8 / 200	57	112	5	A
BMW	Serie 315-325 (-92)	57	100	4	A
	Seria 5 (9.95-)	74	120	5	A
	Serie 3, 5, 6, 7, 8	72,5	120	5	A
Citroën	2 CV / Dyane / Ami	—	160	3	C
	AX	55	98	3	B
	BX / ZX / Xantia / Visa 17D (86 — 89)	65	108	4	A
	CX	58	98	5	A
	XM	65	108	5	A
	Saxo	—	98	4	B
Daewoo	Tico	58	98	4	A
	Nexia / Espero / Lanos 1.5	56,56	100	4	A
	Polonez	58,5	98	4	A
Daihatsu	Applause / Charade (87-)	56,1	100	4	A
	Cuore	60	110	4	A
FIAT	126 (-83)	—	190	4	C
	126/125/Panda/Uno/Punto/ Cinquecento/Regata/Ritmo/Tipo Croma/Tempra/Brava/Bravo	58	98	4	A
Ford	Escort / Taunus / Cortina	63,5	108	4	A
	Probe	60	114,3	5	A
	Scorpio (-94) / Granada	63,3	112	5	A
	Scorpio (95-)/Mondeo/Escort/ Orion / Sierra / Fiesta	63,3	108	4	A
Honda	Accord (-90) / Civic	56	100	4	A
	Accord (90-) / Prelude (92-)	64	114,3	4	A
Hyundai	Pony / Accent / Sonata	67,1	114,3	4	A
KIA	Sephia / Clarus	54	100	4	A
	Sportage	90	139,7	5	A
Lada	Samara / WAZ	58	98	4	A
	2105 / 2107	60	98	4	A
	Niva	98	139,7	5	A
Mazda	121 / 323	54,1	100	4	A
	626 (-88) / RX7 (86-)	59,5	114,3	5	A
	626 (88-91) / 121 DA	59,5	114,3	4	A
	626 (92-) / RX7	67,3	114,3	5	A
	121 (Alu)	49	100	4	A
Mercedes	Wszystkie osobowe	66,5	112	5	A
Mitsubishi	Colt (88-92) / Galant / Carisma	67	114,3	4	A
	Colt (92-) / Lancer 1.6, 2.0	56	100	4	A

Nissan	Sunny / Almera / Micra	59	100	4	A
	Primera	66	114,3	4	A
Opel	Astra / Kadett / Corsa / Vectra / Ascona/ Calibra	56,5	100	4	A
	Omega / Senator / Calibra / Vectra	65	110	5	A
Peugeot	205 / 305 / 306 / 309 / 405	65	108	3/4	A
	106 / 406	56	98	3/4	A
Renault	R9 / R11 / R19 / R21 / R25 / Clio / Twingo / Laguna /Mégane / Rapid	60	100	4	A
	R4 / R5	–	130	3	B
	R21 / R25 / Safrane / Espace / Laguna	60	108	5	A
Seat	Ibiza (-93) / Malaga / Marbella	58	98	4	A
	Ibiza (93-) / Toledo / Cordoba (93-)	57	100	4	A
	Toledo 2.0	57 ·	100	5	A
Skoda	Favorit / Forman (-07.93)	58,5	98	4	A
	Favorit / Forman (08.93-) / Felicia	57	100	4	A
Toyota	Camry	60	114,3	5	A
	Carina (-03.92) /Corolla / Starlet	54	100	4	A
	Carina (04.92-)	54	100	5	A
VW	Polo / Golf / Derby / Jetta / Vento Passat	57	100	4	A
	Vento VR6 / Golf (92-)	57	100	5	A
Volvo	850 (94-) / 200 / 700 / 900	65	108	5	A
	300 / 400	52	100	4	A
	850 (-93)	65	108	4	A

A – centrowanie tarczą uniwersalną w kombinacji ze stożkiem lub pierścieniem adaptacyjnym (jak pokazano na rys. 32d).
B – centrowanie tarczą uniwersalną z dopasowanym pierścieniem środkującym (1 na rys. 32a).
C – centrowanie tarczą uniwersalną bez pierścienia środkującego (jak na rys. 32a).

- Wykonać na oponie poprzeczny znak kredą (rys. 6.41).
- Włączyć przyrząd przyciskiem na tablicy wskaźników.
- Jeżeli kontrola dotyczy kół osi napędzanej, to uruchomić silnik i rozpędzić do prędkości 90...120 km/h. Włączyć pilotem z miejsca kierowcy program pomiarowy (rys. 6.42). Prędkość utrzymywać aż do zakończenia programu, który trwa około 5 sekund.
- Jeżeli kontrola dotyczy kół osi nie napędzanej, to rozpędzić rolkę urządzenia napędzającego do około 1200 obr/min i przystawić ją do opony (rys. 6.43). Zakończyć pomiar po około 5 sekundach.

Ocena wyników

Wartość niewyrównoważenia badanego koła można odczytać w gramach na tablicy wskaźników, natomiast położenie kątowe niewyrównoważenia pokaże jedna z diod rozmieszczonych kołowo na tablicy (patrz 3, rys. 6.40).

Koło należy tak obrócić, aby znak kredą na oponie znalazł się w tym samym położeniu kątowym co świecąca dioda. Ciężarek wyrównoważający trzeba wtedy umieścić na górze (w pozycji godziny 12). Po założeniu ciężarka wykonać pomiar kontrolny z większą prędkością, aby upewnić się, że nie wystąpią wibracje odczuwane w samochodzie.

Należy pamiętać, że wyrównoważanie dokładne, nazywane również wykończeniowym, nie zastępuje wyrównoważenia z użyciem wyważarki stacjonarnej. Dlatego też po założeniu nowych opon zaleca się wyrównoważyć koła w stanie wymontowanym, a następnie skorygować wyważenie z dokładnością ±5 g na samochodzie.

Zastosowanie wyważarki wykończającej wymaga pełnej sprawności elementów zawieszenia. Osłabione amortyzatory, „wybite" przeguby wahaczy lub zwrotnic, ocierające hamulce oraz luz w łożyskach kół obniżają dokładność pomiaru lub nawet uniemożliwiają jego przeprowadzenie.

7. DIAGNOSTYKA UKŁADU KIEROWNICZEGO

7.1. POMIAR LUZU W UKŁADZIE KIEROWNICZYM

Reakcja przednich kół na ruchy kierownicą maleje stopniowo wraz ze wzrastaniem zużycia elementów układu kierowniczego. Po osiągnięciu zbyt dużych luzów w układzie podatność samochodu na kierowanie zmniejsza się na tyle, że dalsza eksploatacja zaczyna zagrażać bezpieczeństwu jazdy.

Objawy jakie towarzyszą jeździe samochodem z niesprawnym układem kierowniczym zostały podane w rozdziale 1 oraz w tablicy 1–3. Oceny luzów w układzie dokonuje się podczas postoju samochodu przez sprawdzenie ruchu jałowego koła kierownicy oraz wykonanie próby poruszenia uniesionym kołem jezdnym (opisanej w rozdz. 6.1).

Pomiar ruchu jałowego koła kierownicy

Wykonywana w ramach oględzin zewnętrznych bezprzyrządowa kontrola ruchu jałowego koła kierownicy jest próbą subiektywną i mało dokładną, która służy jedynie do wstępnej oceny przydatności układu kierowniczego. Ruch jałowy koła kierownicy jest miernikiem sumarycznego luzu w całym układzie i w celu jego wartościowego określenia konieczne jest dysponowanie odpowiednim przyrządem.

Potrzebne przyrządy i narzędzia

– przyrząd do pomiaru luzu układu kierowniczego LUZ-l (rys. 7.1).

Wykonanie pomiaru

– Ustawić koła przednie samochodu, jak do jazdy na wprost.
– Statyw z czujnikiem ustawić obok lewego przedniego koła (rys. 7.2). Iglicę czujnika zbliżyć na odległość około 0,5 mm od krawędzi tarczy koła po prawej stronie.
– Założyć na koło kierownicy prowadnicę suwaka. Ustawić suwak z podziałką kątową na prowadnicy tak, aby jego znak pokrywał się z osią obrotu koła kierownicy.
– Umocować wskazówkę z przyssawką do szyby przedniej lub bocznej (Fiat 126).

268

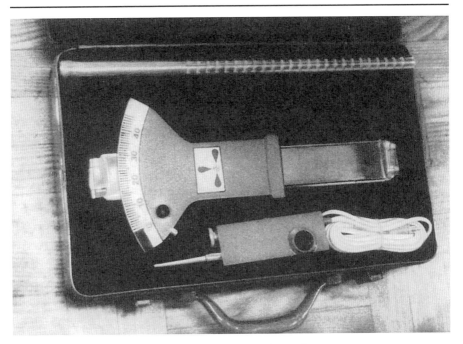

Rys. 7.1. Przyrząd LUZ-l do pomiaru luzu układu kierowniczego

- Powoli obracać koło kierownicy w prawo, do chwili zaświecenia diody (5), która jest sygnałem, że koło rozpoczęło ruch skrętny po skasowaniu luzów w układzie kierowniczym.
- Przytrzymać koło kierownicy w tym położeniu i ustawić koniec wskazówki (3) na punkt 0° podziałki kątowej suwaka.
- Obrócić koło kierownicy w lewo, aż zgaśnie dioda (5), co jest sygnałem, że koło zaczęło wykonywać skręt w drugą stronę.
- Odczytać wynik pomiaru na podziałce.

Ocena wyników

Największy ruch jałowy koła kierownicy, mierzony miarą kątową, nie powinien przekraczać 10°. Większa wartość będzie świadczyła o usterkach lub nadmiernym, niedopuszczalnym zużyciu jednego lub kilku elementów układu kierowniczego, np. o zużyciu przegubów kulowych (1, rys. 7.3), o poluzowaniu nakrętek mocujących przeguby (3), o nadmiernym luzie w przekładni kierowniczej (7) lub jej luźnym mocowaniu do nadwozia, o zużyciu tulei metalowo-gumowych sworznia wspornika (8), a także o luzach w przegubach krzyżakowych (6).

Pomiar luzu koła kierownicy nie umożliwia ustalenia miejsca usterki. W celu jej lokalizacji należy, korzystając z pomocy drugiej osoby, która będzie energicznie poruszała kierownicą lub uniesionym kołem, obserwować po kolei wszystkie miejsca oznaczone na rysunku 7.3. Dla łatwiejszego odszukania wzajemnych przemieszczeń spowodowanych nadmiernymi luzami zaleca się dotykanie dłonią badanych miejsc.

269

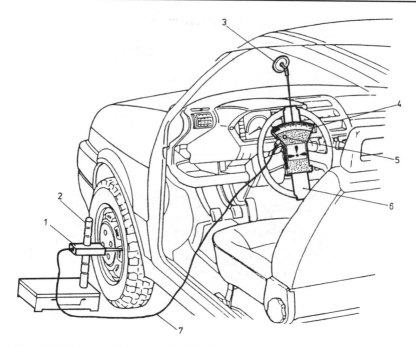

Rys. 7.2. Zastosowanie przyrządu LUZ-I
1 – czujnik z iglicą, 2 – statyw, 3 – wskazówka, 4 – suwak z podziałką kątową, 5 – dioda, 6 – prowadnica,
7 – przewód elektryczny

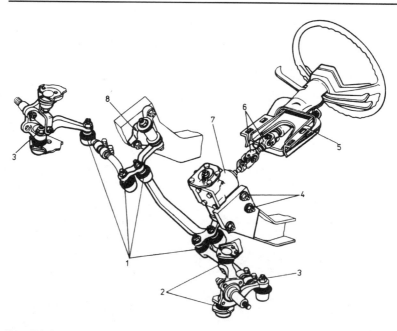

Rys. 7.3. Układ kierowniczy
1 – przeguby kulowe drążków kierowniczych, 2 – przeguby kulowe zwrotnicy, 3 – nakrętki mocujące
przeguby, 4 – śruby mocujące przekładnię kierowniczą, 5 – wspornik wału kierownicy, 6 – przeguby
krzyżakowe wału kierownicy, 7 – przekładnia kierownicza, 8 – wspornik dźwigni pośredniej

Koło kierownicy nie powinno wykazywać ani luzu wzdłużnego, ani poprzecznego. Ich pojawienie się może być spowodowane luźnym umocowaniem wału kierownicy (5), zużyciem jego łożyskowania lub wielowypustu czopa.

7.2. SPRAWDZANIE GEOMETRII KÓŁ

Kierowalność i stabilność samochodu podczas jazdy są uwarunkowane prawidłowością ustawienia kół przednich oraz, w mniejszym już stopniu, kół tylnych. Geometria ustawienia kół ma więc decydujące znaczenie dla bezpośredniej eksploatacji samochodu, co narzuca konieczność wykonywania jej pomiaru w następujących przypadkach:

– okresowej obsługi technicznej zalecanej przez producenta,
– zmiany zachowania się pojazdu w czasie jazdy (por. tabl. 1–3),
– nadmiernego zużywania się opon (por. tabl. 1–2),
– uszkodzeń powypadkowych płyty podłogowej nadwozia lub mechanizmu jezdnego,
– wykonania naprawy, która mogła spowodować zmiany parametrów ustawienia kół lub osi.

Kompleksowa kontrola mechanizmu kierowania obejmuje następujący zespół czynności:

– sprawdzenie luzów w układzie jezdnym i kierowniczym (opis w rozdz. 6.1 i 7.1),
– sprawdzenie bicia kół (opis w rozdz. 6.3),
– pomiar pochylenia kół przednich, a także kół tylnych, jeżeli są prowadzone na zawieszeniu niezależnym,
– pomiar pochylenia sworznia zwrotnicy,
– pomiar wyprzedzenia sworznia zwrotnicy,
– pomiar zbieżności kół przednich, a w niektórych przypadkach kół tylnych,
– pomiar skrętu kół przednich,
– pomiar równoległości osi jezdnych pojazdu oraz śladowości.

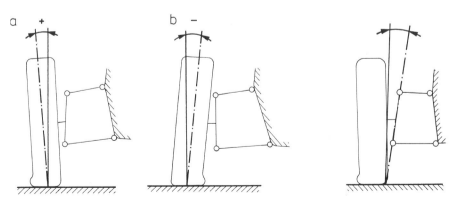

Rys. 7.4. Pochylenie koła
a – dodatnie, b – ujemne

Rys. 7.5. Pochylenie zwrotnicy

W przypadku połączenia pomiarów z jednoczesną regulacją geometrii zaleca się, aby – z uwagi na istniejące zależności pomiędzy kątami ustawienia kół (zmiana pochylenia koła powoduje zmianę zbieżności oraz pochylenia sworznia zwrotnicy) – była zachowana następująca kolejność prac:
- pomiar i ewentualna regulacja kąta wyprzedzenia sworznia zwrotnicy,
- pomiar i ewentualna regulacja kąta pochylenia koła,
- pomiar kąta pochylenia sworznia zwrotnicy,
- pomiar i ewentualna regulacja zbieżności.

Pochylenie koła jest kątem jaki płaszczyzna koła stojącego w pozycji nieskręconej tworzy z płaszczyzną równoległą do kierunku jazdy i zarazem prostopadłą do podłoża (rys. 7.4). Przy pochyleniu dodatnim górna krawędź koła jest odchylona na zewnątrz (rys. 7.4a), przy pochyleniu ujemnym – do wewnątrz (rys. 7.4b). Tylne koła zawieszone na osi sztywnej mają najczęściej pochylenie równe 0°, tzn. stoją prostopadle do płaszczyzny jezdni. Jeżeli są prowadzone na wahaczach mają zwykle niewielkie pochylenie ujemne. Kąt pochylenia kół przednich ułatwia kierowanie samochodem powodując zmniejszenie siły potrzebnej do skręcenia kół. Zmniejsza również obciążenie zewnętrznego łożyska koła i nakrętki mocującej tarczę koła na czopie. Ogranicza tendencję do drgań samowzbudnych kół przednich.

Pochylenie sworznia zwrotnicy jest kątem odchylenia bocznego osi sworznia od prostej prostopadłej do płaszczyzny jezdni (rys. 7.5). W kołach prowadzonych na zawieszeniu Mc Pherson pochylenie sworznia zwrotnicy odpowiada wychyleniu od prostej prostopadłej do płaszczyzny jezdni, prostej przeprowadzonej przez sworzeń kulowy wahacza i górne łożysko amortyzatora (rys. 7.6b). Osie pochyleń koła i sworznia zwrotnicy, rzutowane na płaszczyznę jezdni, tworzą dźwignię o małym ramieniu, nazywaną promieniem zataczania. Jeżeli osie te przecinają się powyżej płaszczyzny jezdni, mówimy o negatywnym promieniu zataczania (patrz rys. 7.6b). Pochylenie sworznia zwrotnicy łącznie z promieniem zataczania powoduje występowanie momentu stabilizacyjnego, który jest konieczny, aby koła utrzymywały prostoliniowy kierunek ruchu oraz po skręcie powracały samoczynnie do położenia jazdy na wprost.

Wyprzedzenie sworznia zwrotnicy jest to kąt odchylenia do tyłu prostej, przeprowadzonej przez sworzeń zwrotnicy, odmierzany od osi koła prostopadłej do płaszczyzny jezdni (rys. 7.7). Takie ustawienie sworznia zwrotnicy powoduje, że koła osi nienapędowej są wleczone, a nie pchane i po wyjściu z zakrętu samoczynnie powracają do pozycji jazdy na wprost. Siła, która powoduje samoczynne ustawianie się kół na wprost, jest wywoływana w jednakowym stopniu działaniem kąta wyprzedzenia, jak i pochylenia sworznia zwrotnicy.

Zbieżność kół jest różnicą odległości pomiędzy krawędziami tarcz kół, ustawionych symetrycznie do osi podłużnej pojazdu, mierzonych w przodzie i tyle tarcz, na wysokości osi kół (rys. 7.8). Różnica ta (A – B) może przyjmować wartości dodatnie, gdy A > B, lub ujemne, gdy A < B. W tym drugim przypadku mówimy o rozbieżności kół. Producenci samochodów tak dobierają zbieżność kół, aby podczas jazdy na wprost koła pozostawały równolegle do siebie. Zbieżność podawana jest w milimetrach lub, coraz częściej, w stopniach kątowych, co wynika z wprowadzenia nowych metod pomiarowych.

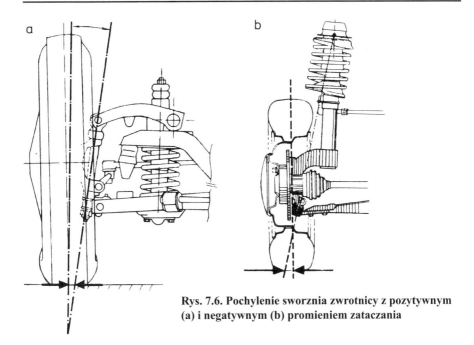

Rys. 7.6. Pochylenie sworznia zwrotnicy z pozytywnym (a) i negatywnym (b) promieniem zataczania

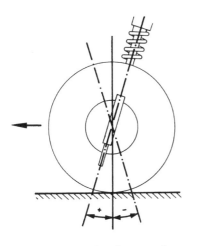

Rys. 7.7. Wyprzedzenie sworznia zwrotnicy

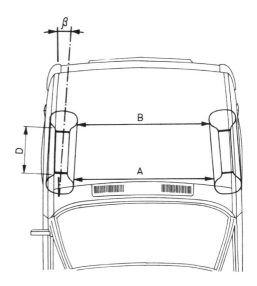

Rys. 7.8. Zbieżność kół przednich
(A–B – miara liniowa, D – średnica tarczy koła, ß – miara kątowa)

Miara kątowa odnosi się do tzw. kąta zbieżności α, którego zależność od miary liniowej opisuje równanie

$$\sin \alpha = \frac{A - B}{2D}$$

273

W celu uniknięcia kłopotliwych przeliczeń można skorzystać z danych w tablicy 7–1.

Zbieżność połówkowa koła – kąt zawarty między płaszczyzną koła a osią geometryczną pojazdu dla koła przedniego lub osią symetrii pojazdu dla koła tylnego.

Tablica przeliczeniowa wymiaru w stopniach i minutach na mm

Zbieżność kątowa	Zbieżność pojedynczego koła w mm dla średnicy tarczy koła			
	12″	13″	14″	15″
0°05′	0,5	0,5	0,6	0,6
0°10′	1,0	1,1	1,1	1,3
0°15′	1,5	1,5	1,7	1,9
0°20′	2,0	2,1	2,3	2,5
0°25′	2,5	2,7	2,8	3,1
0°30′	3,0	3,2	3,4	3,8
0°35′	3,4	3,7	4,0	4,4
0°40′	3,9	4,2	4,6	5,0
0°45′	4,4	4,7	5,1	5,6
0°50′	4,9	5,3	5,7	6,2
0°55′	5,4	5,8	6,3	6,9
1°0′	5,8	6,3	6,8	7,5
1°5′	6,3	6,8	7,4	8,1
1°10′	6,8	7,4	8,0	8,7
1°15′	7,3	7,9	8,5	9,3
1°20′	7,8	8,4	9,1	9,9
1°25′	8,3	8,9	9,7	10,6
1°30′	8,8	9,5	10,2	11,2
1°35′	9,3	10,0	10,8	11,8
1°40′	9,7	10,5	11,4	12,4
1°45′	10,2	11,0	12,0	13,0
1°50′	10,7	11,6	12,5	13,6
1°55′	11,2	12,1	13,1	14,2
2°0′	11,7	12,6	13,6	14,8

Kąt nierównoległości osi kół (rys. 7.9) – kąt między prostą przechodzącą przez oś przednią (lub tylną) samochodu a prostą prostopadłą do geometrycznej osi jazdy. Kąt nierównoległości jest dodatni, gdy koło prawe jest przesunięte do przodu względem lewego i ujemny, kiedy jest przesunięte do tyłu. Nierównoległość osi kół określa się również jako kąt utworzony między prostymi przechodzącymi przez osie kół, w przypadku niezachowania ich wzajemnej równoległości.

Kąt przesunięcia osi kół (rys. 7.10) – kąt zawarty między osią geometryczną jazdy, a osią symetrii pojazdu. Inaczej jest to kąt odchylenia osi geometrycznej od osi symetrii.

Kontrolny kąt skrętu kół (patrz rys. 7.36) – kąt skrętu koła wewnętrznego uzyskany podczas skręcenia koła zewnętrznego o kąt 20°. Pomiary wykonuje się przy skręcie kół w jedną i drugą stronę od położenia wyjściowego. Kontrolne kąty skrętu kół w lewo i w prawo powinny być jednakowe, z uwzględ-

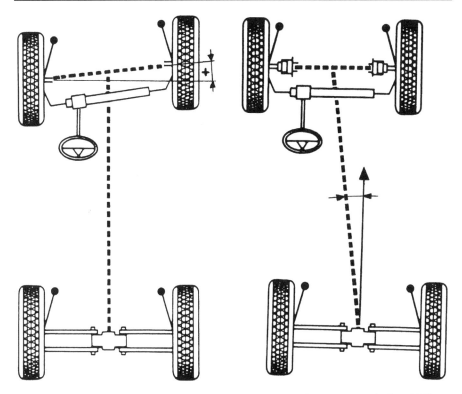

Rys. 7.9. Kąt nierównoległości osi kół   Rys. 7.10. Kąt przesunięcia osi kół

nieniem tolerancji podanych przez producentów. Pomiar kontrolnych kątów skrętu umożliwia ocenę poprawności funkcjonowania trapezu kierowniczego.

Maksymalny kąt skrętu kół – kąt między płaszczyzną środkową koła zewnętrznego lub wewnętrznego a osią symetrii pojazdu po całkowitym skręceniu kół w lewą lub prawą stronę.

Nieśladowość kół – ocenia się na podstawie różnicy wartości poprzecznego przesunięcia kół tylnych w stosunku do kół przednich lub bocznego przestawienia kół względem osi symetrii pojazdu.

Oś geometryczna jazdy (rys. 7.11) – prosta (dwusieczna) dzieląca kąt zbieżności całkowitej kół tylnych na dwa równe kąty. Jeżeli osie kół przednich i tylnych są do siebie równoległe i nie przesunięte względem siebie oraz zbieżności połówkowe kół tylnych są takie same, to geometryczna oś jazdy pokrywa się z osią symetrii. W przeciwnym przypadku występuje odchylenie geometrycznej osi jazdy od osi symetrii. Oś geometryczna jest to oś, wzdłuż której porusza się pojazd. Pomiar względem geometrycznej osi jazdy umożliwiają jedynie przyrządy czterogłowicowe. Za pomocą przyrządów dwugłowicowych (z dwoma zespołami pomiarowymi) można mierzyć jedynie ustawienie kół względem osi symetrii pojazdu.

Oś symetrii samochodu – linia przebiegająca przez środki osi przedniej i tylnej.

275

Przestawienie koła/przestawienie osi – wielkość liniowa kąta przesunięcia osi kół (rys. 7.12). Parametr ten można także uzyskać po odjęciu rozstawu osi kół z jednej i z drugiej strony samochodu. W wielu zawieszeniach niezależnych i zawieszeniach z drążkami skrętnymi jest możliwe niewielkie przestawienie osi.

Przesunięcie osi (rys. 7.13) – przesunięcie prostej wyznaczonej połową rozstawu kół przednich względem osi symetrii pojazdu.

Rozstaw osi – odległość między środkami osi przedniej i tylnej mierzona po jednej stronie pojazdu. Z reguły rozstaw kół po lewej i prawej stronie jest jednakowy, jednak z pewnymi wyjątkami, np. w samochodach Renault z drążkami skrętnymi w zawieszeniu tylnym osie są lekko przestawione.

Różnica kątów skrętu kół (rys. 7.14) – różnica między kątem skrętu koła zewnętrznego a kątem skrętu koła wewnętrznego. Różnica ta przy skręcie kół w lewo i w prawo powinna być taka sama, z uwzględnieniem tolerancji podanych przez wytwórców. Różnicę kątów skrętu kół przyjmują niektórzy producenci do oceny poprawności funkcjonowania trapezu kierowniczego. Jeżeli różnica kątów skrętu jest równa zero, to koło wewnętrzne toczy się w zakręcie z bocznym poślizgiem (rys. 7.15).

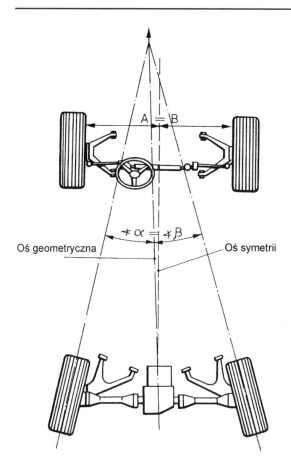

Rys. 7.11. Oś geometryczna i oś symetrii pojazdu

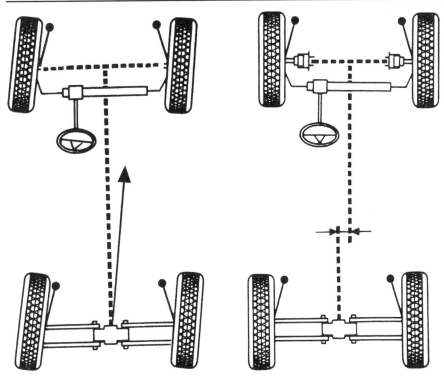

Rys. 7.12. W tym samochodzie koła przednie nie są ustawione równolegle do osi symetrii. Jest to spowodowane różną zbieżnością połówkową kół tylnych. Aby samochód mógł jechać prosto, kierowca musi skręcić koło kierownicy nieco w prawo. Efekt – samochód jedzie bokiem

Rys. 7.13. Przesunięcie osi

Różnica rozstawu kół – różnica między rozstawem kół z lewej i prawej strony pojazdu.

Obecne konstrukcje mechanizmów jezdnych wymagają na tyle dużej dokładności pomiaru, że została już wykluczona możliwość stosowania, dotychczas popularnych, przyrządów mechanicznych. Geometrię kół zaleca się sprawdzać przyrządami optyczno-mechanicznymi, optyczno-elektronicznymi lub laserowo-mikroprocesorowymi, względnie elektroniczno-komputerowymi.

Nowoczesne, wysokiej klasy samochody osobowe, rozwijające duże prędkości jazdy, wymagają szczególnie precyzyjnego ustawienia geometrii kół. Takie warunki pomiaru zapewniają urządzenia, w których konstrukcji zastosowano technikę mikroprocesorową. Odznaczają się one nie tylko dużą dokładnością kontroli i odczytu mierzonych wielkości, ale również obiektywnością uzyskiwanych wyników, szybkością przebiegu cyklu pomiarowego oraz prostotą obsługi. Istnieje wiele typów takich urządzeń, oferowanych przez prawie każdą większą firmę produkującą wyposażenie dla stacji obsługi. Urządzenia komputerowe różnią się od przyrządów elektronicznych i optyczno-elektronicznych

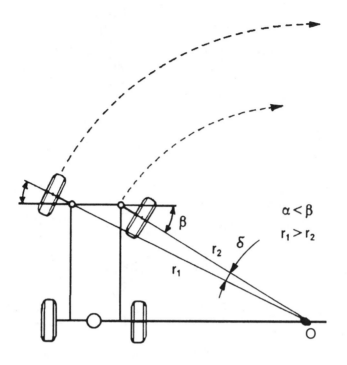

Rys. 7.14. Różnica kątów skrętu kół ($\delta = \beta - \alpha$)

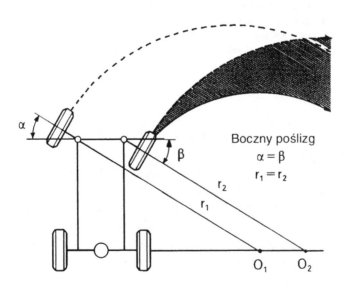

Rys. 7.15. Jazda po łuku wokół różnych środków skrętu powoduje boczny poślizg koła wewnętrznego

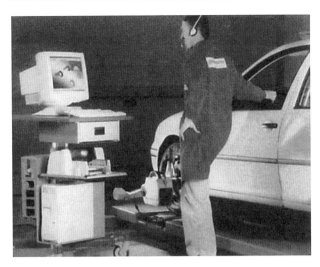

Rys. 7.16. Komputerowy przyrząd do kontroli ustawienia kół Microline 5000 firmy Beissbarth, z głowicami bezprzewodowymi, sterowany głosem mechanika

Rys. 7.17. Przyrząd optyczno-mechaniczny GTO Laser z Precyzji Bydgoszcz wykorzystujący do pomiarów promień lasera

do kontroli geometrii kół możliwościami pomiarowymi, systemem przesyłania i przetwarzania danych (rys. 7. 18) oraz sposobem obsługi.

Poniżej zostały przedstawione najistotniejsze z tych różnic, które są charakterystyczne dla wszystkich typów urządzeń komputerowych:

- każde urządzenie ma zakodowany automatyczny program samotestowania,
- wynik pomiaru jest zapamiętywany, porównywany z danymi fabrycznymi i wyświetlany na ekranie monitora (najczęściej barwnym); jeżeli wartość zmierzona mieści się w granicach wymaganej tolerancji, otrzymuje barwę zieloną, jeżeli nie mieści się – czerwoną; w razie potrzeby wynik pomiaru można otrzymać w postaci wydruku,
- na monitorze ukazują się jednocześnie: symbol graficzny badanego parametru, wartość zmierzona, wartość nominalna oraz ich różnica (rys. 7.19),

279

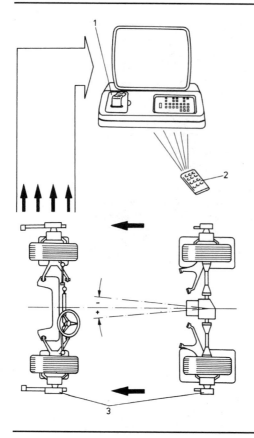

Rys. 7.18. Schemat przesyłania danych z czujników pomiarowych do komputera
1 – drukarka, 2 – zdalne sterowanie pracą urządzenia, 3 – czujniki pomiarowe z układami sensorowymi

- stosując 4 czujniki zakładane na tarcze kół można wykonać jednoczesny pomiar geometrii dla obu osi; czas pomiaru wynosi ok. 3 minut, jeżeli obrotnice są, dodatkowo wyposażone w elektroniczne czujniki zmiany kąta (rys. 7.20),
- bicie boczne jest kompensowane automatycznie we wszystkich czterech kołach w 4 położeniach,
- pomiar geometrii kół osi przedniej rozpoczyna się po wykonaniu programu sprawdzającego, czy oś geometryczna (rzeczywista) pojazdu pokrywa się z jego osią symterii, ponieważ oś geometryczna stanowi bazę pomiarową; ewentualne odchylenia są pokazywane na monitorze,
- wyniki pomiarów ustawienia koła z jednej strony pojazdu są automatycznie porównywane z wynikami uzyskanymi dla koła z przeciwnej strony; różnica odpowiednich wielkości jest wyświetlana na monitorze.

Grupa urządzeń komputerowych bardzo niejednorodna i to zarówno pod względem cenowym, jak i zastosowanych rozwiązań konstrukcyjnych związanych z pomiarem wielkości geometrycznych. Należy jednak zauważyć, że pomiary za pomocą przyrządu z dwoma zespołami pomiarowymi można przeprowadzać, kiedy geometryczna oś jazdy pokrywa się z osią symetrii pojazdu. Pojazdy o nieznanej przeszłości, zwłaszcza pochodzące z prywatnego importu oraz powypadkowe, powinny być sprawdzane i regulowane przy użyciu przyrządów z czterema zespołami pomiarowymi.

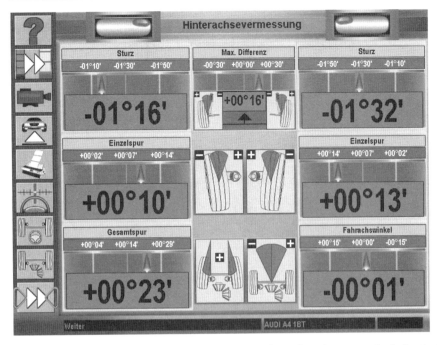

Rys. 7.19. Przykład wyników pomiaru wyświetlanych na ekranie przyrządu do kontroli geometrii kół FWA510 firmy Bosch

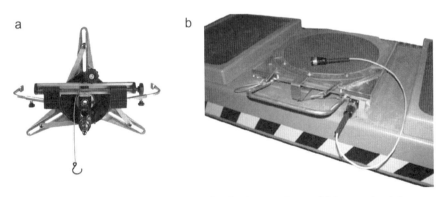

Rys. 7.20. Zacisk do szybkiego mocowania głowicy pomiarowej (a) oraz obrotnica elektroniczna, z czujnikiem zmiany skrętu koła (b) – wyposażenie przyrządu do kontroli geometrii kół FWA510 firmy Bosch

Istnieje wiele podziałów urządzeń pomiarowych, na przykład ze względu na ich rodzaj (np. optyczno-elektroniczne, elektroniczne, komputerowe) lub liczbę zespołów pomiarowych (rys. 7.21). Urządzenia komputerowe możemy podzielić na takie, w których zespoły pomiarowe (nazywane także głowicami) są mocowane bezpośrednio do kół (patrz rys. 7.18) i takie, które pracują jedynie z reflektorami (nazywanymi głowicami refleksyjnymi lub pasywnymi) przy kołach (patrz rys. 7.24). Najbardziej rozpowszechnione są te pierwsze, których działanie jest oparte na promieniowaniu podczerwonym. Pomiary kątów w przy-

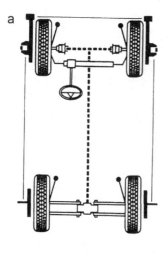

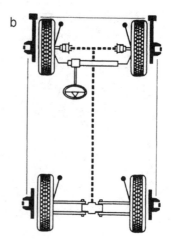

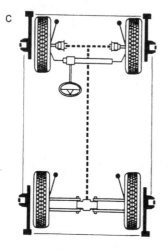

Rys. 7.21. Ze względu na liczbę stosowanych zespołów pomiarowych rozróżnia się następujący podział urządzeń do pomiaru geometrii kół

a – dwugłowicowe z ekranami tylnymi, b – czterogłowicowe z 4 czujnikami położenia, c – czterogłowicowe z 8 czujnikami położenia

rządach komputerowych są obecnie wykonywane optycznie. Każda głowica pomiarowa mocowana do koła jest wyposażona w dwie kamery CCD (charge-coupled-device = sprzężone pojemnościowo fotoelementy) oraz cztery źródła promieniowania podczerwonego. Jedna kamera jest umieszczona w obudowie głównej głowicy, a druga – w jej wysięgniku (rys. 7.22). Każda kamera odbiorcza jest przemiennie oświetlana z dwóch nadajników podczerwieni. Wymaga to skośnego ustawienia paska fotoelementów w kamerach w stosunku do obu nadajników podczerwieni (o kąt 45"). Jeden nadajnik wewnątrz kamery oświetla z góry pasek fotoelementów. W głowicach firmy Beissbarth ten nadajnik jest zamontowany wahliwie i służy do pomiaru kątów pochylenia koła oraz położenia sworznia zwrotnicy (rys. 7.23). W głowicach firmy Hunter kąty te są określane położeniem płynu elektrolitycznego na płytce miedzianej. Ruch płynu na płytce powoduje zmianę pojemności elektrycznej i na tej podstawie są wyliczane kąty. Drugi promień pada na ten sam pasek fotoelementów z kierunku pozio-

Rys. 7.22. Przykład głowicy pomiarowej z kamerami CCD

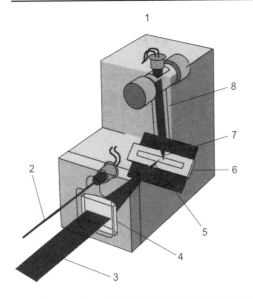

Rys. 7.23. Budowa głowicy pomiarowej z systemem kamer CCD (na przykładzie urządzenia microline 4000 firmy Beissbarth)
1 – głowica pomiarowa, 2 – wychodzący promień podczerwieni, 3 – wchodzący promień podczerwieni z drugiej głowicy, 4 – soczewka, 5 – sygnał zbieżności, 6 – pasek fotoelementów, 7 – sygnał pochylenia koła, 8 – wahadło zintegrowane z nadajnikiem podczerwieni

mego z przeciwległej głowicy pomiarowej i służy do wyznaczania zbieżności. Pasek fotoelementów jest podzielony na leżące koło siebie segmenty. Z intensywności oświetlenia różnych segmentów można obliczyć odchylenie strumienia światła i tym samym odpowiedni kąt. Im większy jest podział fotoelementów, tym uzyskuje się dokładniejszy pomiar (np. w najnowszej wersji kamer Huntera są 3648 segmenty). Bardzo wysoka dokładność pomiaru jest również osiągnięta dzięki zastosowaniu soczewki, która redukuje punktowy strumień światła do jednej „kreski", oraz układowi elektronicznemu w kamerze, który rozpoznaje najjaśniejsze strefy „kreski".

Montowane na czterech kołach głowice pomiarowe z kamerami CCD są dostępne w wersjach z 6 lub 8 czujnikami. W systemie 8-czujnikowym tylne zespoły pomiarowe są zewnętrznie takie same jak przednie, a samochód w czasie pomiarów otoczony jest „elementami pomiarowymi" (wiązkami promieniowania podczerwonego) ze wszystkich stron (patrz rys. 7.21c). W systemie 6-czujnikowym nie ma elementów pomiarowych z tyłu za pojazdem. W praktyce oznacza to, że tylko systemem 8-czujnikowym, w każdym przypadku można bezbłędnie dokonać pomiaru przesunięcia kół, przesunięcia bocznego osi tyl-

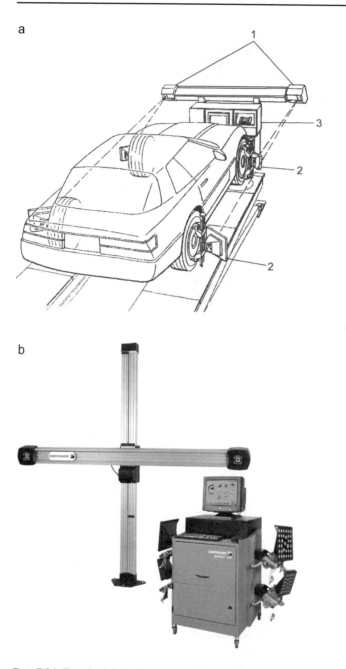

Rys. 7.24. Zasada działania przyrządu komputerowego nowej generacji z głowicami refleksyjnymi, nazywanymi także pasywnymi (a) oraz przykładowy przyrząd Geoliner 680 firmy Hofmann (b). Dwie kamery (1) umieszczone na ruchomych wysięgnikach odbierają światło odbite od głowic refleksyjnych (2), wykonanych ze specjalnych zwierciadeł. Sygnał wytworzony w kamerach jest przekazywany do komputera (3) wchodzącego w skład zestawu. Odpowiednie oprogramowanie do rozpoznawania trójwymiarowego obrazu oblicza położenie przestrzenne każdego z kół. Przyrządy takie, oprócz firmy Hofmann, oferują także m.in. firmy Facom, Hunter, John Bean oraz Sun

nej, różnicy rozstawu kół, nierównoległości osi kół, czyli określić wzajemne położenie przedniej i tylnej osi jezdnej. Natomiast przy 6 czujnikach można jedynie zmierzyć przesunięcie kół przednich. Niektóre przyrządy komputerowe wyposażone w 8 czujników położenia umożliwiają otrzymanie pełnego obrazu wzajemnego usytuowania elementów zawieszenia pojazdu. Tym samym możliwa jest np. ocena poprawności wykonanej naprawy powypadkowej.

Urządzenia komputerowe gwarantują wysoką dokładność pomiarów, jakiej wymagają producenci samochodów dla ich wielowahaczowych zawieszeń i która jest również korzystna dla osi prostszej konstrukcji. Dla pomiarów zbieżności całkowitej przyjęła się dla wszystkich marek samochodów przeciętna tolerancja $\pm 10^{12}$ kątowych. Odpowiada to dokładności pomiarów starszych przyrządów. Obecne przyrządy najnowszej generacji pracują z dokładnością $\pm 1'$.

Po zamocowaniu głowic pomiarowych do kół następuje regulacja za pomocą układu poziomnic, albo – nowocześniej – całkowicie automatycznie. Stosowane elektroniczne poziomice we wszystkich czterech głowicach pomiarowych ostrzegają użytkownika, gdy głowica pomiarowa znajdzie się poza położeniem gotowości pomiarowej. Dobrze, jeśli na poziomnicę nie trzeba wpatrywać się dokładnie z góry. Jest to szczególnie wygodne podczas pracy przy samochodzie uniesionym na podnośniku.

Przyrządy do pomiaru ustawienia kół różnią się także rodzajami transmisji danych do komputera zmierzonych przez głowice. Transmisja kablem jest najtańsza, ale może być kłopotliwa. O leżące przewody można się potknąć, a podczas ruchu podnośnika mogą się zakleszczyć i uszkodzić. Bezprzewodowa transmisja danych za pomocą fal radiowych lub promieniowania podczerwonego z zasilaniem akumulatorowym jest niewątpliwie rozwiązaniem najwygodniejszym (patrz rys. 7.18).

Najnowocześniejszymi urządzeniami do pomiarów osi są tzw. urządzenia 3-D (rys. 7.24). Odznaczają się one wieloma zaletami: nie ma już żadnych wraż-

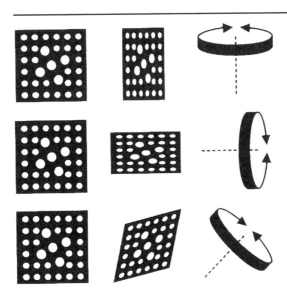

Rys. 7.25. Oś obrotu koła jest rejestrowana przez kamery i wyliczana ze zmiany kształtu okręgów (lub trójkątów) na tablicach podczas przesuwania pojazdu do przodu i do tyłu oraz skręcania kół

285

liwych głowic pomiarowych, lecz tylko głowice refleksyjne, nazywane również reflektorami pasywnymi, wykonane z tworzywa sztucznego i bezpiecznego szkła. W ten sposób wyeliminowano potencjalne źródło błędów. Ponadto uzyskuje się znaczne oszczędności czasu pracy dzięki temu, że nie jest potrzebne łączenie głowic i że system nie żąda żadnych kłopotliwych kompensacji bicia obręczy kół z unoszeniem pojazdu. Przesuwanie do przodu i do tyłu na odcinku zaledwie 20 cm wystarcza do określenia położenia osi obrotu każdego koła, położenia kół względem siebie oraz względem osi pojazdu. Kompletna diagnostyka podwozia ukazuje się na ekranie monitora już po pięciu minutach od wprowadzenia pojazdu na stanowisko. Taka szybkość pracy wynika m.in. stąd, że tylko w jednym, prowadzonym przez menu, skręceniu kół do oporu zostają przejęte wszystkie niezbędne wartości. Dzięki trójwymiarowemu modelowaniu podwozia urządzenia 3D są w stanie wyznaczyć wszystkie kąty podwozia. Umieszczone przed głowicami refleksyjnymi (2, rys. 7.24) błyskające diody LED wysyłają sygnały świetlne. W środku tych diod znajdują się dwie wysokoczułe kamery CCD (1), przejmujące w tym systemie zadanie głowic pomiarowych. Kamery te odbierają powracające od głowic zamocowanych na kołach odbicia światła podczerwonego. Każda kamera obserwuje ruchy jednej głowicy. W zależności od tego, jak skośnie są ustawione głowice refleksyjne, obrazy trójkątów równobocznych (umieszczone na głowicach Huntera) lub obrazy okręgów (umieszczone na głowicach Johna Beana) docierają do kamer w formie zniekształconej – jako mniej lub bardziej spłaszczone trójkąty (lub elipsy, rys. 7.25). Z odchyłki kształtu kołowego (lub trójkątnego) komputer wylicza następnie aktualne dane podwozia.

Rys. 7.26. Przyrząd bezdotykowy Bosch + BMW KDS New Generation opracowany wspólnie przez firmy Bosch i BMW
1 – wózek z komputerem, monitorem i drukarką, 2 – znacznik wysokości, 3 – znaczniki nadwozia, 4 – adapter koła ze znacznikami, 5 – kolumny z kamerami wideo

Firma Hunter wybrała „wzorek" trójkątów jako figur geometrycznych zamiast okręgów wychodząc z założenia, że układ optyczny kamery łatwiej identyfikuje w przestrzeni figury złożone z odcinków linii prostej niż linie krzywe, dając tym samym bardziej jednoznaczne i powtarzalne wyniki pomiarów. Urządzenia typu 3D mogą, ze względu na możliwość pomiaru dużych kątów, wyznaczać wartości zbieżności, wyprzedzenia sworznia zwrotnicy, wielkości przestawienia kół i osi również w pojazdach znacznie uszkodzonych w wypadku. Pod warunkiem jednak, że dadzą się one jeszcze przesunąć o niezbędne 20 lub 40 cm.

Nowym trendem w systemach pomiarowych geometrii kół jest zastosowanie metod bezdotykowych. Dotychczas zrealizowano dwa różne rozwiązania, jedno wspólne firm Bosch i BMW oraz drugie firmy Beissbarth.

Pomiar na urządzeniu BMW KDS New Generation odbywa się podczas przejazdu samochodu między czterema kolumnami mieszczącymi po dwie kamery wideo otoczone pierścieniem błyskających diod (rys. 7.26). Wcześniej trzeba umieścić na samochodzie 40 odblaskowych znaczników: po cztery w dowolnych miejscach każdego nadkola (3), po jednym nad punktem środkowym koła (2) oraz po pięć na adapterze mocowanym magnetycznie do obręczy kół (4). Podczas przejazdu samochodu można zmierzyć kąty pochylenia i zbieżność dla obu osi jednocześnie, natomiast późniejsze skręcenie przednich kół na obrot-

a

b

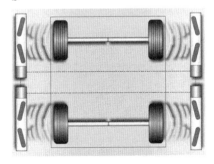

Rys. 7.27. System *touchless* Beissbartha (a) pracuje z czterema głowicami bezdotykowymi. Za pomocą diod LED kamery określają położenie i ustawienie kół w przestrzeni (b)

287

nicach umożliwia wyznaczenie kąta wyprzedzenia osi zwrotnicy. W układzie pomiarowym urządzenia zastosowano stereoskopową technikę pomiarową 3D, która nie zawiera żadnych elementów mechanicznych podlegających zużyciu. Wyniki pomiaru są przedstawiane na monitorze komputera, również w trakcie przeprowadzanej regulacji.

W rozwiązaniu zaproponowanym przez firmę Beissbarth nie trzeba mocować do kół i pojazdu żadnych adapterów ani znaczników (rys. 7.27). System pracuje z czterema głowicami bezdotykowymi, z których każda ma dwie kamery pracujące w podczerwieni. Za pomocą wbudowanych kilkuset diod LED kamery określają precyzyjne położenie i ustawienie kół w przestrzeni (rys. 7.27b). Kamery są połączone ze sobą oraz z komputerem, do którego przesyłają już wstępnie opracowane dane. Głowice muszą być ustawione w odległości około 70 cm od koła, mniej więcej równolegle do osi pojazdu. Tolerancje ich ustawienia są bardzo duże, odpowiadają warunkom warsztatowym. Głowice mogą być ustawione przy kanale lub przemieszczać się razem z najazdami podnośnika.

Niektóre firmy opracowały całkowicie zautomatyzowane urządzenia (roboty) do pomiaru ustawienia kół (rys. 7.28). Rozwiązania te zostały zapożyczone z linii produkcyjnych samochodów, na których są wykorzystywane w końcowym etapie ustawiania zawieszenia zamontowanego do pojazdu. Ze względu na cenę nie należy spodziewać się upowszechnienia tego typu rozwiązań.

Rys. 7.28. Robot WAB 01 firmy Nussbaum składa się z dwóch głowic pomiarowych, przesuwających się samoczynnie z obu stron podnośnika. Głowica ma ramiona z czujnikami, które w trakcie pomiaru dotykają do barku opony w trzech miejscach i automatycznie rozpoznają oś koła. Rola diagnosty ogranicza się do zdalnego uruchomienia głowic i obrócenia koła kierownicy

Systemy pomiarowe i zasady posługiwania się przyrządami do sprawdzania ustawienia kół są bardzo zróżnicowane, co nie pozwala na podanie ogólnych zaleceń wykonania tych pomiarów. Poniżej zaprezentowano tok badania geometrii kół za pomocą przyrządu optyczno-mechanicznego GTO Laser (patrz rys. 7.17), który jest często spotykany w warsztatach samochodowych. Przyrząd GTO jest przeznaczony do szybkiego pomiaru ustawienia kół różnych typów samochodów, mających obręcze kół o średnicy od 12" do 20". Przyrząd GTO jest przeznaczony do pracy za pomocą czterech głowic (zespołów pomiarowych). Dzięki temu przy jednym zamocowaniu można sprawdzić geometrię kół przedniej i tylnej osi. Przy tym szczególnie istotne jest, że pomiaru zbieżności połówkowej kół przednich dokonuje się względem geometrycznej osi jazdy (a nie osi symetrii, jak to jest w przyrządach wyposażonych w dwa zespoły pomiarowe), z uwzględnieniem przesunięcia kół osi przedniej. Przyrząd GTO może pracować również w wersji z dwoma zespołami pomiarowymi. Zamiast tylnych zespołów pomiarowych wykorzystuje się wówczas ekrany tylne.

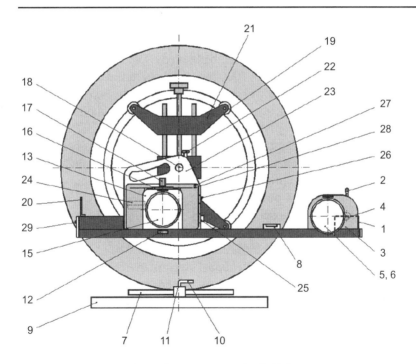

Rys. 7.29. Przedni zespół pomiarowy przyrządu GTO Laser
1 – ekran zbieżności, 2 – dźwignia, 3 – mechanizm zbieżności, 4 – laser zbieżności, 5, 6 – pokrętło zbieżności, 7 – tarcza najazdowa, 8 – poziomnica, 9 – obrotnica, 10 – kołek blokujący ruchy tarczy, 11 – obrotnica, 12 – nakrętka radełkowana, 13 – mechanizm kątów pionowych, 14 – pokrętło kąta pochylenia koła, 15 – pokrętło kątów sworznia zwrotnicy, 16 – poziomnica, 17 – pokrętło kompensacji bicia, 18 – trzpień mocujący, 19 – łapa, 20 – ekran symetrii, 21 – zacisk, 22 – śruba blokady, 23 – korpus, 24 – laser symetrii, 25 – gniazdo zasilające, 26 – włącznik zasilania, 27 – dioda sygnalizująca pracę laserów, 28 – dioda sygnalizująca rozładowanie akumulatorów, 29 – dioda sygnalizująca rozpoczęcie ładowania akumulatorów

Przy jednorazowym zamocowaniu przyrząd GTO w wersji czterogłowicowej umożliwia pomiar lub obliczenie następujących parametrów:
- kątów pochylenia kół tylnych,
- zbieżności połówkowych kół tylnych,
- zbieżności całkowitej kół tylnych,
- odchylenia geometrycznej osi jazdy od osi symetrii,
- śladowości kół,
- kątów wyprzedzenia osi sworzni zwrotnic,
- kątów pochylenia kół przednich,
- kątów pochylenia osi sworzni zwrotnic,
- zbieżności połówkowych kół przednich,
- zbieżności całkowitej kół przednich,
- przesunięcia kół osi przedniej,
- nierównoległości osi kół,
- różnicy kątów skrętu kół przy skręcie o 20°,
- maksymalnych kątów skrętu kół.

Nawierzchnia, na której będą dokonywane pomiary, powinna być płaska i wypoziomowana. Dla zachowania właściwej dokładności pomiaru dopuszczalny błąd płaskości i wypoziomowania nie powinien przekraczać 3 mm na 1000 mm długości. Należy jednak pamiętać, że im większy będzie błąd płaskości i wypoziomowania, tym większe będą błędy wskazań przyrządu. Stąd zaleca się, aby błąd ten na długości 1000 mm nie przekraczał 1 mm. Pod przednie koła samochodu podkłada się obrotnice, które mogą być wpuszczone w podłoże (lub w podnośnik diagnostyczny). Pod tylne koła samochodu podkłada się płyty rolkowe. Obrotnice i płyty rolkowe powinny być ustawione na jednym poziomie.

Pomiary wielkości charakteryzujących ustawienie kół samochodu przyrządem w wersji z czterema zespołami pomiarowymi, połączone z równoczesną regulacją, należy przeprowadzić w następującej kolejności:
1) pomiar kątów pochylenia kół tylnych,
2) pomiar zbieżności połówkowych kół tylnych,
3) pomiar kątów wyprzedzenia osi sworzni zwrotnic,
4) pomiar kątów pochylenia kół przednich,
5) pomiar kątów pochylenia osi sworzni zwrotnic,
6) pomiar zbieżności połówkowych kół przednich,
7) pomiar różnicy kątów skrętu kół przy skręcie o 20°.

Przed właściwymi pomiarami należy bezwzględnie skompensować bicie układu: obręcz – zacisk mocujący – zespół pomiarowy koła testowanego. Od dokładności wykonania tej czynności zależą wyniki poszczególnych pomiarów.

Potrzebne przyrządy i narzędzia

- przyrząd do kontroli geometrii kół GTO Laser,
- obrotnice pod koła przednie i płyty rolkowe pod koła tylne.

Przygotowanie i ustawienie samochodu

- Sprawdzić rozmiar opon – wszystkie koła powinny zostać wyposażone w opony o prawidłowych rozmiarach.

- Sprawdzić ciśnienie powietrza w ogumieniu przy chłodnych oponach (nie-bezpośrednio po jeździe). Jeżeli ciśnienie odbiega od nominalnego, poda-nego w instrukcji obsługi samochodu, należy je skorygować z dokładno-ścią:

    ±0,01 MPa przy ciśnieniu nominalnym do 0,3 MPa,

    ±0,02 MPa przy ciśnieniu nominalnym ponad 0,3 MPa.

- Sprawdzić stan sprężynowania zawieszenia – pojazd na płaskiej po-wierzchni wg oceny wzrokowej powinien znajdować się w pozycji pozio-mej.
- Sprawdzić, czy nie występuje nadmierny luz kierownicy lub drążków kie-rowniczych.
- Sprawdzić, czy nie występuje nadmierne bicie promieniowe lub osiowe kół (koła, których obrzeża obręczy są zdeformowane należy wymienić).
- Tarcze obrotnic zablokować kołkami. Naprowadzić sprawdzany samochód na obrotnice tak, aby przednie koła spoczywały na środkach tarcz obrotnic, a tylne na płytach rolkowych.
- Obciążyć samochód tak, aby spełnić wymagania instrukcji producenta po-jazdu.
- Doprowadzić do prawidłowego ułożenia amortyzatorów przy niezaciągniętym hamulcu ręcznym.
- Ustawić układ kierowniczy w położeniu środkowym.
- Założyć zaciski mocujące na koła, a na trzpienie zacisków założyć zespo-ły mocujące (rys. 7.29 i 7.30).

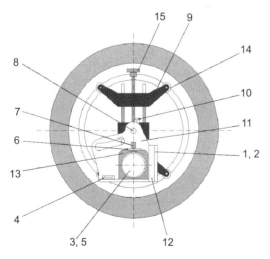

Rys. 7.30. Tylny zespół pomiarowy przyrządu GTO Laser
1 – ekran uchylny, 2 – lustro, 3 – pokrętło kąta pochylenia koła, 4, 6 – poziomnica, 5 – pokrętło wewnętrzne, 7 – pokrętło kompensacji bicia, 8 – trzpień mocujący, 9 – zacisk, 10 – śruba blokady, 11 – korpus, 12 – zespół lustra, 13 – mechanizm kątów pionowych, 14 – łapa, 15 – pokrętło do regulacji wsporników zacisku

Rys. 7.31. Opuszczanie ekranu uchylnego przyrządu GTO Laser

Wykonanie pomiaru bicia kół i jego kompensacja

- Podnieść samochód. W przypadku możliwości podniesienia tylko jednej osi, należy zacząć od osi tylnej.

- Poluzować śrubę blokującą przy korpusie tylnego zespołu pomiarowego tak, żeby można było obracać kołem przy niezmienionym położeniu zespołu pomiarowego.

- Sprawdzić, czy znak na pokrętle kompensacji bicia tylnego zespołu pomiarowego pokrywa się z „zerem" skali.

- Opuścić ekran uchylny, odsłaniając lustro w tylnym zespole pomiarowym (rys. 7.31).

- Skierować promień laserowy wysyłany przez przedni zespół pomiarowy na lustro tylnego zespołu pomiarowego.

- Obrócić tylny zespół pomiarowy na trzpieniu zacisku tak, aby promień laserowy po odbiciu od lustra padał na ekran symetrii.

- Powoli obracać testowane koło tylne, obserwując przemieszczenie plamki laserowej na skali ekranu symetrii oraz znaleźć wskazanie maksymalne i minimalne.

- Podziałka na ekranie symetrii jest wyskalowana dla pojazdów o rozstawie osi kół 2500 mm. Jeżeli rozstaw osi kół sprawdzanego pojazdu jest mniejszy niż 2200 mm lub większy niż 2800 mm, należy stosować dodatkowy ekran kompensacji (rys. 7.32).

- Podczas obracania testowanego koła przemieszczenie plamki lasera należy odczytać na odpowiedniej linii poziomej ekranu kompensacji, odpowiadającej rozstawowi osi kół kontrolowanego pojazdu.

- Obrócić pokrętło kompensacji bicia w tylnym zespole pomiarowym o tyle działek, ile wynosi różnica między wskazaniem maksymalnym a minimalnym na skali ekranu symetrii.

Rys. 7.32. Mocowanie przedniego prawego ekranu kompensacji przyrządu GTO Laser

Rys. 7.33. Mocowanie blokady kierownicy oraz rozpórki pedału hamulca podczas pomiaru przyrządem GTO Laser

–   Obrócić koło testowane tak, aby plamka laserowa na skali ekranu symetrii wskazywała wartość minimalną.

Uwaga. Wartością minimalną jest to wskazanie, które znajdowało się bliżej znaku „minus" na skali ekranu.

–   Obrócić koło testowane tak, aby punkt koła o minimalnym biciu znalazł się w dolnym położeniu, czyli obrócić je o 90°.
–   Dokręcić śrubę blokującą przy korpusie tylnego zespołu pomiarowego.
–   Powtórzyć podane czynności dla drugiego koła tylnego.
–   W przypadku podniesionej tylko tylnej osi samochodu, opuścić ją tak, aby tylne koła testowane spoczęły na środkach płyt rolkowych.
–   Nacisnąć kilkakrotnie na tył samochodu w celu uzyskania prawidłowego ułożenia zawieszenia osi tylnej. Podnieść przednią oś, o ile nie jest podniesiony cały samochód.
–   Poluzować śrubę blokującą przedniego zespołu pomiarowego przy testowanym kole.
–   Sprawdzić, czy znak na pokrętle kompensacji bicia przedniego zespołu pomiarowego pokrywa się z zerem skali.
–   Podnieść ekran uchylny, w tylnym zespole pomiarowym, zasłaniając lustro.
–   Zablokować koło kierownicy blokadą kierownicy (rys. 7.33).
–   Powoli obracać koło testowane, trzymając przedni zespół pomiarowy tak, aby promień laserowy padał na ekran uchylny (rys. 7.34).
–   Obserwując przemieszczenie plamki laserowej na skali ekranu uchylnego, znaleźć wskazanie maksymalne i minimalne. Jeżeli rozstaw osi kół sprawdzanego pojazdu jest mniejszy niż 2200 mm lub większy niż 2800 mm, należy stosować dodatkowy ekran kompensacji.
–   Obrócić pokrętło kompensacji bicia o tyle działek, ile wynosi różnica między wskazaniem maksymalnym a minimalnym na skali ekranu uchylnego.

Rys. 7.34. Obraz plamki laserowej na ekranie uchylnym przyrządu GTO Laser

Rys. 7.35. Pomiar kąta pochylenia koła tylnego przyrządem GTO Laser

Uwaga. Jeśli różnica jest większa od 6 działek (lub 9 dla pojazdów o roz-stawie osi kół ponad 2500 mm), to na czas kontroli pojazdu należy wymienić koło na takie, którego obręcz ma mniejsze bicie. Przeprowadzenie kompensacji bicia koła, którego obręcz wykazuje tak duże bicie może spowodować przekłamanie wyników pomiarów kątów.

– Obrócić koło testowane tak, aby plamka laserowa na skali ekranu uchylnego wskazywała wartość minimalną.
– Obrócić koło testowane tak, aby punkt koła o minimalnym biciu znalazł się w dolnym położeniu, czyli obrócić o 90°. Dokręcić śrubę blokującą przy korpusie przedniego zespołu pomiarowego.
– Powtórzyć czynności dla drugiego koła przedniego.
– Odblokować obrotnice i opuścić przednią oś tak, aby koła testowane spoczęły na środkach tarcz obrotnic (a tylne koła na środkach płyt rolkowych).
– Nacisnąć kilkakrotnie przód samochodu w celu uzyskania prawidłowego ułożenia kół na odblokowanych obrotnicach. Jeżeli był podniesiony cały samochód, należy również kilkakrotnie nacisnąć na tył samochodu.
– Unieruchomić samochód przez zaciągnięcie hamulca ręcznego.

Wykonanie pomiaru kątów pochylenia kół tylnych

– Ustawić tylny zespół pomiarowy w poziomie za pomocą poziomnicy umieszczonej na korpusie.
– Pokrętłem kąta pochylenia koła (srebrna skala) doprowadzić pęcherzyk powietrza poziomnicy mechanizmu kątów pionowych do położenia środkowego (rys. 7.35).
– Na skali pokrętła kąta pochylenia koła (srebrna skala) odczytać wskazanie, które jest mierzonym kątem.
– Powyższe czynności powtórzyć dla drugiego koła tylnego.

Ocena wyników

Zmierzone wartości kątów należy porównać z wartościami podanymi przez producenta pojazdu. Jeżeli koło przy widoku pojazdu z tyłu jest pochylone na zewnątrz, mówimy o dodatnim pochyleniu koła, jeżeli jest odchylone do wewnątrz, występuje pochylenie ujemne.

Wykonanie pomiaru zbieżności połówkowych kół tylnych

– Wypoziomować zespoły pomiarowe wg poziomnic umieszczonych na korpusach.
– Kręcąc kołem kierownicy, doprowadzić do jednakowych wskazań na podziałkach lewego i prawego ekranu uchylnego.
– Opuścić ekran uchylny, odsłaniając lustro w tylnym zespole pomiarowym.
– W tylnych zespołach pomiarowych ustawić pokrętła kątów pochylenia kół (srebrna skala) i pokrętła zbieżności połówkowej kół (pomarańczowa skala) na wskazanie 0°.
– W przednich zespołach pomiarowych, obracając wewnętrzne pokrętła zbieżności (skale zielone) względem zewnętrznych pokręteł zbieżności

(skale pomarańczowe), doprowadzić do pokrycia się linii „zerowych" tych skal.

- Przesuwając dźwignie przednich zespołów pomiarowych, naprowadzić plamki promieni laserowych na ekrany zbieżności przeciwległych zespołów pomiarowych.
- Obracając zewnętrznym pokrętłem zbieżności (powoduje to również obrót pokrętła wewnętrznego), doprowadzić plamkę lasera znajdującą się na ekranie zbieżności na linię środkową.
- Odczytać wskazania na zewnętrznych pokrętłach zbieżności (pomarańczowe skale). Wskazanie P_L odczytane z pokrętła lewego zespołu pomiarowego dotyczy koła lewego, a wskazanie P_P odczytane z pokrętła prawego zespołu pomiarowego dotyczy koła prawego.

Uwaga. Odczytane w ten sposób wartości są zbieżnościami połówkowymi kół przednich względem osi symetrii samochodu, ale w tym pomiarze służą tylko jako wartości korekcyjne do wyznaczenia zbieżności połówkowych kół tylnych. Pomiar zbieżności połówkowych kół przednich względem geometrycznej osi jazdy zostanie opisany w dalszej części.

- Ustawić pokrętło kąta zbieżności połówkowej (pomarańczowa skala) tylnego lewego zespołu pomiarowego (pamiętając o znaku) na korygującą wartość zbieżności połówkowej koła przedniego lewego (P_L) w taki sposób, aby nie zmienić położenia pokrętła kąta pochylenia koła (srebrna skala) – jest ono ustawione na wartość $0°$.
- Obrócić lewy zespół pomiarowy tylny na trzpieniu zacisku tak, aby promień laserowy padał na ekran symetrii lewego przedniego zespołu pomiarowego.
- Obracając pokrętłem kąta pochylenia koła (srebrna skala) tylnego lewego zespołu pomiarowego (powoduje to równoczesny obrót pokrętła zbieżności połówkowej koła tylnego), naprowadzić plamkę laserową na ekranie symetrii na linię środkową.
- Dokonać odczytu wartości T_L dla koła tylnego lewego na pokrętle zbieżności połówkowej (pomarańczowa skala) tylnego lewego zespołu pomiarowego.
- W ten sam sposób wyznaczyć wartość T_P dla tylnego prawego koła.

Uwaga. Jeżeli wartości P_L i P_P nie są równe, to odczytane wartości T_L i T_P nie są rzeczywistymi zbieżnościami połówkowymi kół tylnych. Rzeczywiste wartości zbieżności połówkowej kół tylnych lewego $T_{L\,rzecz}$ i prawego $T_{P\,rzecz}$ określone względem osi symetrii należy obliczyć wg poniższych wzorów

$$T_{L\,rzecz} = T_L - \frac{P_L - P_P}{2}$$

$$T_{P\,rzecz} = T_P + \frac{P_L - P_P}{2}$$

gdzie:

T_L – zmierzona zbieżność połówkowa tylnego lewego koła określona względem osi symetrii,

T_P – zmierzona zbieżność połówkowa tylnego prawego koła określona względem osi symetrii.

Kontrola zbieżności całkowitej kół tylnych

W celu otrzymania parametru zbieżności całkowitej kół tylnych należy dodać odczytane wartości zbieżności połówkowych obu kół (T_L i T_P) uwzględniając znaki.

Uwaga. Na wartość zbieżności całkowitej kół tylnych nie ma wpływu przesunięcie kół osi przedniej.

Kontrola kąta odchylenia geometrycznej osi jazdy od osi symetrii

Kąt odchylenia geometrycznej osi jazdy od osi symetrii (O_G) można obliczyć (korzystając ze zmierzonych wcześniej wartości zbieżności połówkowych kół tylnych) wg wzoru:

$$O_G = \frac{(P_L - P_P) - (T_L - T_P)}{2} = \frac{T_{P\,rzecz} - T_{L\,rzecz}}{2}$$

Jeżeli wynik równy jest zeru, to znaczy, że geometryczna oś jazdy pokrywa się z osią symetrii. Przy wyniku dodatnim geometryczna oś jazdy jest odchylona w lewo od osi symetrii (patrz rys. 7.11), a przy wyniku ujemnym oś jazdy jest odchylona w prawo.

Uwaga. Na wartość odchylenia geometrycznej osi jazdy od osi symetrii nie ma wpływu przesunięcie kół osi przedniej.

Kontrola śladowości kół

Odległość miedzy osią symetrii a geometryczną osią jazdy, określającą śladowość kół (S_K), można obliczyć, korzystając z funkcji geometrycznych, wg następującego wzoru:

$$S_K = R_o \sin O_G$$

gdzie:
R_o – rozstaw osi pojazdu,
O_G – kąt odchylenia geometrycznej osi jazdy od osi symetrii.

Jeżeli wynik jest równy zeru, to znaczy, że jest zachowana symetryczność ustawienia kół jezdnych między stronami lewą i prawą. Przy wyniku większym od zera i braku danych producenta śladowość nie może przekraczać 2% rozstawu kół osi tylnej.

Wykonanie pomiaru kątów pochylenia kół przednich

– Ustawić koła do jazdy na wprost (0° na podziałkach kątowych obrotnic).
– Ustawić zespoły pomiarowe przednie w poziomie wg poziomnic umieszczonych na wysięgnikach korpusów. Pokrętłem kąta pochylenia koła (srebrna skala) doprowadzić pęcherzyk powietrza poziomnicy mechanizmu kątów pionowych do położenia środkowego.
– Na skali pokrętła kąta pochylenia koła odczytać wskazanie, które jest mierzonym kątem.
– Podane czynności powtórzyć dla drugiego koła przedniego.

Ocena wyników

Zmierzone wartości kątów należy porównać z wartościami podanymi przez producenta pojazdu. Pochylenie kół można uznać za prawidłowe, jeżeli wartości te mieszczą się w podanych granicach tolerancji, a także kiedy odchyłka pochylenia jednego koła w stosunku do drugiego (na tej samej osi) nie przekracza wartości określonych przez producenta. Przy większych odchyleniach samochód najczęściej ściąga w jedną stronę.

Przygotowując samochód do pomiaru należy pamiętać, że pochylenie kół zmienia się wraz z ugięciem zawieszenia, w stopniu zależnym od konstrukcji zawieszenia. Dlatego też przy obciążeniu samochodu przed pomiarem należy stosować się ściśle do zaleceń producenta. Jeżeli zalecenia te dopuszczają możliwość pomiaru i regulacji z obciążeniem lub bez obciążenia samochodu, zaleca się przeprowadzanie badania dla pojazdu obciążonego. Gwarantuje to większą dokładność pomiaru. Jako obciążenie stosuje się najczęściej obciążniki, np. hantle lub worki z piaskiem, które odpowiadają masie pasażerów i bagażu. Obciążniki należy więc umieszczać na poduszkach siedzeń (lub podłodze kabiny) oraz w bagażniku. Właściwie najkorzystniejszy dobór obciążenia zastępczego samochodu powinien odpowiadać rzeczywistemu obciążeniu podczas jazdy, jednak producenci nie podają odpowiednich danych dla takich warunków pomiaru.

Należy również pamiętać, że dane fabryczne odnoszą się najczęściej do samochodu nowego i nie uwzględniają stopniowej zmiany sprężystości elementów zawieszenia. Aby uwzględnić te zmiany należałoby pomiary geometrii ustawienia kół przeprowadzić z obciążeniem tzw. kontrolnym. Jest to odpowiednio dobrane obciążenie samochodu, które ma spowodować określone ugięcie zawieszenia w stosunku do jezdni (rys. 7.36) lub do nadwozia.

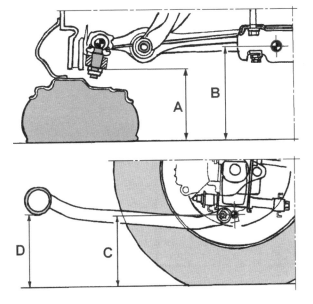

Rys. 7.36. Sprawdzanie prawidłowości wzniosu nadwozia samochodu Alfa Romeo 147 podczas pomiaru ustawienia kół

Regulację pochylenia koła wykonuje się w sposób zależny od konstrukcji osi. Przy podwójnych wahaczach poprzecznych zmianę kąta uzyskuje się najczęściej przez dokładanie lub ujmowanie podkładek w miejscach mocowania wahacza do nadwozia. W zwrotnicach kolumnowych typu McPherson pochylenie kół na ogół nie podlega regulacji, choć można spotkać konstrukcje, w których zmiana kąta następuje przez obrót łożyska oporowego w korpusie amortyzatora teleskopowego (por. rys. 7.43 Ac, Be).

Po każdej regulacji pochylenia koła należy sprawdzić jego zbieżność, ponieważ parametr ten ulega zmianie wraz ze zmianą kąta pochylenia.

Wykonanie pomiaru kątów pochylenia osi sworzni zwrotnic

- Unieruchomić samochód hamulcem nożnym za pomocą rozpórki (patrz rys. 7.33).
- Ustawić koła do jazdy na wprost (0° na podziałkach kątowych obrotnic).
- Odkręcić nakrętkę radełkowaną od spodu mechanizmu kątów pionowych i obrócić go o kąt 90° (do zaskoczenia zapadki).
- Zablokować mechanizm kątów pionowych w ustawieniu do pomiaru kąta pochylenia osi sworznia zwrotnicy poprzez dokręcenie nakrętki radełkowanej.
- Ustawić przedni zespół pomiarowy w poziomie wg poziomnicy umieszczonej na wysięgniku korpusu.
- Skręcić koła przednie tak, aby sprawdzane koło uzyskało skręt 20° do środka pojazdu, wg wskazania skali na obrotnicy.

Uwaga. Nie zmieniać położenia zespołu pomiarowego.

- Za pomocą pokrętła kąta pochylenia koła (srebrna skala) doprowadzić pęcherzyk poziomnicy mechanizmu kątów pionowych do położenia środkowego.
- Pokrętło kątów sworznia zwrotnicy (żółta skala) ustawić na wskazanie 0° tak, aby nie zmieniać położenia pęcherzyka w poziomnicy mechanizmu kątów pionowych.
- Skręcić koła przednie w przeciwnym kierunku tak, aby sprawdzane koło uzyskało skręt 20° na zewnątrz.

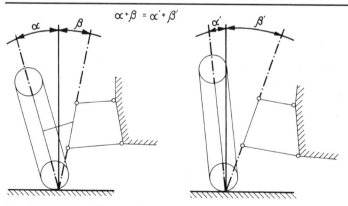

Rys. 7.37. Zależność pochylenia sworznia zwrotnicy (β) od pochylenia koła (α)
Suma kątów jest wielkością stałą

- Obracając pokrętłem kąta pochylenia koła (srebrna skala) – powoduje to równoczesny obrót pokrętła kątów sworznia zwrotnicy – doprowadzić pęcherzyk poziomnicy do położenia środkowego.
- Na skali pokrętła kątów sworznia zwrotnicy (żółta skala) odczytać wskazanie kąta pochylenia osi sworznia zwrotnicy.
- Podane czynności powtórzyć dla drugiego koła przedniego.

Ocena wyników

Pochylenie sworznia zwrotnicy i pochylenie koła są współzależne i zmiana wartości jednego z nich wywołuje zmianę drugiego (rys. 7.37). Jeżeli pomiar wykaże prawidłowe pochylenie koła, to można przyjąć, że pochylenie sworznia zwrotnicy jest również prawidłowe i nie jest konieczne jego sprawdzanie. Natomiast w przypadku stwierdzenia niewłaściwego pochylenia koła należy przed przystąpieniem do jego regulacji dodatkowo sprawdzić pochylenie sworznia zwrotnicy, w celu upewnienia się, czy suma obu kątów jest prawidłowa. Jest to parametr stały, wyznaczony konstrukcją zawieszenia koła i jego niezgodność z danymi fabrycznymi może świadczyć o wadzie zwrotnicy. W większości produkowanych samochodów nie ma możliwości przeprowadzenia osobnej regulacji kąta pochylenia sworznia zwrotnicy.

Wykonanie pomiaru kątów wyprzedzenia osi sworzni zwrotnic

Uwaga. Do pomiaru kątów wyprzedzenia osi sworzni zwrotnic mechanizm kątów pionowych powinien być ustawiony w pozycji jak na rysunku 7.29. W razie potrzeby obrócenia mechanizmu należy odkręcić nakrętkę radełkowaną od spodu mechanizmu, obrócić go do zaskoczenia zapadki i dokręcić nakrętkę.

- Unieruchomić samochód hamulcem nożnym za pomocą rozpórki (patrz rys. 7.33).
- Sprawdzić wypoziomowanie przednich zespołów pomiarowych wg poziomnic umieszczonych na wysięgnikach korpusów. Ustawić podziałki kątowe na odblokowanych obrotnicach na 0°.
- Skręcić koła przednie tak, aby sprawdzane koło uzyskało skręt 20° do środka pojazdu, wg wskazania skali na obrotnicy. Po skręcie koło kierownicy można zablokować blokadą kierownicy (rys. 7.33).
- Za pomocą pokrętła kąta pochylenia koła (srebrna skala) doprowadzić pęcherzyk poziomnicy mechanizmu kątów pionowych do położenia środkowego. Pokrętło kątów sworznia zwrotnicy (żółta skala) ustawić na wskazanie 0° tak, aby nie zmienić położenia pęcherzyka w poziomnicy.
- Skręcić koła przednie w przeciwnym kierunku tak, aby sprawdzane koło uzyskało skręt 20° na zewnątrz. Po skręcie koło kierownicy można zablokować blokadą kierownicy.
- Obracając pokrętłem kąta pochylenia koła (srebrna skala) – powoduje to równoczesny obrót pokrętła kątów sworznia zwrotnicy – doprowadzić pęcherzyk poziomnicy do położenia środkowego.
- Na skali pokrętła kątów sworznia zwrotnicy (żółta skala) odczytać wskazanie, które jest kątem wyprzedzenia osi sworznia zwrotnicy.

Uwaga. W przypadku braku możliwości skrętu kół o 20° można je skręcać o 10°, a otrzymany wynik pomnożyć przez dwa.

Ocena wyników

Zmierzone wartości należy porównać z danymi fabrycznym. Jeżeli odbiegają od wartości wskazanych przez producenta, należy przeprowadzić odpowiednią regulację kątów. Różnica między kołem lewym a prawym nie powinna przekraczać 30′, choć niektórzy producenci dopuszczają różnicę 1°. Większa różnica kątów wywołuje zjawisko „ściągania" samochodu w czasie jazdy.

Wyprzedzenie sworznia zwrotnicy koryguje się na ogół przez zmianę długości drążka ustalającego lub zmianę liczby podkładek regulacyjnych między osią wahacza a nadwoziem. Przed przystąpieniem do regulacji kąta należy upewnić się, czy jego zmiana nie została spowodowana odkształceniem elementów zawieszenia. W niektórych samochodach brak jest możliwości regulacji, co zmusza do wymiany przedniego zawieszenia.

Drobną korekcję kąta wyprzedzenia sworznia zwrotnicy można wykonać w celu poprawienia stateczności ruchu pojazdu. Jeżeli samochód ma utrudnioną kierowalność (trudniej jest skręcić koła) lub przy małych prędkościach występuje trzepotanie kół (co nie jest związane z wadą zawieszenia), dopuszcza się niewielkie zmniejszenie kąta wyprzedzenia. Jeżeli natomiast stwierdzi się, że pojazd „pływa" na zakrętach przy dużych prędkościach, można kąt wyprzedzenia zwiększyć.

Wykonanie pomiaru zbieżności połówkowej kół przednich

– Wypoziomować przednie zespoły pomiarowe wg poziomnic umieszczonych na wysięgnikach korpusów. Pokrętła kątów pochylenia koła (srebrna skala) tylnych zespołów pomiarowych ustawić na 0°.
– Opuścić ekrany uchylne tylnych zespołów pomiarowych tak, aby odsłonić lustra.
– Naprowadzić promienie laserowe, przez obrót całych tylnych zespołów pomiarowych na trzpieniach mocujących zacisków, na ekrany symetrii.
– Kręcąc kołem kierownicy, doprowadzić do równych wskazań na ekranach symetrii.
– Sprawdzić, czy linie „zerowe" skal wewnętrznego pokrętła zbieżności (zielona skala) i zewnętrznego pokrętła zbieżności (pomarańczowa skala) pokrywają się.
– Przesuwając dźwignie, naprowadzić plamki laserowe na ekrany zbieżności przeciwległych zespołów pomiarowych.
– Obracając zewnętrznym pokrętłem zbieżności (pomarańczowa skala) – powoduje to równoczesny obrót pokrętła wewnętrznego – naprowadzić plamkę lasera na linię środkową przeciwległego ekranu zbieżności.
– Odczytać wskazania z pokręteł obydwu zespołów pomiarowych (pomarańczowe skale).
– Wskazanie Z_L odczytane z pokrętła lewego zespołu pomiarowego dotyczy koła lewego, a wskazanie Z_P odczytane z pokrętła prawego zespołu pomiarowego dotyczy koła prawego.

300

- Jeżeli odczytane wskazania są takie same na obu pokrętłach zbieżności (pomarańczowe skale), oznacza to, że sprawdzany samochód nie ma przesuniętych kół na osi przedniej, a odczytane wskazania są zbieżnościami połówkowymi kół przednich.
- W tym przypadku pomiar zbieżności połówkowej kół przednich należy zakończyć i przejść do kontroli następnego kąta.
- Jeżeli odczytane wskazania są różne na obu pokrętłach zbieżności (pomarańczowe skale), oznacza to, że sprawdzany samochód ma przesunięte koła na osi przedniej, a odczytane wskazania nie są zbieżnościami połówkowymi.
  W celu obliczenia zbieżności połówkowej (Z) kół przednich należy wykonać następujące działanie:

$$Z = \frac{Z_L + Z_P}{2}$$

gdzie:
Z_L – wskazanie odczytane dla koła lewego,
Z_P – wskazanie odczytane dla koła prawego.
- Nie zmieniając położenia zewnętrznych pokręteł zbieżności (skale pomarańczowe), w obu zespołach pomiarowych obrócić wewnętrzne pokrętła zbieżności (skale zielone) tak, aby wskazywały obliczoną wartość Z. Czynność ta ma ułatwić regulację zbieżności – we wskazaniach pokręteł wewnętrznych zostaje pominięty wpływ przesunięcia kół osi przedniej na odczyt.
- Jeżeli wartość Z nie pokrywa się ze wzorcem dla danego pojazdu Z_{wzor}, to należy obrócić zewnętrzne pokrętło zbieżności razem z pokrętłem wewnętrznym (powodując przesunięcie plamki lasera na ekranie) tak, aby na pokrętle wewnętrznym (zielona skala) uzyskać wskazanie Z_{wzor}.
- Przeprowadzić regulację zbieżności tak, aby plamki laserowe znalazły się na liniach środkowych ekranów zbieżności.

Kontrola zbieżności całkowitej kół przednich

W celu otrzymania parametru zbieżności całkowitej należy dodać wartości (z uwzględnieniem znaków) odczytane z pokręteł zbieżności (patrz pomiar zbieżności połówkowej kół przednich).

Ocena wyników

Otrzymaną wartość porównać z danymi producenta. Należy pamiętać, że przy zastosowaniu przyrządu czteroczujnikowego zbieżność kół przednich jest sprawdzana w stosunku do osi geometrycznej (rzeczywistej) jazdy, natomiast stosując przyrząd dwuczujnikowy kąty zbieżności odnoszą się do osi symetrii pojazdu.

Zbieżność kół reguluje się tak, aby istniała pełna symetria ich ustawienia, tzn. kąt zbieżności każdego koła musi wynosić dokładnie połowę całkowitego kąta zbieżności. Tylko przy takim ustawieniu uzyskuje się pewność, że samochód będzie zachowywał właściwą kierowalność, jednakową w czasie jazdy po lewym i prawym łuku. Warunkiem właściwego wykonania regulacji jest uprzednie ustawienie mechanizmu kierowniczego w położenie środkowe. Usta-

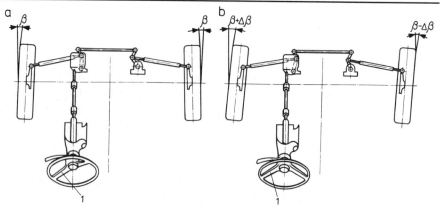

Rys. 7.38. Wpływ ustawienia mechanizmu kierowniczego na pomiar i regulację zbieżności kół przednich

a – ustawienie kół do jazdy na wprost przez odpowiednie skręcenie kierownicy – pomiar wykaże prawidłowe kąty zbieżności, jednakowe dla obu kół, b – ustawienie ramienia przekładni kierowniczej w położenie środkowe – pomiar wykaże konieczność korekty kątów zbieżności: zmniejszenie dla koła lewego oraz zwiększenie o tę samą wartość dla koła prawego; 1 – poprzeczka koła kierownicy

lenie środkowego położenia mechanizmu kierowniczego jest zazwyczaj utrudnione. Opieranie się na ustawieniu poprzeczki koła kierownicy (1, rys. 7.38) jest zawodne i niedokładne. Najlepiej posłużyć się specjalnie do tego przeznaczonymi znakami. Bywają one umieszczone na czole kierownicy kolumny i są widoczne po usunięciu pokrywy sygnału, np. w samochodach Opel, Ford, Żuk, Nysa lub na obudowie i ramieniu przekładni kierowniczej, np. FSO 125P, Polonez. Jeżeli w badanym samochodzie brak jest oznaczeń należy policzyć obroty kierownicy między dwoma skrajnymi położeniami. Połowa liczby obrotów odpowiada środkowemu położeniu mechanizmu kierowniczego.

Podczas regulacji kąt zbieżności ustawia się albo dla obydwu kół, albo tylko dla jednego. Odczytu, pozwalającego określić w którym kole i o ile trzeba zmienić zbieżność, dokonuje się z użyciem ekranów mocowanych do tylnych kół.

Należy jeszcze wspomnieć, że producenci niektórych samochodów, np. Mercedes W124, wymagają dodatkowo, aby pomiar i regulacja zbieżności odbywała się z kołami zaciągniętymi z tyłu (z odpowiednią siłą) w celu uzyskania takiego ustawienia kół, jak podczas jazdy.

Kontrola nierównoległości osi

W celu obliczenia nierównoległości osi najpierw należy przeprowadzić pomiary (za pomocą przymiaru taśmowego) rozstawu osi z lewej i prawej strony pojazdu (patrz rys. 7.9). Za punkty bazowe do pomiarów należy przyjąć środki osi trzpieni zacisków mocujących (18 na rys. 7.29 i 8 na rys. 7.30). Wyniki pomiarów należy podstawić do następującego wzoru opisującego nierównoległość osi (N_O):

$$N_O = P - L$$

gdzie:

L – rozstaw osi z lewej strony pojazdu,
P – rozstaw osi z prawej strony pojazdu.

302

Przy wyniku różnym od zera i braku danych producenta nierównoległość osi nie może przekraczać 0,8% rozstawu osi.

Wykonanie pomiaru różnicy kątów skrętu kół przy skręcie o kąt 20°

Pomiary kątów skrętu kół wykonuje się wyłącznie na obrotnicach. Koła przednie muszą być zahamowane hamulcem nożnym, do czego należy wykorzystać rozpórkę hamulca (patrz rys. 7.33).
- Ustawić koła przednie do jazdy na wprost.
- Ustawić podziałki na obrotnicach na 0°.
- Skręcić koła w lewo tak, aby otrzymać na podziałce prawej obrotnicy odczyt 20°.
- Odczytać kąt skrętu lewego koła na podziałce lewej obrotnicy.
- Skręcić koła w prawo tak, aby otrzymać na podziałce lewej obrotnicy odczyt 20° (rys. 7.40).
- Odczytać kąt skrętu prawego koła na podziałce prawej obrotnicy.
- Skręcić koła do położenia wyjściowego.

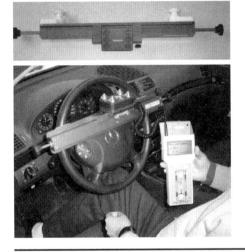

Rys. 7.39. Przyrząd firmy Romess do ustawiania poprzeczki koła kierownicy w położeniu poziomym wyposażony w czujniki pochylenia i działający jak elektroniczna poziomnica

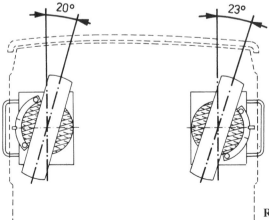

Rys. 7.40. Pomiar kąta skrętu kół

Uwaga. Pomiar można również przeprowadzać skręcając o 20° koło wewnętrzne i odczytując kąt skrętu dla koła zewnętrznego lub wykonując maksymalne skręty.

Ocena wyników

Przy sprawnym układzie kierowniczym kąty skrętu powinny być jednakowe dla obu kierunków skręcania kół przednich. Po skręcie koła zewnętrznego o 20° wartość kąta skrętu dla koła wewnętrznego powinna mieścić się w granicach 23...24°.

Prawidłowe ustawienie trapezu kierowniczego sprawia, że koła przednie podczas jazdy na zakręcie toczą się bez poślizgu, a zużycie opon jest najmniejsze. Na ogół producenci dopuszczają rozbieżność między kątami skrętu w lewo i prawo nie przekraczającą 40′ (rys. 7.41).

Jeżeli pomiar wykaże większą wartość, może to być spowodowane:
– błędnie ustawionym trapezem kierowniczym (zbieżność kół została wyregulowana bez odniesienia do środkowego położenia mechanizmu kierowniczego lub drążki kierownicze zostały niesymetrycznie wkręcone),
– odkształceniem elementu układu kierowniczego, np. zgięta dźwignia zwrotnicy lub drążek kierowniczy.

Tablica 7–2

Diagnostyka zawieszenia koła z kolumną McPherson, na podstawie wartości kątów: pochylenia sworznia zwrotnicy, pochylenia koła i sumarycznego

Kąt pochylenia sworznia zwrotnicy	Kąt pochylenia koła	Kąt sumaryczny	Prawdopodobna przyczyna
Zgodny z wymaganym zakresem	Mniejszy od wymaganego zakresu	Mniejszy od wymaganego zakresu	Skrzywiony zespół piasty koła i/lub skrzywiona kolumna
Zgodny z wymaganym zakresem	Większy od wymaganego zakresu	Większy od wymaganego zakresu	Skrzywiony zespół piasty koła i/lub skrzywiona kolumna
Mniejszy od wymaganego zakresu	Większy od wymaganego zakresu	Zgodny z wymaganym zakresem	Skrzywiony wahacz poprzeczny, górne mocowanie kolumny przesunięte w bok – w kierunku „od samochodu" lub rama pośrednia przesunięta z osi samochodu
Większy od wymaganego zakresu	Mniejszy od wymaganego zakresu	Zgodny z wymaganym zakresem	Górne mocowanie kolumny przesunięte w bok – w kierunku „do samochodu" lub rama pośrednia przesunięta z osi samochodu
Mniejszy od wymaganego zakresu	Większy od wymaganego zakresu	Większy od wymaganego zakresu	Skrzywiony wahacz poprzeczny lub górne mocowanie kolumny przesunięte w bok – w kierunku „od samochodu" i równocześnie skrzywiony zespół piasty koła i/lub skrzywiona kolumna
Mniejszy od wymaganego zakresu	Większy od wymaganego zakresu	Mniejszy od wymaganego zakresu	Skrzywiony wahacz poprzeczny lub górne mocowanie kolumny przesunięte w bok – w kierunku „od samochodu" i równocześnie skrzywiony zespół piasty koła i/lub skrzywiona kolumna
Mniejszy od wymaganego zakresu	Mniejszy od wymaganego zakresu	Mniejszy od wymaganego zakresu	Skrzywiony wahacz poprzeczny lub górne mocowanie kolumny przesunięte w bok – w kierunku „od samochodu" i równocześnie skrzywiony zespół piasty koła i/lub skrzywiona kolumna

Diagnostyka zawieszenia koła z dwoma wahaczami poprzecznymi, na podstawie wartości kątów: pochylenia sworznia zwrotnicy, pochylenia kąta sumarycznego

Kąt pochylenia sworznia zwrotnicy	Kąt pochylenia koła	Kąt sumaryczny	Prawdopodobna przyczyna
Zgodny z wymaganym zakresem	Mniejszy od wymaganego zakresu	Mniejszy od wymaganego zakresu	Skrzywiony zespół piasty koła
Mniejszy od wymaganego zakresu	Większy od wymaganego zakresu	Zgodny z wymaganym zakresem	Skrzywiony dolny wahacz poprzeczny lub przesunięte poprzecznie punkty mocowania wahaczy
Większy od wymaganego zakresu	Mniejszy od wymaganego zakresu	Zgodny z wymaganym zakresem	Skrzywiony górny wahacz poprzeczny lub przesunięte poprzecznie punkty mocowania wahaczy
Mniejszy od wymaganego zakresu	Większy od wymaganego zakresu	Większy od wymaganego zakresu	Skrzywiony dolny wahacz poprzeczny lub skrzywiony zespół piasty koła

Uwagi (dot. tabl. 7–2 i 7–3):

„Zgodny z wymaganym zakresem" oznacza, ze wartość danego kąta mieści się w tolerancji określonej przez producenta.

„Mniejszy od wymaganego zakresu" oznacza, że wartość danego kąta jest mniejsza od zakresu wartości wymaganego przez producenta.

„Większy od wymaganego zakresu" oznacza, że wartość danego kąta jest większa od zakresu wartości wymaganego przez producenta.

Tablica pochodzi z materiałów firmy Speciality Products Company.

Elementy regulacyjne

Gdy pomiar wykaże, że wartość określonego parametru znajduje się poza wymaganym zakresem, można posłużyć się dostępnymi na rynku elementami regulacyjnymi.

Na przykład do regulacji kąta pochylenia kół zawieszonych na kolumnach McPhersona można zastosować śrubę mimośrodową, którą wkłada się zamiast standardowej, górnej śruby, mocującej zwrotnicę do kolumny amortyzatora (rys. 7.45). Są to śruby wykonane ze stali o większej wytrzymałości, niż śruby standardowe. Obracanie śruby mimośrodowej powoduje zmianę kąta pochylenia koła, na ogół w zakresie ±1°45′.

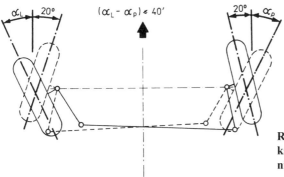

Rys. 7.41. Dopuszczalna różnica kątów skrętu w lewo i w prawo nie powinna przekraczać 40′

305

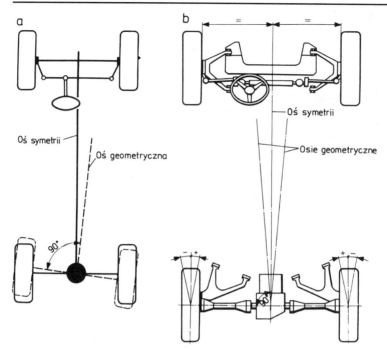

Rys. 7.42. Niepokrywanie się osi geometrycznej z osią symetrii pojazdu spowodowane skrzywieniem tylnego mostu w przypadku tylnej osi sztywnej (a) lub brakiem symetrii zbieżności kół tylnych – w przypadku niezależnego zawieszenia tylnego (b)

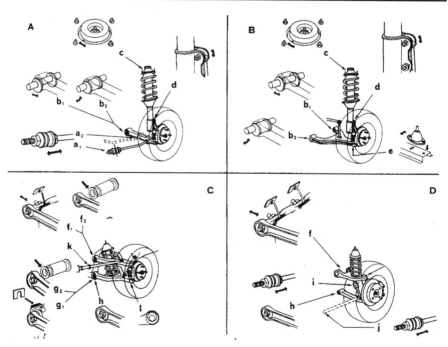

Rys. 7.43. Sposoby regulacji geometrii kół przednich

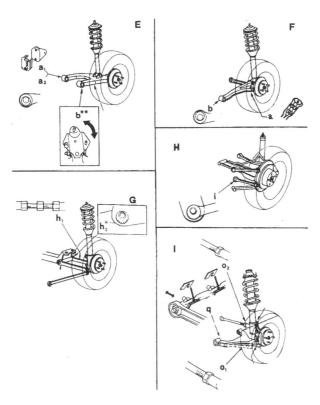

Rys. 7.44. Sposoby regulacji geometrii kół tylnych

Do uzyskania prawidłowego ustawienia kół osi tylnej, a więc również gwarancji właściwego ustawienia wszystkich kół, jest konieczność wyregulowania zbieżności połówkowej (oraz pochylenia) kół osi tylnej, nawet wówczas, gdy producent pojazdu takiej ewentualności nie przewidział. Do tego celu dostępne są podkładki, np. EZ SHIM produkcji amerykańskiej firmy Speciality Products Company. Mają one postać cienkiej płytki z termoplastycznego materiału o klinowo zmiennej grubości, którą umieszcza się między czopem a korpusem

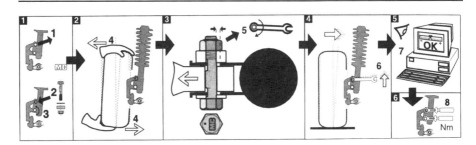

Rys. 7.45. Procedura użycia śruby mimośrodowej w miejsce standardowej śruby mocującej zwrotnicę do kolumny zawieszenia

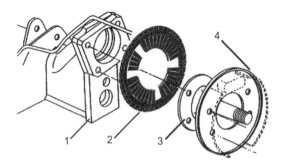

Rys. 7.46. Miejsce zastosowania podkładki EZ SHIM do korekcji zbieżności i pochylenia koła
1 – belka zawieszenia tylnego, 2 – podkładka EZ SHIM, 3 – czop piasty, 4 – tarcza mocowania hamulca bębnowego

osi (rys. 7.46). Nowatorski pomysł tej metody pozwala na dużą kombinację korekcji zbieżności i pochylenia koła przy zastosowaniu tylko jednej podkładki. Konstrukcja podkładki umożliwia korekcję obu kątów w zakresie ±1°30″, z dokładnością do 2′ dla zbieżności oraz z dokładnością do 6′ dla kąta pochylenia koła. W wyborze rodzaju podkładki pomaga program komputerowy jej producenta, który również podaje, jak zmieni się ustawienie koła po montażu danej podkładki i w jakiej pozycji należy ją zamontować.

Badanie układu kierowniczego w warunkach dynamicznych

W ostatnim okresie pojawiła się nowa metoda badania układów kierowniczych, umożliwiająca ich sprawdzenie w ruchu. Zasada działania stosowanych do tego celu urządzeń pomiarowych polega na wstępnej ocenie ustawienia kół na podstawie pomiarów bocznych przemieszczeń koła (uślizgu) lub sił występujących między toczącym się kołem i przesuwną powierzchnią (płytą).

W praktyce spotyka się trzy podstawowe rodzaje tych przyrządów:
- płyta najazdowa pojedyncza (pod jedno koło) z równomiernym przesuwem bocznym,
- płyta najazdowa pojedyncza ze skrętnym (obrotowym) przesuwem elementu ruchomego,
- płyta najazdowa podwójna (pod obydwa koła pojazdu) ze sprzężonym przesuwem bocznym dwóch elementów ruchomych dla prawego i lewego koła. Współczesne testery do oceny wstępnej ustawienia kół jezdnych są najczęściej stanowiskami płytowymi (rys. 7.47). Pomiar jest dokonywany w czasie powolnego przejazdu (z prędkością 2,5...5 km/h) koła jednej strony samochodu przez płytę pomiarową. Koło ze względu na nieznaczną swoją zbieżność lub rozbieżność jest wleczone po posadzce bokiem, Układ pomiarowy mierzy odległość (w m), na jaką koło to „odbiegłoby" od linii prostej, gdy drugie koło tej samej osi przejeżdża odcinek 1 km. Przesuw płyty pomiarowej jest rejestrowany przez elektroniczny układ pomiarowy (potencjometr liniowy) i wyświetlany na urządzeniu odczytowym, W większości przypadków wynik pomiaru jest podawany w metrach na kilometry (m/km) i może być przedstawiony w protokole z badań w sposób graficzny i liczbowy.

Odczytana wartość uślizgu bocznego będzie odpowiadać pewnej wartości pośredniej między wartością zbieżności dynamicznej a wartością zbieżności sta-

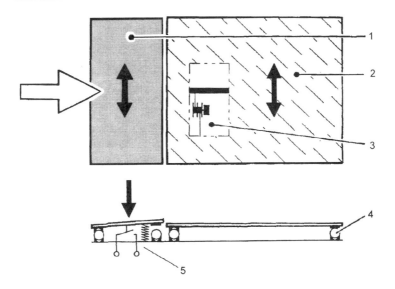

Rys. 7.47. Urządzenie do badania uślizgu bocznego
1 – płyta kompensacyjna, 2 – płyta pomiarowa, 3 – czujnik pomiarowy, 4 – łożyskowanie, 5 – zestyk przejazdowy

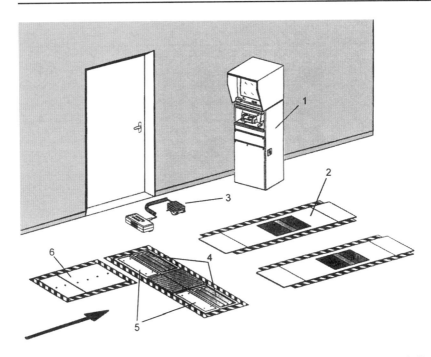

Rys. 7.48. Przykład zastosowania urządzenia do badania uślizgu bocznego na linii diagnostycznej na przykładzie stanowiska SDL 260 firmy Bosch
1 – kolumna sterownicza z komputerem, monitorem i drukarką, 2 – podnośnik nożycowy, 3 – przyrząd do pomiaru siły nacisku na pedał hamulca, 4 – urządzenie rolkowe do badania hamulców, 5 – płyty do badania amortyzatorów metodą drgań wymuszonych, 6 – urządzenie do badania uślizgu bocznego

tycznej, podawanej przez producenta. Wartość bocznego przesunięcia jest uzależniona od ustawienia kół (przede wszystkim od zbieżności). Dlatego w przypadku przekroczenia tolerancji uślizgu kół należy dokonać kontroli ustawienia wszystkich parametrów geometrii zawieszenia na przyrządzie opisanym w poprzednim podrozdziale.

Najczęściej jest stosowane urządzenie dwupłytowe, składające się z płyty kompensacyjnej i pomiarowej (l, 2, rys. 7.47) ponieważ płyta kompensacyjna pozwala na usunięcie występujących między oponą i nadwoziem naprężeń, które mogą wpływać na wartość ocenianego parametru.

Urządzenia do badania uślizgu bocznego wchodzą w skład zintegrowanych linii diagnostycznych, umożliwiających kompleksowe przebadanie samochodu w krótkim czasie (rys. 7.48).

Procedury kalibracyjne

W niektórych samochodach wyposażonych w czujnik kąta skrętu kierownicy, w adaptacyjny tempomat z radarem lub w asystenta pasa ruchu może być konieczne wykonywanie procedury kalibracyjnej po regulacji ustawienia kół. Jeśli z braku odpowiednich przyrządów nie można wykonać kalibracji, to powinno się ograniczyć tylko do pomiarów ustawienia kół – bez regulacji. Wykonanie regulacji ustawienia kół, bez wykonania koniecznych w danym pojeździe kalibracji, może spowodować nieprawidłową pracę tych układów, których te kalibracje dotyczą.

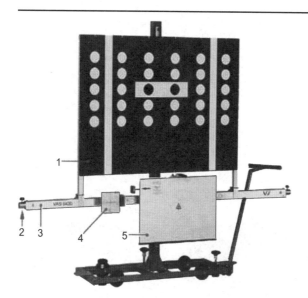

Rys. 7.49. Elementy zestawu do kalibracji adaptacyjnego tempomatu oraz asystenta pasa ruchu, samochodów VW i Audi

1 – tablica do kalibracji asystenta pasa ruchu (przyrząd VAS 6430/4), 2 – gniazdo do montażu kamer, które obserwują głowice pasywne zamontowane na kołach tylnych pojazdu, celem wyznaczenia osi geometrycznej jazdy, 3 – rama przyrządu do kalibracji (przyrząd VAS 6430/1), 4 – urządzenie laserowe do kalibracji radaru adaptacyjnego tempomatu samochodów VW (przyrząd VAS 6430/2), 5 – odbłyśnik lustra do kalibracji radaru adaptacyjnego tempomatu samochodów Audi (przyrząd VAS 6430/3)

Wyzerowanie czujnika kąta skrętu kierownicy zaleca się po każdej regulacji ustawienia kół i osi w samochodach wyposażonych w układ stabilizacji toru jazdy (ESP, DSC, ESC, VDC). Gdy samochód jedzie na wprost, ten czujnik musi informować sterownik układu stabilizacji toru jazdy o tym, że kąt skrętu kierownicy jest równy zero. Również kierownica powinna być ustawiona do jazdy na wprost, co gwarantuje, że przy jeździe na wprost nie pracuje układ jej wspomagania. Wykonanie zerowania czujnika kąta skrętu kierownicy jest możliwe przy wykorzystaniu „fabrycznego" lub uniwersalnego testera układów elektronicznych.

Adaptacyjny tempomat, oznaczany skrótami ACC lub ADR, to układ, który automatycznie utrzymuje zadaną przez kierowcę prędkość jazdy, jeśli odległość od poprzedzającego pojazdu jest większa od minimalnej bezpiecznej odległości. Do obserwacji obiektów znajdujących się przed pojazdem jest wykorzystywany radar. Aby radar mógł pracować prawidłowo, oś wiązki promieniowania wysyłanego przez radar musi być równoległa do osi geometrycznej jazdy. Aby tak było, po regulacji zbieżności kół tylnych pojazdu jest niezbędna kalibracja radaru, czyli jego ustawienie w stosunku do osi geometrycznej jazdy.

Asystent pasa ruchu ma za zadanie: rozpoznanie pasa ruchu na podstawie pasów malowanych na jezdni i samoczynne korygowanie kierunku jazdy samochodu, celem utrzymania samochodu na pasie ruchu, a jeśli to działanie nie jest wystarczające, to ostrzeżenie kierowcy o konieczności korekty toru ruchu pojazdu. Droga jest obserwowana przez kamerę umieszczoną za przednią szybą. Silnik elektrycznego układu wspomagania kierownicy zmienia ustawienie kół przednich tak, aby utrzymać samochód na środku pasa ruchu. Układ ten wymaga przeprowadzenia tzw. kalibracji statycznej po regulacji zbieżności kół tylnych pojazdu lub po wykonaniu prac przy pojeździe, które zmieniły wysokości nadwozia względem podłoża. Do kalibracji tempomatu i asystenta pasa ruchu służy tablica z zestawem pomocniczych przyrządów (rys. 7.49).

7.3. POMIAR KRZYWEJ ZBIEŻNOŚCI

Wprowadzenie pod koniec lat dziewięćdziesiątych XX wieku zawieszenia przedniego o konstrukcji czterowahaczowej (np. w Audi A4, Audi 6, Audi A8 i VW Passat) nie pozostało bez konsekwencji dla przyrządów do badania geometrii kół i zakresu pomiarów. Czterowahaczowe zawieszenie przednie jest tak skonstruowane, że zarówno podczas jego dociążenia, jak i odciążenia następują zmiany zbieżności kół. Osiągnięto to przez specjalne rozmieszczenie wahaczy i kolumn resorujących, jak też bardzo wysokie umieszczenie przekładni kierowniczej z bardzo krótkimi drążkami kierowniczymi (rys. 7.49). Przebieg zmian zbieżności podczas dociążenia i odciążenia nadwozia został nazwany krzywą zbieżności (rys. 7.50). Sens krzywej zbieżności jest następujący: podczas dociążenia (przyspieszanie, jazda po pofalowanej nawierzchni) zbieżność zmienia się na dodatnią. Wynikiem tego jest stabilna jazda na wprost. Natomiast podczas dociążenia (hamowanie) zbieżność dąży do wartości ujemnych, co poprawia

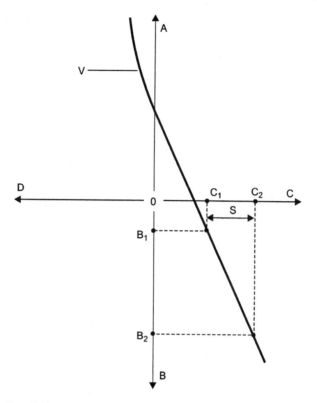

Rys. 7.50. Wykres krzywej zbieżności

A – dociążenie, B – odciążenie, C – zbieżność, D – rozbieżność, V – krzywa zbieżności, B_1 – położenie spoczynkowe, B_2 – pojazd uniesiony o 60 mm, C_1 – zbieżność w położeniu B_1, C_2 – zbieżność w położeniu B_2

efektywność hamowania. Podczas pokonywania zakrętów zbieżność koła wewnętrznego w stosunku do łuku (odciążonego) dąży do wartości dodatnich, zbieżność koła zewnętrznego (dociążonego) do wartości ujemnych. Wywołuje to efekt podobny do kontrowania, pojazd ma tendencję do podsterowności i jest łatwiejszy do kontrolowania. Krzywa zbieżności jest więc zależna od zbieżności w położeniu spoczynkowym i zbieżności w dokładnie zdefiniowanych punktach po uniesieniu albo obniżeniu pojazdu o określoną wartość. Taką kinematykę zawieszenia przedniego spotyka się również u innych producentów samochodów. Osobliwością zawieszenia koncernu VW jest to, że krzywą zbieżności reguluje się zmieniając wysokość drążków kierowniczych.

Dokładny pomiar i regulacja krzywej zbieżności w ramach sprawdzania ustawienia zawieszeń są nadzwyczaj ważne. Zwłaszcza po wypadku, w którym uszkodzone zostały części osi albo nadwozia należy koniecznie skierować pojazd na staranne sprawdzenie ustawienia zawieszeń. Oprócz tego, sprawdzenie i regulacja krzywej zbieżności są konieczne po pracach naprawczych, podczas których wymontowywano wsporniki piasty koła, drążki kierownicze, przekładnię kierowniczą albo belkę zawieszenia zespołu napędowego.

Rys. 7.51. Do pomiarów krzywej zbieżności jest potrzebny szablon odległościowy z różnymi adapterami. Jako przyrząd specjalny nosi oznaczenie fabryczne VAG 1925

Potrzebne przyrządy i narzędzia

– przyrząd do kontroli geometrii kół ośmiogłowicowy, przystosowany pod względem software'u i hardware'u do pomiarów krzywej zbieżności,
– podnośnik,
– szablon odległościowy (np. firmy Beissbarth) z różnymi adapterami do ustalenia pojazdu w zdefiniowanym położeniu powyżej położenia spoczynkowego (rys. 7.51).

Wykonanie pomiaru

– Krzywą zbieżności wyznacza się w ramach pomiarów ustawienia zawieszenia. Pomiary należy wykonywać w następującej kolejności: zmierzenie pochylenia kół osi przedniej i w razie potrzeby ustawienie jednakowej wartości po obu stronach; sprawdzenie pochylenia kół osi tylnej, wyznaczenie zbieżności kół osi tylnej i w razie potrzeby wyregulowanie, sprawdzenie przebiegu krzywej zbieżności zawieszenia przedniego, zmierzenie zbieżności osi przedniej i w razie potrzeby wyregulowanie.
– W celu wyznaczenia krzywej zbieżności trzeba podnieść pojazd dokładnie o 60 mm. Do tego służy szablon odległościowy. W położeniu spoczynkowym samochodu ustawić go między podnośnikiem i przednimi śrubami belki zawieszenia zespołu napędowego tak, aby osadzone adaptery zetknęły się nie podnosząc pojazdu (rys. 7.52). Do ustawienia tej pozycji służy gwintowane wrzeciono szablonu odległościowego.
– W następnym kroku podnieść pojazd na około 70 mm podnośnikiem odciążającym koła i wyciągnąć z wrzeciona tuleje szablonu odległościowego tak daleko, aż odpowiednie otwory ustawią się naprzeciw siebie i będzie można włożyć sworzeń zabezpieczający (nie zapomnieć o zawleczce!). Jest bardzo ważne, aby przy tym koła nie straciły kontaktu z tarczami obrotowymi, gdyż w przeciwnym razie pomiary trzeba zaczynać od nowa.
– Następnie opuszcza się pojazd na szablon odległościowy. Główki śrub w ramie pomocniczej powinny wejść w wycięcia w tulejach. Przyrząd do kontroli geometrii wyznaczy teraz krzywą zbieżności po prawej i lewej stronie. Jeśli wartość rzeczywista nie mieści się w polu tolerancji wartości kontrolnej, to krzywą zbieżności trzeba wyregulować.

Regulacja zbieżności

Krzywą zbieżności reguluje się w pojeździe uniesionym o 60 mm (pojazd stoi na szablonie odległościowym). Regulacja polega na zmianie wysokości poło-

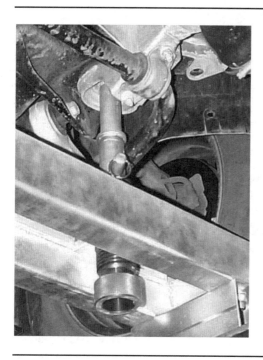

Rys. 7.52. Miejsce umieszczenia szablonu pod ramą pomocniczą podwozia

żenia przegubu drążka kierowniczego w jego zacisku. Należy w tym celu zluzować śrubę zaciskową i śrubę regulacyjną w przegubie drążka kierowniczego wykręcić około 4 mm. Następnie nacisnąć przegub do dołu, aby oparł się na ograniczniku i obracając śrubę regulacyjną dokładnie ustawić wartość wymaganą. Dokręcić śrubę zaciskową. Teraz opuszcza się pojazd uważając, aby koła nie straciły kontaktu z tarczą obrotową i powtarza pomiary. Jeśli zmierzone wartości mieszczą się w polu tolerancji wartości wymaganych, to w następnym kroku reguluje się zbieżność osi przedniej w położeniu spoczynkowym (w razie potrzeby) i powtarza proces regulacji krzywej zbieżności.

7.4. INICJALIZACJA CZUJNIKA KĄTA SKRĘTU KOŁA KIEROWNICY

Jednym z sygnałów wejściowych układu stabilizacji toru jazdy ESP jest położenie koła kierownicy, rejestrowane przez specjalny czujnik. Kąt ten można zmierzyć, wykorzystując w zasadzie wszystkie rodzaje czujników obrotu. Jednak ze względów bezpieczeństwa obecnie stosuje się czujniki bezstykowe: optyczne, hallotronowe, magnetorezystancyjne (AMR), magnetoindukcyjne (PLCD) oraz indukcyjne (CIPOS).

Czujnik optyczny z 9 fotodiodami (rys. 7.53) składa się z dwóch mikroprocesorów, które tworzą jeden zespół razem z pierścieniem pomiarowym. W pierścieniu pomiarowym jest umieszczonych w równych odstępach 9 diod elektroluminescencyjnych (a). Tworzą one jeden kanał bramki świetlnej, przez który przechodzi 8 przesłon (b) o różnych długościach. Bramki świetlne są umieszczone

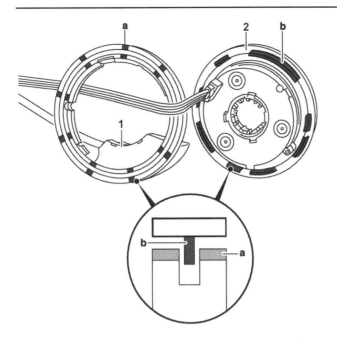

Rys. 7.53. Czujnik kąta skrętu kierownicy z 9 fotodiodami

1 – czujnik optyczny kąta skrętu, 2 – spirala stykowa, a – fotodioda, b – przesłona

w górnej części zespołu spirali stykowej (2) i dopiero po zmontowaniu obu części w jedną całość tworzą kompletny, funkcjonujący zespół czujnika optycznego (1) na stałe połączony z modułem rury osłonowej. W położeniu środkowym koła kierownicy, 8 przysłon (b) zajmuje ściśle określone położenie w stosunku do 9 fotodiod (a). Położenie środkowe jest w ten sposób rejestrowane przez mikroprocesor w czujniku kąta skrętu kierownicy. Podczas obracania koła kierownicy przysłony zmieniają swoje położenie względem fotodiod: jasno/ciemno (rys. 7.54). Różna długość przysłon i ich rozstaw sprawiają, że powstaje całkiem określony obraz sygnałów potrzebnych do wyliczenia danego położenia koła kierownicy. Za pomocą tego obrazu są obliczane wartości kątów i przetwarzane w sekwencyjną informację dla podłączonych sterowników. Sygnały są rejestrowane przez fotodiody i bramki świetlne w krokach co 2,5°. Rejestracja sygnałów odbywa się w zakresie kąta skrętu ± 720° (4 obroty koła kierownicy). Aby kąt skrętu mógł być rejestrowany także po wyłączeniu zapłonu, zasilanie odbywa się z zacisku „30". W przypadku przerwania zasilania (zacisku „30"), trzeba czujnik kąta skrętu ponownie zainicjować (uaktywnić). Odbywa się to przez obracanie koła kierownicy od oporu do oporu między położeniami skrajnymi.

Czujnik optyczny z 6 fotodiodami składa się z 2 mikroprocesorów, które tworzą jeden zespół razem z pierścieniem pomiarowym. W pierścieniu pomiarowym jest umieszczonych w równych odstępach 6 fotodiod, które obejmują kąt 72°. Tworzą one jeden kanał bramki świetlnej, przez który przechodzi 5 grup przesłon o trzech różnych długościach. Bramki świetlne są umieszczone w czujniku kąta skrętu kierownicy. Zasada działania jest identyczna, jak czuj-

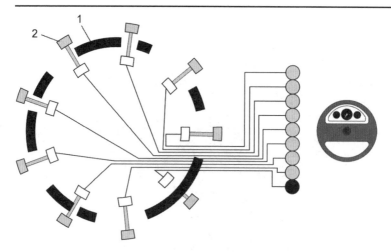

Rys. 7.54. Zasada działania czujnika optycznego, na przykładzie czujnika z 9 diodami.
Położenie przesłon po skręcie koła kierownicy maksymalnie w lewo
1 – przesłona, 2 – bramka świetlna

nika z 9 diodami. Sygnały są rejestrowane przez fotodiody i bramki świetlne w krokach co 2°. Rejestracja sygnałów odbywa się w zakresie kąta skrętu ± 720° (4 obroty koła kierownicy). Czujniki optyczne można spotkać w samochodach Mercedes-Benz (np. klasy S, SL i CL).

Czujnik hallotronowy typ LWS1 (LWS – niem. **L**enk**w**inkel**s**ensor, czujnik skrętu koła kierownicy) opracowany przez firmę Bosch wyznacza mierzoną wartość kąta i liczbę obrotów koła kierownicy za pomocą 14 „przesłon Halla" (rys. 7.55). Taka „przesłona Halla" działa podobnie jak bramka świetlna: element

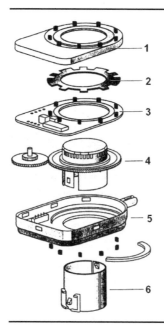

Rys. 7.55. Budowa hallotronowego czujnika kąta skrętu LWS1 firmy Bosch
1 – pokrywa obudowy z dziewięcioma koncentrycznymi magnesami trwałymi 2 – tarczka kodowa (z magnetycznie miękkiego materiału) obracająca się z wałem kierownicy, 3 – płytka drukowana z dziewięcioma elementami Halla i mikroprocesorem, 4 – napęd, 5 – następnych pięć elementów Halla, 6 – tulejka ustalająca położenie czujnika względem wału kierownicy

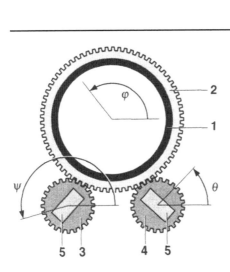

Rys. 7.56. Zasada działania czujnika kąta skrętu magnetorezystancyjnego (AMR)

1 – wał kierownicy, 2 – koło zębate o liczbie zębów $n>m$, 3 – koło zębate o liczbie zębów m, 4 – koło zębate o liczbie zębów $m+1$, 5 – magnes, φ, ψ, θ – kąty obrotu kół zębatych

hallotronowy mierzy natężenie pola przeciwległych magnesów, które mogą być silnie osłabiane metaliczną tarczką kodową. Cyfrową informację o kącie skrętu kierownicy wysyła na szynę CAN dziewięć elementów Halla, umieszczonych na płytce drukowanej (3). W dolnej części znajduje się napęd czujnika oraz dalszych 5 elementów hallotronowych (5), które rejestrują obroty przenoszone przez przekładnię o przełożeniu 4:1 o zakresie 360°.

Duża liczba elementów hallotronowych oraz wymagane dokładnie równoległe ich rozmieszczenie w czujniku LWS1 sprawiły, że pojawił się czujnik LWS3 o znacznie prostszej konstrukcji.

Czujnik magnetorezystancyjny typ LWS3 firmy Bosch odznacza się bardzo kompaktową budową, dzięki zastosowaniu cienkowarstwowych przetworników AMR (ang. **a**nisotrop **m**agneto**r**esistive, anizotropowy magnetorezystancyjny), których rezystancja zmienia się zależnie od kierunku zewnętrznego pola magnetycznego. Informację o wartości kąta w zakresie czterech pełnych obrotów koła kierownicy, uzyskuje się za pośrednictwem pomiaru kątowego położenia dwóch kół zębatych napędzanych kołem zębatym obracającym się wraz z wałem kierownicy (rys. 7.56). Oba napędzane koła zębate mają różne liczby zębów, dzięki czemu każde możliwe położenie koła kierownicy wyznacza jednoznacznie para wartości kątów. Dzięki odpowiedniemu algorytmowi obliczeń, mikroprocesor określa mierzony kąt obrotu, samoczynnie korygując błędy pomiarowe wnoszone przez oba przetworniki AMR. Informacja przekazywana szyną CAN do sterownika stanowi więc bardzo dokładną wartość kąta (1° na 4 obroty). Czujnik magnetorezystancyjny typu LWS4 jest umieszczany na końcu wału kierownicy. Czujnik nowszej generacji LWS5 ma budowę modułową. Składa się on z dwóch, przestawionych wzajemnie o kąt 90°, mostków pomiarowych typu GMR (Giant Magneto Resistance). Podczas skręcania kierownicy koło zębate czujnika obraca się nad elementem pomiarowym GMR, powodując zmianę napięcia w mostku. Wbudowany mikroprocesor oblicza na tej podstawie kąt skrętu w zakresie ±90°. Zewnętrzny sterownik nie jest już potrzebny. Kiedy istnieje potrzeba mierzenia większych kątów skrętu, czujnik jest wypo-

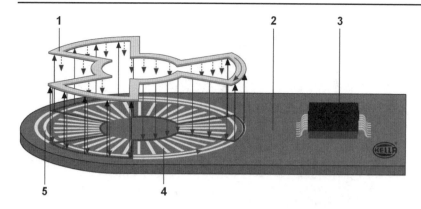

Rys. 7.57. Zasada działania czujnika kąta skrętu indukcyjnego CIPOS
1 – wirnik, 2 – płytka drukowana, 3 – mikroprocesor, 4 – cewka odbiorcza, 5 – cewka wzbudzająca

sażany w dwa koła zębate o różnej liczbie zębów, działających na zasadzie no-niusza. Dokładność pomiaru wynosi $0,1°$. Czujnik LWS5 może być wykorzystany zarówno w układzie ESP, jak i w układach z reflektorami zakrętowymi lub w układzie wspomagania parkowania.

W samochodach można spotkać również **czujniki indukcyjne CIPOS** (Contactless Inductive Position Sensor), będące własnym opracowaniem firmy Hella. Czujnik taki stanowi płytka drukowana, na której jest umieszczony przetwornik elektroniczny, układ ASIC oraz stojan składający się z planarnych cewek wzbudzających i odbiorczych (rys. 7.57). Na płytce drukowanej przemieszcza się wirnik (1), mający postać pętli o określonym kształcie, wykonany

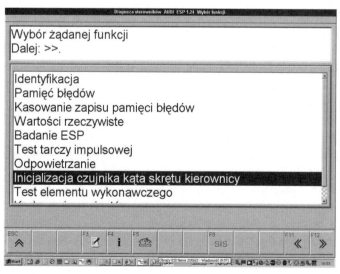

Rys. 7.58. Okno programu ESI[tronic] z uruchomioną funkcją inicjalizacji czujnika kąta skrętu kierownicy

318

z materiału elektrycznie przewodzącego. Cewki wzbudzające są zasilane prądem zmiennym. Powstaje pole elektromagnetyczne, które oddziałuje na wirnik. W wirniku zaczyna więc płynąć prąd zmienny, który z kolei wytwarza na zasadzie reakcji pole elektromagnetyczne w cewkach odbiorczych (4). W cewkach tych indukuje się napięcie, zależne od położenia wirnika. Wielkość napięcia jest analizowana przez obwód elektroniczny (3). Dokładność pomiaru kąta skrętu nie przekracza 1° i jest zachowana przez cały okres pracy czujnika, niezależnie od występujących temperatur. Są czujniki kąta skrętu „Single-Turn", które mają zakres pomiarowy 360° oraz czujniki kąta skrętu „Multi-Turn", w których zastosowano przekładnię redukcyjną i drugi wirnik, co umożliwiło dwukrotne zwiększenie zakresu pomiarowego.

Czujniki skrętu są także stosowane w układach kierowniczych ze wspomaganiem elektrycznym. Są wtedy zblokowane z czujnikiem momentu obrotowego.

Aby układ ESP pracował bez zarzutu, czujnik kąta skrętu koła kierownicy musi być bardzo precyzyjnie ustawiony. Inicjalizacja (kodowanie) czujnika kąta skrętu koła kierownicy jest możliwa przy użyciu przyrządów diagnostycznych (patrz rys. 10.9 i 10.10). Po podłączeniu testera do złącza diagnostycznego należy wykonywać komendy wyświetlane na ekranie przyrządu (rys. 7.58). Po inicjalizacji czujnik jest prawidłowo widziany przez sterownik. Dane pochodzące z inicjalizacji są zapisywane w pamięci EPROM sterownika. Inicjalizację czujnika należy przeprowadzać zawsze, gdy wymianie będzie podlegał czujnik lub sterownik albo kiedy nastąpi demontaż kierownicy.

8. DIAGNOSTYKA WYPOSAŻENIA ELEKTRYCZNEGO

8.1. BADANIE AKUMULATORA

Trwałość akumulatora, wynosząca przeciętnie od 3 do 5 lat, zależy w sposób zasadniczy od jego obsługi i stanu naładowania. Nieprzestrzeganie zaleceń zawartych w instrukcji obsługi samochodu oraz lekceważenie pierwszych objawów niesprawności akumulatora powodują jego przyspieszone starzenie się. W celu określenia stanu technicznego akumulatora należy wykonać następujące czynności:

– sprawdzić szczelność obudowy, stan zacisków biegunowych i poziom elektrolitu (por. rozdz. 1.1),
– zmierzyć gęstość elektrolitu,
– zmierzyć napięcie na zaciskach akumulatora bez obciążenia i pod obciążeniem,
– zmierzyć napięcie podczas rozruchu silnika.

W niektórych samochodach można spotkać akumulatory tzw. bezobsługowe, które nie wymagają dolewania wody destylowanej. Szczelne wieczko ma jedynie otwory odpowietrzające oraz wbudowany areometr z kompensacją cieplną, który pozwala na szybką ocenę stanu naładowania (rys. 8.1).

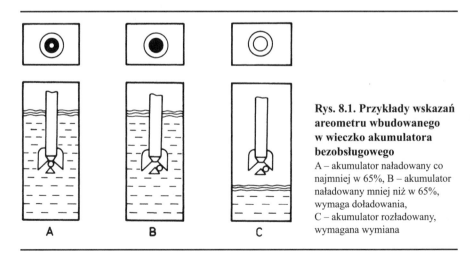

Rys. 8.1. Przykłady wskazań areometru wbudowanego w wieczko akumulatora bezobsługowego

A – akumulator naładowany co najmniej w 65%, B – akumulator naładowany mniej niż w 65%, wymaga doładowania, C – akumulator rozładowany, wymagana wymiana

Jeżeli w centrum wziernika widać zielony punkt (A), to oznacza, że akumulator jest naładowany co najmniej w 65%. Gdy wziernik ściemnieje (B) wskutek opadnięcia kulki areometru, to oznacza, że stan naładowania nie przekracza 65%. Jeśli natomiast wziernik pozostaje jasny lub jasno żółty (C), oznacza to opadnięcie poziomu elektrolitu poniżej areaometru. Jeżeli wtedy wystąpią trudności z uruchomieniem silnika, akumulator trzeba wymienić.

Przed podjęciem decyzji o ładowaniu akumulatora należy nim potrząsnąć. Jeżeli wziernik nadal pozostanie ciemny, akumulator wymaga doładowania.

Pomiar gęstości elektrolitu

Przydatność akumulatora jako źródła energii elektrycznej ocenia się sprawdzając stopień jego naładowania. Jedną z metod kontrolnych jest pomiar gęstości elektrolitu. Można do niego przystąpić po upływie co najmniej 30 minut od czasu zakończenia pracy akumulatora lub jego ładowania, względnie po 24 godzinach od chwili uzupełnienia poziomu elektrolitu.

Potrzebne przyrządy i narzędzia

- kwasomierz (tzw. areometr) z podziałką 1,10...1,30 g/cm³,
- termometr.

Wykonanie pomiaru

- Usunąć korek otworu wlewowego pierwszego ogniwa akumulatora i zanurzyć w elektrolicie koniec szklanej pipety.
- Zassać gruszką gumową taką ilość elektrolitu, aby areometr pływał w nim swobodnie (rys. 8.2). Jeżeli nie ma możliwości głębszego zanurzenia pipety w otworze wlewowym, co uniemożliwia pobranie wystarczającej ilości elektrolitu, należy w pierwszej kolejności pobrać elektrolit strzykawką i zlać go do wąskiego, szklanego naczynia, a następnie umieścić w nim areometr wyjęty z pipety.
- Trzymając pionowo pipetę (areometr nie może dotykać do ścianki), odczytać na skali areometru poziom jego zanurzenia, który wskaże gęstość elektrolitu. Prawidłowy sposób odczytu gęstości elektrolitu pokazano na rysunku 8.3.
- Wlać z powrotem elektrolit do celi i powtórzyć pomiar kolejno dla pozostałych ogniw akumulatora.
- Zmierzyć temperaturę elektrolitu. Wykonanie tego pomiaru nie jest wymagane, jeżeli temperatura otoczenia, a tym samym elektrolitu, nie wykracza poza granice 15...30°C.

Ocena wyników

Jeżeli temperatura elektrolitu różni się znacznie od temperatury odniesienia, która wynosi 25°C, należy odczytaną na skali gęstość elektrolitu przeliczyć do temperatury skalowania areometru. Wystarczającą dokładność pomiaru zapewni stosowanie zasady, że przy zwiększeniu temperatury elektrolitu o +1°C gęstość jego maleje o 0,0 007 g/cm³ i odwrotnie. Korzystanie z diagramu (rys. 8.4) pozwala uniknąć przeliczeń.

Graniczne gęstości elektrolitu charakteryzujące odpowiedni stan naładowania akumulatora wynoszą:

1,285...1,30 g/cm³ – zbyt duża gęstość elektrolitu, należy ją obniżyć przez zastąpienie odpowiedniej ilości elektrolitu wodą destylowaną,

1,28 g/cm³ – akumulator w pełni naładowany.

1,20...1,24 g/cm³ – akumulator wymaga naładowania,

1,15...1,20 g/cm³ – akumulator wymaga natychmiastowego naładowania,

1,14 g/cm³ – minimalna dopuszczalna gęstość elektrolitu przy normalnym wyładowaniu akumulatora,

1,10 g/cm³ – akumulator całkowicie rozładowany.

Różnice w gęstości elektrolitu między ogniwami nie powinny być większe niż 0,025 g/cm³.

Rys. 8.2. Sprawdzanie gęstości elektrolitu areometrem

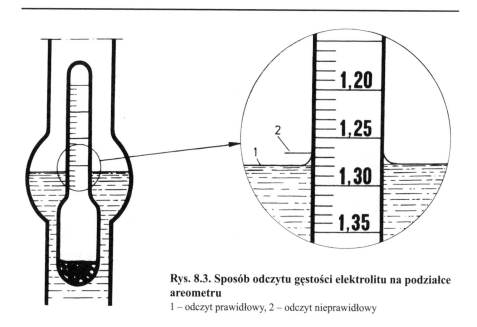

Rys. 8.3. Sposób odczytu gęstości elektrolitu na podziałce areometru
1 – odczyt prawidłowy, 2 – odczyt nieprawidłowy

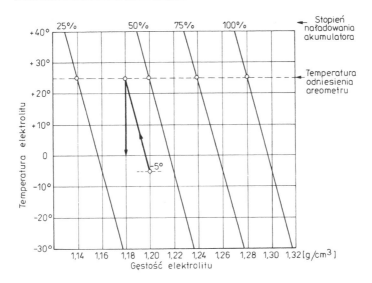

Rys. 8.4. Diagram do określania stanu naładowania akumulatora przez pomiar gęstości elektrolitu w dowolnej temperaturze

Przykład: zmierzona areometrem w temperaturze – 5°C gęstość elektrolitu wyniosła 1,20 g/cm³; rzeczywista gęstość wynosi 1,18 g/cm³

Pomiar napięcia pod obciążeniem

Dokładniejszą metodą oceny stopnia naładowania akumulatora jest pomiar napięcia poszczególnych ogniw pod określonym obciążeniem prądowym. Pomiar ten jest możliwy do wykonania jedynie dla akumulatora starszego typu, w którym łączniki ogniw są dostępne z zewnątrz. W produkowanych obecnie akumulatorach nierozbieralnych (z monowieczkiem) łączniki są umieszczone pod wieczkiem i pomiar napięcia może odbywać się tylko między końcówkami biegunowymi (w sposób poniżej opisany). Wynik takiego pomiaru jest podawany w wartościach umownych, co znacznie zmniejsza jego dokładność.

Dla akumulatorów bezobsługowych, w których nie ma dostępu do elektrolitu, pomiar napięcia jest jedyną metodą oceny stopnia naładowania.

Potrzebne przyrządy i narzędzia

– próbnik akumulatorów samochodowych, np. UWA-25, PAS.

Wykonanie pomiaru

– Włączyć odpowiedni rezystor obciążający. Badając akumulator z monowieczkiem przyrządem PAS-16 należy włączyć rezystor 450 mΩ.
– Podłączyć przyrząd do zacisków biegunowych akumulatora (rys. 8.5). Zwrócić uwagę na zachowanie zgodności polaryzacji miernika i akumulatora.
– Odczytać wynik na barwnej skali stanu naładowania. Czas wykonania pomiaru nie powinien przekraczać 5 sekund.

a
b

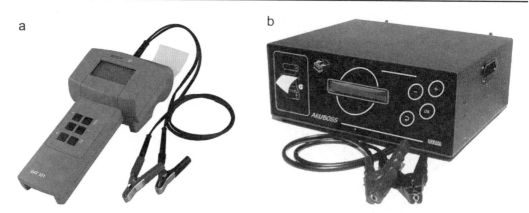

Rys. 8.5. Tester akumulatorów BAT 121 do badania stopnia naładowania i zdolności rozruchowej akumulatorów 12 V (a) oraz mikroprocesorowe urządzenie AKUBOSS firmy WTM z Lasek do kompleksowej obsługi akumulatorów kwasowych, włókninowych, żelowych i wapniowych o napięciu znamionowym 6/12/24 V (b)

Urządzenie AKUBOSS umożliwia ładowanie po ocenę stanu akumulatora, w tym zdolność rozruchową. Wbudowana w urządzenie drukarka pozwala uzyskać protokół z pomiaru

Ocena wyników

Na podstawie wskazania przyrządu można określić jeden z trzech stanów naładowania akumulatora:

strefa zielona – stan naładowania dobry 75...100%,

strefa żółta – stan naładowania słaby 50...75%,

strefa czerwona – stan naładowania zły 0...50%.

Jeżeli pomiar był wykonywany w innej temperaturze otoczenia niż 15...30°C, to należy uwzględnić wpływ zmiany temperatury elektrolitu na pojemność akumulatora.

 Pomiar napięcia podczas rozruchu

Największym odbiornikiem energii elektrycznej akumulatora jest pracujący rozrusznik. W związku z tym spadek napięcia na zaciskach biegunowych akumulatora powstający podczas obciążania go uruchamianym rozrusznikiem wykorzystuje się do oceny stanu akumulatora.

Są dwie metody badania:

– poprzez pomiar napięcia rozruchu,

– poprzez dynamiczne obciążenie akumulatora.

Potrzebne przyrządy i narzędzia

– woltomierz lub próbnik akumulatorów samochodowych.

Wykonanie pomiaru według pierwszej metody

– Odłączyć przewód wysokiego napięcia od cewki zapłonowej lub wyjąć palec rozdzielacza, względnie zewrzeć z masą zacisk „1" cewki zapłonowej. Ma to na celu niedopuszczenie do uruchomienia silnika.

- Podłączyć woltomierz do końcówek biegunowych akumulatora.
- Ustawić dźwignię zmiany biegów w położeniu neutralnym, włączyć zapłon i obrócić rozrusznikiem kilkakrotnie wał korbowy silnika. W tym czasie odczytać wskazania woltomierza.

Wykonanie pomiaru według drugiej metody

- Podłączyć woltomierz do końcówek biegunowych akumulatora.
- Dźwignię zmiany biegów ustawić w położeniu trzeciego lub czwartego biegu. Zaciągnąć hamulec awaryjny, wcisnąć pedał hamulca, a także w razie potrzeby podłożyć pod koła kliny zabezpieczające.
- Podobnie, jak w poprzedniej metodzie odłączyć przewód wysokiego napięcia lub w inny sposób nie dopuścić do uruchomienia silnika.
- Uruchomić na 3 sekundy rozrusznik i odczytać w tym czasie na woltomierzu spadek napięcia akumulatora.

Uwaga. W pojazdach wyposażonych w automatyczną skrzynkę biegów tej metody badania nie można stosować.

Ocena wyników

Stan naładowania akumulatora i jego sprawność można uznać za zadowalające wtedy, kiedy zmierzone napięcie jest wyższe od następujących wartości:
- pierwsza metoda: 4,5 V dla akumulatora 6 V;
  9,0 V dla akumulatora 12 V;
- druga metoda: 3,5 V dla akumulatora 6 V;
  7,0 V dla akumulatora 12 V.

Napięcie mierzone w niższych temperaturach otoczenia należy porównywać z odpowiednio niższymi wartościami.

Zmiany napięcia akumulatora podczas rozruchu można obserwować także na oscyloskopie. Niektóre testery diagnostyczne z funkcją oscyloskopu umożliwiają rejestrowanie przebiegu zmian napięcia akumulatora, a następnie wartości napięcia charakterystyczne dla tego przebiegu są automatycznie oceniane (rys. 8.6).

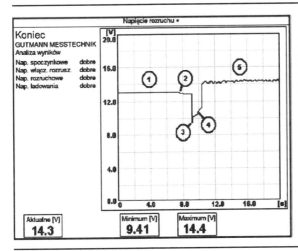

Rys. 8.6. Widok ekranu testera mega macs 55 firmy Gutmann Messtechnik. Oscyloskop pokazuje wartości napięcia charakterystyczne dla przebiegu zmian napięcia akumulatora podczas rozruchu
1 – napięcie nieobciążonego akumulatora, 2 – spadek napięcia akumulatora po włączeniu zapłonu, 3 – napięcie akumulatora w chwili włączenia rozrusznika, 4 – napięcie akumulatora podczas pracy rozrusznika, 5 – napięcie ładowania akumulatora przy pracującym silniku

325

Oszacowanie względnej wartości prądu rozruchowego

Stosowane coraz częściej akumulatory bezobsługowe są trudniejsze do diagnostyki. Nie można w nich zmierzyć gęstości elektrolitu. Pomocne stały się tzw. elektroniczne testery akumulatorów. Taki tester nie mierzy bezpośrednio wartości prądu rozruchu, lecz ją szacuje w opisany dalej sposób. Z tego też powodu, tak określona wartość prądu rozruchu nie jest porównywalna z wartością mierzoną bezpośrednio. Wszystkie testery wykorzystują fakt, że wraz ze zużywaniem się akumulatora, wskutek zmian chemicznych zachodzących w jego wnętrzu, zmniejsza się jego zdolność do przewodzenia prądu elektrycznego, czyli konduktancja, względnie zwiększa się jego rezystancja wewnętrzna (odwrotność konduktancji). Testery firm: Bosch, Midtronics (rys. 8.7) i WTM wykorzystują metodę pomiaru konduktancji dynamicznej. Polega ona na wysłaniu przez akumulator sygnału napięciowego o zmiennej wartości, a następnie określeniu wartości konduktancji, na podstawie zmian natężenia prądu przepływającego przez akumulator, spowodowanego tym sygnałem napięciowym (rys. 8.8).

Pomiar prądu upływu akumulatora

Natężenie spoczynkowe prądu upływu jest to wartość natężenia prądu pobieranego z akumulatora w samochodzie pozostawionym na postój z powodu działania elektronicznych układów sterujących immobilizera, autoalarmu i innych elementów wyposażenia. Jeśli akumulator ulega nadmiernemu wyładowaniu, szczególnie po dłuższym postoju, to należy wykonać ten pomiar w następujący sposób.

Potrzebne przyrządy

– amperomierz o zakresach pomiarowych od 0...5 mA do 0...10 A.

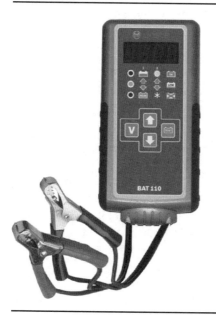

Rys. 8.7. Elektroniczny tester akumulatorów BAT 110 firmy Midtronics (USA) umożliwiający badanie wszystkich akumulatorów standardowych, bezobsługowych, typu AMG (włókninowych) oraz żelowo-ołowiowych

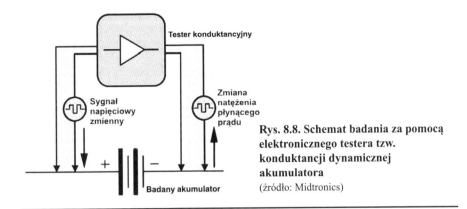

Rys. 8.8. Schemat badania za pomocą elektronicznego testera tzw. konduktancji dynamicznej akumulatora

(źródło: Midtronics)

Wykonanie pomiaru

– Ustawić na amperomierzu najwyższy zakres pomiarowy np. 0...10 A.
– Podłączyć amperomierz według schematu pokazanego na rysunku 8.9.
– Wyłączyć wszystkie odbiorniki prądu, np. oświetlenie kabiny (zamknąć drzwi). Do pierwszego pomiaru wyłączyć też alarm.
– Przełączać amperomierz na coraz niższe zakresy pomiarowe, aż ukaże się odczyt o wartości możliwie zbliżonej do zakresu pomiarowego.

Ocena wyników

Trudno podać dopuszczalną wartość natężenia spoczynkowego prądu upływu dla konkretnych modeli samochodów. Dla samochodów zasilanych gaźnikiem, bez elektronicznych układów sterujących, według zaleceń firm Audi/VW wynosiła ona 1 do 3 mA. Współczesny samochód z radiem z pamięcią, immobilizerem i alarmem pobiera więcej prądu.

Jeśli natężenie spoczynkowego prądu upływu jest za duże, należy znaleźć obwód pobierający prąd. Może jest włączone jakieś urządzenie w tym obwodzie, a może obwód jest zwarty lub ma upływ do masy? W tym celu odłącza się kolejno obwody, wyjmując bezpieczniki – jednocześnie może być odłączony tylko jeden obwód. Jeśli po wyjęciu bezpiecznika zmniejszy się natężenie prą-

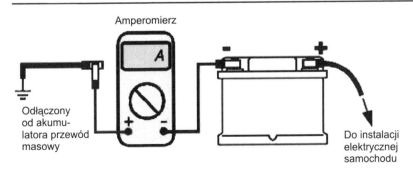

Rys. 8.9. Sposób podłączenia amperomierza podczas pomiaru prądu upływu akumulatora

du wskazywane przez amperomierz, to znaczy, że odłączony obwód pobiera prąd. Jeśli taki obwód nie zostanie wykryty wśród zabezpieczonych bezpiecznikami, należy odłączać obwody niezabezpieczone bezpiecznikami.

8.2. BADANIE ALTERNATORA

Obecnie w większości samochodów osobowych zamiast prądnicy prądu stałego jest stosowana, jako źródło energii elektrycznej, prądnica prądu przemiennego, nazywana alternatorem. Do przetwarzania prądu przemiennego na prąd stały służy wbudowany w alternator prostownik o sześciu diodach krzemowych. Alternator współpracuje z regulatorem napięcia, którego zadaniem jest niedopuszczenie do nadmiernego wzrostu napięcia, mogącego uszkodzić odbiorniki elektryczne pojazdu.

Po stwierdzeniu objawów wskazujących na możliwość powstania usterki w alternatorze (por. tabl. 1–3) należy sprawdzić działanie alternatora. Proponowany sposób badania nie wymaga wymontowania alternatora z samochodu.

W okresie przygotowywania i realizacji pomiarów zaleca się postępować ze szczególną ostrożnością. Nieprzestrzeganie poniższych wskazówek może doprowadzić do uszkodzenia regulatora napięcia lub diod prostownika.

1. Wyjścia z alternatora nie mogą być zamienione. Zmiana biegunowości, np. przez odwrotne podłączenie akumulatora, spowoduje przepływ zbyt dużego prądu przez diody alternatora i ich zniszczenie.

2. Niedopuszczalna jest praca alternatora z odłączonymi od zacisku przewodami odbiorników, zwłaszcza z odłączonym akumulatorem, ponieważ spowoduje to niebezpieczny wzrost napięcia, zdolnego do uszkodzenia diod i regulatora napięcia.

3. Nie wolno sprawdzać alternatora „na iskrę" oraz łączyć zacisku „30" (inne oznaczenie „B" +) alternatora z masą lub z zaciskiem „67" (DF), ponieważ na skutek zwarcia ulegną zniszczeniu diody prostownicze.

4. Wymieniając przewody w układzie alternatora na nowe, zaleca się stosowanie przewodów o przekrojach i długościach identycznych z poprzednimi.

Przed przystąpieniem do badań należy sprawdzić stan wszystkich połączeń alternatora, akumulatora i regulatora, jak również naciąg paska klinowego napędzającego alternator. Sposób sprawdzania i regulowania naciągu paska klinowego podano w rozdziale 1.1.

Poniżej opisane badanie z użyciem multimetru uniwersalnego wyposażonego w zacisk amperometryczny (tzw. sondę hallotronową), np. FLUKE 78 firmy Fluke Philips dotyczy alternatora z wbudowanym regulatorem napięcia, zamontowanego w pojeździe.

 Sprawdzanie wydajności prądowej alternatora

– Założyć sondę pomiarową multimetru na przewód ładowania alternatora w sposób pokazany na rysunku 8.11. Zwrócić uwagę, aby strzałka na sondzie była zgodna z kierunkiem przepływu prądu w przewodzie. Sonda musi być całkowicie zamknięta.

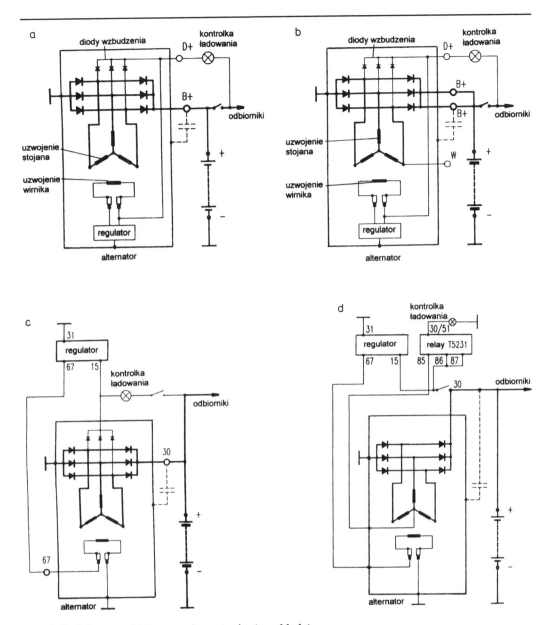

Rys. 8.10. Schematy elektryczne alternatorów (przykłady)

a – alternator dziewięciodiodowy z wbudowanym elektronicznym regulatorem napięcia (samochody Fiat 126, Fiat Cinquecento, Fiat Uno), b – alternator dziewięciodiodowy z wbudowanym elektronicznym regulatorem napięcia (samochody Ford), c – alternator dziewięciodiodowy z przyłączonym regulatorem napięcia (samochody Żuk, Nysa, Polonez do 1991), d – alternator sześciodiodowy z przyłączonym regulatorem napięcia i przekaźnikiem (samochody Łada, FSO 125p)

- Akumulator musi być całkowicie naładowany.
- Uruchomić silnik i ustalić prędkość obrotową na 3000...4000 obr/min.
- Włączać kolejno główne odbiorniki elektryczne, odczytując oddzielnie dla każdego natężenie prądu ładowania.
- Zsumować odczytane wartości natężenia prądu.

329

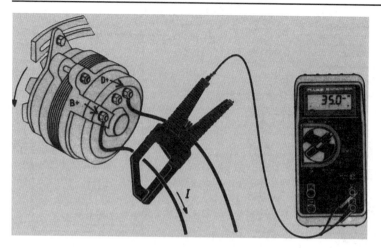

Rys. 8.11. Pomiar prądu ładowania alternatora multimetrem z sondą hallotronową

- Włączyć jednocześnie główne odbiorniki elektryczne i zmierzyć wartość natężenia prądu.

Prąd ładowania można uznać za prawidłowy, jeżeli nie jest mniejszy maksymalnie o 5 A od sumy natężeń prądu poszczególnych odbiorników. W innym przypadku należy alternator wymontować i naprawić.

Sprawdzanie napięcia regulowanego

- Podłączyć woltomierz lub multimetr bezpośrednio do zacisków akumulatora.
- Utrzymywać prędkość obrotową silnika w zakresie 3000...4000 obr/min.
- Włączać stopniowo kilka odbiorników energii elektrycznej, aż do uzyskania połowy natężenia prądu znamionowego.
- Odczytać wartość napięcia wskazaną na mierniku i porównać z danymi fabrycznymi dla określonej temperatury otoczenia.
  Jeżeli zmierzone napięcie ładowania nie jest zgodne z wartościami z wykresów, to trzeba wymontować alternator. Przedtem jednak trzeba sprawdzić:
- napięcie paska klinowego,
- pewność zamocowania zacisków przewodów na końcówkach biegunowych akumulatora,
- pewność osadzenia końcówek przewodów na zaciskach skrzynki przyłączeniowej,
- pewność podłączenia przewodu elektrycznego do zacisku uzwojenia wzbudzenia „D +",
- prawidłowość połączenia przewodu masowego z nadwoziem i skrzynką biegów.

Sprawdzanie prądu wzbudzenia

- Uruchomić silnik i utrzymywać w zakresie 3000...4000 obr/min.
- Obciążyć alternator do prądu ładowania nominalnego.
- Założyć sondę pomiarową multimetru na przewód odchodzący od zacisku

330

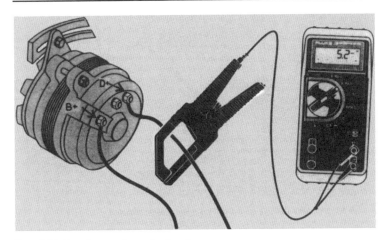

Rys. 8.12. Pomiar prądu wzbudzenia

„D +" (rys. 8.12) i zmierzyć natężenie prądu wzbudzenia. Zmierzona wartość powinna wynosić 3...7 A. Wskazanie innego prądu świadczy o zużytych szczotkach w alternatorze lub zwiększonym oporze w uzwojeniu wzbudzenia (wirnika).

Sprawdzanie diod prostownika

– Podłączyć multimetr jak na rysunku 8.13. Czerwona końcówka pomiarowa miernika powinna być przyłączona bezpośrednio do zacisku alternatora.
– Uruchomić silnik i odczytać wartość napięcia prądu zmiennego „AC" (Alternating Current).
  Miernik powinien wskazać napięcie niższe niż 0,5 V (AC). Wartość większa świadczy o uszkodzeniu diod.

Sprawdzanie prądu upływu

– Przy unieruchomionym silniku odłączyć akumulator, a następnie przewód z zacisku „B +" alternatora.

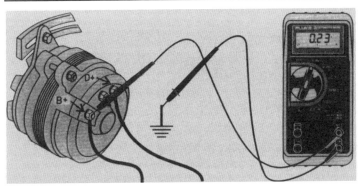

Rys. 8.13. Sprawdzanie stanu diod alternatora

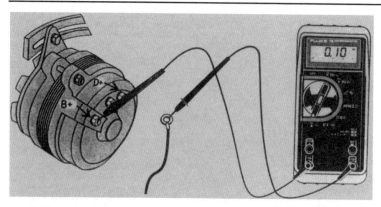

Rys. 8.14. Sprawdzanie prądu upływu w alternatorze

– Między przewód i zacisk „B +" podłączyć szeregowo miernik, jak na rysunku 8.14.

Prąd upływu może wynosić najwyżej kilka miliamperów, najczęściej rzędu 0,5 mA. Inne wartości wskazują na usterki diod lub izolacji uzwojenia.

8.3. BADANIE ROZRUSZNIKA

Rozrusznik jest odpowiednio skonstruowanym silnikiem elektrycznym, który napędzając silnik spalinowy w czasie uruchamiania powinien mu nadać taką prędkość obrotową, aby powstały warunki do rozpoczęcia procesu zapłonu. Ogólny schemat elektryczny rozrusznika i zasadę jego działania przedstawiono na rysunku 8.15.

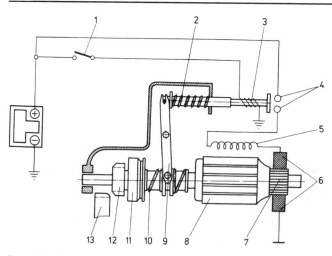

Rys. 8.15. Schemat elektryczny rozrusznika
1 – wyłącznik zapłonu, 2 – sprężyna zwrotna, 3 – cewka wyłącznika elektromagnetycznego, 4 – styki,
5 – uzwojenie wzbudzenia, 6 – szczotki komutatora, 7 – komutator, 8 – wirnik, 9 – dźwignia,
10 – sprężyna, 11 – sprzęgło jednokierunkowe, 12 – zębnik, 13 – wieniec koła zamachowego

Rozrusznik oraz cały obwód rozruchowy można uznać za sprawny, jeżeli są spełnione poniższe kryteria oceny.

1. Podczas rozruchu zapewniają wystarczającą prędkość obrotową wału korbowego, która wynosi:

   60...90 obr/min dla silników gaźnikowych,

   60...100 (140) obr/min dla silników wysokoprężnych z komorą wstępną (z wtryskiem bezpośrednim),

   80...200 obr/min dla silników wysokoprężnych bez świec żarowych.

2. W czasie działania rozrusznika nie słychać zgrzytów i innych hałasów, nie występują również inne objawy mechanicznej niesprawności (podane w tabl. 1–3).

3. Podczas uruchamiania silnika pobór prądu przez rozrusznik i spadek napięcia w obwodzie rozruchowym nie przekraczają wartości dopuszczalnych.

Ocenę sprawności rozrusznika według pierwszych dwóch kryteriów dokonuje się w sposób bezpośredni podczas próby uruchomienia silnika (por. rozdz. 1.1), natomiast spełnianie ostatniego warunku może być sprawdzone podczas odpowiedniego badania diagnostycznego.

Poniżej przedstawiono dwie metody kontroli działania rozrusznika, obie nie wymagające jego wymontowania z samochodu.

Pomiar napięcia podczas rozruchu

Badanie napięcia zasilającego rozrusznik jest wtedy uzasadnione, kiedy podczas uruchamiania silnika stwierdzi się zbyt małą prędkość obrotową wału korbowego. Pomiar wykonuje się po upewnieniu, że akumulator i jego połączenie z rozrusznikiem są sprawne.

Schemat połączeń podczas badania przedstawiono na rysunku 8.16, a sposób przeprowadzenia badania opisano w rozdziale 8.1.

Jeżeli zmierzone spadki napięcia są wyższe od dopuszczalnych, wskazuje to na istnienie w rozruszniku zwarcia uzwojeń.

Pomiar prądu zwarcia

Jest to najbardziej miarodajna ocena sprawności całego układu rozruchowego. Polega ona na pomiarze prądu pobieranego przez włączony rozrusznik przy

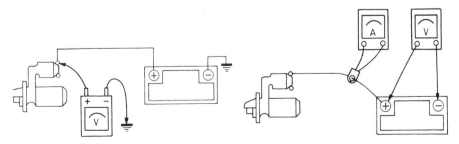

Rys. 8.16. Schemat pomiaru napięcia podczas rozruchu

Rys. 8.17. Schemat pomiaru prądu zwarcia

zatrzymanym kole zamachowym, a więc w stanie jego największego obciążenia.

Potrzebne przyrządy i narzędzia

– woltomierz o zakresie do 15 V,
– amperomierz o zakresie do 600 A.

Wykonanie pomiaru

– Oba mierniki podłączyć według schematu przedstawionego na rysunku 8.17.
– Unieruchomić samochód włączając 3. lub 4. bieg, zaciągnąć hamulec awaryjny i podłożyć kliny pod koła napędzane. Odłączyć cewkę zapłonową od rozdzielacza zapłonu lub w inny sposób zapobiec uruchomieniu silnika.
– Włącznikiem zapłonu uruchomić rozrusznik na 2...3 sekundy.
– Odczytać w tym czasie wskazania mierników.

Ocena wyników

Wskazane przez amperomierz natężenie prądu zwarcia pobranego przez sprawny rozrusznik nie powinno odbiegać od wartości podanych przez producenta dla stanu zahamowania (między 250 A i 600 A).

Jednocześnie wartość napięcia nie może obniżyć się poniżej 7 V (dla instalacji 12 V) lub 3,5 V (dla instalacji 6 V).

Jeżeli wskazania amperomierza są niższe, oznacza to uszkodzenie rozrusznika. Większe spadki napięcia wskazywałyby na niedostateczne naładowanie akumulatora lub wadę połączeń w obwodzie rozruchowym.

8.4. SPRAWDZANIE USTAWIENIA REFLEKTORÓW

Światła reflektorów można uznać za prawidłowo ustawione i działające jeżeli spełniają poniższe wymagania, określone przepisami ustawy „Prawo o ruchu drogowym".

1. Światła drogowe powinny oświetlać drogę na odległość co najmniej 100 m przed pojazdem.
2. Światła mijania powinny mieć zasięg co najmniej 40 m, jednak nie powodować oślepienia innych uczestników ruchu.
3. Światła mijania powinny być asymetryczne, tzn. oświetlać drogę po prawej stronie na większą odległość niż po lewej stronie.
4. Oba rodzaje światła muszą spełniać zasadę symetrii parametrów świetlnych (barwy i światłości) po lewej i po prawej stronie pojazdu. Podczas eksploatacji samochodu reflektory zmieniają swoje normalne położenie wskutek drgań i wstrząsów, a także zmiany ugięcia elementów sprężystych zawieszenia. Stąd też kontrola ustawienia świateł powinna być wykonywana co 10 tys. km przebiegu samochodu oraz za każdym razem po wymianie reflektora lub żarówki. Kontrolę wykonuje się za pomocą specjalnego przyrządu optycznego lub, w razie jego braku, z wykorzystaniem ekranu.

Sprawdzenie ustawienia reflektorów przy użyciu ekranu

Jest to najprostsza metoda sprawdzania ustawienia reflektorów, w której rolę ekranu spełnia równa ściana garażu lub budynku. Przed ścianą powinien znajdować się prostopadły do niej, pięciometrowy odcinek równej i gładkiej nawierzchni.

Potrzebne przyrządy i narzędzia

– taśma miernicza lub inny przymiar,
– kreda,
– klucz lub wkrętak do ewentualnej regulacji.

Wykonanie pomiaru

– Sprawdzić i wyregulować ciśnienie w ogumieniu do wartości zalecanych przez producenta.
– Ustawić samochód przodem do ściany, możliwie najbliżej. Odległość obu reflektorów od ściany powinna być jednakowa.
– Zaznaczyć kredą na ścianie miejsca leżące naprzeciw środków reflektora, np. krzyżami.
– Odjechać samochodem w linii prostej na odległość 5 m, liczoną od ściany do szkła reflektora. Nadal zachować prostopadłe ustawienie pojazdu do ekranu.
– Zaznaczyć na ścianie linię poziomą, umieszczoną poniżej środków reflektorów w odległości określonej przez producenta pojazdu. Jeżeli brak jest danych fabrycznych, to w odległości 1/8 wysokości naniesionych już znaków h = 1/8 H (rys. 8.18).
– Obciążyć samochód taką masą, z jaką jest najczęściej użytkowany, jeśli wymaga tego producent.
– Jeżeli samochód jest wyposażony w korektor ustawienia reflektorów, to dźwignię tego urządzenia przestawić w obu reflektorach tak, aby otrzymały one nachylenie na „wysoko" (w samochodzie Skoda na „nisko").
– Włączyć światła mijania i zaobserwować położenie plam świetlnych na ekranie. Najlepszy kontrast między częścią oświetloną i nie oświetloną uzy-

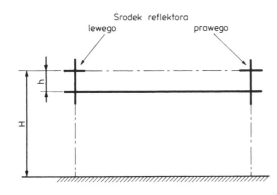

Rys. 8.18. Wykreślenie na ścianie linii do ustawienia reflektorów
(H – wysokość położenia środków reflektorów, h – odległość linii poziomej od środków reflektorów)

ska się wykonując pomiar po zapadnięciu zmierzchu. Ocenić prawidłowość ustawienia reflektorów według podanych dalej wskazówek.

- Przełączyć światła mijania na światła drogowe i zaobserwować, czy środki plam świetlnych na ekranie pokrywają się z krzyżami wyznaczającymi środki reflektorów (rys. 8.21).
- Przed przystąpieniem do sprawdzenia świateł przeciwmgłowych zaznaczyć kredą na ekranie środki reflektorów przeciwmgłowych. Włączyć światła przeciwmgłowe i ocenić położenie plam świetlnych na ekranie.

Ocena wyników

Ustawienie asymetrycznych świateł mijania typu europejskiego można uznać za prawidłowe, jeżeli granica światłocienia z lewej strony krzyży pokryje się z zaznaczoną na ekranie linią poziomą, natomiast z prawej strony krzyży wznosi się ukośnie pod kątem 15°, a miejsce jej załamania wypada dokładnie na osi reflektorów (rys. 8.19). Na rysunku 8.20a pokazano przykład zbyt w lewo i wysoko ustawionego reflektora lewego, a na rysunku 8.20b – przykład niewłaściwego położenia linii światłocienia, czego przyczyną jest wadliwie założona do prawego reflektora żarówka (występ na cokole żarówki nie znalazł się w wycięciu korpusu reflektora).

W prawidłowo ustawionych symetrycznych światłach mijania (obecnie nie stosowanych) granica światłocienia jest pozbawiona załamania i powinna pokrywać się z narysowaną linią poziomą na całej jej długości. Wiązki prawidłowo ustawionych świateł przeciwmgłowych powinny znaleźć się poniżej zaznaczonych środków reflektorów. Odległość ta nie może być mniejsza niż 1/3 wysokości reflektorów.

Podejmując regulację niewłaściwie ustawionych świateł należy przyjąć następujący tok postępowania:

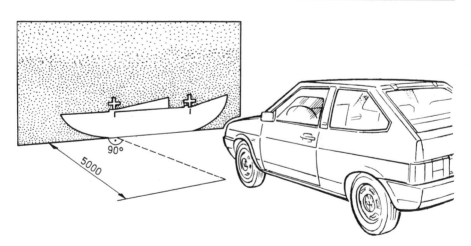

Rys. 8.19. Sprawdzanie ustawienia asymetrycznych świateł mijania typu europejskiego na ekranie kontrolnym

a

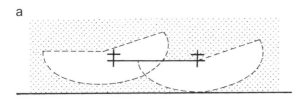

b

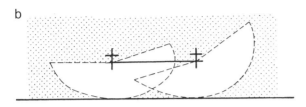

Rys. 8.20. Przykłady niewłaściwego ustawienia reflektorów

a – wiązka światła reflektora lewego odchylona do góry w lewo będzie powodowała oślepienie innych użytkowników drogi, b – granica światłocienia reflektora prawego obrócona w lewo wokół osi wskutek nieprawidłowo założonej żarówki

Tablica 8–1

Metody ustawiania reflektorów

Typ reflektora	Rodzaj światła	Regulacja reflektora w kierunku		Oznacze-nie metody
		góra – dół	lewo – prawo	
dwuświatłowy typ CR lub HCR	światło mijania asymetryczne	tylko według wiązki światła mijania		A
	światło mijania symetryczne	według światła mijania	według światła drogowego	B
jednoświatłowy typ R lub HR	światło drogowe	według wiązki światła drogowego		C

– po włączeniu reflektorów zasłonić te, które nie będą w danej chwili regulowane,
– przełączyć na światła mijania bądź drogowe, w zależności od typu reflektora i rodzaju światła (por. tabl. 8–1),
– pokręcając wkrętami regulacyjnymi doprowadzić wiązkę światła do wymaganego położenia,
– po ustawieniu reflektora przełączyć światła na drugi rodzaj w celu sprawdzenia również ich jakości; nieprawidłowa wiązka światła będzie wskazywała na wadę w żarówce, niewłaściwe jej osadzenie itp.

Uwaga. Jeżeli reflektory są wyposażone w żarówki halogenowe, to regulację należy wykonać możliwie szybko lub z przerwami, ponieważ elementy optyczne, nie chłodzone przepływem powietrza podczas jazdy, zbyt silnie się nagrzewają i mogą ulec uszkodzeniu.

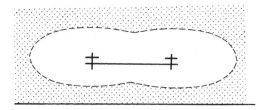

Rys. 8.21. Plama świetlna prawidłowo ustawionych świateł drogowych

 Sprawdzanie ustawienia reflektorów przy użyciu przyrządu optycznego

Działanie przyrządu optycznego polega na przeniesieniu strumienia światła, wysyłanego przez reflektor, na ekran pomiarowy przyrządu za pomocą soczewki skupiającej, która umożliwia znaczne zmniejszenie odległości między ekranem a badanym reflektorem (do wartości mniejszej niż 1 m). Niektóre typy przyrządów umożliwiają również pomiar światłości (dla świateł drogowych) i natężenia oświetlenia (dla świateł mijania).

Luksmetry do pomiaru natężenia oświetlenia występują w wersji analogowej (ze wskaźnikiem wychylnym) oraz w wersji cyfrowej (ze wskaźnikiem LCD). Wskaźnik cyfrowy jest dokładniejszy i pozwala łatwo wychwycić słabsze żarówki halogenowe (zbyt długo użytkowane) oraz określić występowanie różnej siły światłości żarówek dla reflektora prawego i lewego.

Istnieje wiele konstrukcji przyrządów do kontrolowania i regulowania ustawienia świateł.

Można przyjąć podstawową klasyfikację przyrządów w zależności od sposobu bazowania przyrządu względem pojazdu:
- drążkami ustawczymi względem reflektorów,
- prowadnicą przenośną względem kół przednich,
- torem stałym względem kierunku jazdy,
- projektorem wstęgi światła białego lub laserowego względem nadwozia,
- szerokopasmowym wizjerem (lustrem) względem nadwozia.

Potrzebne przyrządy i narzędzia

- przyrząd optyczny do kontroli ustawienia świateł,
- stanowisko pomiarowe o płaskiej i poziomej nawierzchni (dopuszczalna nierówność ±1 mm, maksymalna odchyłka od poziomu 1 mm na 1 mb),
- klucz lub wkrętak do przeprowadzenia ewentualnej regulacji.

Wykonanie pomiaru

- Ustawić samochód i przyrząd na stanowisku pomiarowym tak, aby podłużna oś samochodu była równoległa do osi optycznej przyrządu (rys. 8.23).
- Sprawdzić i ewentualnie uzupełnić ciśnienie powietrza w ogumieniu.
- Obciążyć samochód zgodnie z wymaganiami producenta dotyczącymi wa-

Rys. 8.22. Budowa przyrządu do ustawiania świateł
1 – soczewka Fresnela, 2 – ekran pomiarowy, 3 – pokrętło z podziałką, 4 – fotodioda

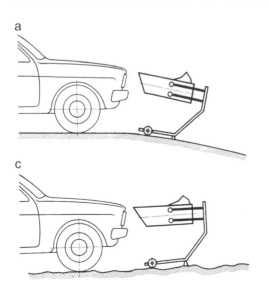

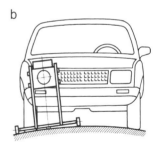

**Rys. 8.23. Nierówna powierzchnia
stanowiska do kontroli świateł
powoduje nieprawidłowe
ustawienie reflektorów:**
a – zbyt niskie, b – zbyt wysokie,
c – ukośne

339

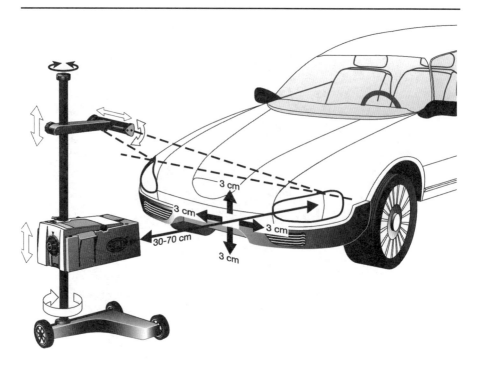

Rys. 8.24. Sposób poprawnego bazowania przyrządu do ustawiania świateł (rys. Hella)

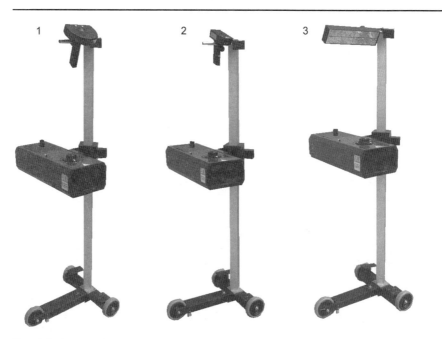

Rys. 8.25. Przykład przyrządu USP-20 występującego w trzech wersjach systemu bazowania
1 – USP-20PS z projektorem wstęgi światła, 2 – USP-20PLU z bazowaniem lusterkowym,
3 – USP-20PLA z bazowaniem laserowym

340

runków sprawdzania świateł. Jeżeli pojazd nie będzie obciążony, należy przez rozkołysanie nadwozia odciążyć zawieszenie.

– Przeczyścić szkła reflektorów, sprawdzić, czy nie są pęknięte i od środka zaparowane.
– Ustawić prawidłowo korektory świateł mijania.
– Manewrując głowicą w górę i w dół oraz przetaczając urządzenie po prowadnicy ustawić środek soczewki tak, aby znalazł się naprzeciwko środka reflektora w odległości ok. 30 cm od szkła.

W niektórych urządzeniach stworzono możliwość dokładnego, równoległego ustawienia osi optycznej głowicy względem płaszczyzny symetrii samochodu. W tym celu należy przejechać urządzeniem na środek między reflektorami (rys. 8.24). Włączyć światło projektora i chwytając za rękojeść skierować wstęgę światła na przód nadwozia. Skorygować ustawienie całego przyrządu tak, aby krawędź wstęgi światła przeszła przez dwa symetrycznie rozmieszczone punkty nadwozia, np. narożniki pokrywy. W przypadku przyrządu z bazowaniem za pomocą lustra, ustawić obudowę „projektora" pod takim kątem, aby w lustrze zobaczyć przód samochodu, a linia pozioma na lustrze przechodziła przez dwa symetrycznie rozmieszczone punkty nadwozia. Przejeżdżać przyrządem kolejno do badanych reflektorów, zachowując stałe bazowanie względem nadwozia. W urządzeniu KST-20 do bazowania względem samochodu wykorzystuje się stały tor jezdny, prostopadły do osi pojazdu.

– Przeprowadzić pomiar ustawienia reflektorów jedną z poniższych metod, której wybór zależy od zastosowanego w samochodzie rodzaju światła (por. tabl. 8–1).

Uwaga. Posługując się przyrządami optycznymi należy pamiętać, że na małym ekranie przyrządu obserwuje się w pomniejszeniu to samo, co na dużym ekranie kontrolnym, oddalonym od pojazdu 10 m. Jedna działka elementarna na ekranie przyrządu lub na bębnie odpowiada odcinkowi 1 cm na normalnym ekranie. Tak więc obrót bębna o 1 działkę oznacza podniesienie lub opuszczenie linii poziomej na ekranie normalnym o 1 cm. Podobnie przesunięcie pokrętłem fotoelementu o 1 działkę od środka odpowiada przesunięciu o 1 cm w lewo lub w prawo na ekranie normalnym.

Pomiar metodą A

– Bęben z podziałką ustawić na żądaną wartość h zgodnie z instrukcją obsługi samochodu. Jeżeli brak jest danych fabrycznych, należy przyjąć h = 1/8 H (rys. 8.18).
– Włączyć światła mijania.
– Sprawdzić, czy granica cienia pokryła się z poziomą i ukośną linią na ekranie (rys. 8.26), jeżeli nie – zmienić odpowiednio ustawienie reflektora.

Pomiar metodą B

– Włączyć światła drogowe.
– Bębnem ustawić ekran w takie położenie, aby linia pozioma przechodziła przez środek plamy świetlnej.

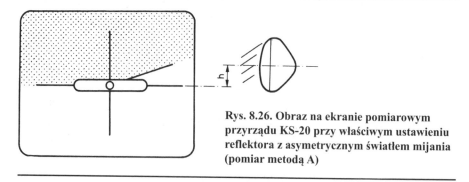

Rys. 8.26. Obraz na ekranie pomiarowym przyrządu KS-20 przy właściwym ustawieniu reflektora z asymetrycznym światłem mijania (pomiar metodą A)

- Jeżeli przyrząd optyczny ma miernik światłości, to wcisnąć klawisz „PO-MIAR" świateł drogowych. W przypadku przekroczenia zakresu należy włączyć drugi zakres miernika światłości klawiszem „POMIAR x 2". Wskazania należy wówczas pomnożyć przez dwa.
- Obracając pokrętłem fotorezystora w lewo i w prawo sprawdzić, czy maksymalne wskazanie miernika przypada na środkowe ustawienie fotorezystora. Jeżeli nie – zmienić ustawienie reflektora w kierunku lewo–prawo tak, aby środek plamy świetlnej (o maksymalnej światłości) znalazł się na linii pionowej ekranu (rys. 8.27a). Włączyć miernik.
- Jeżeli przyrząd optyczny nie ma miernika światłości, to pokrętłem ustawić ekran w takie położenie, aby linia pozioma przechodziła przez środek plamy świetlnej. Ustawić dokładnie reflektor w zakresie lewo–prawo tak, aby środek plamy świetlnej znalazł się na linii pionowej ekranu.
- Ustawić bęben na żądaną wartość h i włączyć światła mijania.

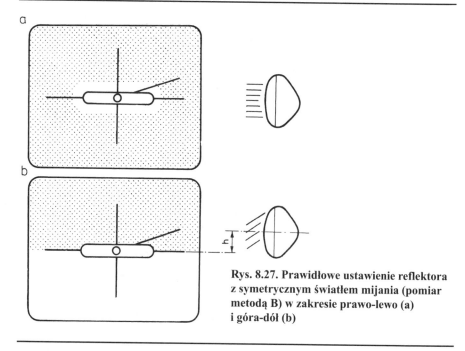

Rys. 8.27. Prawidłowe ustawienie reflektora z symetrycznym światłem mijania (pomiar metodą B) w zakresie prawo-lewo (a) i góra-dół (b)

– Sprawdzić, czy granica cienia pokryła się z poziomą linią na ekranie (rys. 8.27b); jeżeli nie – odpowiednio zmienić ustawienie reflektora w kierunku góra–dół.

Pomiar metodą C

– Ustawić bęben na żądaną wartość h.
– Włączyć światła drogowe.
– Sprawdzić, czy środek plamy świetlnej znalazł się na przecięciu linii ekranu, na podstawie wskazań miernika światłości, w sposób opisany w metodzie B. Ustawienie w kierunku góra–dół sprawdza się obracając bęben w obie strony, natomiast w kierunku lewo–prawo obracając pokrętłem fotorezystora. Jednocześnie należy obserwować wskazania miernika, które powinny być największe w miejscu przecięcia linii ekranu. W razie potrzeby przeprowadzić odpowiednią regulację położenia reflektora.

Niezależnie od stosowanej metody pomiarowej należy po ustawieniu reflektorów wykonać kontrolę światłości dla świateł drogowych oraz przeprowadzić próbę oślepienia światłami mijania.

Pomiar światłości

– Po włączeniu świateł drogowych bębnem sprowadzić ekran w takie położenie, aby linia pozioma przechodziła przez środek plamy świetlnej.

Uwaga. Pomiar światłości wykonuje się podczas pracy silnika ze średnią prędkością obtrotową, jeżeli wymaga tego stan akumulatora.

Wcisnąć klawisz „POMIAR" świateł drogowych. W przypadku przekroczenia zakresu należy postąpić w sposób opisany w metodzie B.

– Ustawić fotorezystor w takim punkcie ekranu, w którym wskazówka usyskuje największe wychylenie.
– Odczytać wskazaną wartość w kandelach, oddzielnie dla lewego i prawego reflektora (lub pary reflektorów).

Próba oślepienia

– Ustawić bęben w położeniu „GÓRA".

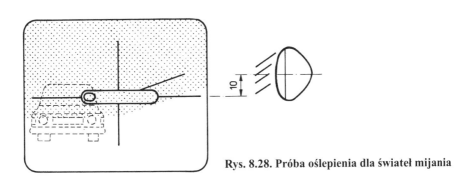

Rys. 8.28. Próba oślepienia dla świateł mijania

– Pokrętłem sprowadzić fotorezystor w skrajne lewe położenie, przeciwne ukośnej kresce. Fotorezystor znajduje się w punkcie odpowiadającym położeniu oczu kierowcy pojazdu nadjeżdżającego z przeciwka (rys. 8.28).
– Włączyć światła mijania i wcisnąć klawisz „POMIAR" światła mijania.
– Odczytać wskazaną wartość w luksach.

Ocena wyników

Reflektory uznaje się za prawidłowo ustawione, jeżeli odchylenie strumienia światła mijania od położenia środkowego (w płaszczyźnie poziomej) nie przekracza: w lewo 5 cm, w prawo 20 cm, a podobne odchylenie światła drogowego nie przekracza 20 cm (w lewo lub w prawo). W płaszczyźnie pionowej ustawienie świateł mijania nie powinno różnić się od wartości nominalnej więcej niż 3 cm w górę lub 5 cm w dół, odpowiednio dla świateł drogowych (maksymalnie 5 cm w górę lub w dół). Wartość nominalna jest podawana w instrukcji obsługi samochodu.

Jeżeli brak danych, można się posłużyć pomocniczymi skalami na słupie przyrządu optycznego, np. USP-20 A, USP-20 B (rys. 8.29). Po ustawieniu głowicy pomiarowej na wysokości reflektora, wartości odczytane na skali słupa ustawić pokrętłem na skali przyrządu. Dla przykładu pokazanego na rysunku ustawić pokrętło w położenie „dół" dla świateł mijania i „dół" dla świateł drogowych.

Światłość pojedynczych lub jednej pary świateł drogowych powinna osiągać minimum 30 000 cd, natomiast suma światłości wszystkich świateł nie może

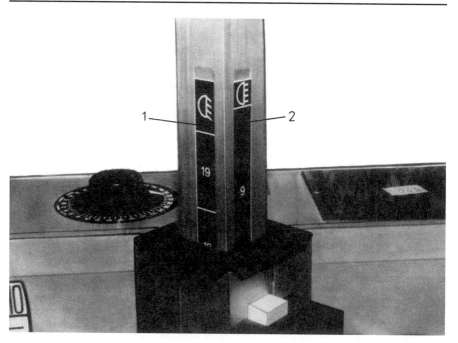

Rys. 8.29. Pomocnicza skala na słupie przyrządu USP-20A/20B do ustawiania świateł mijania (1) i świateł drogowych (2)

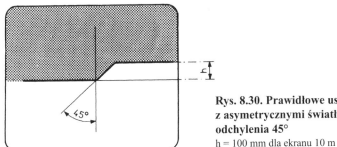

Rys. 8.30. Prawidłowe ustawienie reflektora z asymetrycznymi światłami mijania i linią odchylenia 45°
h = 100 mm dla ekranu 10 m

przekraczać dopuszczalnego maksimum 225 000 cd. Różnica światłości między lewym i prawym światłem nie może przekraczać:

- 30% światłości większej – w przypadku, gdy światłość większa przekracza 40 000 cd,
- 50% światłości większej – w przypadku, gdy światłość większa nie przekracza 4000 cd.

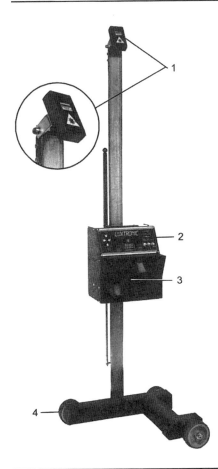

Rys. 8.31. Przyrząd optyczny do kontroli ustawienia świateł Luxtronic francuskiej firmy SARO
1 – źródło światła laserowego do pozycjonowania przyrządu, 2 – panel sterowania z diodami sygnalizacyjnymi, 3 – soczewka, 4 – kółka do przetaczania

Maksymalne dopuszczalne natężenie oświetlenia światłami mijania mierzone na wysokości oczu kierowcy pojazdu nadjeżdżającego z przeciwka, określone podczas pomiaru oślepienia, nie powinno przekraczać 1 lx.

Uwaga. Dopuszczone są do stosowania reflektory z żarówkami halogenowymi, w których granica światłocienia asymetrycznych świateł mijania ma kształt litery Z, o odchyleniu pod kątem 45° (rys. 8.30). Przy sprawdzaniu ustawienia takich świateł na przyrządzie optycznym (rys. 8.31) wielkość „h" powinna wynosić 5 mm.

8.5. WYKRYWANIE USTEREK W SIECIACH CAN

Szyna danych CAN (Controller Area Network) jest systemem transmisji danych opracowanym specjalnie na potrzeby motoryzacji. Jest to szyna (nazywana również magistralą) typu dwukierunkowego, co oznacza, że każdy podłączony do szyny sterownik elektroniczny może być zarówno nadajnikiem, jak i odbiornikiem sygnałów. Czasową kolejność nadawania i odbierania sygnałów reguluje zdefiniowany protokół transmisji danych.

W odróżnieniu do innych systemów komunikacji, bazujących na zasadzie adresowania uczestników sieci, szyna CAN ma adresowanie wiadomości. Oznacza to, że każdej wiadomości jest przyporządkowany stały adres (identyfikator), który określa zawartość danej wiadomości (telegram danych, np. temperaturę płynu chłodzącego). W celu sprawdzenia akceptacji telegramów, u każdego odbiorcy jest zapisana lista przybywających telegramów, dzięki temu analizuje on tylko telegramy przeznaczone dla niego.

Szynę CAN tworzą dwa przewody, z których jeden przesyła sygnał wysoki CAN-High (CAN-H), a drugi – sygnał niski CAN-Low (CAN-L). W większości samochodów sygnał CAN-High ma napięcie 12 V, a CAN-Low napięcie 0 V. Są jednak rozwiązania o napięciach odpowiednio 5 V oraz 3 V. Częstotliwość sygnałów zależy od rodzaju systemu w samochodzie.

Połączenie w sieć różnych układów elektronicznych w samochodzie za pomocą szyn transmisji danych znalazło obecnie powszechne zastosowanie w wielu modelach pojazdów. Wymiana danych między urządzeniami sterującymi napędem (sterowanie silnikiem, automatyczną skrzynią biegów i dynamiką jazdy) odbywa się szyną CAN (rys. 8.32).

Poszukiwanie usterek w systemach z szynami danych nie jest nadmiernie skomplikowane, lecz z powodu dużej liczby sterowników często jest czasochłonne. Ważne jest w tym przypadku zastosowanie odpowiednich strategii diagnostycznych i opanowanie optymalnych technik pomiarowych.

Sprawdzenie działania układu

Na początku wykrywania usterek należy sprawdzić działanie kwestionowanego układu. Często już test funkcjonowania badanego układu daje pierwsze wskazówki co do przyczyny usterki. Oznacza to, że analizując reakcje badanego układu można się zorientować, czy mamy do czynienia z usterkami w sieci CAN, czy też przyczyny usterek należy szukać w innym miejscu.

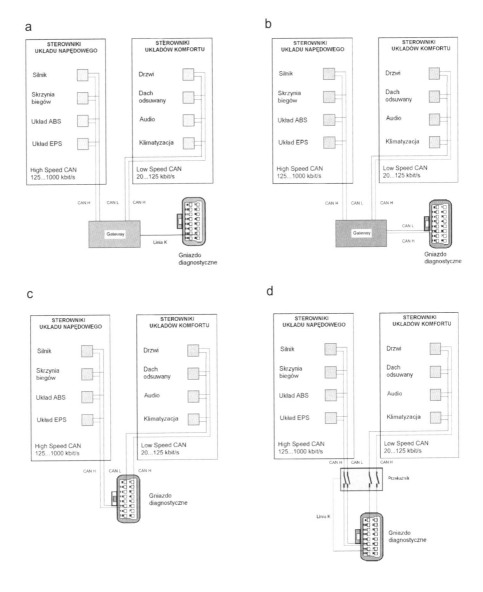

Rys. 8.32. Przykłady różnych możliwości połączenia gniazda diagnostycznego z siecią CAN

a – za pomocą dwukierunkowego przewodu komunikacyjnego (tzw. linii K), b – pośrednio za pomocą dodatkowej szyny CAN-Diagnostyka, która pracuje z mniejszą szybkością transmisji sygnałów; szyna ta podaje wyłącznie informacje CAN testera diagnostycznego i sygnały CAN z kontrolowanego sterownika, c – bezpośrednio z właściwą siecią CAN, która jest wyprowadzona na styki gniazda diagnostycznego; informacje CAN testera diagnostycznego i sygnały CAN z komunikującego się z nim sterownika są transmitowane równolegle do informacji występujących w normalnej pracy sieci; w tym przypadku użytkownik ma dostęp do dodatkowych sygnałów CAN, które pochodzą z nie komunikującego się sterownika; dzięki selekcji sygnałów przez tester diagnostyczny, użytkownik ma możliwość bardzo głębokiego wchodzenia w zakres kontroli, d – bezpośrednio z właściwą siecią CAN, która jest wyprowadzona na styki gniazda diagnostycznego i przerywana przekaźnikiem; tester diagnostyczny musi uaktywnić przekaźnik, aby uzyskać połączenie z siecią CAN

Strategia postępowania podczas wykrywania usterek w sieci CAN jest następująca:
- sprawdzenie poprawności działania (co działa, a co nie działa),
- odczytanie pamięci usterek,
- odczytanie wartości rzeczywistych,
- wykonanie testu urządzeń wykonawczych (aktuatorów),
- sprawdzenie sygnału szyny danych za pomocą oscyloskopu,
- sprawdzenie poziomu napięcia (kiedy jest znane),
- w przypadku nieprawidłowego obrazu sygnału kolejne pojedyncze odłączanie sterowników z sieci, aż obraz sygnału będzie prawidłowy,
- pomiar rezystancji przewodów (sterowniki odłączone!),
- pomiar rezystancji zakończeń szyn (przy CAN High-Speed).

Odczyt pamięci usterek i wartości rzeczywistych

Pierwszą czynnością diagnostyczną jest oczywiście odczytanie pamięci usterek z systemów, które są wyposażone w samodiagnozę. Ze względu jednak na możliwą obecność w pamięci komunikatów o przypadkowych usterkach, na przykład chwilowych zanikach napięcia, zaleca się skasowanie pamięci, wykonanie jazdy próbnej i ponowne odczytanie jej zawartości. Wpisy w pamięci usterek typu: „Sterownik silnika – brak komunikacji" (usterka sporadyczna), „Uszkodzenie szyny danych układu napędowego" albo „Sterownik XY – praca na jednym przewodzie" dostarczają wskazówek, żeby dokładniej zbadać szynę CAN. Gdy pamięć usterek zawiera wiele wpisów, dotyczących wielu sterowników, świadczy to również o problemach w całej sieci transmisji danych. Nie należy automatycznie przypisywać dużej liczbie zarejestrowanych komunikatów o usterkach szczególnemu uszkodzeniu w obrębie szyny CAN,

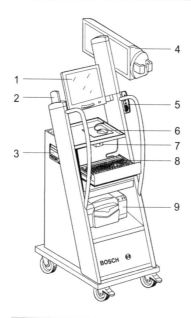

Rys. 8.33. Uniwersalne urządzenie diagnostyczne FSA 740 Boscha z multimetrem, oscyloskopem dwukanałowym i generatorem sygnałów
1 – monitor, 2 – nadajnik zdalnego sterowania,
3 – komputer, 4 – moduł z sondami pomiarowymi,
5 – tester KTS 520 (opcja), 6 – mysz, 7 – odbiornik
zdalnego sterowania, 8 – klawiatura, 9 – drukarka

ponieważ wadliwe sterowniki mogą powodować podobne skutki jak usterka w szynie danych.

Więcej pewności przynosi odczyt wpisów usterek zarejestrowanych w tzw. bramach (Gateway), które są szczególnymi sterownikami umożliwiającymi komunikowanie się ze sobą samochodowym sieciom wymiany danych bazującym na odmiennych protokołach. Wiele wpisów usterek może być tylko konsekwencją jednej „głównej usterki". Gdy np. w pamięci usterek szyny CAN znajdują się wpisy dotyczące wszystkich sterowników układu napędowego i prócz tego występuje kod usterki „Szyna danych układu napędowego – uszkodzenie", wskazuje to na zwarcie albo przerwanie szyny danych bezpośrednio przy bramie.

Odczyt wartości rzeczywistych jest bardzo przydatny w celu ustalenia wejściowych sygnałów z czujników albo statusu elementów wykonawczych (np. „Silnik podnośnika szyby okna tylnego lewego – rozpoznanie zablokowania w dolnym położeniu") i kontrolowania znajdujących się w sterowniku kodów, aby łatwiej było odpowiedzieć na pytanie, czy kwestionowana wada braku jakiejś funkcji wynika z tego, że w ogóle nie jest zaprogramowana, czy też niedomaga jej załączanie.

„Wejście" na szynę CAN odbywa się przez specjalne gniazdo diagnostyczne (trzeba dysponować testerem fabrycznym lub testerem systemów elektronicznych, patrz rys. 8.33) albo za pośrednictwem gniazda OBD podłączonego do CAN (patrz rozdz. 3.7).

Badanie oscyloskopem i multimetrem

Jeśli pomimo odczytania kodów usterek nie odnaleziono rzeczywistej przyczyny usterki, można użyć multimetru i oscyloskopu. Transmisja danych w sieciach CAN odbywa się w ułamkach sekund, dlatego jest niezbędny oscyloskop o małych podstawach czasu, aby istniała możliwość jednoznacznej oceny sygnałów. Korzystny jest oscyloskop dwukanałowy, za pomocą którego można jednocześnie obserwować sygnały na liniach CAN-High i CAN-Low (rys. 8.34). Aby możliwa była obserwacja sygnałów w szynie CAN, w oscyloskopie zarówno podstawę czasu (oś odciętych), jak i zakres napięcia (oś rzędnych) oraz próg wyzwalania należy ustawić odpowiednio do poziomów odczytywanych sygnałów. W celu pobrania sygnału z szyny CAN nie wolno rozłączać złącz wtykowych!

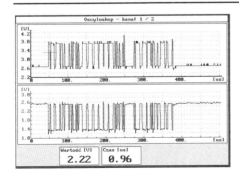

Rys. 8.34. W celu obserwacji sygnałów w szynie CAN w oscyloskopie należy ustawić podstawę czasu, zakres napięcia oraz próg wyzwalania odpowiednio do poziomów sygnałów. Na rysunku przedstawiono przebiegi sygnałów w przewodzie CAN-High (kanał 1) i w przewodzie CAN-Low (kanał 2) odczytane za pomocą testera Mega Macs

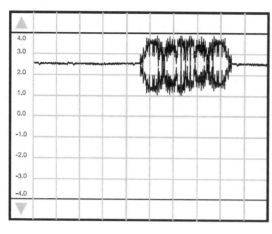

**Rys. 8.35. Obraz wzorcowy –
prawidłowe przebiegi w szynie
CAN, widoczne oba sygnały
CAN-High i CAN-Low.
Wykrywanie usterek w szynie
CAN może się odbywać także
z szybkim jednokanałowym
oscyloskopem. Bardziej
komfortowo pracuje się jednak
z oscyloskopem dwukanałowym,
ponieważ sygnały na CAN-High
i CAN-Low można oceniać
jednocześnie**

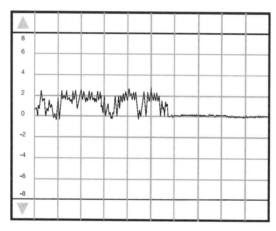

**Rys. 8.36. Obraz nieprawidłowy
– widoczny tylko jeden sygnał**

Przy pomiarze rezystancji, podczas wykrywania przerwy i zwarcia w szynie CAN, badane przewody muszą pozostawać zawsze w stanie bezprądowym. W przeciwieństwie do szyny CAN układu napędowego, szyna CAN komfortu względnie szyna CAN zestawu wskaźników także po wyjęciu kluczyka z wyłącznika zapłonu znajdują się jeszcze przez pewien czas pod napięciem, albo dopiero po pewnym czasie przechodzą do tak zwanego trybu uśpienia (*standby*). Dlatego przy pomiarach omomierzem akumulator musi być odłączany.

Typowe usterki

Jak we wszystkich systemach elektronicznych, także w szynach CAN można wyróżnić pewne typowe usterki, którymi są:
- zwarcie do masy,
- zwarcie do plusa,
- zwarcie linii CAN-High z CAN-Low,
- brak ciągłości przewodów szyny (przerwanie przewodów),
- uszkodzony lub brakujący rezystor obciążenia (przy CAN High-Speed),

- niepoprawne sygnały z powodu zakłóceń napięciowych, spowodowanych np. uszkodzeniem cewek zapłonowych, alternatorów itd.,
- zbyt niskie napięcie akumulatora lub napięcie zasilania.

Jeżeli układ samodiagnozy zarejestruje np. usterkę „Brak sygnału" albo „Brak komunikacji", to znaczy, że rozpoznał wadliwą transmisję danych w dłuższym okresie. Możliwe przyczyny takiej usterki to:

- przerwanie przewodu szyny,
- zwarcie w przewodach szyny,
- błędna wersja zamontowanej części lub błędne zaprogramowanie sterownika po zamontowaniu.

Natomiast „Sygnał niezrozumiały" (nieprawdopodobny) w pamięci usterek oznacza, że istnieje błędny zapis. Powody tego mogą być następujące:

- wpływy zakłóceń elektromagnetycznych na przewody szyny CAN (np. od układu zapłonowego),
- zmiany pojemności lub rezystancji w przewodach szyny (np. wilgotne, zabrudzone lub skorodowane złącza wtykowe),
- błąd oprogramowania,
- błędna wersja zamontowanej części lub błędne kodowanie jednego podzespołu w sieci.

Podczas wykrywania usterek ważnym sprawdzeniem jest pomiar poziomu napięcia (napięcia szyny). Jeśli jest ono niższe od specyficznej dla danego pojazdu wartości fabrycznej, wynika to najczęściej z usterki w sieci. Często już na podstawie wadliwego napięcia szyny daje się wskazać przyczynę usterki (np. zwarcie linii CAN-H i CAN-L do zacisku „15", zacisku „30" albo do masy).

9. DIADNOSTYKA NADWOZIA I UKŁADÓW KOMFORTU

9.1. OKREŚLANIE STOPNIA ZUŻYCIA NADWOZIA

Badanie stanu nadwozia pod względem stopnia zużycia ma na celu przede wszystkim określenie skutków działania korozji. Procesy korozyjne blach rozpoczynają się już w fazie powstawania samochodu i nabierają intensywności w miarę jego starzenia się. Z upływem czasu, którego rozmiar zależy od warunków eksploatacji i zabiegów konserwacyjnych, stopień skorodowania blach staje się tak duży, że względy bezpieczeństwa ruchu nie pozwalają na dalsze użytkowanie samochodu.

Określanie stopnia zużycia nadwozia, jako całego zespołu konstrukcyjnego, metodami organoleptycznymi jest subiektywne, zależne od zawodowych umiejętności oraz doświadczenia przeprowadzającego badanie.

Wykonanie pomiaru

Warunkiem wykonania pełnego badania jest dysponowanie podnośnikiem lub kanałem przeglądowym, które pozwolą na oględziny spodu nadwozia. Ponadto nadwozie i podwozie muszą zostać wcześniej starannie umyte.

Miejsca skorodowane odszukuje się obserwując z bliska powierzchnie poszczególnych elementów nośnych i poszycia nadwozia. Szczególną uwagę należy zwrócić na miejsca wyróżnione na rysunku 9.1. Jeżeli uszkodzeń korozyjnych nie widać gołym okiem, to dla ich odszukania można wykonać ostukiwanie blach na przykład młotkiem lub trzonkiem wkrętaka. Blachy skorodowane wydają po uderzeniu dźwięk przytłumiony i głuchy oraz nie sprężynują.

Dodatkową czynnością kontrolną jest sprawdzenie prawidłowości położenia drzwi i innych otwieranych elementów nadwozia, co najlepiej wykonać po wjechaniu jednym kołem na wysoki krawężnik. Pojawienie się różnic w szerokości szczeliny oraz trudności z otwieraniem i zamykaniem są objawami utraty sztywności szkieletu nadwozia lub też zużycia elementów mocowania. O odkształceniach nadwozia informują również pęknięcia spoin w miejcach łączenia blach błotników, progów i podłogi oraz nieszczelności otworów okiennych.

Uzupełnieniem badania jest wykonanie jazdy próbnej, podczas której należy zwracać uwagę, czy przejeżdżaniu przez duże nierówności drogi nie towarzyszą nienaturalne odgłosy pracy nadwozia.

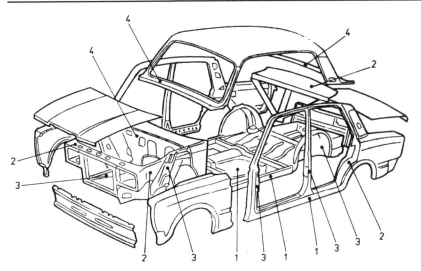

Rys. 9.1. Główne elementy blach nadwozia (opis w tekście)

Ocena wyników

Ze względu na subiektywny charakter badania oraz brak określonych granic zużycia można jedynie podać ogólne kryteria, pozwalające ocenić stan nadwozia za niedopuszczalny.

1. Nadmierna korozja elementów nośnych, które mają bezpośredni wpływ na wytrzymałość i sztywność całej konstrukcji. W konstrukcji ramowej jest to rama nośna i miejsce mocowania nadwozia do ramy; w konstrukcji samonośnej – elementy spełniające rolę ramy, czyli płyta podłogowa, progi oraz ściany boczne z otworami drzwiowymi. Na rysunku 9.1 elementy te zostały oznaczone cyfrą 1.
2. Nadmierna korozja elementów, których uszkodzenie spowodowałoby przeciążenie elementów nośnych i w rezultacie utratę sztywności nadwozia. Na rysunku 9.1 oznaczono je cyfrą 2.
3. Nadmierna korozja tych części nadwozia, do których są mocowane główne zespoły pojazdu: silnik, skrzynka biegów, drzwi, zawieszenie kół oraz elementy resorujące i amortyzujące. Na rysunku 9.1 oznaczono je cyfrą 3.
4. Ubytki korozyjne blach powodujące utratę szczelności nadwozia. Dotyczy to zwłaszcza drzwi, pasów podokiennych, podłogi. Te miejsca zaznaczono cyfrą 4.

9.2. SPRAWDZANIE SZCZELNOŚCI NADWOZIA

Funkcjonalność nadwozia wymaga, aby woda podczas deszczu lub mycia mechanicznego nie przenikała do jego wnętrza. Zachowanie przez nadwozie szczelności jest warunkiem dopuszczenia pojazdu do ruchu, określonym przepisami „Prawa o ruchu drogowym".

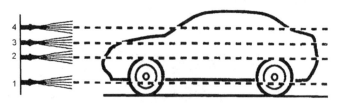

Rys. 9.2. Kolejne poziomy zraszania nadwozia strumieniem wody z węża

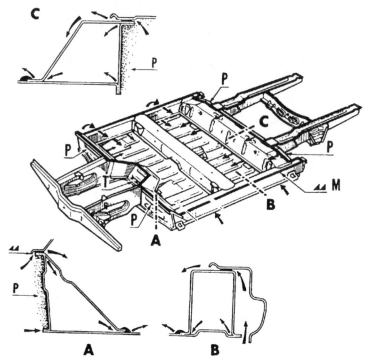

Rys. 9.3. Przykładowo pokazane drogi penetracji wody w podłodze samochodu
M – miejsce naniesienia mastyki uszczelniającej

Wykonanie badania

Badanie przenikania wody do wnętrza nadwozia wykonuje się za pomocą urządzenia natryskowego, którym może być myjka wysokociśnieniowa lub zwykły wąż z końcówką ogrodniczą. Ciśnienie wody nie powinno być niższe niż 0,15 MPa (1,5 bara).

Przed przystąpieniem do zraszania samochodu należy przeprowadzić oględziny celem znalezienia przypuszczalnych miejsc wnikania wody do nadwozia. Trzeba zwracać szczególną uwagę na miejsca mogące umożliwiać wpływanie wody, np. uszkodzona uszczelka, źle włożona przelotka, miejscowa korozja, uszkodzona ścieżka mastyki. W celu przeprowadzenia diagnostyki wnikania wody konieczne jest obserwowanie drogi przepływu wody w odwrotnym kierunku niż jej pojawianie się. Dlatego zraszanie trzeba rozpocząć od stref najniższych nadwozia w celu odseparowania od siebie poszczególnych poziomów zraszania (rys. 9.2).

Przenikanie wody do wnętrza nadwozia

Objawy	Miejsca zraszania nadwozia	Przyczyny przenikania wody
Obecność wody pod przednim dywanikiem	Spód podłogi	– Brak zaślepki podłogi lub źle włożona – Uszkodzona mastyka lub źle umieszczona na połączeniach blach – Skorodowana płyta podłogowa
	Wnęki kół przednich	– Źle włożone zaślepki – Uszkodzona mastyka lub umieszczona poza szwem blach – Skorodowana blacha wnęki koła
	Obrys drzwi przednich	– Uszkodzona mastyka przy zawiasach – Zły styk uszczelki z drzwiami
	Przegroda czołowa podokienna (zraszana po podniesieniu pokrywy przedziału silnika)	– Uszkodzona mastyka na połączeniu przegrody z komorą podokienną – Źle ułożone przelotki w przegrodzie – Nadmierne naprężenie cięgien przechodzących przez przelotki
	Przednia szyba	– Ubytki w uszczelnieniu przedniej szyby
Obecność wody pod tylnym dywanikiem	Spód podłogi	– Brak zaślepki podłogi lub źle włożona – Uszkodzona mastyka lub umieszczona poza szwem blach – Skorodowana płyta podłogowa
	Wnęki kół tylnych	– Źle włożone zaślepki – Uszkodzona mastyka lub umieszczona poza szwem blach – Skorodowana blacha wnęki koła
	Obrys drzwi przednich i okna bocznego	– Uszkodzona mastyka przy zawiasach – Zły styk uszczelki z drzwiami – Niedostateczny docisk drzwi do uszczelki – Nieszczelność uszczelki szyby
Obecność wody w bagażniku	Spód podłogi i mocowanie zderzaka	– Uszkodzona mastyka na połączeniach blach – Nieszczelne mocowanie zderzaka – Nieszczelny wylot powietrza
	Wnęki kół tylnych	– Uszkodzona mastyka lub umieszczona poza szwem blach – Nieszczelne górne mocowanie amortyzatora
	Pas tylny i lampy tylne	– Ubytek w mastyce złącz ścian bagażnika, błotników tylnych, pasa tylnego, belki poprzecznej – Źle ułożone uszczelki lamp tylnych – Poluzowane mocowanie lamp tylnych
	Pokrywa bagażnika lub klapa tylna	– Złe uszczelnienie otworu bagażnika – Uszkodzona mastyka w rynience spływowej – Nieszczelność tylnej szyby – Złe uszczelnienie spojlera
Pojawianie się wody pod podsufitką, wykładziną tylnych słupków	Dach	– Uszkodzona mastyka na złączach blach (dach, tylny błotnik) – Źle wyregulowane lub zatkane odwodnienie – Źle uszczelniona antena dachowa – Nieszczelne okno w dachu

355

Cała operacja powinna być wykonywana przez dwie osoby: pierwsza zrasza samochód, druga pozostaje we wnętrzu samochodu i obserwuje pojawianie się wody, korzystając z lusterka i latarki.

Ocena wyników

Miejsce wnikania wody jest często trudne do zlokalizowania, gdyż jej przepływ wewnątrz nadwozia może być skomplikowany (rys. 9.3). W tablicy zestawiono uproszczoną procedurę sprawdzania szczelności w zależności od miejsca pojawiania się wody w trakcie eksploatacji pojazdu oraz możliwe przyczyny nieszczelności.

9.3. KONTROLA GEOMETRII NADWOZIA

Kontrolę kształtu geometrycznego nadwozia wykonuje się w następujących przypadkach:
- w celu określenia rozmiarów deformacji po wypadku drogowym i zakwalifikowania do ewentualnej naprawy,
- w toku naprawy blacharskiej, w celu stałej kontroli poprawności jej przeprowadzenia,
- po wykonaniu naprawy, w celu stwierdzenia, czy zostały przywrócone właściwe parametry geometryczne nadwozia.

Stopień deformacji nadwozia ocenia się jedną z podanych niżej metod pomiarowych, których wybór zależy od celu badania oraz od rodzaju wyposażenia w przyrządy kontrolne.
1. Metoda organoleptyczna polega na wzrokowej ocenie stanu poszczególnych elementów nadwozia oraz ogólnej symetrii kształtu nadwozia. Umożliwia to jedynie orientacyjne wnioskowanie o zakresie odkształceń płyty podłogowej (lub ramy podwozia).
2. Diagnostyka układu jezdnego obejmuje sprawdzenie równoległości osi oraz geometrii ustawienia kół. Pozwala na wnioskowanie o stanie zawieszenia kół, układu kierowniczego oraz elementów nadwozia, do których są mocowane zespoły jezdne. Diagnostykę przeprowadza się za pomocą przyrządu do pomiaru ustawienia kół w sposób opisany w rozdziale 7.2.
3. Pomiary kontrolne po przekątnej pozwalają w sposób prosty, choć nie w pełni dokładny, sprawdzić stan płyty podłogowej, jak również szkieletu nadwozia. W metodzie tej wykorzystuje się znane zależności geometryczne związane z definicją przekątnej. Sposób wykonania pomiarów przedstawiono poniżej.
4. Pomiary kontrolne liniowe na zgodność wymiarów polegają na określeniu odległości między punktami kontrolnymi, którymi są otwory w płycie podłogowej lub punkty mocowania zespołów napędowo-jezdnych. Zmierzone wartości porównuje się z wymiarami podanymi przez producenta w karcie pomiarów kontrolnych lub, jeżeli brak takich danych, z wymiarami „zdjętymi" ze sprawnego samochodu. Badania wykonuje się za pomocą listwy pomiarowej, w sposób przedstawiony w dalszej części rozdziału.

5. Pomiary kontrolne przestrzenne wymagają użycia specjalnych sprawdzianów, szablonów lub ram kontrolno-pomiarowych. Sprawdziany tzw. markowe są wyposażone w uchwyty bazowo-kontrolne, których układ przestrzenny pozwala na odwzorowanie położenia charakterystycznych punktów płyty podłogowej danej marki samochodu. Szablony swoją konstrukcją odwzorowują kształt obramowania otworów okiennych, drzwi, pokrywy silnika lub bagażnika i pozwalają na szybką kontrolę bryły nadwozia. Ramy z kolei stanowią integralną część urządzeń do prostowania nadwozi i umożliwiają w każdej fazie prostowania nadwozia kontrolę jego kształtu geometrycznego. Urządzenie pomiarowe ramy może być typu mechanicznego lub optycznego.

Poniżej zostaną szerzej zaprezentowane te metody kontroli kształtu nadwozia, które są możliwe do wykonania w ramach ogólnej diagnostyki warsztatowej.

Pomiary kontrolne po przekątnej

Pomiar polega na porównaniu odległości między charakterystycznymi punktami płyty podłogowej, leżącymi po obu stronach wzdłużnej osi symetrii nadwozia. Odległość mierzy się po przekątnej i porównuje ze sobą. Wykorzystuje się przy tym znaną prawidłowość geometryczną, że przekątne dla kwadratu, prostokąta lub równomiernego trapezu mają jednakową długość. Wadą tej metody jest brak możliwości dokładnego określenia przemieszczeń płyty podłogowej w pionie. Pomiary po przekątnej można również wykonać dla sprawdzenia szkieletu nadwozia.

Potrzebne przyrządy i narzędzia

– uniwersalny przymiar taśmowy lub odpowiedniej długości odcinek stalowego drutu.

Wykonanie pomiaru

– Badane nadwozie ustawić w taki sposób, aby był dostęp od spodu do płyty podłogowej. Jeżeli nie dysponuje się kanałem obsługowym, pomostem

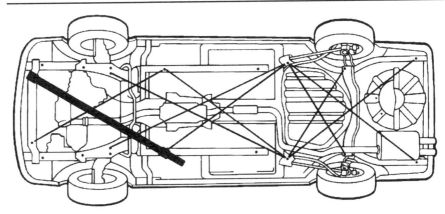

Rys. 9.4. Przykład sprawdzania wymiarów przekątnych w płycie podłogowej

lub podnośnikiem kolumnowym, to nadwozie można przewrócić na bok podkładając stare opony.

– Wybrać punkty charakterystyczne, którymi mogą być otwory technologiczne lub punkty mocowania zespołów napędowo-jezdnych, leżące w płaszczyźnie płyty podłogowej. Częściowe zdemontowanie mechanizmów podwozia ułatwi dostęp do miejsc pomiaru.

– Wykonać pomiary po przekątnej, porównując ze sobą zmierzone odległości (rys. 9.4).

– W zależności od potrzeby, wykonać pomiary kontrolne przekątnych otworów drzwiowych, okiennych, bagażnika lub komory silnikowej (rys. 9.5).

– W celu sprawdzenia deformacji bryły nadwozia wykonać pomiary kontrolne po przekątnych wewnątrz kabiny (rys. 9.6) lub z wykorzystaniem centralnego punktu pomiarowego (rys. 9.7). Centralny punkt pomiarowy wy-

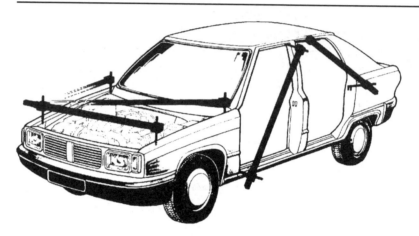

Rys. 9.5. Kontrolowanie przekątnych otworów w nadwoziu

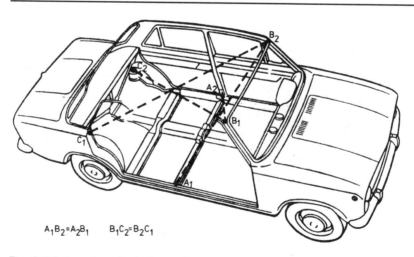

$A_1B_2 = A_2B_1 \qquad B_1C_2 = B_2C_1$

Rys. 9.6. Schemat pomiarów kontrolnych po przekątnych wewnątrz kabiny

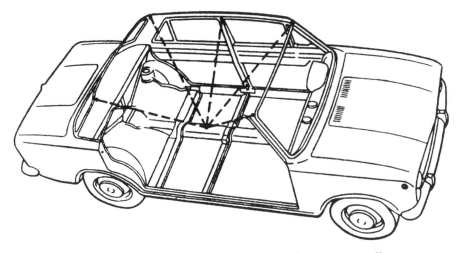

Rys. 9.7. Schemat pomiarów kontrolnych z punktu centralnego w przypadku sprawdzania deformacji dachu

znacza się na osi symetrii podwozia, wierząc odpowiedni otwór pomiarowy, od którego wykonuje się dalsze pomiary porównawcze.

Ocena wyników

Uzyskanie zgodności zmierzonych przekątnych oznacza, że nadwozie nie jest zdeformowane. W przypadku braku takiej zgodności należy powtórzyć badanie, stosując metodę pomiaru na zgodność wymiarów, z wykorzystaniem już odpowiednich przyrządów mierniczych i kart pomiarowych dla danej marki samochodu.

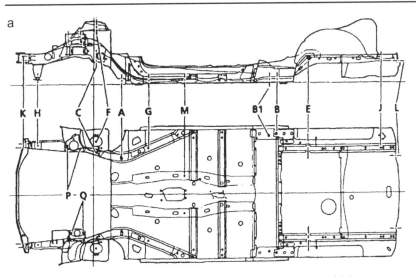

Rys. 9.8. Płyta podłogowa z zaznaczonymi punktami pomiarowymi (a)

b

Punkt	Określenie punktu pomiarowego	Oś X	Oś Y	Oś Z	Średnica otworu	Kąt
A	Tylne mocowanie ramy pomocniczej	299	397	60	20,5 (lewa) 12,2×18,5 (prawa)	0
B	Przednie mocowanie osi tylnej	2050,25	646	57,5	14,5	0
B1	Punkt kontrolny osi tylnej	1970	630	59	18,5	0
C	Przednie mocowanie ramy pomocniczej	39,5	459,5	252,5	15,5	0
E	Mocowanie amortyzatora tylnego	2399	538	259	14,5	0
F	Mocowanie amortyzatora przedniego	34,5	578,6	654,6	9,4×3	X: 5° Y: 2°
H	Przednie zakończenie podłużnicy	−653,5	559*	82	14,5	0
G	Tylne zakończenie podłużnicy	590	501,3	1	18,5 (lewa) 18,5×26,5 (prawa)	0
J	Tylne zakończenie podłużnicy	3258,5	383	218	12,2×16,2	0
K	Przednie zakończenie dolnej belki poprzecznej	−724	599	304	M8	0
L	Zakończenie belki poprzecznej	3409	400	228	14	poziom
M	Belka poprzeczna pod podłogą	1014,8	205	−7	16,5	0
P	Przednie mocowanie silnika	−299	492	545	M10	0
	Tylne mocowanie silnika	−159	492	545	M10	0
Q	Przednie mocowanie zespołu napędowego	−259	411,5	404	M12	0
Q	Tylne mocowanie zespołu napędowego	−124	411,5	404	M12	0

*) Punkt mocowania belki poprzecznej chłodnicy

Rys. 9.8. Karta pomiarowa dla samochodu Renault Laguna 1 (b)

360

Pomiary kontrolne liniowe na zgodność wymiarów

Sprawdzenie zgodności zmierzonych wymiarów nadwozia z podanymi przez producenta wymaga dysponowania odpowiednią dokumentacją techniczną. Zazwyczaj jest to karta pomiarowa (rys. 9.8), schematyczny rysunek płyty podłogowej z zaznaczonymi współrzędnymi punktów kontrolnych (rys. 9.9) lub schematyczny rysunek bryły nadwozia z naniesionymi wymiarami kontrolnymi (rys. 9.10). Przyrządy pomiarowe stosowane w tej metodzie zapewniają wystarczającą dokładność kontroli.

Potrzebne przyrządy i narzędzia

– regulowany przyrząd pomiarowy (rys. 9.11) lub listwa pomiarowa (rys. 9.12),
– uniwersalny przymiar taśmowy.

Wykonanie pomiaru

– Badane nadwozie ustawić w ten sposób, aby był zapewniony łatwy dostęp od spodu do płyty podłogowej.
– Pomierzyć odległość między punktami kontrolnymi nadwozia i porównać wyniki z wartościami podanymi w dokumentacji technicznej.

Można również przyjąć odwrotny sposób postępowania: wyregulować przyrząd na zgodność z wymiarami fabrycznymi, a następnie przykładając do punktów kontrolnych ocenić ewentualną rozbieżność.

Uwaga. Pomiary należy wykonywać w jak najkrótszych odległościach. W przypadku zastosowania odpowiedniej listwy pomiarowej (rys. 9.12) można, wykorzystując środkowy przymiar, stwierdzić ewentualne odchylenia wymiarów w pionie.

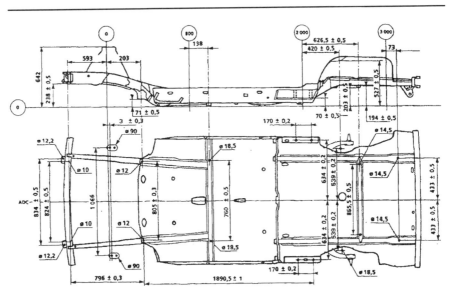

Rys. 9.9. Schemat do sprawdzania podłogi nadwozia Renault 19

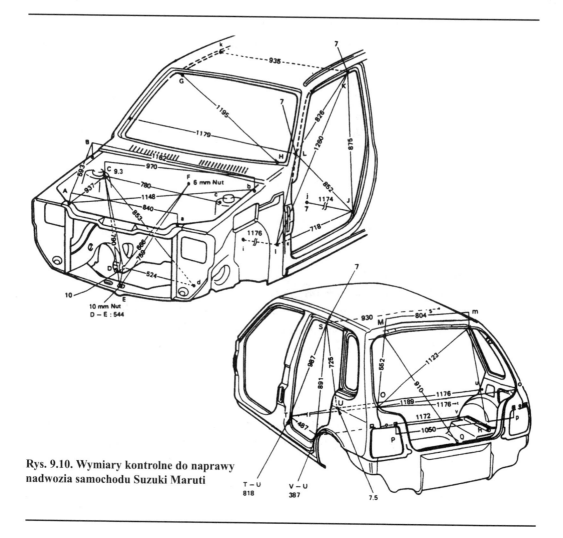

Rys. 9.10. Wymiary kontrolne do naprawy
nadwozia samochodu Suzuki Maruti

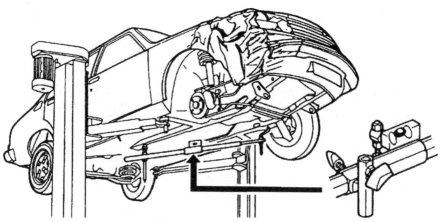

Rys. 9.11. Sprawdzanie geometrii płyty podłogowej regulowanym przyrządem z poziomnicą

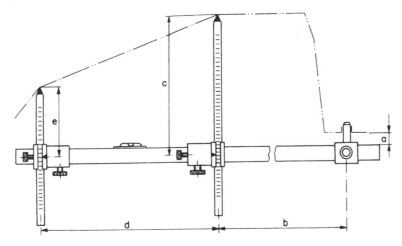

Rys. 9.12. Listwa pomiarowa do sprawdzenia w nadwoziu zgodności wymiarów a...e

 B

9.4. SPRAWDZANIE GRUBOŚCI LAKIERU

Pomiar grubości powłoki lakierowej pozwala stwierdzić nie tylko jej grubość, a więc sprawdzić jakość naprawy lakierniczej, ale także określić, czy pojazd był w ogóle przemalowywany. W nieniszczących pomiarach grubości powłoki używa się przyrządów nazywanych warstwomierzami, które mogą pracować

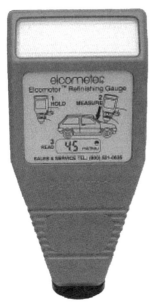

Rys. 9.13. Tester grubości lakieru Elcometer 311 występuje w dwóch wersjach: dla nadwozi z blach stalowych oraz dla nadwozi z blach stalowych i aluminiowych

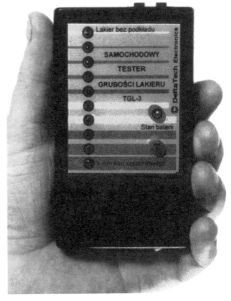

Rys. 9.14. Tester grubości lakieru TGL-3 firmy Delta Tech Electronics z JasIa, mierzy również grubość warstwy kitu szpachlowego

363

według jednej z dwóch metod: prądów wirowych i indukcji magnetycznej. Metodę prądów wirowych stosuje się do pomiarów warstw lakierniczych na podłożach przewodzących prąd, na przykład na aluminium, a metodę indukcji magnetycznej na podłożach magnetycznych, takich jak blacha stalowa. Sama warstwa lakieru jest definiowana jako niemagnetyczna i nie przewodząca. Z powodu stosowania w budowie nadwozi różnych materiałów zostały także opracowane przyrządy pracujące oboma metodami. Mogą one mieć dwie oddzielne sondy do podłoży żelaznych i nieżelaznych albo jedną sondę kombinowaną, znającą rodzaj podłoża.

Potrzebne przyrządy

– warstwomierz, np. Elcometer (rys. 9.13) lub TGL-3 (rys. 9.14).

Wykonanie pomiaru

Elektroniczny tester grubości lakieru TGL-3 umożliwia dokonanie pomiaru grubości lakieru metodą porównawczą. Metoda ta polega na porównaniu otrzymanego wyniku pomiaru do wartości odpowiadającej grubości fabrycznej warstwy lakieru danego modelu samochodu. Tester TGL-3 mierzy także grubość warstwy kitu szpachlowego od 0 do 3 mm oraz umożliwia stwierdzenie, czy samochód ma oryginalny lakier, czy też był lakierowany lub pod lakierem znajduje się np.

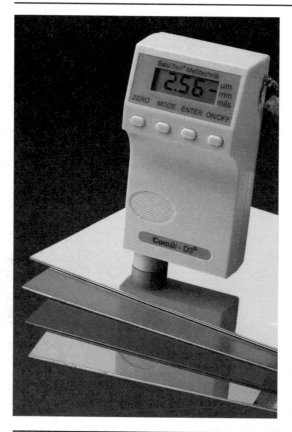

Rys. 9.15. Przyrząd Combi D3M z portem podczerwieni umożliwia transmisję danych do komputera wyposażonego w port IRDA. W pamięci wewnętrznej można zapisać 8192 pomiary. Daje to możliwość pomiaru kilku pojazdów bez konieczności każdorazowego zrzucania danych do komputera zaraz po pomiarze. Combi D3M firmy Salutron zostało stworzone z myślą o rzeczoznawcach, serwisach blacharsko- -lakierniczych, komisach oraz salonach samochodowych

3 mm kitu szpachlowego. Urządzenie to można stosować we wszystkich samochodach posiadających karoserię wykonaną z blachy stalowej.

Aby określić grubość lakieru, należy wykonać następujące czynności:

— dotknąć powierzchni lakieru czujnikiem znajdującym się w górnej prawej części obudowy.;
— nacisnąć przycisk na obudowie oznaczony literą T (Test);
— odczytać podświetloną liczbę na skali i porównać ze wskazaniem odpowiadającym grubości oryginalnego lakieru testowanego samochodu;
— zwolnić przycisk oznaczony literą T (Test).

Ocena wyników

Grubość powłoki lakierowej została zilustrowana poglądowo na skali testera.

a. Podświetlona liczba 1 (żółty) oznacza, że powłoka lakieru jest zbyt cienka, lakier jest położony bez odpowiedniego podkładu. W praktyce oznacza to wymieniony element.
b. Liczby od 2 do 5 (zielony) odpowiadają grubości oryginalnego lakieru różnych marek samochodów.
c. Liczby 6 i 7 oznaczają zbyt grubą warstwę lakieru, a nawet bardzo niewielką ilość kitu szpachlowego (liczba 7).
d. Liczby 8, 9, 10 oznaczają, że pod lakierem jest kit szpachlowy, odpowiednio 1, 2, i 3 mm.
e. Niepodświetlenie żadnej liczby podczas testu (kontrolka „Stan baterii" zaświeca się normalnie) oznacza, że pod lakierem jest ponad 3 mm kitu szpachlowego lub że testujemy element z tworzywa sztucznego bądź aluminium. Należy pamiętać iż samochody mające antykorozyjną warstwę cynku będą miały sumaryczną grubość lakieru grubszą właśnie o tę warstwę.

9.5. DIAGNOSTYKA KLIMATYZACJI

Klimatyzacja jest to układ schładzania wnętrza samochodu za pomocą umieszczonego w kabinie wymiennika ciepła (parownika), w którym czynnik chłodniczy odparowuje na skutek obniżenia ciśnienia. Niezbędne do tego ciepło czynnik pobiera z otocznia, tym samym temperatura w kabinie zmniejsza się. Napędzana paskiem od silnika sprężarka zasysa z parownika zimną parę czynnika chłodniczego, znajdującą się tam pod niskim ciśnieniem i zwiększa jej ciśnienie; temperatura pary wzrasta (rys. 9.16). Wtłoczona do skraplacza gorąca para czynnika zostaje schłodzona przepływającym przez skraplacz powietrzem zewnętrznym. Po oddaniu ciepła para skrapla się i na wyjściu ze skraplacza jest już w stanie płynnym. Ze skraplacza płynny i znajdujący się pod ciśnieniem czynnik dociera do zaworu rozprężnego gdzie ulega rozprężeniu. Na skutek tego częściowo odparowuje, co prowadzi do silnego ochłodzenia. Zawór wpuszcza chłodziwo w formie płynnej do parownika, gdzie powraca do stanu gazowego, pobierając ciepło od otoczenia. Zawór rozprężny oddziela obwód niskiego ciśnienia od obwodu wysokiego ciśnienia.

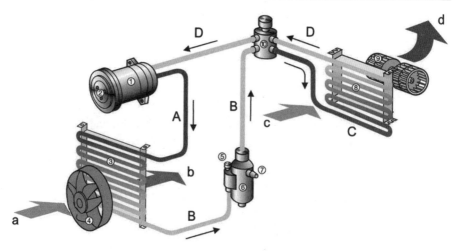

Rys. 9.16. Schemat układu klimatyzacji z zaworem rozprężnym

1 – sprężarka, 2 – sprzęgło elektromagnetyczne, 3 – skraplacz, 4 – wentylator, 5 – czujnik wysokiego ciśnienia, 6 – filtr odwadniacz, 7 – czujnik niskiego ciśnienia, 8 – parownik, 9 – dmuchawa, 10 – zawór rozprężny;
a – powietrze wpadające do przedziału silnika, b – ruch powietrza po ochłodzeniu skraplacza, c – przepływ powietrza nie ochłodzonego przez dmuchawę, d – ochłodzone powietrze wpadające do wnętrza nadwozia;
A – wysokie ciśnienie (stan gazowy)
B – wysokie ciśnienie (stan ciekły)
C – niskie ciśnienie (stan ciekły)
D – niskie ciśnienie (stan gazowy)

Układ klimatyzacji może mieć zamiast zaworu rozprężnego dyszę dławiącą, która stanowi krótki odcinek rurki o małej kalibrowanej średnicy (rys. 9.17). W jaki sposób można rozpoznać i odróżnić te układy?

– Układ z zaworem rozprężnym ma osuszacz z filtrem zamontowany w obwodzie wysokiego ciśnienia, przewody dochodzące do osuszacza z filtrem mają małą średnicę.

– Układ z dyszą dławiącą ma zasobnik zamontowany w obwodzie niskiego ciśnienia, przewody dochodzące do zasobnika mają dużą średnicę.

Potrzebne przyrządy i narzędzia

Zasadniczo rozróżnia się trzy rodzaje urządzeń do serwisowania i sprawdzania klimatyzacji (rys. 9.19 i 9.20):

– automatyczne i w pełni automatyczne,

– półautomatyczne,

– manualne.

Urządzenie „automatyczne" pracuje samoczynnie, właściwie bez udziału osoby obsługującej. W praktyce oznacza to, że kontakt obsługującego z urządzeniem ogranicza się do podłączenia przewodów do układu klimatyzacji, wybraniu klawiszami ilości czynnika dla danego modelu pojazdu oraz wybraniu żądanego programu serwisowego. Poszczególne kroki procesu są realizowane

automatycznie i w następującej kolejności: opróżnianie – odzyskiwanie – podciśnienie – wtrysk oleju – napełnianie i płukanie układu. Komputer wspomaga
również diagnostykę. Urządzenie ma zawory sterowane elektromagnetycznie,
które umożliwiają odpowiednie dozowanie czynnika chłodniczego i oleju. Jeżeli w trakcie pracy wystąpią zakłócenia, pracownik otrzymuje odpowiedni ko-

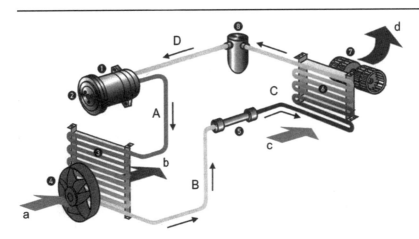

Rys. 9.17. Schemat układu klimatyzacji z dyszą dławiącą
1 – sprężarka, 2 – sprzęgło elektromagnetyczne, 3 – skraplacz, 4 – wentylator, 5 – dysza dławiąca,
6 – parownik, 7 – dmuchawa, 8 – zbiornik odwadniacza; pozostałe oznaczenia: patrz rys. 9.16

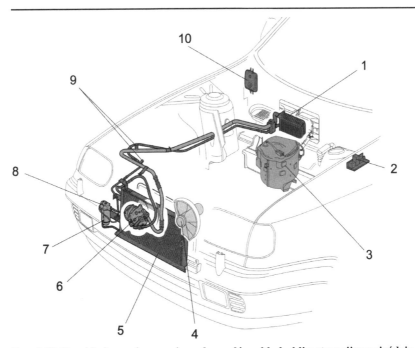

Rys. 9.18. Przykład rozmieszczenia podzespołów układu klimatyzacji w pojeździe
1 – parownik z zaworem rozprężnym, 2 – sterownik klimatyzacji, przekaźnik i bezpieczniki,
3 – dmuchawa, 4 – wentylator, 5 – skraplacz, 6 – sprężarka, 7 – zbiornik płynu, 8 – czujnik ciśnienia,
9 – zawory serwisowe, 10 – zbiornik podciśnienia

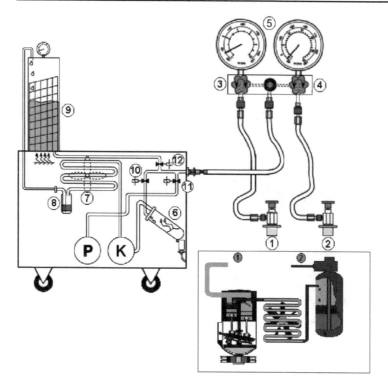

Rys. 9.19. Budowa i działanie manualnego urządzenia do obsługi klimatyzacji. Na dole
z prawej strony: sprężarka, skraplacz i odwadniacz układu klimatyzacji w pojeździe
(1 i 2 – przyłącza do serwisowania układu)

1 – złącze przewodu niskiego ciśnienia, 2 – złącze przewodu wysokiego ciśnienia, 3 i 4 – zawór kurkowy,
5 – ciśnieniomierze, 6 – wychwytywacz oleju, 7 – skraplacz, 8 – odwadniacz z filtrem, 9 – zbiornik,
10, 11, 12 – zawór elektromagnetyczny, P – pompa podciśnieniowa, K – sprężarka

munikat lampką sygnalizacyjną lub tekstem na wyświetlaczu. Kiedy program
zakończy pracę, rozlega się sygnał dźwiękowy i można odłączyć urządzenie od
układu klimatyzacji. W wersjach w „pełni automatycznych" napełnianie świeżym olejem odbywa się automatycznie oraz może występować dodatkowo sa-
moczynny wtrysk środka do lokalizacji nieszczelności. W przypadku urządzenia
półautomatycznego, obsługujący musi każdą kolejną czynność wymuszać odpowiednią komendą wydaną z klawiatury urządzenia.

Urządzenia do serwisowania klimatyzacji umożliwiają sprawdzenie stanu
wszystkich podstawowych elementów układu oraz funkcjonowanie całej klimatyzacji. Przyrząd podłącza się do obwodu niskiego ciśnienia oraz do obwodu
wysokiego ciśnienia. Niektóre mogą być wyposażone w czujniki temperatury
i podawać informacje o temperaturach powietrza zasysanego/wydmuchiwa-
nego, wewnątrz kabiny, czynnika chłodniczego w przewodach. Dzięki podłączeniu drukarki można otrzymać protokół z wynikami pomiarów.

Do pomiaru temperatury powietrza wydmuchiwanego z dysz w tablicy rozdzielczej służy termometr elektryczny. Pozwala on określić sprawność pracy klimatyzacji. Można spotkać termometry z wyświetlaczem cyfrowym i zewnętrznym

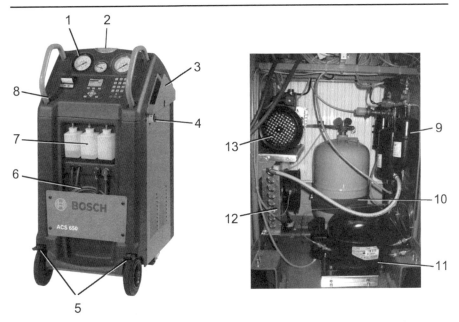

Rys. 9.20. Przykład budowy w pełni automatycznego urządzenia do serwisowania klimatyzacji. Obok zdjęcie wnętrza urządzenia po zdjęciu osłony

1 – panel obsługowy z wyświetlaczem kolorowym, drukarką, wskaźnikami ciśnienia wysokiego i niskiego, w tym ze wskaźnikiem ciśnienia zbiornika wewnętrznego, 2 – czerwono-zielony wskaźnik stanu pracy, 3 – miejsce na dokumenty, 4 – wyłącznik główny, 5 – hamulec wózka, 6 – węże, 7 – pojemniki na olej, środek kontrastowy i stary olej, z wbudowaną wagą do dozowania, 8 – gniazdo USB do uaktualniania oprogramowania i bazy pojazdów, 9 – filtr, 10 – wewnętrzny zbiornik czynnika R134 a, z pasem podgrzewającym i wagą, 11 – sprężarka, 12 – wymiennik ciepła z wentylatorem, 13 – pompa podciśnieniowa

---

czujnikiem pomiarowym, jak i bezstykowe, działające na podczerwień. Ten ostatni rodzaj termometrów ma szersze zastosowanie i umożliwia także bezpośrednie pomiary temperatury gorących lub zimnych powierzchni skraplacza, parownika, przewodów lub wymiennika ciepła, nawet w miejscach trudno dostępnych.

Do lokalizacji wycieków z układu stosuje się lampy UV, którymi oświetla się poszczególne elementy klimatyzacji po wprowadzeniu w układ środka fluorescencyjnego. Najbardziej poręczna jest lampa zasilana z baterii, o niedużych wymiarach. Podczas pracy z lampą UV należy pamiętać o założeniu ochronnych okularów, które zabezpieczą przed szkodliwym dla oczu promieniowaniem ultrafioletowym. Do wykrywania wycieków czynnika chłodniczego stosuje się także przyrząd rejestrujący zwiększoną koncentrację tego czynnika w powietrzu. Sondę przyrządu należy zbliżyć do miejsca przypuszczalnej nieszczelności. Przyrząd dokonuje analizy składu zassanego gazu i za pomocą świecenia diod lub sygnału dźwiękowego przekazuje informację o intensywności stężenia czynnika chłodniczego.

Wykonanie badania

W poszukiwaniu przyczyn wadliwego działania lub braku działania klimatyzacji, należy wykluczyć uszkodzenia mechaniczne lub elektryczne. Diagnostykę powinno się rozpocząć od oględzin poszczególnych elementów klimatyzacji.

Pasek napędowy – sprawdzamy naprężenie i stan paska napędowego sprężarki. Poślizg paska może mieć znaczny wpływ na działanie układu klimatyzacji, bo sprężarka nie będzie mieć wymaganych obrotów. Efektem będzie niższe ciśnienie w układzie klimatyzacji. Jednocześnie, jeśli pasek ulega poślizgowi, dochodzi do przedwczesnego jego zużycia i zniszczenia.

Lamele skraplacza – zatkane brudem lub pozaginane lamele skraplacza zmniejszają zdolność skraplacza do odbierania ciepła od czynnika chłodniczego. W rezultacie czynnik chłodniczy nie osiągnie stanu ciekłego w wymaganym stopniu i tym samym obniży się sprawność parownika.

Plamy oleju – ślady oleju na połączeniach świadczą o nieszczelnościach na „oringowych" uszczelkach. Wyciek czynnika chłodniczego skutkuje obniżeniem ciśnienia w układzie klimatyzacji.

Sprężarka – sprawdzamy, czy sprężarka nie pracuje za głośno. Hałaśliwa praca sprężarki może wskazywać na wewnętrzną usterkę sprężarki, powodującą nieprawidłowe działanie układu klimatyzacji. Przede wszystkim należy wtedy przepłukać cały układ klimatyzacji i wymienić w nim olej. Jeśli to nie pomoże, trzeba wymienić sprężarkę.

Jeżeli po włączeniu klimatyzacji nie nastąpi uruchomienie sprężarki, to należy przyjąć następującą procedurę badania.

- Sprawdzić dmuchawę. Jeżeli nie obraca się, oznacza to, że do układu sterowania sprężarką nie dochodzi sygnał „dmuchawa włączona" i brak jest zimnego powietrza, ponieważ sprężarka nie pracuje. Przyczyną może być uszkodzony bezpiecznik, wyłącznik, rezystor szeregowy dmuchawy lub jej przekaźnik.

Rys. 9.21. Najprostszą metodą oceny sprawności układu klimatyzacji jest poddanie go próbie pracy, z pomiarem temperatury wypływającego powietrza

- Nie działa sprzęgło sprężarki (nie słychać charakterystycznego odgłosu przyciągania tarczy przez elektromagnes). Przyczyną może być nieprawidłowe sterowanie sprzęgłem. Należy sprawdzić masę oraz zasilanie (także pod obciążeniem), czy nie jest uszkodzone sprzęgło, przekaźnik sprężarki, czujnik temperatury wentylatora lub czujnik ciśnienia.
- Sprawdzić dotykiem ręki temperaturę poszczególnych elementów układu. Tą prostą metodą uzyskuje się dobre rozeznanie funkcjonowania podzespołów podczas pracy układu. Należy sprawdzić, czy są gorące: sprężarka, przewód między sprężarką a skraplaczem, skraplacz po stronie wlotu czynnika; czy są ciepłe: skraplacz po stronie wylotu czynnika, przewód skraplacz – parownik przed zaworem rozprężnym; czy są zimne: przewód za parownikiem, przewód między parownikiem a sprężarką. Jeżeli podczas badania stwierdzi się inne ciepłoty, to dany podzespół lub przewód jest uszkodzony.

Próba pracy

Najprostszą metodą oceny sprawności klimatyzacji jest poddanie jej próbie pracy z maksymalnym możliwym obciążeniem.
- Włączyć klimatyzację i ustawić na maksymalne chłodzenie.
- Obroty silnika utrzymywać na poziomie 1500 obr/min.
- Prędkość dmuchawy najwyższa.
- Wybrać recyrkulację powietrza w kabinie (wlot powietrza z zewnątrz zamknięty).
- Drzwi otwarte.
- Nawiewy środkowe otwarte.

Umieścić termometr w jednym z wylotów środkowych i zmierzyć temperaturę wypływającego powietrza (rys. 9.21). To nie jest precyzyjne badanie, lecz można się spodziewać, że wartość temperatury nie przekroczy 10°C. Na tem-

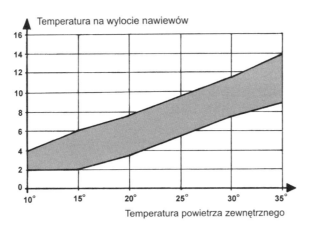

Rys. 9.22. Zależność temperatury nawiewu oraz ciśnienia w układzie klimatyzacji od temperatury zewnętrznej

peraturę powietrza z wylotu nawiewu ma wpływ temperatura zewnętrzna (rys. 9.22). Jeśli temperatura zewnętrzna wynosi 15...20°C, powietrze na wylocie dyszy nawiewu ma zwykle 6...8°C. Jeśli temperatura jest wyższa, to można założyć, że klimatyzacje nie pracuje prawidłowo.

Pomiar ciśnienia statycznego i roboczego

Jeszcze przy zatrzymanym silniku powinno się sprawdzić statyczne ciśnienie w układzie klimatyzacji (rys. 9.23). Ciśnienie w obu obwodach powinno być jednakowe i wynosić około 5 bar (zarówno dla wersji z zaworem rozprężnym, jak i z dyszą dławiącą). Dalsze badanie wykonujemy przy pracującym silniku. Aby wyniki były miarodajne, musi być spełnionych kilka warunków przeprowadzenia kontroli:

- silnik w stanie nagrzanym i pracujący z prędkością powyżej biegu jałowego,
- układ klimatyzacji w stanie nagrzanym i włączonym,
- przełącznik temperatury ustawiony na najzimniejszy poziom („LO”),
- dmuchawa ustawiona na maksymalną prędkość,
- przełącznik nadmuchu ustawiony na recyrkulację powietrza,
- zawór nagrzewnicy całkowicie zamknięty,
- sprawne sprzęgło sprężarki,
- lamele parownika i chłodnicy czyste i nieuszkodzone.

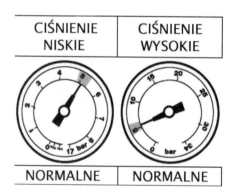

Rys. 9.23. Przy zatrzymanym silniku statyczne ciśnienie w obu obwodach układu klimatyzacji jest zbliżone do siebie. Oznacza to, że układ jest napełniony i można kontynuować kontrolę

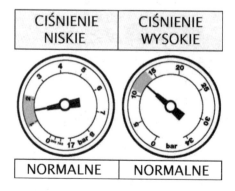

Rys. 9.24. Dalsze badania wykonuje się przy pracującym silniku. Jeżeli wskaźniki pokażą wartości widoczne na rysunku, to można przyjąć, że układ klimatyzacji z zaworem rozprężnym jest sprawny

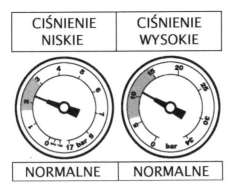

CIŚNIENIE NISKIE	CIŚNIENIE WYSOKIE
NORMALNE	NORMALNE

Rys. 9.25. W przypadku sprawnego układu klimatyzacji z dyszą dławiącą, wskazania obu wskaźników przy pracującym silniku powinny być jak na rysunku

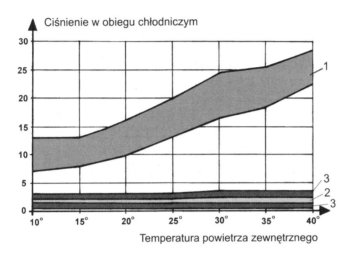

Ciśnienie w obiegu chłodniczym

Temperatura powietrza zewnętrznego

Rys. 9.26. Zmiana ciśnienia w obiegu chłodniczym w zależności od temperatury otoczenia
1 – ciśnienie wysokie, 2 – ciśnienie niskie, sprężarka o stałej wydajności,
3 – ciśnienie niskie, sprężarka o zmiennej wydajności

Normalne ciśnienia robocze (dynamiczne) dla obu wersji układów klimatyzacji pokazano na rys. 9.24 i 9.25.

Uwaga: Odczyty ciśnień mogą się wahać zależnie od temperatury otoczenia (rys. 9.26) i specyfikacji producenta pojazdu. Zawsze wskazane jest to sprawdzić w danych technicznych producenta.

Ocena wyników

Słabe chłodzenie – ciśnienia zbyt niskie

Ciśnienia w obu stronach układu klimatyzacji są zbyt niskie. Oznacza to, że ciekły czynnik chłodniczy odparowuje przed parownikiem i absorbuje energię cieplną w złym miejscu, co skutkuje obniżeniem sprawności klimatyzacji. Najprawdopodobniej przyczyną tego jest brak czynnika chłodniczego w układzie. Przed napełnieniem układu trzeba sprawdzić jego szczelność.

Słabe chłodzenie – ciśnienia zbyt wysokie

Ciśnienia w obu stronach układu klimatyzacji są zbyt wysokie. Wskazuje to na splot kilku usterek. Po pierwsze może być za dużo czynnika chłodniczego w układzie. To oznacza, że czynnik chłodniczy odparowuje za parownikiem i absorbuje energię cieplną w złym miejscu, co skutkuje obniżeniem sprawności klimatyzacji. Inną przyczyną zbyt wysokich ciśnień może być obecność powietrza w układzie. Skutek jest taki jak poprzednio. Ostatnią możliwością jest to, że skraplacz nie schładza czynnika chłodniczego dostatecznie. Przyczyną może być uszkodzony wentylator lub zatkane brudem bądź pozaginane lamele.

Słaby przepływ czynnika chłodniczego – brak chłodzenia /chłodzenie przerywane

Po stronie niskiego ciśnienia panuje podciśnienie, a po stronie wysokiego ciśnienia zbyt niskie ciśnienie. W większości przypadków przepływ czynnika chłodniczego jest tamowany przez wilgoć przekształcającą się w lód na zaworze rozprężnym. To powoduje chwilowe blokowanie przepływu i wahania ciśnienia po stronie wysokiego ciśnienia oraz spadek ciśnienia po stronie niskiego ciśnienia, z powodu ograniczonego dopływu czynnika chłodniczego do sprężarki. W układzie nie powinno być żadnej wilgoci. Zatem należy wymienić filtr-osuszacz, następnie opróżnić układ i ponownie go napełnić czynnikiem chłodniczym.

10. DIAGNOSTYKA WYKONYWANA PRZEZ UŻYTKOWNIKA SAMOCHODU

10.1. SAMODZIELNE ORGANIZOWANIE STANOWISKA DIAGNOSTYCZNEGO

Szacuje się, że prawie 40% ogółu użytkowników prywatnych samochodów osobowych obsługuje swoje pojazdy samodzielnie, w mniejszym lub większym zakresie, zależnym od umiejętności i wyposażenia. Umiejętności potrzebne do właściwego wykonania omówionych prac diagnostycznych są sprawą indywidualną każdego użytkownika samochodu, natomiast niezbędne do tego wyposażenie proponujemy dobierać na podstawie poniższych wskazówek.

Głównym kryterium doboru wyposażenia diagnostycznego jest jego techniczna przydatność. Nie bez znaczenia jest również cena samego przyrządu na tle kosztu usługi warsztatowej. Na przykład nie jest opłacalny zakup drogiego przyrządu do ustawiania świateł, ponieważ tę usługę wykonuje wiele stacji obsługi, a jej koszt jest niewielki. Podobnie mało efektywny będzie zakup ciśnieniomierza do pomiaru ciśnienia sprężania w silniku, ze względu na jego sporadyczne używanie. Natomiast korzystnie jest się zaopatrzyć w ciśnieniomierz do kontroli ciśnienia w ogumieniu, szczelinomierz, próbnik instalacji elektrycznej, itp. proste przyrządy wymienione w rozdziale 10.2. Pomocne w rozsądnym dobieraniu przyrządów diagnostycznych będą informacje zawarte w tablicy 10 –1.

Warunkiem sprawnego i właściwego wykonywania prac diagnostycznych jest również dysponowanie odpowiednim stanowiskiem pracy, które można zorganizować, np. w garażu. Gdy brak jest pomieszczenia zamkniętego, to możliwości samodzielnego obsługiwania samochodu znacznie się zawężają. A co gorsze, nawet z drobną regulacją często trzeba czekać na dobre warunki atmosferyczne, a wtedy może być już za późno na uniknięcie kosztownej naprawy.

Dysponując dostatecznie obszernym garażem można w nim wykonywać obok prac diagnostycznych również drobne naprawy samochodu. Podstawowe wymiary garażu powinny uwzględniać wymiary zewnętrzne samochodu średniej klasy oraz miejsce na obsługę i drobne naprawy (rys. 10.1). Garaż musi być wyposażony w odpowiednią instalację elektryczną, instalację oświetleniową oraz sprawny system wentylacyjny, co jest bardzo istotne ze względu na zawartość w spalinach składników toksycznych. Wystarczający rezultat daje wen-

Tabela 10-1

Ogólne przyrządy pomiarowe i możliwości ich wykorzystania w diagnostyce pojazdowej

Rodzaj przyrządu pomiarowego	Zakres jego wykorzystania
Manometry o różnym zakresie pomiarowym: 60...0 kPa 0...60 kPa 0...0,3 MPa 0...0,6 MPa 0...1,6 MPa 0...1,0 MPa	Sprawdzenie: – podciśnienia w regulatorze wyprzedzenia zapłonu – ciśnienia tłoczenia pompy paliwa – ciśnienia w ogumieniu – ciśnienia oleju w silniku – ciśnienia sprężania w silniku ZI – ciśnienia w układzie hamulcowym
Szczelinomierz	– sprawdzenie luzu zaworów – sprawdzenie odstępu między stykami przerywacza – sprawdzenie ustawienia regulatora prądnicy (alternatora) – sprawdzenie ustawienia przerwy iskrowej w świecy zapłonowej (szczelinomierz drucikowy)
Suwmiarka	– sprawdzenie grubości okładzin ciernych hamulcowych, tarczy hamulcowej – sprawdzenie głębokości bieżnika w oponach – sprawdzenie położenia pływaka w gaźniku
Areometr do cieczy o różnej gęstości	– sprawdzenie gęstości elektrolitu w akumulatorze – sprawdzenie gęstości płynu w chłodnicy
Klucz dynamometryczny	– sprawdzenie momentów dokręcania śrub w głowicy, śrub i nakrętek mocujących zawieszenie, układ kierowniczy – sprawdzenie momentu dokręcenia nakrętki mocującej łożyska piasty koła – wkręcenie świecy zapłonowej
Czujnik zegarowy	– ustawienie zapłonu w silniku dwusuwowym – sprawdzenie bicia koła jezdnego, tarczy hamulcowej – sprawdzenie luzu łożysk piasty koła
Obrotomierz	– do regulacji prędkości obrotowej biegu jałowego silnika – podczas sprawdzania pompy paliwa – do sprawdzenia regulatorów wyprzedzenia zapłonu
Amperomierz	– sprawdzenie elektronicznego układu zapłonowego – sprawdzenie prądu ładowania akumulatora
Woltomierz	– sprawdzenie stanu styków przerywacza – sprawdzenie instalacji elektrycznej – sprawdzenie stanu naładowania akumulatora metodą dynamiczną – sprawdzenie regulatora prądnicy (alternatora)
Omomierz	– sprawdzenie rezystancji cewki zapłonowej – sprawdzenie elementów układu wtryskowego sterowanego elektronicznie

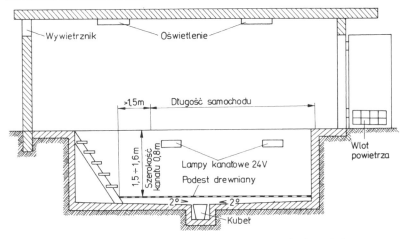

Rys. 10.1. Szkicowy przykład koncepcji garażu ze stanowiskiem obsługowym

tylacja naturalna, polegająca na doprowadzeniu świeżego powietrza przez otwory umieszczone nisko np. w skrzydłach drzwi wjazdowych i wyprowadzeniu zanieczyszczonego powietrza przez umieszczone wysoko wywietrzniki. Jeżeli przewidujemy długie okresy pracy silnika w zamkniętym garażu, celowe będzie zastosowanie miejscowego odciągu spalin na zewnątrz budynku, w postaci przewodu gumowego zakładanego na rurę wydechową.

Łatwy dostęp do podwozia samochodu, konieczny przy wielu pracach obsługowo-naprawczych, zapewni kanał przeglądowy. Jego długość powinna umożliwić swobodne schodzenie po schodkach do kanału pod ustawiony samochód. Szerokość powinna wynosić 0,8 m, a głębokość w zależności od wzrostu użytkownika ok. 1,5...1,6 m. Kanał musi być zaopatrzony w odbojnice od strony wjazdu oraz na obrzeżach, wykonane np. z kątownika, które będą ułatwiały bezpieczne wprowadzenie samochodu na stanowisko.

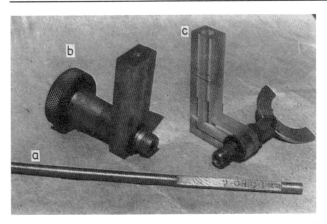

Rys. 10.2. Przykłady przyrządów do sprawdzania poziomu paliwa w komorze pływakowej gaźnika
a – sprawdzian trzpieniowy, b, c – przyrządy kontrolne

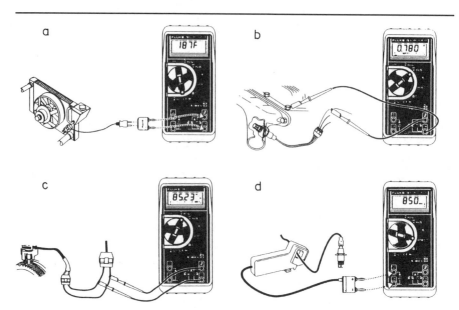

Rys. 10.3. Przykłady zastosowania multimetru do diagnostyki samochodowych urządzeń elektrycznych (na przykładzie miernika FLUKE 78)
a – sprawdzanie czujnika temperatury sterującego wentylatorem chłodnicy (pomiar temperatury dodatkową sondą miernika), b – sprawdzanie sondy lambda; c – sprawdzanie czujnika położenia wału korbowego, d – pomiar prędkości obrotowej silnika

Podłoga kanału powinna mieć spadek w kierunku kratki ściekowej lub ustawionego naczynia. Wskazane jest, aby była wyłożona drewnianym rusztem. Korzystne jest, jeżeli kanał będzie wyposażony we właściwą wentylację oraz oświetlenie (lampy stałe i przenośne mogą być zasilane tylko prądem elektrycznym 24 V).

Jeżeli w garażu nie przewidziano kanału, można do pracy używać leżanki monterskiej na kółkach, która ułatwia wsuwanie się pod samochód. Korzysta-

Rys. 10.4. Multimetr samochodowy 711.PF firmy Facom ze wskaźnikiem cyfrowym oraz zestawem złączy do szeregowego wpinania się w podłączenia różnego rodzaju czujników, sond i nastawników

jąc z leżanki nie wolno zapomnieć o podstawieniu pod uniesiony samochód przenośnych podstawek, które uniemożliwiają opadnięcie pojazdu. Powinny one stanowić główne wyposażenie garażu, ponieważ niestosowanie tego rodzaju zabezpieczenia było już przyczyną licznych wypadków śmiertelnych.

Jeżeli decydujemy się na ogrzewanie garażu należy pamiętać, że przechowywany w nim samochód będzie w zimie szybciej rdzewiał niż gdyby stał w pomieszczeniu nieogrzewanym. Urządzenia grzewcze należy tak ustawić, aby nie stwarzały zagrożenia pożarowego. Zaleca się instalowanie nad nim pochylonego daszku, który uniemożliwi położenie bezpośrednio na grzejniku jakichkolwiek przedmiotów.

10.2. PRZYRZĄDY POMIAROWE I NARZĘDZIA

Zestaw narzędzi, stanowiący fabryczne wyposażenie samochodu, pozwala na wykonanie jedynie drobnych napraw i podstawowych czynności obsługowych, wynikających z zaleceń producenta.

Ostatnio wiele firm samochodowych znacznie jeszcze ograniczyło zestaw narzędzi fabrycznych, niejednokrotnie tylko do klucza do kół, zakładając bezawaryjną pracę swojego wyrobu. W ten sposób starają się również zapobiec próbom niefachowych napraw samochodu przez użytkowników.

Jeżeli więc podjęliśmy zamiar samodzielnego obsługiwania samochodu w szerszym zakresie, włączając w to czynności diagnostyczne, staje się konieczne uzupełnienie zestawu fabrycznego o podane niżej narzędzia i przyrządy.

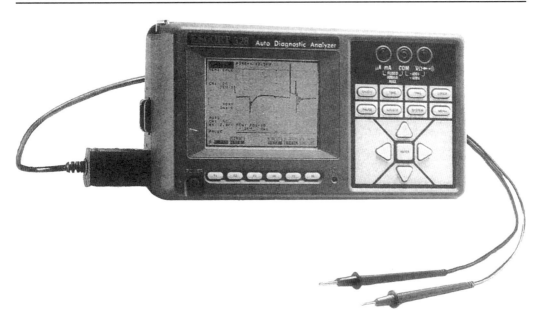

Rys. 10.5. Przenośny oscyloskop samochodowy ESCORT 328 (Labimed Warszawa)

379

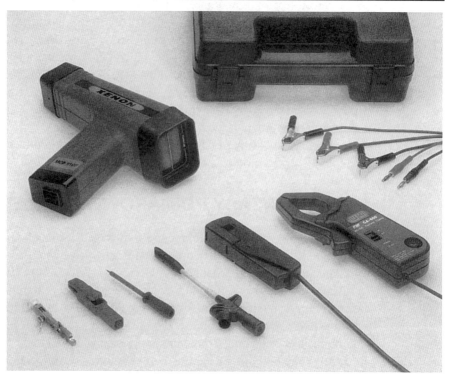

Rys. 10.6. Mikroprocesorowy tester samochodowy XENON 310U firmy WTM z Lasek z wbudowaną lampą stroboskopową, przeznaczony do podstawowej diagnostyki silników ZI oraz ZS

Zestaw I
(przeznaczony do bieżącej obsługi samochodu)
- komplet kluczy płaskich 6...19,
- komplet kluczy oczkowych,
- klucz do świec zapłonowych,
- zestaw wkrętaków o różnej wielkości,
- ciśnieniomierz do opon,
- pompka samochodowa,
- szczelinomierz,
- lampka kontrolna,
- suwmiarka,
- lampa przenośna,
- pilnik,
- szczypce płaskie,
- linijka lub miarka taśmowa.

Zestaw II
(przeznaczony do prac obsługowych i diagnostycznych)
jest to zestaw I uzupełniony o:
- manometr do pomiaru ciśnienia sprężania,

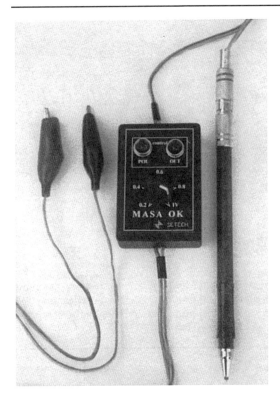

Rys. 10.7. Pióro diagnostyczne
firmy SETECH z Kowar, łącząc
cechy oscyloskopu, multimetru
i zwykłej żarówkowej próbówki
umożliwia sprawdzanie obwodów
elektrycznych, jakości mas
i zasilania z detekcją impulsów
milisekundowych

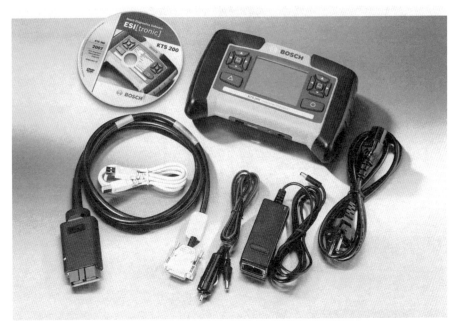

Rys. 10.8. Tester KTS 200 firmy Bosch do diagnozowania sterowników wraz
z informacjami o położeniu gniazda diagnostycznego i sposobie podłączenia do danego
pojazdu

Rys. 10.9. Tester Plus firmy Magneti Marelli jest nowoczesnym skomputeryzowanym przyrządem wyposażonym w dwie linie komunikacji K/L, jedną linię CAN o niskiej prędkości oraz linię CAN o wysokiej prędkości. Przyrząd może przeprowadzać diagnozę szeregowych systemów elektronicznych

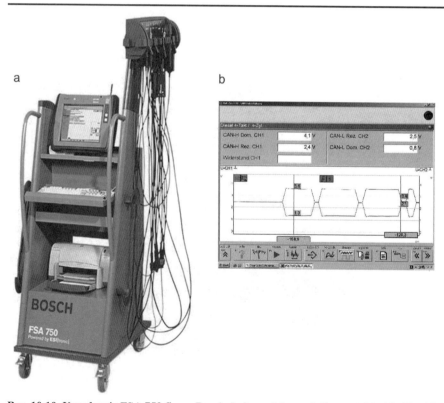

Rys. 10.10. Urządzenie FSA 750 firmy Bosch do kompleksowej diagnostyki układów (a) elektronicznych w samochodzie, z możliwością włączenia do sieci warsztatowej. Obok przykład ekranu z badania szyny CAN (b)

- przyrząd do sprawdzania poziomu paliwa w komorze pływakowej gaźnika (rys. 10.2),
- odcinek przewodu paliwowego lub rurki z gumy benzynoodpornej,
- naczynie z podziałką,
- miernik prędkości obrotowej silnika (rys. 10.3),
- lampa stroboskopowa (rys. 10.6),
- woltomierz,
- amperomierz,
- omomierz,
- areometr,
- termometr,.
- klucz dynamometryczny,
- podstawki pod samochód o regulowanej wysokości.

Materiały pomocnicze
- normalia (podkładki, śruby, nakrętki, zawleczki),
- bezpieczniki do instalacji elektrycznej,
- żarówki samochodowe,
- płyn hamulcowy,
- płyn do chłodnicy,
- woda destylowana do akumulatora,
- smar.

11. DIAGNOSTYKA W WARUNKACH STACJI OBSŁUGI SAMOCHODÓW

Diagnostykę samochodową, wykonywaną w ramach działalności usługowej, wykorzystuje się do wielorakich zadań, z których najważniejszymi są:
- ujawnianie i określanie przyczyn powstania usterek oraz ustalanie najbardziej efektywnego sposobu ich usunięcia,
- sprawdzanie jakości wykonanej wcześniej naprawy,
- określanie stanu technicznego pojazdu i jego zespołów, np. na zlecenie użytkownika lub zakładu ubezpieczeniowego,
- badanie stanu technicznego pojazdu pod względem wymogów zachowania bezpieczeństwa drogowego.

Zadania, jakie ma spełniać diagnostyka oraz jej zakres wpływają na charakter organizacji stanowiska diagnostycznego. Wyposażenie stanowiska musi

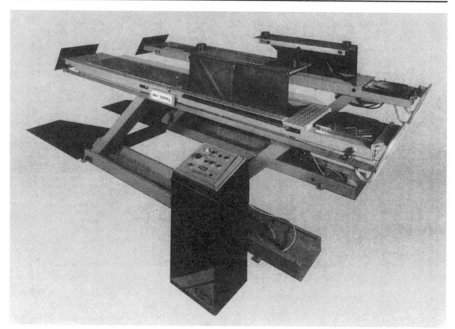

Rys. 11.1. Podnośnik równoległowodowy elektrohydrauliczny z wbudowanym podnośnikiem międzykołowym do diagnostyki podwoziowej

Rys. 11.2. Podnośnik krótkoskokowy z poduszką powietrzną do obsługi ogumienia
i układu hamulcowego

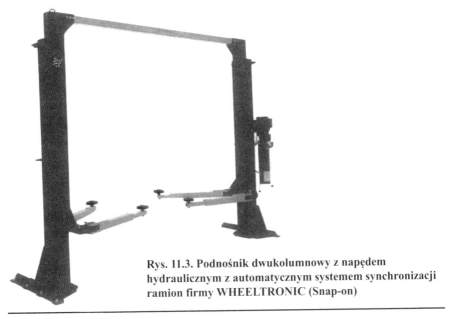

Rys. 11.3. Podnośnik dwukolumnowy z napędem
hydraulicznym z automatycznym systemem synchronizacji
ramion firmy WHEELTRONIC (Snap-on)

być dostosowane do potrzeb i programu usług. Jeżeli są przewidziane na przykład prace przy mechanizmach podwozia, niezbędne jest wyposażenie stanowiska w urządzenia ułatwiające dostęp od spodu samochodu. W praktyce stosuje się kanały przeglądowe oraz, obecnie coraz częściej spotykane, podnośniki obsługowe 2- lub 4-kolumnowe oraz nożycowe lub równoległowodowe (rys. 11.1).

Rodzaj wyposażenia w urządzenia diagnostyczne dostosowuje się do zakresu świadczonych usług, natomiast wybór konkretnych typów przyrządów zależy już od wskaźników ekonomicznych, kształtujących opłacalność usług.

Osobnego omówienia wymaga tzw. diagnostyka bezpieczeństwa ruchu drogowego, czyli badania techniczne wykonywane w stacjach kontroli pojazdów.

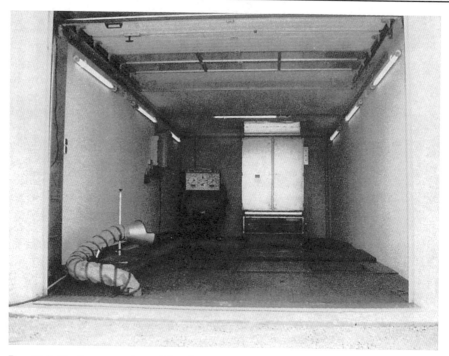

Rvs. 11.4. Kontenerowe stanowisko diagnostyczne firmy MAHA

Organizacja takiej stacji musi odpowiadać wymaganiom postawionym w przepisach wykonawczych do „Prawa o ruchu drogowym". Wynikające stąd obowiązkowe wyposażenie stanowiska diagnostycznego powinno obejmować następujące urządzenia i przyrządy pomiarowo-kontrolne:
- urządzenie rolkowe lub najazdowe do pomiaru siły hamowania,
- przyrząd do pomiaru prawidłowości ustawienia kół,
- przyrząd do pomiaru i regulacji ciśnienia powietrza w ogumieniu,
- kątomierz do pomiaru luzu sumarycznego na kole kierownicy,
- przyrząd do sprawdzania ustawienia i pomiaru światłości świateł,
- przyrząd do pomiaru poziomu hałasu zewnętrznego pojazdu,
- przyrząd do pomiaru zawartości tlenku węgla w spalinach pojazdu z silnikiem ZI,
- wieloskładnikowy analizator spalin silników ZI z pomiarem współczynnika lambda,
- przyrząd do pomiaru poziomu dymienia pojazdu z silnikiem ZS,
- przyrząd do pomiaru prędkości obrotowej silnika,
- urządzenie do wymuszania szarpnięć kołami dla kontroli luzów,
- odpowiedni zestaw narzędzi monterskich.

Odpowiednie rozmieszczenie tego wyposażenia na stanowisku diagnostycznym ma istotny wpływ na sprawną organizację badania.

12. BHP PODCZAS OBSŁUGI SAMOCHODU

Niezastosowanie się do zasad bhp nawet przy prostych czynnościach związanych z diagnostyką samochodu stwarza dla wykonawcy niebezpieczeństwo wypadku, którego skutki mogą okazać się tragiczne. Pierwszym warunkiem bezpiecznej pracy jest poznanie możliwych zagrożeń, jakie niosą ze sobą niektóre czynności diagnostyczne. Poniżej przedstawiono najistotniejsze przykłady zagrożeń wypadkiem i sposoby ich uniknięcia, spotykane tak podczas okresowej obsługi samochodu, jak i wykonywania diagnostyki.

1. Nie wolno pracować pod samochodem uniesionym przenośnym podnośnikiem i nie opartym na mocnych podstawkach. W przypadku awarii podnośnika grozi to przygnieceniem przez opadający samochód. Ustawiając podnośnik na podłożu nieutwardzonym należy pamiętać o podłożeniu pod niego np. kawałka deski. Jeżeli podnoszona jest jedna strona samochodu, należy go zabezpieczyć przed przetoczeniem się za pomocą klinów.

2. W kanale przeglądowym, na który wjeżdża samochód, nie mogą znajdować się w tym czasie żadne osoby. Ustawiony samochód nie może utrudniać wyjścia po schodkach z kanału.

3. Niedozwolone jest używanie lamp przenośnych zasilanych prądem o napięciu wyższym niż 24 V. Klosz lampy powinien mieć sztywną osłonę drucianą, z haczykiem do zawieszenia lampy.

4. Niedopuszczalne jest (szczególnie w małych garażach pozbawionych prawidłowej wentylacji) zamykanie drzwi w czasie pracy silnika, ze względu na możliwość zatrucia się tlenkiem węgla. Regulację pracującego silnika można wykonać w pomieszczeniu zamkniętym dopiero po nałożeniu na rurę wydechową elastycznej rury, odprowadzającej spaliny na zewnątrz.

5. Nie wolno używać etyliny do mycia części oraz do innych celów nie związanych z napędem silnika. Trujące własności etyliny sprawiają, że niedozwolone jest również zasysanie benzyny ustami przez wąż elastyczny przy jej przelewaniu, a także przedmuchiwanie ustami przewodów paliwowych i dysz gaźnika.

6. Kwas siarkowy i w mniejszym stopniu, elektrolit powodują oparzenia ciała ludzkiego. W związku z tym podczas pomiaru gęstości elektrolitu, uzupełniania ogniw wodą i ładowania akumulatora należy stosować ochron-

Rys. 12.1. Nie wolno sprawdzać napięcia akumulatora poprzez zwieranie jego biegunów kluczem monterskim lub innym metalowym przedmiotem

ne rękawice gumowe. Miejsca ciała polane elektrolitem lub kwasem należy osuszyć, a następnie przemyć dużą ilością wody oraz roztworem sody technicznej.

7. Podczas przygotowywania elektrolitu do akumulatora kwas siarkowy wlewa się do wody destylowanej, a nigdy odwrotnie, gdyż grozi to ciężkim poparzeniem ciała.

8. Do akumulatora podczas ładowania nie wolno zbliżać się z otwartym ogniem. Grozi to wybuchem gazów nagromadzonych w akumulatorze, co spowoduje jego uszkodzenie i może być niebezpieczne dla człowieka.

9. Nie wolno sprawdzać napięcia akumulatora poprzez zwieranie jego biegunów kawałkiem drutu lub metalowym przedmiotem i obserwowanie długości

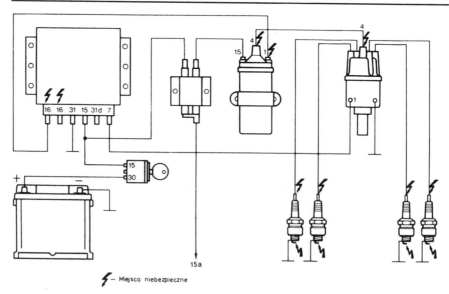

⚡ – Miejsca niebezpieczne

Rys. 12.2. Miejsca występowania niebezpiecznych dla zdrowia napięć prądu w elektronicznym układzie zapłonowym

iskry. Przepływający prąd o dużym natężeniu może spowodować poparzenie dłoni (rys. 12.1).

10. Podczas obsługi instalacji elektrycznej pojazdu, będącej pod napięciem, należy posługiwać się narzędziami o izolowanych uchwytach. Każdy przepływ prądu elektrycznego (nawet o napięciu 24 V lub 12 V) przez organizm człowieka powoduje elektrolizę. Polega ona na rozkładzie płynnych lub półpłynnych substancji w komórkach organizmu na składniki, które nie zawsze są przyswajalne, a niekiedy szkodliwe. Częsty przepływ prądu niskiego napięcia powoduje w ciągu paru lat gromadzenie się szkodliwych substancji, które są przyczyną chorób (najczęściej nerek).

11. W elektronicznych układach zapłonowych (stykowych i bezstykowych) występują napięcia niebezpieczne dla człowieka, szczególnie w obwodzie wysokiego napięcia (rys. 12.2). W związku z tym zaleca się wyłączanie zapłonu lub odłączanie akumulatora podczas wykonywania następujących prac:

   – wymianę świec, cewki zapłonowej, rozdzielacza zapłonu, przewodów zapłonowych,
   – podłączanie przyrządów diagnostycznych, takich jak lampa stroboskopowa, obrotomierz, oscyloskop itp.

Podczas pracy silnika nie wolno dotykać jakiegokolwiek elementu elektronicznego układu zapłonowego, gdyż grozi to porażeniem.

BIBLIOGRAFIA

Conrad K.: *Prüfen und Messen am Pkw*. VEB Verlag Technik, Berlin 1981

Czasopisma: *Motoryzacja, Kfz-betrieb, Autohaus. Krafthand, Automobile International*

Gołębiowski S., Stanisławski J.: *Badania kontrolne samochodów*. WKŁ, Warszawa 1982

Graeter H.: *Kfz-Diagnose*. Vogel Buchverlag, Würzburg 1987

Hebda M., Niziński S., Pelc H.: P*odstawy diagnostyki pojazdów mechanicznych*. WKł Warszawa 1984

Instrukcje obsługi i książki napraw samochodów osobowych

Materiały informacyjne firm FOUS, Hofmann, Siems und Klein Schenck, Radiotechnika FUDIM-POLMO

Trzeciak K.: *W moim samochodzie. Gaźnik*. WKŁ, Warszawa 1989

Trzeciak K.: *W moim samochodzie. Świece zapłonowe*. WKŁ, Warszawa 1989

Trzeciak K.: *Fiat Cinquecento. Obsługa i naprawa*. Wydawnictwo Auto, Warszawa 1993

Trzeciak K.: *Polonez Caro/Atu. Obsługa i naprawa*. Wydawnictwo Auto, Warszawa 1996

Trzeciak K.: *Wyposażenie warsztatów samochodowych*. Wydawnictwo Auto, Warszawa 1996

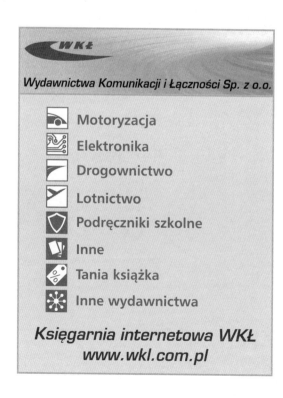

 **Wydawnictwa Komunikacji i Łączności**

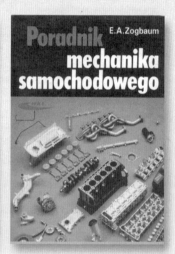

Zamów NEWSLETTER o nowościach w księgarni internetowej
www.wkl.com.pl